LE ROBERT
& NATHAN
Langues actuelles

Grammaire
de l'italien

MARINA FERDEGHINI
PAOLA NIGGI

Nathan

LES AUTEURS :

MARINA FERDEGHINI
Professeur certifié d'italien au collège J.P. Timbaud de Bobigny

PAOLA NIGGI
Professeur d'italien au ministère des Affaires étrangères
Vice-présidente du Centre de langue et culture italiennes
(C.L.C.I.)

ONT DÉJÀ PUBLIÉ :

Aux Éditions NATHAN :

▨ VOIE EXPRESS – INITIATION ITALIEN

▨ VOIE EXPRESS – MÉTHODE INTENSIVE ITALIEN

▨ VOYAGER EN ITALIEN, guide de voyage et de conversation (1990)

▨ 13 GATTI NERI SOTTO UNA SCALA, Collection «Lire l'italien» (1992)

▨ IL SEGRETO DELL'ARCHITETTO, Collection «Lire l'italien» (1992)

▨ LES VERBES ITALIENS, Collection «Le Robert et Nathan Langues actuelles » (1998)

Aux Éditions du CIRRMI
(Université de la Sorbonne Nouvelle Paris III), en collaboration :

▨ A PROPOSITO DI MOSTRI, matériel vidéo de perfectionnement à partir du film *I Mostri* de D. Risi.

Avant-propos

Cette grammaire de l'italien s'articule autour de deux parties, répondant chacune à des besoins complémentaires.

Dans une première partie, **une grammaire fondamentale** expose les points essentiels liés au groupe nominal et au groupe verbal.
Le dispositif permet ainsi de :
• comprendre les concepts de base du système grammatical italien ;
• retrouver la précision souhaitée sur telle ou telle notion grammaticale ;
• vérifier les règles de formation ou d'emploi.

En deuxième partie, **un dictionnaire grammatical,** accessible par le français ou l'italien, vise la pratique de la langue.
Constitué d'articles synthétiques aisément consultables, il permet d'acquérir les réflexes pour mieux maîtriser :
• l'utilisation des différents mécanismes ;
• les grandes fonctions de communication ;
• les difficultés de traduction courantes, ainsi que les nuances.

L'originalité de l'ouvrage réside également dans une approche croisée des phénomènes grammaticaux, où une large part est accordée tout du long à la réflexion sur la langue.

Ces deux parties comprennent chacune de nombreux **exercices,** avec les **corrigés,** pour fixer les acquis.

En fin d'ouvrage, un **index** facilite la circulation interne.

Les deux parties de l'ouvrage répondent à deux modes de consultation complémentaires.

Comprendre une notion grammaticale

• Le SOMMAIRE renvoie à

LA GRAMMAIRE FONDAMENTALE

▼

Un chapitre synthétique traite la notion, tout en permettant de :

- retrouver une définition de la notion

- faire le point sur les règles générales de formation ou d'emploi

• L'INDEX ▶ dirige sur tous les articles traitant les difficultés liées à cette notion

• LE DICTIONNAIRE GRAMMATICAL

▼

répertorie alphabétiquement les articles traitant en détail chaque difficulté

Résoudre un problème de traduction

Dans **LE DICTIONNAIRE GRAMMATICAL**

chaque difficulté courante de traduction,
du français vers l'italien ou inversement,
est traitée dans un article spécifique qui :

- **expose toutes les possibilités de traduction**

- **resitue les difficultés linguistiques
dans leur contexte grammatical global**

- **propose des exercices d'entraînement**

Maîtriser les emplois délicats

● **LE DICTIONNAIRE GRAMMATICAL** ► permet l'accès
direct à une information ponctuelle, qu'elle soit formulée en italien ou en
français.

● **L'INDEX** ► outil d'accès
rapide à une information précise,
il propose des entrées multiples :

- notions grammaticales
- termes italiens aux emplois
mal connus
- termes français dont on
recherche la traduction
- formes irrégulières
- fonctions de communication
- formes idiomatiques
- formes proches prêtant à
confusion

S'entraîner

● **À VOUS !**
- Dans les deux parties, chaque information traitée est directement suivie
d'exercices de vérification et de fixation des acquis, dans la partie À VOUS !

Sommaire

6

——————— **DICTIONNAIRE GRAMMATICAL** ———————

——————————— **ANNEXES** ———————————

GRAMMAIRE
FONDAMENTALE

L'ALPHABET

● L'alphabet traditionnel comprend 21 lettres, 5 voyelles et 16 consonnes :

A	B	C	D	E	F	G	H	I	L	M	N
a	bi	ci	di	e	effe	gi	acca	i	elle	emme	enne

O	P	Q	R	S	T	U	V	Z
o	pi	qu	erre	esse	ti	u	vu	zeta

Il faut y ajouter 5 lettres provenant d'alphabets d'autres langues, et qui apparaissent dans des mots aujourd'hui italiens :

J	K	W	X	Y
i lunga	cappa	doppia vu	ics	ipsilon
junior	*kitsch*	*western*	*taxi*	*yacht*

● L'alphabet italien actuel, comme il se présente d'ailleurs dans les dictionnaires, est composé des mêmes 26 lettres que l'alphabet français et dans le même ordre.

● Les lettres sont de genre féminin :

Hamburger si scrive con una h (acca).   *La m (emme) viene dopo la l (elle).*
Hamburger s'écrit avec un *h*.   Le *m* vient après le *l*.

● Lorsque les lettres sont doubles, on les épèle avec l'adjectif *doppia* :

Azzurro si scrive con una doppia z (zeta) e una doppia r (erre).
Azzurro s'écrit avec deux z et deux r.

Prononciation, voir 2 à 5 ◄

À VOUS !

1. Épelez les mots suivants :
a. scala - b. cervello - c. porzione - d. stradina - e. bianche - f. righe - g. nylon - h. Giappone - i. New York - j. chilometro - k. taxi - l. vagone - m. azione - n. Juventus - o. Walter Chiari - p. Fjodor Dostojevskij - q. Franz Kafka - r. Thomas Mann - s. Karl Marx.

PRONONCIATION ET ORTHOGRAPHE

Le modèle toscan de prononciation présenté dans les dictionnaires, et longtemps considéré par les puristes comme l'unique modèle acceptable de prononciation de l'italien, ne correspond pas à une réalité linguistique nationale, mais à un modèle purement formel auquel on continue de rendre hommage pour sa valeur historique et culturelle.

L'italien actuel présente toujours d'importantes différences régionales de prononciation : ces variétés locales ne sont pas des formes « inférieures », vivant dans l'ombre d'un modèle national, elles **sont,** au contraire, l'italien lui-même.

Il est donc préférable de présenter aux étudiants étrangers une approche du système phonologique qui ne soit pas théorique mais qui corresponde à une réalité linguistique la plus vaste possible : seuls les aspects phonologiques florentins ayant acquis une portée nationale ont été retenus ; là ou plusieurs choix de prononciation se présentaient, ce sont les aspects phonologiques de l'Italie du Nord qui ont été retenus, car ce modèle s'impose de plus en plus dans le monde aussi bien économique que culturel.

2 ∎ Les sons vocaliques

➤ **Les voyelles e et o** peuvent avoir une prononciation fermée [e] et une prononciation ouverte [ε], sans présenter d'accent graphique.

prononciation fermée		prononciation ouverte	
[e]	[o]	[ε]	[ɔ]
sera	*dove*	*bello*	*poco*
mese	*sole*	*cella*	*cotto*
cena	*colpa*	*verso*	*porta*

Les différences régionales de prononciation sont, cependant, très nombreuses.

➤ **La voyelle u** correspond au son français [u] (« ou »).
Le son vocalique exprimé par le *u* français n'a pas de correspondant en italien.

➤ **Il n'existe pas de voyelles muettes.**
Si l'accent tonique du mot tombe sur la dernière voyelle, celle-ci prend un accent graphique, toujours grave sur *a, i, o, u,* et grave ou aigu, selon la prononciation, sur *e.*
città   così   però   virtù   perché   cioè

➤ **Les regroupements vocaliques et les diphtongues**
Le regroupement vocalique ne donne pas lieu, comme c'est le cas en français, à des particularités de prononciation. Les voyelles se prononcent dans leur intégralité :
aiuola (a-ï-ou-ò-la) ⟶ [aˈjwɔla].
Sauf dans les diphtongues*, où la prononciation de la voyelle non accentuée est abrégée : *causa* ⟶ le *u* se prononce très brièvement.

> * On parle de « diphtongue » pour un couple de voyelles dont l'une doit être *i* ou *u* et dont la durée de prononciation est équivalente à celle d'une seule voyelle.
> Comparez :
> *Siamo nei guai ma abbiamo una guida.* | *Dio mio! Ho paura!*

➤ **Les voyelles suivies de m et n** ne se nasalisent pas et gardent leur son propre :

emporio	*importante*	*ombra*	*umbro*
[emˈpɔrjo]	[imporˈtante]	[ˈombra]	[ˈumbro]
entrata	*interessante*	*onda*	*un*
[enˈtrata]	[interesˈsante]	[ˈonda]	[un]

3 | Les sons consonantiques

● Le son [k] : *cosa, quota*

● La consonne *c* a un son guttural devant *a, o, u*.
Devant *i* et *e*, le son guttural est maintenu par le biais orthographique du *h*.

CA	[ka]	*casa*		CHI	[ki]	*chilo*
CO	[ko]	*cotto*		CHE	[ke]	*barche*
CU	[ku]	*cura*				

● La consonne *q*, toujours suivie de la voyelle *u*, a également un son guttural :
questo, quadro, quindi, equo.
Le son est identique à celui de *cu*.
Le son redoublé de *q(u)* est exprimé graphiquement par *cq(u)* :

acqua   *nacque*   *piacque*
['akkwa]   ['nakkwe]   ['piakkwe]

Exception : *soqquadro* (bouleversement, confusion), seul mot italien présentant un double *q*.

> *Cu* ou *qu* ?
> *Q(u)* peut être suivi exclusivement par une voyelle *(qua / que / qui / quo)*.
> *Cu* est suivi d'une voyelle exclusivement dans les mots suivants et leurs dérivés :
> – *Cui*   dont, lequel
> – *Circuito, cuoco, cuoio, cuore, scuola, taccuino.*
> circuit, cuisinier, cuir, cœur, école, carnet.
> – *Cospicuo, innocuo, perspicuo, proficuo, promiscuo, vacuo.*
> important, inoffensif, clair, profitable, mixte, vain.
> – *Acuire, arcuare, circuire, cuocere, evacuare, percuotere, riscuotere, scuotere.*
> aiguiser, arquer, circonvenir, cuire, évacuer, percuter, encaisser, secouer.
> Dans tous les autres cas, on utilise la graphie *qu* devant une voyelle.

● Le son [g] : *gamba*

● La consonne *g* a un son guttural devant *a, o, u*.
Devant *i* et *e*, le son guttural est maintenu par le biais orthographique du *h*.

GA	[ga]	*gatto*		GHI	[gi]	*ghiro*
GO	[go]	*gomma*		GHE	[ge]	*ghetto*
GU	[gu]	*guru*				

● Le son [tʃ] : *ciao*

● La consonne *c* a un son doux devant *e* et *i*.
Devant *a, o, u*, le son doux est exprimé par le biais orthographique du *i*.

CIA	[tʃa]	*cianuro*		CI	[tʃi]	*cinema*
CIO	[tʃo]	*cioccolato*		CE	[tʃe]	*cena*
CIU	[tʃu]	*ciuffo*				

Remarque : Le son [tʃe] est écrit *-cie-* à la place de *-ce-* dans certains mots dont les plus fréquents sont :
beneficienza, camicie (pluriel de *camicia*), *cieco, cielo, crociera, efficiente, società, specie, sufficiente, superficie...*

● Le son [dʒ] : *giallo*

● La consonne *g* a un son doux devant *e* et *i*.
Devant *a, o, u*, le son doux est maintenu par le biais orthographique du *i*.

GIA	[dʒa]	*giacca*		GI	[dʒi]	*giraffa*
GIO	[dʒo]	*giovedì*		GE	[dʒe]	*gelato*
GIU	[dʒu]	*giusto*				

Remarque : Le son [dʒe] est écrit *-gie-* à la place de *-ge-* dans certains mots dont : *effigie, igiene, ciliegie* (pluriel de *ciliegia*).

Le son [ʃ] : *scialle*

Ce son est exprimé par *sci-* devant *a, o, u,* et *sc-* devant *e* et *i*.

SCIA	[ʃa]	*sciarpa*		SCI	[ʃi]	*scimmia*
SCIO	[ʃo]	*sciopero*		SCE	[ʃe]	*scena*
SCIU	[ʃu]	*asciugamano*				

Remarque : Le son [ʃe] est écrit *-scie-* à la place de *-sce-* dans certains mots dont les plus fréquents sont :
cosciente, coscienza, scientifico, scienza, usciere.

Le son [ʎʎ] : *figlio*

Ce son est exprimé par le groupe consonantique *gl* suivi de la voyelle *i*.
Gli a toujours un son de *l* mouillé un peu comme dans le mot « paille ».
Sa prononciation s'intensifie lorsque [ʎʎ] est placé entre deux voyelles.

GLIA	[ʎʎa]	*maglia*		GLI	[ʎʎi]	*figli*
GLIO	[ʎʎo]	*coniglio*		GLIE	[ʎʎe]	*moglie*
GLIU	[ʎʎu]	*figliuolo*				

Sauf dans les mots suivants où le son n'est pas mouillé (= [gl]) :
glicerina, glicemia, geroglifico, negligente, glicine, anglicano.
Devant les autres voyelles, *gl* se prononce dur comme en français :
poliglotta, glabro, glucosio, Glenda...

Le son [ɲɲ] : *sogno*

Il se prononce toujours doux :

GNA	[ɲɲa]	*legna*		GNI	[ɲɲi]	*ogni*
GNO	[ɲɲo]	*bagno*		GNE	[ɲɲe]	*agnello*
GNU	[ɲɲu]	*ognuno*				

Exception : le mot *gnosi*, [ˈɲɔzi].

Les sons [ts] et [dz] : *azione, zaino*

Ils sont exprimés par la consonne *z*, prononcée sourde ou sonore :

sourde			**sonore**		
ZA	[tsa]	*senza*	ZA	[dza]	*zanzara*
ZO	[tso]	*pranzo*	ZO	[dzo]	*orzo*
ZU	[tsu]	*piazzuola*	ZU	[dzu]	*zuavo*
ZI	[tsi]	*anzi*	ZI	[dzi]	*azienda*
ZE	[tse]	*calze*	ZE	[dze]	*zero*

➤ À l'intérieur d'un mot, le *z*, simple ou double, peut être prononcé :
[ts] : sourd comme dans *pozzo, pazzo, pizza.*
[dz] : sonore comme dans *azzurro, mezzo, manzo.*

➤ En début de mot, la prononciation sonore est assez généralisée :
zoo, zona, zeta, zigomo, zafferano, zulù...

➤ Entre deux voyelles, la prononciation de ces sons s'intensifie.

Les sons [s] et [z] : *sole, raso*

Ces sons sont exprimés par la consonne *s* qui peut être prononcée sourde ou sonore.
s est sourd [s] quand il est placé :
– en début de mot devant une voyelle : *sangue, serie...*

– devant une consonne sourde *(c, p, t, f)* : *scala, sfoglia...*
– après une consonne : *orso...*
– quand il est double : *cassa, tosse, tessuto...*
– quand il est en fin de mot : *gas, bis, caos, tris...*

s **est sonore** [z] quand il est placé :
– entre deux voyelles : *casa, mese, riso...*
– devant une consonne sonore *(b, d, l, g, m, n, v ,r)* : *sleale, sgomento, asma, snello...*

sourde	[s]			sonore	[z]		
SA	*sale*	SI	*silenzio*	SA	*rosa*	SI	*asilo*
SO	*sole*	SE	*sera*	SO	*vaso*	SE	*frase*
SU	*succo*			SU	*usura*		

Remarque : Dans les mots tels *risanare*, le *s* garde la prononciation sourde du verbe d'origine - *sanare* - sans tenir compte de sa place entre deux voyelles, qui entraînerait sa prononciation sonore.
De même : *risuolare, risuonare, risentire...*

Le son [r] : *ruota*
Il se prononce toujours roulé.
arte ['arte]   *iride* ['iride]   *treno* ['trɛno]

Le son [f] : *fine*
Ce son se traduit toujours par la consonne *f* (le *ph* français n'existe pas en italien).
telefono [te'lɛfono]   *filosofia* [filozo'fia]   *farmacia* [farma'tʃia]

4 ▐ Particularités phonétiques et orthographiques

1. Les doubles consonnes

▸ Elles se prononcent en prolongeant la durée du son, sans modifier sa sonorité : *brillare* [bril'lare], contrairement au français, où le « l » doublé est modifié en [j] (briller).

▸ Elles peuvent constituer l'élément distinctif entre deux mots par ailleurs homonymes :
nono ['nɔno]   *nonno* ['nɔnno]   *sete* ['sete]   *sette* ['sɛte]
neuvième   grand-père   soif   sept

▸ Elles correspondent à différents groupes consonantiques français – *dm, ct, pt, dv, bs* – rendus en italien par le doublement de la deuxième consonne :

admis	→ *ammesso*		optique →	*ottica*
adversaire	→ *avversario*		absent →	*assente*
condamner	→ *condannare*		acte →	*atto*

Mais *ct* peut évoluer également vers un *z* dans le suffixe *-action* : *azione, soddisfazione...* Ce *z* reste simple malgré une prononciation très accentuée.

▸ À l'oral, certains mots provoquent le doublement phonétique de la consonne du mot suivant : *Che freddo* se prononce « *cheffreddo* ».
Ce doublement de la consonne est d'ailleurs passé à l'écrit dans des mots comme *oppure (o pure), addio (a dio)*, etc.

Voir Redoublement de l'initiale 331 ◂

2. La lettre « h »

➤ Le *h* en début de mot subsiste exclusivement au présent du verbe *avere* afin de distinguer ce verbe de la conjonction *o* ou de la préposition *a*.

*Non so se **ho** più fame o più sete.*   *Marta **ha** una villa a Capri.*
Je ne sais si j'ai plus faim ou plus soif.   Marta a une maison à Capri.
Le *h* ne se prononce pas et n'empêche pas l'élision :
L'ho visto.   Je l'ai vu.

➤ On trouve le *h* exclusivement dans les phonèmes *chi, che, ghi, ghe* [ki, ke, gi, ge] et dans les interjections :
Ah!   *Oh!*   *Ahi!*   *Ahimé!*

3. Le *d* euphonique

La conjonction *e* ainsi que la préposition *a* peuvent être suivies d'un *d*, dit « euphonique » car son rôle est de rendre plus harmonieuse la prononciation de plusieurs voyelles se suivant.
Le *d* euphonique s'ajoute donc quand le mot qui suit commence par une voyelle :
*Un metodo utile **ed** efficace.*   *Lui **ed** io.*   *Ritorniamo **ad** Ancona.*   *Fino **ad** oggi.*

D euphonique, voir **210** ◄

5 | L'accentuation

1. L'accent tonique

L'accent tonique marque dans un mot la syllabe sur laquelle la prononciation est plus appuyée :
avventura   *azzurro*   *cavalleria*   *macchina*

Excepté pour certains mots, l'accent tonique n'est pas marqué graphiquement.

Voir Accent graphique **167** ◄

➤ La plupart des mots italiens sont des *parole piane*, c'est-à-dire des mots dont l'accent tonique porte sur l'avant-dernière syllabe :
bene   *interessante*   *marito*   *parlare*

➤ Les autres mots sont des :

• *parole sdrucciole*, accentuées sur l'antépénultième syllabe :
merito ['mɛrito]   *macchina* ['makkina]   *cinico* ['tʃinico]

• *parole bisdrucciole*, accentuées sur la troisième syllabe avant la dernière :
abitano ['abitano]   *capitano* ['kapitano]   *meritano* ['meritano]

• *parole trisdrucciole*, accentuées sur la quatrième syllabe avant la dernière :
telefonamelo [te'lefonamelo]   *collocaglielo* ['kollokaʎʎelo]

• *parole tronche*, accentuées sur la dernière syllabe :
libertà [liber'ta]   *civiltà* [tʃivil'ta]   *virtù* [vir'tu]

Voir Division en syllabes **223** ◄

2. L'accent graphique

L'accent graphique peut être grave *(grave)* ou aigu *(acuto)*.
Il est toujours grave sur *i, o, a* et *u* mais peut être grave ou aigu sur *e*.

Dans ce dernier cas, la prononciation change :

è [ɛ]   *caffè* [ɛ]   *perché* [e]   *benché* [e]

L'accent graphique n'est obligatoire que sur les mots accentués sur la dernière voyelle.

Voir Accent graphique 167 ◀

6 L'élision

L'élision consiste à remplacer par une apostrophe la voyelle finale d'un mot suivi d'un autre mot commençant par une voyelle, cela afin de rendre plus fluide la prononciation.

L'élision est obligatoire dans les cas suivants :

• avec les articles définis *lo* et *la,* simples ou contractés :
L'americano   l'amica   dell'avvocato   sull'amaca...
Mais jamais avec le pluriel de ces articles *(le amiche).*

• avec l'article indéfini *una* :
Un'amica   un'idea   un'età

• avec les pronoms c.o.d. *lo* et *la* suivis du verbe *avere* :
L'ho fatto   l'abbiamo vista   l'hanno portato
Mais jamais avec le pluriel de ces pronoms *(li ho visti).*

• avec les adjectifs *quello, bello, santo* :
Quell'anno   quell'idea   un bell'uomo   Sant'Antonio

• avec la préposition *di* :
D'oro   d'argento   d'inverno   d'estate
mais quand *di* indique un rapport de possession, on préfère la forme non élidée :
Il libro di Angelo.

Voir autres cas dans Élision 225 ◀

7 L'apocope

L'apocope *(il troncamento)* consiste à supprimer la dernière voyelle (ou la dernière syllabe) d'un verbe ou d'un mot au singulier, lorsque le mot suivant commence par une voyelle ou par une consonne autre que s impur, z, ps, gn, x.

Voler(e) bene a qualcuno.   Soffrire il mal(e) di mare.   C'è un gran(de) caldo.
L'apocope ne peut s'effectuer que si la voyelle ou la syllabe finale qui tombent sont atones et précédées de *l, r, n.*
En poésie, l'apocope peut toutefois se produire avec la lettre *m* :
***andiam!** andiam, mio bene!...* *(Don Giovanni)*
Cas particulier d'apocope : *un po'* *(= un poco)*

Voir Apocope 179 ◀

L'ARTICLE

L'article défini

L'article défini détermine un substantif, en nous renseignant sur son identité et sur son nombre. Il s'accorde en genre et en nombre avec le nom qu'il détermine.

La fontana di Trevi.
La fontaine de Trevi.

Il carnevale di Venezia.
Le carnaval de Venise.

1. Formes de l'article défini

Masculin	singulier	pluriel
• devant une consonne	*Il libro*	*I libri*
• devant *s* + consonne (*s* impur)	*Lo spagnolo*	*Gli spagnoli*
• devant *z*	*Lo zero*	*Gli zeri*
• devant voyelle	*L'avvocato*	*Gli avvocati*
Féminin	singulier	pluriel
• devant une consonne	*La casa*	*Le case*
• devant une voyelle	*L'ora*	*Le ore*

Les formes *lo* et *gli* sont également employées devant les quelques noms masculins commençant par *ps-*, *gn-*, *y-*, *x-* et *i* + voyelle comme *psicologo, gnomo, yogurt, xilofono, iugoslavo*.

2. Emplois particuliers de l'article défini

L'article défini recouvre les mêmes emplois en français et en italien, sauf dans quelques cas particuliers :

On emploie l'article défini devant les mots *signore, signora, signorina* :
Ho visto il signor Paoletti.   J'ai vu monsieur Paoletti.
sauf lorsque l'on s'adresse à ces personnes (emploi vocatif) :
« Buongiorno, signor Paoletti! »   « Bonjour, monsieur Paoletti ! »

On emploie l'article défini devant les adjectifs possessifs :
Qual è il tuo numero di telefono?   Quel est ton numéro de téléphone ?

Voir Articles 185 et Possessifs 28

9 L'article indéfini

Comme en français, l'article indéfini donne un sens indéterminé à un substantif, sans l'identifier de manière précise.

Una fontana romana.
Une fontaine romaine.

Un carnevale tradizionale.
Un carnaval traditionnel.

1. Formes de l'article indéfini

Masculin	singulier
• devant une consonne • devant une voyelle • devant s impur • devant z	*Un monumento* *Un esempio* *Uno stato* *Uno zero*

Féminin	singulier
• devant une consonne • devant une voyelle	*Una chiesa* *Un'ora*

2. L'article indéfini n'a pas de pluriel

➤ On emploie souvent le nom seul, sans déterminant :
Ha mangiato spaghetti.   Il a mangé des spaghettis.

➤ Pour renforcer l'idée de pluralité, on peut parfois recourir au partitif *dei (degli)* ou *delle,* qui implique la notion de quantité indéfinie :
Ha mangiato degli spaghetti.   Il a mangé des spaghettis.

➤ Avec les prépositions, l'italien préfère ne pas employer le pluriel partitif :
Stasera esco con amici.   Ce soir je sors avec des amis.

10 | L'article partitif

L'article partitif est formé de la contraction de *di* avec l'article défini.

➤ Au singulier, il désigne une certaine quantité d'une masse non dénombrable :
Dammi dell'acqua! = *un po' d'acqua.*   Donne-moi de l'eau ! = un peu d'eau.

➤ Au pluriel, il désigne une certaine quantité de choses dénombrables :
Mangeremo dei panini = alcuni panini.
Nous mangerons des sandwichs = quelques sandwichs.

1. Formes de l'article partitif

	singulier		pluriel	
masculin	*del* *dello (dell')*	du du	*dei* *degli*	des des
féminin	*della (dell')*	de la	*delle*	des

2. Emplois de l'article partitif

➤ Dans les phrases affirmatives, l'article partitif est souvent omis, surtout à l'écrit :
Faccio sport. (préférable à : *faccio dello sport*)
Je fais **du** sport.
Vedo amici. (préférable à : *vedo degli amici*)
Je vois **des** amis.

 Dans les phrases négatives, on n'emploie pas le partitif :

Non bevo vino.
Je ne bois pas **de** vin.

Non fumo sigari.
Je ne fume pas **de** cigares.

Voir aussi Partitif 294 ◄

11 L'article contracté

Les prépositions **di** (de), **a** (à), **da** (par, chez, depuis, etc.), **in** (en, dans), **su** (sur) et plus rarement **con** (avec) se contractent avec les articles définis de la manière suivante :

	il	lo	l'	la	i	gli	le
di	del	dello	dell'	della	dei	degli	delle
a	al	allo	all'	alla	ai	agli	alle
da	dal	dallo	dall'	dalla	dai	dagli	dalle
in	nel	nello	nell'	nella	nei	negli	nelle
su	sul	sullo	sull'	sulla	sui	sugli	sulle
con*	col	collo	coll'	colla	coi	cogli	colle
	con il	con lo	con l'	con la	con i	con gli	con le

* Seules les formes *col* et *coi* sont encore employées dans la langue parlée. Les autres formes contractées sont littéraires.

Emploi des prépositions, voir 77 ◄

À VOUS !

2. Complétez avec des articles définis :
... ponte - ... architetto - ... vita - ... studenti - ... strada - ... vino - ... idea - ... calcio - ... alberghi - ... minuti - ... straniero - ... zii - ... teatro - ... patate - ... vestiti - ... zingaro - ... avvocato - ... signora - ... zucchero - ... rose - ... libro - ... penna - ... zona.

3. Complétez avec des articles indéfinis :
... amico - ... spagnolo - ... idea - ... treno - ... aereo - ... macchina - ... bicicletta - ... cavallo - ... sigaretta - ... strada - ... storia - ... studente - ... studio - ... zoccolo - ... arco - ... italiano - ... atto - ... azione - ... attore - ... attività - ... anno - ... settimana - ... giorno - ... mese.

4. Complétez avec un article défini ou indéfini selon le sens :
a. ... Ponte Vecchio è ... celebre ponte che si trova a Firenze. - b. ... via dove abita Giorgio è ... via molto tranquilla. - c. ... italiani sono considerati ... popolo allegro. - d. ... Repubblica di San Marino è ... stato autonomo. - e. ... *Stampa* è ... giornale italiano.

5. Complétez en formant des articles contractés :
a. Il direttore (di) ... (la) fabbrica. - b. La copertina (di) ... (il) libro. - c. Andiamo (a) ... (la) stazione. - d. Dormiamo (a) ... (l') albergo Splendor. - e. Entrate (in) ... (la) camera. - f. Il direttore (di) ... (le) vendite. - g. Vado (da) ... (l') avvocato. - h. È scritto (su) ... (il) giornale. - i. Il rappresentante (di) ... (i) sindacati. - j. L'opinione (di) ... (gli) studenti.

LE NOM

Le nom, ou substantif, peut être de genre masculin ou féminin. Il varie en nombre.

Certains adjectifs ou certains verbes peuvent être substantivés, c'est-à-dire adopter les mêmes fonctions que le nom, et être précédés d'un déterminant :

l'assurdo   l'absurde
il bere e il mangiare   le boire et le manger

Infinitif substantivé, voir 254 ◀

12 ▮ Les marques du genre

▶ 1. Sont généralement de genre masculin

➤ **les noms en -*o* :**
il cielo, il giardino, il libro, il ragazzo, il treno...
le ciel, le jardin, le livre, le garçon, le train...

{ Exceptions : *la mano* (la main) et les noms abrégés en -*o* comme *la radio, la foto, l'auto,* etc.

➤ **les noms terminés par une consonne,** essentiellement d'origine étrangère mais faisant désormais partie du vocabulaire italien :
il bar, il film, lo sport, il tram...
le bar, le film, le sport, le tramway...

▶ 2. Sont généralement de genre féminin

➤ **les noms en -*a* :**
la casa, la finestra, la mela, la ragazza, la testa...
la maison, la fenêtre, la pomme, la fille, la tête...

Noms masculins en -*a*, voir 165 ◀

➤ **les noms en -*i* :**
la crisi, l'oasi, la metropoli, la tesi...
la crise, l'oasis, la métropole, la thèse...

{ Exception : *il brindisi* (le toast) qui est masculin.

➤ **les noms en -*tà* et -*tù* :**
la bontà, la libertà, la novità, la gioventù, la virtù...
la bonté, la liberté, la nouveauté, la jeunesse, la vertu...

▶ 3. Les noms en -*e* peuvent être masculins ou féminins

il bicchiere, la chiave, il limone, il ponte, la stazione...
le verre, la clé, le citron, le pont, la gare...

Il faut donc bien examiner l'article (ou tout autre déterminant) pour déterminer si le nom est masculin ou féminin, d'autant que beaucoup de noms n'ont pas le même genre en italien et en français.

Genre des noms, voir 233 ◀

13 Formation du féminin des noms

Pour les noms d'animés (personnes ou animaux), le passage du masculin au féminin se traduit par des variations formelles de différentes sortes :
– changement de terminaison ;
– adoption d'un suffixe en -essa ou -trice ;
– changement partiel ou total de la racine.

1. Les noms changeant de terminaison

Noms masculins en -o
La plupart des noms forment leur féminin en -a :

figlio	→	*figlia*	fils, fille	*ragazzo*	→ *ragazza*	garçon, fille
maestro	→	*maestra*	maître, maîtresse	*zio*	→ *zia*	oncle, tante

Noms masculins en -a
Ils forment leur féminin à l'aide du suffixe **-essa** :

duca	→	*duchessa*	duc, duchesse
papa	→	*papessa*	pape, papesse
poeta	→	*poetessa*	poète, poétesse
profeta	→	*profetessa*	prophète, prophétesse

Noms masculins en -e
• Certains noms changent le -e en -a :

cameriere	→	*cameriera*	serveur, -euse
giardiniere	→	*giardiniera*	jardinier, -ière
infermiere	→	*infermiera*	infimier, -ière
signore	→	*signora*	monsieur, madame

• D'autres noms forment leur féminin avec le suffixe **-essa** :

barone	→	*baronessa*	baron, baronne
campione	→	*campionessa*	champion, championne
conte	→	*contessa*	comte, comtesse
elefante	→	*elefantessa*	éléphant, éléphante
leone	→	*leonessa*	lion, lionne
principe	→	*principessa*	prince, princesse
professore	→	*professoressa*	professeur
studente	→	*studentessa*	étudiant, étudiante

Noms masculins en -tore
Ces noms, qui désignent les « agents » d'une action, forment leur féminin à l'aide du suffixe **-trice** :

attore	→	*attrice*	acteur, actrice
collaboratore	→	*collaboratrice*	collaborateur, collaboratrice
compositore	→	*compositrice*	compositeur, compositrice
direttore	→	*direttrice*	directeur, directrice
lavoratore	→	*lavoratrice*	travailleur, travailleuse
lettore	→	*lettrice*	lecteur, lectrice
pittore	→	*pittrice*	peintre
scrittore	→	*scrittrice*	écrivain

⌡ Attention :

dottore	→	*dottoressa*
pastore	→	*pastora, pastorella*
impostore	→	*impostora*

2. Les noms changeant partiellement de forme au féminin

cane → *cagna*	chien, chienne	*re* → *regina*	roi, reine
dio → *dea*	dieu, déesse	*stregone* → *strega*	sorcier, sorcière
eroe → *eroina*	héros, héroïne	*zar* → *zarina*	tzar, tzarine
gallo → *gallina*	coq, poule		

3. Les noms changeant totalement de forme au féminin

bue → *mucca*	bœuf, vache	*maschio* → *femmina*	mâle, femelle
celibe → *nubile*	célibataire	*montone* → *pecora*	mouton, brebis
frate → *suora*	moine, religieuse	*padre* → *madre*	père, mère
fratello → *sorella*	frère, sœur	*scapolo* → *zitella*	vieux garçon,
genero → *nuora*	gendre, bru		vieille fille
maiale → *scrofa*	porc, truie	*uomo* → *donna*	homme, femme
marito → *moglie*	mari, femme		

4. Les noms à double genre
Certains noms ont une forme commune au masculin et au féminin.
La distinction n'est alors possible que grâce au déterminant (ou à l'adjectif accompagnant éventuellement le nom) :

il / la cantante
le / la chanteur (-euse)
il / la collega
le / la collègue

il / la colpevole
le / la coupable
il / la giornalista
le / la journaliste

• Pour de nombreux noms d'animaux ne présentant qu'une forme pour le masculin et le féminin, on recourt à *maschio* et *femmina* (mâle et femelle) :
la tigre maschio → *la tigre femmina*   le tigre, la tigresse
• Certains noms de non-animés, homonymes, présentent la même forme mais ont un sens tout à fait différent ; on les différencie d'après leur genre :
il capitale / la capitale   le capital / la capitale
il fine / la fine   le but / la fin
il fronte / la fronte   le front militaire / le front du visage

---

14 Formation du pluriel des noms

1. Pluriel régulier des noms

Les noms en -*o*, masculins, et les noms en -*e* (aussi bien masculins que féminins) ont un pluriel en -*i*.
Les noms en -*a*, féminins, ont un **pluriel en -*e*.**

	singulier	pluriel	
masculin	-o	-i	*libro - libri*
féminin	-a	-e	*casa - case*
masculin ou féminin	-e	-i	*ponte - ponti* *notte - notti*

La mano (la main), seul nom féminin en -*o*, a pour pluriel *le mani*. Quant aux noms abrégés en -*o* comme *foto, radio, auto, dinamo*... ils sont invariables (voir ci-après, paragraphe 15).

2. Particularités phonétiques et orthographiques

Noms en -co, -go et -ca, -ga
La majeure partie de ces noms prennent un *h* au pluriel pour garder la prononciation dure de la gutturale :

banco	→ *banchi*	comptoirs		*albergo*	→ *alberghi*	hôtels
barca	→ *barche*	barques		*alga*	→ *alghe*	algues

Exceptions : *amico, greco, nemico, porco,* ont un pluriel en **-ci**.

Voir Noms en -co et -go 199 ◄

Noms en -cia et -gia
Ils peuvent avoir deux formes de pluriel :

• **-ce** ou **-ge** quand ils sont précédés d'une consonne :
do_ccia → *docce*   *bilan_cia* → *bilance*   *fran_gia* → *frange*

• **-cie** ou **-gie** quand ils sont précédés d'une voyelle :
cami_cia → *camicie*   *cilie_gia* → *ciliegie*

{ Les noms en -c_ia et -g_ia (où l'accent tonique est sur le *i* comme dans *farmac_ia*) gardent toujours leur *i* au pluriel *(farmac_ie)*.

Noms en -io
Quand l'accent tonique est sur le *i,* ces noms ont un pluriel en *-ii.*
Dans les autres cas, ils ont un pluriel en *-i.*

l'uff_icio	→ *gli uff_ici*	le bureau, les bureaux
l'add_io	→ *gli add_ii*	l'adieu, les adieux

Noms en -io, voir 261 ◄

---

15 Noms invariables

Certains noms communs sont invariables :

Les noms accentués sur la voyelle finale :

il caffè	→ *i caffè*	les cafés		*la metà*	→ *le metà*	les moitiés
la libertà	→ *le libertà*	les libertés		*la virtù*	→ *le virtù*	les vertus

Les noms en -i :

l'anal_isi	→ *le anal_isi*	les analyses
il bist_uri	→ *i bist_uri*	les bistouris
la metrop_oli	→ *le metrop_oli*	les métropoles
l'oa_si	→ *le oa_si*	les oasis

Les noms monosyllabiques :

la gru	→ *le gru*	les grues		*il re* → *i re*	les rois

Les noms abrégés :

l'auto(mobile)	→ *le auto*	les autos
il cinema(tografo)	→ *i cinema*	les cinémas
la foto(grafia)	→ *le foto*	les photos
la moto(cicletta)	→ *le moto*	les motos

Les noms se terminant par une consonne (souvent d'origine étrangère) :

l'autobus	→ *gli autobus*	les autobus	*il film* → *i film*	les films
il bar	→ *i bar*	les bars	*il gas* → *i gas*	les gaz

Voir aussi Invariables 259 ◄

16 | Noms avec une terminaison irrégulière

● Noms masculins en -*a*

Certains noms masculins dérivant du grec se terminent en **-*a*** mais leur pluriel est régulièrement en **-*i*** :

il poeta ⟶ *i poeti*   les poètes   *il problema* ⟶ *i problemi*   les problèmes

Voir Noms en -*a* 165 ◄

● Noms masculins et féminins en -*ista*

Les noms se terminant en **-*ista*** ont une seule forme au singulier mais deux formes au pluriel : **-*i*** pour le masculin et **-*e*** pour le féminin.

il / la musicista ⟶ *i musicisti* / *le musiciste*   les musiciens / les musiciennes

Voir aussi Noms en -*ista* 262
Pluriels irréguliers 303
Noms collectifs 274
Noms composés 275
Noms propres 277 ◄

À VOUS !

6. Transformez au féminin :

a. Il signore distinto - b. Il poeta famoso - c. Il dottore in medicina - d. Lo scultore del Settecento - e. Il fratello gemello - f. L'uomo elegante - g. Il marito esemplare - h. Il padre affettuoso - i. Il re d'Inghilterra - j. Lo studente e il suo professore.

7. Transformez au pluriel :

a. Il tavolo - b. La sedia - c. Il giornale - d. La chiave - e. La situazione - f. Il discorso - g. La città - h. Lo sport - i. Il lago - j. La crisi - k. Il té - l. L'aperitivo - m. La nazionalità - n. Il giorno - o. La nave - p. Il mese - q. La banca - r. Il camion - s. Il giornalista - t. La giornalista.

L'ADJECTIF QUALIFICATIF

L'adjectif qualificatif peut s'ajouter à un nom pour exprimer des qualités particulières de l'être ou de la chose désignés par ce nom.
L'adjectif s'accorde en genre et en nombre avec le nom qu'il qualifie.

L'adjectif est généralement placé après le nom qu'il qualifie, mais il peut également précéder celui-ci :
Ho comprato una valigia grigia.
J'ai acheté une valise grise.
Ho comprato una stupenda valigia grigia.
J'ai acheté une superbe valise grise.

17 Variations en genre de l'adjectif qualificatif

➤ Au singulier, la plupart des adjectifs, comme les noms, se terminent par **-o** au masculin et par **-a** au féminin :

un romanzo famoso	*una signora anziana*
un roman célèbre	une dame âgée

➤ Comme les noms, certains adjectifs se terminent par **-e** et peuvent qualifier des noms aussi bien masculins que féminins :

il teatro comunale	*la mostra internazionale*
le théâtre municipal	l'exposition internationale

18 Variations en nombre de l'adjectif qualificatif

➤ **1. Les adjectifs masculins en -o et masculins ou féminins en -e ont un pluriel en -i. Les adjectifs féminins en -a ont un pluriel en -e.**

i romanzi famosi	*le signore anziane*
les romans célèbres	les dames âgées
i teatri comunali	*le mostre internazionali*
les théâtres municipaux	les expositions internationales

Le schéma général de formation du pluriel coïncide avec celui des noms :

	singulier	pluriel	
masculin	**-o**	**-i**	*piccolo - piccoli*
féminin	**-a**	**-e**	*bella - belle*
masculin ou féminin	**-e**	**-i**	*forte - forti*

{ Attention : ne pas considérer tout adjectif se terminant par *-i* comme étant du masculin pluriel... En effet, les nombreux adjectifs en **-e** (comme *grande, importante, facile, difficile*, etc.) ont un seul pluriel possible, en *-i*, au masculin comme au féminin :

la casa grande ⟶	*le case grandi*
la grande maison	les grandes maisons

la stazione moderna e grande → *le stazioni moderne e grandi*
la gare moderne et grande   les gares modernes et grandes
Il faut donc appliquer la règle du pluriel à chaque élément pris séparément :
la → *le*   *stazione* → *stazioni*   *moderna* → *moderne*   *grande* → *grandi*

► 2. Particularités orthographiques

➤ Les adjectifs se terminant en -co, -go et -ca, -ga

Ils prennent un *h* au pluriel pour maintenir la prononciation dure de la gutturale :

antico → *antichi*   *antica* → *antiche*   *lungo* → *lunghi*   *lunga* → *lunghe*
      anciens   anciennes   longs   longues

Voir aussi -Co et -go 199 ◄

➤ Les adjectifs se terminant en -cia et -gia

Ils perdent le *i* de leur terminaison au pluriel quand celle-ci est précédée d'une consonne mais gardent ce *i* lorsque la terminaison est précédée d'une voyelle :

la mela marcia → *le mele marce* | *la stoffa grigia* → *le stoffe grigie*
la pomme pourrie   les pommes pourries | l'étoffe grise   les étoffes grises

---

19 ▌ Adjectifs avec une terminaison irrégulière

Certains adjectifs se terminent en *-a* au masculin et au féminin singulier.
Ils ont donc une seule forme au singulier mais deux formes au pluriel : *-i* pour le masculin et *-e* pour le féminin.

l'amico egoista → *gli amici egoisti*   *il discorso idiota* → *i discorsi idioti*
l'ami égoïste   les amis égoïstes   le discours idiot   les discours idiots
l'amica egoista → *le amiche egoiste*   *la domanda idiota* → *le domande idiote*
l'amie égoïste   les amies égoïstes   la question idiote   les questions idiotes

Mots en -a, voir 165 ◄

---

20 ▌ Adjectifs qualificatifs invariables

Certains adjectifs de couleur *(rosa, viola, blu)* sont invariables :

la cravatta viola → *le cravatte viola*
la cravate violette   les cravates violettes
De même les adjectifs de couleurs nuancés par un autre adjectif :
i guanti grigio scuro   les gants gris foncé

Adjectifs de couleur 209, Adjectifs d'origine étrangère 259
Adjectifs composés 276 ◄

---

21 ▌ Accord de l'adjectif qualificatif

► 1. Adjectif qualifiant un seul nom

L'adjectif qualificatif s'accorde en genre et nombre avec le nom auquel il se rapporte :
Una giornata meravigliosa e indimenticabile.
Une journée merveilleuse et inoubliable.

{ La terminaison du nom qu'il qualifie ne détermine pas la terminaison de l'adjectif, qui a sa propre terminaison au singulier comme au pluriel :

Giornate meravigliose e indimenticabili.   Des journées merveilleuses et inoubliables.

2. Adjectif qualifiant plusieurs noms

➡ S'il est postposé à des noms féminins, l'adjectif s'accorde au féminin pluriel :
Mi sono comprata una gonna e una camicia carissime.
J'ai acheté une jupe et une chemise très chères.

➡ Si l'adjectif est postposé à des noms féminins et masculins, il s'accorde au masculin pluriel :
Hanno una casa e un giardino bellissimi.   Ils ont une maison et un jardin magnifiques.

➡ Si l'adjectif est antéposé, il s'accorde avec le nom qui lui est le plus proche :
Fanno ottime torte e gelati.   Ils font d'excellents gâteaux et glaces.

---

22 Degrés de signification de l'adjectif

On dit que l'adjectif qualificatif est au **degré positif** lorsqu'il exprime une qualité du nom *(una bella casa)* sans spécifier ni le degré de cette qualité (dans quelle mesure la maison est belle), ni indiquer son rapport avec d'autres choses (si elle l'est plus ou moins que d'autres). Lorsque l'adjectif exprime une comparaison, il est au **degré comparatif** et lorsqu'il exprime une qualité à son degré le plus élevé, il est au **degré superlatif**.

positif qualité	comparatif degré de comparaison	superlatif relatif degré maximum (parmi d'autres)	superlatif absolu degré maximum (en absolu)
caldo	*più caldo* *meno caldo*	*il più caldo* *il meno caldo*	*caldissimo*

Voir Comparatif et Superlatif 203 ◄

À VOUS !

8. Transformez au pluriel :
a. il gatto nero - b. il cane fedele - c. la penna verde - d. lo spettacolo nuovo - e. il prodotto francese - f. la casa grande - g. la signora inglese - h. il direttore americano - i. la costruzione moderna - j. il dialetto settentrionale - k. l'idea geniale - l. la canzone popolare - m. la risposta giusta - n. la stanza accogliente - o. la festa divertente - p. il ragazzo felice - q. la decisione importante - r. la proposta interessante - s. il romanzo giapponese.

9. Transformez au pluriel :
a. la mano pulita - b. il discorso lungo - c. l'amica inglese - d. la musica romantica - e. il celebre albergo - f. la strada larga - g. il film poliziesco - h. la città moderna - i. la famosa artista - j. lo sport invernale - k. il sistema perfetto - l. la grande virtù - m. la società segreta - n. il fiocco rosa e blu.

LES DÉMONSTRATIFS

Les adjectifs et les pronoms démonstratifs italiens désignent quelqu'un ou quelque chose dans l'espace ou dans le temps, en les situant **par rapport à la personne qui parle ou qui écoute.**

1. *Questo* indique une relation de proximité avec le locuteur

Cette proximité peut être spatiale ou temporelle.

proximité spatiale	proximité temporelle
▼	▼
*Compro **questo** disco.*	***Questa** mattina, vado in ufficio presto.*
J'achète ce disque.	Ce matin, je vais tôt au bureau.
(je l'ai dans la main ou non loin de moi)	(c'est aujourd'hui-même)

2. *Quel(lo)* indique une relation d'éloignement

Cet éloignement peut être spatial ou temporel.

éloignement spatial	éloignement temporel
▼	▼
*Vorrei vedere **quel** golfino in vetrina.*	***Quella** mattina non avevo voglia di alzarmi.*
Je voudrais voir ce petit pull en vitrine.	Ce matin-là, je n'avais pas envie de me lever.
(il est loin de moi, pas à ma portée)	(ce n'est pas aujourd'hui)

En français, ces relations de proximité et d'éloignement sont souvent marquées par les adverbes « -ci » et « -là ».

3. Emploi des démonstratifs avec *qui, qua, lì, là*

En cas d'ambiguïté, aussi bien les adjectifs que les pronoms démonstratifs peuvent être renforcés par un adverbe de lieu.
Ces adverbes *(qui* ou *qua, lì* ou *là)* se placent derrière le nom auquel le pronom ou l'adjectif démonstratif se rapportent.

➤ *Questo* peut être accompagné indifféremment de *qui* ou *qua* (ici) renforçant la relation de proximité avec le locuteur.

➤ *Quel(lo)* peut être accompagné indifféremment de *lì* ou *là* (= là-bas) renforçant la relation d'éloignement.
*Preferisci **questo** posto **qui** o **quello là**?*
Préfères-tu cet endroit-ci ou celui-là ?

On ne peut pas associer un démonstratif de proximité *(questo)* à un adverbe d'éloignement *(lì* ou *là)* et réciproquement, même si l'adverbe français « là » peut indiquer la proximité. La phrase française « je suis **là** » (= ici) ne peut être traduite que par « *sono **qui*** ».

Adverbes de lieu, voir 63 ◄

24 Formes des adjectifs démonstratifs

	proximité		éloignement	
	singulier	pluriel	singulier	pluriel
masculin	*Questo* libro	*Questi* libri	*Quel* libro	*Quei* libri
féminin	*Questa* lista	*Queste* liste	*Quella* lista	*Quelle* liste

 L'adjectif démonstratif masculin *quel* se comporte comme l'article défini *il* :
Quel s'utilise devant une consonne (pluriel *quei*).
Quello s'utilise devant *s* + consonne, *z, ps, gn, x, y, i* + voyelle (pluriel *quegli*).

 Questo/questa et *quello/quella* s'élident et prennent normalement l'apostrophe devant une voyelle :
Quest'anno   *Quell'anno*
Cette année   Cette année-là

Questa s'abrège en **sta**, en ne formant qu'un mot avec celui qui le suit, dans :
stanotte *(= **questa** notte)*   cette nuit
stamattina *(= **questa** mattina)*   ce matin
stasera *(= **questa** sera)*   ce soir

Dans la langue familière, la forme abrégée *('sto, 'sta, 'sti, 'ste)* est assez fréquente :
Me lo dai, 'sto libro?
Tu me le donnes, ce livre ?
Non sopporto 'ste cose!
Je ne supporte pas ces choses !

25 Formes des pronoms démonstratifs

	proximité		éloignement	
	singulier	pluriel	singulier	pluriel
masculin	*questo*	*questi*	*quello*	*quelli*
féminin	*questa*	*queste*	*quella*	*quelle*

*Questo è mio e **quello** è tuo.*
Celui-ci est à moi et celui-là est à toi.
*Queste sono alla frutta e **quelle** sono alla crema.*
Celles-ci sont aux fruits et celles-là à la crème.
*Ho fatto tutto **questo** per te.*
J'ai fait tout ceci pour toi.

 Attention de ne pas confondre *quelli* (pronom) avec *quei* (adjectif).

*Hai poi letto quei libri? No, non ho letto **quelli**, ne ho letti altri.*
As-tu enfin lu ces livres-là ? Non, je n'ai pas lu ceux-là, j'en ai lu d'autres.

26 Le pronom démonstratif dans les relatives

Si l'on veut introduire une relative avec **che** par un pronom démonstratif, seul *quello* est possible :

*Non ricordo più **quello che** mi ha detto.*
Je ne me rappelle plus ce qu'il m'a dit.
*Tra le varie proposte, la tua è **quella che** mi convince di più.*
Parmi les différentes propositions, la tienne est celle qui me convainc le plus.

Voir aussi Démonstratifs 219
Tale 353
Codesto, colui, costui, ciò 220
C'est 195
Ce qui, ce que 194 ◄

À VOUS !

10. Complétez :
a. Quest'appartamento mi piace più di ... - b. Ti piace ... vestito qui? - c. ... signora lì è molto agitata. - d. Quali sono i tuoi occhiali: ... o ...? - e. ... camicia qui può essere abbinata anche a ... pantaloni che ha visto in vetrina. - f. ... sera ero rimasta a casa. - g. ... mattina vado in piscina. - h. ... anno avevamo affittato una casa in montagna. - i. ... anno non sappiamo ancora dove andremo in vacanza. - j. In ... periodo era particolarmente felice. - k. A ... ora è sicuramente arrivato in ufficio. - l. Con ... caldo non ho voglia di andare a piedi. - m. Ho telefonato ieri alle sette ma a ... ora dormiva ancora. - n. ... là è la cattedrale, e ... qui il battistero. - o. Si è sposato due mesi fa e da ... momento non l'abbiamo più visto.

LES POSSESSIFS

Les adjectifs et pronoms possessifs marquent un rapport de possession ou d'appartenance entre deux éléments. Ils spécifient à la fois le possesseur et l'objet possédé, et s'accordent avec ce dernier en genre et en nombre.

Il mio libro.
Mon livre.
I suoi bambini.
Ses enfants.

Questo libro è il mio.
Ce livre est le mien.
Questi bambini sono i suoi.
Ces enfants sont les siens.

27 Formes des adjectifs et pronoms possessifs

	singulier		pluriel	
	masculin	féminin	masculin	féminin
singulier	*il mio*	*la mia*	*i miei*	*le mie*
	il tuo	*la tua*	*i tuoi*	*le tue*
	il suo	*la sua*	*i suoi*	*le sue*
politesse	*il Suo*	*la Sua*	*i Suoi*	*le Sue*
pluriel	*il nostro*	*la nostra*	*i nostri*	*le nostre*
	il vostro	*la vostra*	*i vostri*	*le vostre*
	il loro *	*la loro*	*i loro*	*le loro*

* *Loro* est invariable : c'est l'article qui en détermine le genre et le nombre.

28 Emplois de l'article avec les possessifs

▶ 1. Emplois généraux de l'article avec les possessifs

Le possessif, adjectif ou pronom, est généralement accompagné de l'article défini :
Ti presento la mia amica Mariuccia.   Je te présente mon amie Mariuccia.
Questo libro è il mio o il tuo?   Est-ce que ce livre est le mien ou le tien ?

L'adjectif possessif peut être toutefois précédé d'un **article indéfini,** pour parler d'un élément parmi plusieurs, avec le sens de « un de... » :
Vado al cinema con una mia amica.   Je vais au cinéma avec une de mes amies.

▶ 2. Emplois avec les verbes d'état

Introduit par un verbe d'état *(essere, diventare, sembrare...)*, le possessif peut être ou non accompagné d'un article, qui marque alors une nuance de sens.
Comparez :

adjectif attribut	pronom
Questo cane è mio.	*Questo cane è il mio.*
Ce chien est à moi	Ce chien est le mien.
▼	▼
il m'appartient	parmi d'autres qui ne m'appartiennent pas

3. L'adjectif possessif avec les noms de membres de la famille

➤ PAS D'ARTICLE :

Devant les noms de membres de la famille **au singulier** :

mio fratello	*tuo* cugino	*sua* nonna	*mia* cognata
mon frère	ton cousin	sa grand-mère	ma belle-sœur

> Attention : avec *loro*, le possessif garde l'article :
> *il loro* figlio   leur fils

➤ EMPLOI OBLIGATOIRE DE L'ARTICLE :

• Devant les noms de membres de la famille **au pluriel** :

i miei fratelli   *i tuoi cugini*
mes frères   tes cousins

• Si le nom est « caractérisé » par un adjectif, par un suffixe ou un préfixe, ou par un complément déterminatif :

il mio fratello **maggiore**	*il mio* **ex**-*marito*
mon frère aîné	mon ancien mari
*il mio fratell***ino**	*il mio zio* **di Torino**
mon petit frère	mon oncle de Turin

➤ EMPLOI FACULTATIF DE L'ARTICLE :

Avec les termes « affectueux » concernant la famille :

la mia mamma	ou	*mia mamma*	ma maman
il mio papà	ou	*mio papà*	mon papa

Voir aussi Possessifs 28 et 306 ◀

---

29 Le possessif *il proprio*

il proprio / la propria ⟶ *i propri / le proprie*
son propre / sa propre   ses propres

➤ Ces formes particulières de possessifs sont **toujours précédées de l'article.**

➤ Ces possessifs se rencontrent dans les phrases ayant un sujet indéfini comme *tutti, nessuno, ognuno, chiunque...* (tous, personne, chacun, quiconque...) ou impersonnel comme *bisogna, è necessario, è utile...* (il faut, il est nécessaire, il est utile...) :
Ognuno deve fare **il proprio** *dovere.*
Chacun doit faire son (propre) devoir.
Bisogna difendere **le proprie** *idee.*
Il faut défendre ses (propres) idées.

➤ *Il proprio* sert également à préciser le possesseur en cas d'ambiguïté :
Carla aspettava Giulia **nella propria** *macchina.*   (*nella sua macchina* serait ici ambigu.)
Carla attendait Giulia dans sa propre voiture.

> Les deux possessifs *il suo* et *il proprio* ne se cumulent pas, sauf si l'on veut insister. Dans ce cas, ils partagent le même article :

L'ha visto con **i suoi propri** *occhi.*
Il l'a vu de ses propres yeux.

Emplois particuliers des possessifs 306 et 308
Appartenance 181 ◀

À VOUS !

11. Complétez avec un adjectif possessif :
a. Ho una casa: ... casa è grande. - b. Marco ha una bicicletta: ... bicicletta è rossa. - c. Noi abbiamo un amico italiano: ... amico si chiama Andrea. - d. Loro hanno un appartamento: ... appartamento ha due bagni. - e. Tu porti gli occhiali: ... occhiali sono da sole o da vista? - f. Abbiamo fatto un regalo a Martina perché oggi è ... compleanno. - g. Puoi prestarmi ... macchina fotografica? - h. Ho due vicini di casa: ... vicini sono molto simpatici. - i. Signor Micheli, come va ... lavoro? - j. Signora, sono arrivati ... amici?

12. Complétez avec un adjectif possessif - et un article selon le cas :
a. Mario è nato in Italia ma ... madre è tedesca. - b. Il signor Dini è triste perché ... moglie l'ha lasciato. - c. Quella ragazza vive ancora con ... genitori. - d. Ho due fratelli: ... fratelli sono sposati. - e. Pascal ogni domenica va a trovare ... nonna. - f. Ho un fratello e una sorella, ... fratello si chiama Giorgio, e ... sorellina si chiama Stefania. - g. Laura si sposa in dicembre, ... futuro marito è americano. - h. Marco e Marcella hanno una figlia: ... figlia non va ancora a scuola. - i. Ho uno zio: ... zio arriva domani. - j. Ho due cugine: ... cugine sono più giovani di me.

13. Complétez :
a. Io ho una macchina: ... macchina è nuova. - b. Carlo e Giovanni hanno una ditta: ... ditta è a Brescia. - c. Noi abbiamo un cane: ... cane è un cocker. - d. Luisa ha una sorella: ... sorella studia ancora. - e. Signora, ... giardino è bellissimo. - f. Dopo il divorzio, Laura non ha più visto ... ex-marito. - g. Roberto, come stanno ... genitori? - h. Architetto, ... colleghi sono arrivati adesso. - i. Ho due fratelli: ... fratelli vivono negli Stati Uniti. - j. Marco e Giovanna hanno una cugina: ... cugina è bellissima.

14. Complétez avec un pronom possessif :
a. Io ho le mie idee e tu hai ... . - b. Questa è la mia opinione, Signori, ora vorrei conoscere ... . - c. Noi abbiamo i nostri problemi e lui ha ... . - d. Roberto, andiamo con la mia macchina o con ...? - e. Signorina, questo ombrello è ...? - f. Marco, questa cartella è ...? - g. Clara, il mio numero di telefono è questo, dammi ... .

15. Complétez avec le possessif *proprio (propria, propri, proprie)* :
a. Ognuno ha ... personalità. - b. Roberto parla sempre (di) ... lavoro. - c. È giusto lottare per ... libertà. - d. Ognuno ha ... modo di vedere le cose. - e. Non è sempre possibile fare ... comodi. - f. Ognuno di loro arriverà con ... mezzi. - g. Bisogna ascoltare ... coscienza.

LES INTERROGATIFS

Du point de vue de la forme, on distingue deux principaux types de phrases interrogatives :

• l'interrogative totale, qui appelle les réponses *sí* ou *no* :
– *Avete visto Luca?*   – *Sì / No.*
– Vous avez vu Luca ?   – Oui / Non.

• les interrogatives demandant une information plus complète et qui doivent être introduites par un **interrogatif** (adjectif, pronom ou adverbe) :
– *Dov'è Luca?*   – *È andato al mare.*
– Où est Luca ?   – Il est allé à la plage.

Voir aussi Phrase interrogative 299
Interrogation indirecte 155 ◄

30   Adjectifs, pronoms et adverbes interrogatifs

► 1. L'adjectif interrogatif

Il sert à interroger sur l'identité *(che? quale?)* ou la quantité *(quanto?)* de la personne ou de la chose désignées par le nom qu'il introduit :
Che film hai visto?
Quel film as-tu vu ?
Quanti libri hai letto?
Combien de livres as-tu lus ?

► 2. Le pronom interrogatif

Il sert à interroger sur un être *(chi?)* ou une chose *(che cosa?)* inconnus, ou déjà mentionnés *(quale? quanto?)* :
Chi accompagna a casa Marco?
Qui accompagne Marco chez lui ?
Hai visto un film?... Quale hai visto?
Tu as vu un film ?... Lequel as-tu vu ?

► 3. L'adverbe interrogatif

Il sert à poser une question sur la manière *(come?)*, le lieu *(dove?)*, le temps *(quando?)*, la quantité *(quanto?)* ou la cause *(perché?)*.
Come, dove e quando hai conosciuto tuo marito?
Comment, où et quand as-tu connu ton mari ?
Perché insistete tanto?
Pourquoi insistez-vous tant ?

► 4. Les propositions interrogatives

Les interrogatifs s'emploient dans les propositions interrogatives **directes** ou **indirectes** :
Dove andranno?   *Mi chiedo dove andranno.*
Où iront-ils ?   Je me demande où ils iront.

Discours indirect, voir 155 ◄

31   Formes des interrogatifs

	Adjectifs	Pronoms	Adverbes
chi? (pour les animés)		*Chi è lui?* Qui est-il ? *Chi dei due?* Lequel des deux ?	
che cosa? (cosa?)		*Che cosa fai? Cosa fai?* Que fais-tu ?	
che?	*Che autobus prendi?* Quel bus prends-tu ?	*Che vuoi?* Que veux-tu ?	
quale?	*Quale autobus prendi?* Quel bus prends-tu ?	*Quale vuoi?* Lequel (laquelle) veux-tu ?	
quali?	*Quali autori leggi?* Quels auteurs lis-tu ?	*Quali vuoi?* Lesquel(le)s veux-tu ?	
qual? (devant è ou *era*)	*Qual è il suo nome?* / *Qual era?* Quel est son nom ? / Quel était-il ?		

Voir aussi Quel 329 ◄

	Adjectifs	Pronoms	Adverbes
quanto?	*Quanto zucchero?* → Combien de sucres ?	*Quanto ne metti?* Combien en mets-tu ?	
quanta?	*Quanta posta ricevi?* → Combien de courrier reçois-tu ?	*Quanta ne vuoi?* Combien en veux-tu ?	
quanti?	*Quanti soldi hai?* → Combien d'argent as-tu ?	*Quanti ne hai?* Combien en as-tu ?	
quante?	*Quante mele vuoi?* → Combien de pommes veux-tu ?	*Quante ne vuoi?* Combien en veux-tu ?	

Voir aussi Combien 201, Expression de la quantité 327 ◄

	Adjectifs	Pronoms	Adverbes
dove?			*Dove abiti?* Où habites-tu ?
quando?			*Quando ritorni?* Quand reviens-tu ?
come? com'? (devant e)			*Come ti senti?* Comment te sens-tu ? *Com'è?* Comment est-ce ? *Com'erano?* Comment étaient-ils ?
perché? come mai? *			*Perché non resti?* Pourquoi ne restes-tu pas ? *Come mai tanto sola?* Comment se fait-il que tu sois si seule ?

* *Come mai?* correspond à « comment se fait-il... ? »

Le pronom *chi?*

Chi? peut exprimer une interrogation sur une personne (qui ?) mais également indiquer un choix entre plusieurs personnes ; il se traduit dans ce cas par « lequel » :

Chi di loro *ha vinto?*
Lequel d'entre eux a gagné ?

Chi dei due *c'è riuscito?*
Lequel des deux y est parvenu ?

Les adjectifs *che?* et *quale?*

Che ou *quale* en tant qu'adjectifs sont pratiquement synonymes mais expriment tout de même une nuance différente.

Comparez :

Che *autobus prendi?*	**Quale** *autobus prendi (il 31 o il 35)?*
▼	▼
appelle une information précise (on veut connaître le numéro du bus que la personne doit prendre)	implique un choix (on veut déterminer de quel bus il s'agit parmi un choix de bus possibles)

Cela explique que la tournure correcte afin de demander l'heure est :

Che *ora è?* ou *Che ore sono?*   Quelle heure est-il ?

Cette question ne sous-tend en effet aucune notion de choix.

En italien parlé, la forme **che**, plus directe et invariable, est souvent préférée à la forme **quale**, qui s'accorde en nombre :

Che *strada prendi?*   Quel chemin prends-tu ?

Quali *(che) paesi europei partecipano alla conferenza?*
Quels pays européens participent à la conférence ?

Les pronoms *che?* et *quale?*

• Synonymes en tant qu'adjectifs, *che?* et *quale?* n'ont pas la même signification en tant que pronoms. *Che?* (= *che cosa?*) signifie « qu'est-ce que... ? ». *Quale?* signifie « lequel ».

Che *compri? (Che cosa compri?) Una cravatta.*   Qu'achètes-tu ? Une cravate.

Quale *prendi? Quella rossa.*   Laquelle prends-tu ? La rouge.

∫ Attention : ne confondez pas *quale* avec *quello*.

• *Quale* devant le verbe **essere** signifie « quel » :

Quali *sono le tue intenzioni?*   Quelles sont tes intentions ?

Au singulier, *quale* perd le -e final devant **è** et **era** :

Qual *è il tuo numero di telefono?*   Quel est ton numéro de téléphone ?

À VOUS !

16. Complétez :

a. ... ti ha dato il mio indirizzo? - b. ... ... fate domenica prossima? - c. ... piangi? - d. ... costano questi stivali neri? - e. A ... hai parlato del nostro progetto? - f. ... dei due vuoi comprare? - g. ... hai messo il mio libro? - h. ... ti chiami? - i. Non so ... arriverà, forse domani. - j. ... biglietti hai prenotato? Due.

17. Complétez :

a. ... è la sua professione? - b. ... marca di caffè preferisci? - c. Con ... aereo arriverà? - d. ... riviste leggi al mese? - e. A ... ora ti alzi? - f. Per ... è questo regalo? - g. ... è l'esame per la patente? Facile o difficile? - h. Non capisco ... non è ancora arrivato. - i. ... ha visto ... si è nascosto? - j. ... anni hai?

LES EXCLAMATIFS

Différents éléments peuvent introduire l'exclamation :

• des interjections :

Peccato *che non venga!*
Dommage qu'il ne vienne pas !

Magari *lo conoscessi!*
Si seulement je le connaissais !

Interjections, voir 258 ◄

• des adjectifs, des pronoms et des adverbes exclamatifs, qui ont les mêmes formes que les interrogatifs.
Comparez :

Quanta *neve è caduta?*
Combien de neige est-il tombé ?

Quanta *neve è caduta!*
Que de neige il est tombé !

---

32 Adjectifs, pronoms et adverbes exclamatifs

► 1. Les adjectifs exclamatifs

Ils indiquent la quantité *(quanto, quanta, quanti, quante!)* ou la qualité *(che!)* d'une chose :

Quanta *gente!*   Que de monde !
Che *noia!*   Quel ennui !

► 2. Les pronoms exclamatifs

Ils indiquent la quantité résultant d'une action *(quanto!)*, la personne qui accomplit ou subit l'action *(chi!)*, ou l'objet de l'action *(che!, che cosa!)* :

Quante *ne ho sentite!*   Combien en ai-je entendu !
Senti ***chi*** *parla!*   C'est toi qui dis ça !
Che cosa *devo sentire!*   Que dois-je entendre !

► 3. Les adverbes exclamatifs

Ils indiquent l'intensité *(quanto! come!)* d'une action ou d'une qualité :

Come *ride! (quanto ride!)*   Qu'est-ce qu'il rit !
Com'è *bella Venezia! (quant'è bella!)*   Qu'elle est belle, Venise !

---

33 Formes des exclamatifs

	Adjectifs	Pronoms	Adverbes
quanto	*Quanto zucchero!* Que de sucre !	*Quanto bevi!* Qu'est-ce que tu bois !	*Quant'(o) è bello!* Que c'est beau !
quanta	*Quanta neve!* Que de neige !		
quanti	*Quanti alberi!* Que d'arbres !		
quante	*Quante piante!* Que de plantes !		

	Adjectifs	Pronoms	Adverbes
come			*Come piove!* Qu'est-ce qu'il pleut !
che*	*Che paura!* Quelle peur !	*Che mi racconti!* Que me racontes-tu !	
che cosa		*Che cosa dici mai!* Que dis-tu donc là !	
chi		*A chi lo dici!* A qui le dis-tu !	

* On peut également rencontrer *quale* mais cette forme est plus rare :
Quali tristi pensieri!　　Quelles tristes pensées !

À VOUS !

18. Transformez les phrases suivantes en phrases exclamatives :
Ex. : C'è molta gente ⟶ Quanta gente!

a. È una vera sorpresa vederti qui. - b. Nevica fortissimo. - c. È una bella notizia. - d. Fa un freddo terribile. - e. Ti amo molto. - f. Hai davvero una bella giacca. - g. Sono contento di essere qui con voi. - h. Mangi davvero tanto! - i. È un uomo molto distinto. - j. Ha fatto una brutta figura.

LES INDÉFINIS

Les indéfinis permettent d'exprimer une nuance par rapport à la quantité ou à l'identité d'une chose ou d'un être.
Ils peuvent exprimer une quantité indéterminée, une identité indéterminée ou la différence d'identité.
Outre les articles indéfinis, les indéfinis peuvent être adjectifs, pronoms, ou les deux à la fois.

Articles indéfinis, voir 19 ◄

34 Expression des quantités indéterminées

1. Quantité nulle : *nessuno, niente, nulla*

Adjectifs	Pronoms
*Non ha **nessun** talento.* Il n'a aucun talent.	***Nessuno** dei miei amici è libero.* Aucun de mes amis n'est libre. *Non ho visto **nessuno**.* Je n'ai vu personne.
*Non ho **nessuna** notizia.* Je n'ai aucune nouvelle.	***Nessuna** delle candidate è adatta a questo posto.* Aucune des candidates n'est adaptée à ce poste.
	*Niente è impossibile. **Nulla** è impossibile.* Rien n'est impossible.

➤ *Nessuno* adjectif signifie « aucun ».
Il se comporte comme l'article indéfini *uno* : il devient **nessun** devant les noms commençant par une voyelle ou par une consonne (sauf s + consonne, x, z, ps, gn, y, i + voyelle).
Le féminin *nessuna* peut s'élider devant une voyelle :
nessun'idea   aucune idée

➤ *Nessuno* est un pronom invariable en genre et en nombre lorsqu'il signifie « personne » (= aucun être humain). Il varie en genre lorsqu'il signifie « aucun, aucune ».

➤ *Niente* et *nulla* (« rien »), synonymes, sont des pronoms invariables.
Lorsque *nessuno*, *niente* et *nulla* précèdent le verbe, on n'emploie pas la négation **non**, mais lorsqu'ils le suivent il y a double négation :
*Non vedo **nessuno** e **non** sento **niente**.*   Je ne vois personne et je n'entends rien.

Nessuno 272, Niente 273 ◄

2. Quantité partielle : *alcuni, qualche, poco, molto, parecchio, tanto, troppo...*

Adjectifs		Pronoms	
singulier	pluriel	singulier	pluriel
*Ho comprato **qualche** giornale.* J'ai acheté quelques journaux.		***Qualcuno** ha gridato.* Quelqu'un a crié.	

Adjectifs		Pronoms	
singulier	pluriel	singulier	pluriel
	Andare via alcuni giorni. Partir quelques jours. *Incontrare alcune persone.* Rencontrer quelques personnes		*Alcuni sono partiti.* Quelques-uns sont partis. *Alcune sono arrivate.* Quelques-unes sont arrivées.
	Molte persone visitano l'Italia. Beaucoup de person-nes visitent l'Italie. *Abbiamo pochi amici, ma fidati.* Nous avons peu d'amis, mais fidèles.		*Molti si ricordano ancora del terre-moto di Messina.* Beaucoup de gens se rappellent encore le tremblement de terre de Messine.
		Non ne mangiare troppo. N'en mange pas trop.	

Ho parecchio lavoro.
J'ai pas mal de travail.

> En italien, on peut dire *molto* ou *troppo* mais pas les deux ensemble : la traduction à la lettre de « beaucoup trop » n'est pas possible. En revanche, on peut renforcer *troppo* par *davvero*, *proprio* ou *veramente* (vraiment).

➤ *Qualche*, quelque(s), est un adjectif invariable.
Devant le mot *cosa*, il peut se contracter en *qualcosa* (quelque chose).
Qualche est toujours suivi du singulier – aussi bien du nom que du verbe qu'il intro-duit – bien qu'il exprime une idée de pluralité :
Qualche amico è già arrivato.   Quelques amis sont déjà arrivés.

➤ De même, *qualcuno/a* (quelqu'un, quelques-un(e)s) :
Qualcuno è già arrivato.   Quelques-uns sont déjà arrivés.

➤ En revanche, *alcuni/e* (qui signifie aussi « quelques ») ne s'utilise qu'au pluriel :
Alcuni amici sono già arrivati.   Quelques amis sont déjà arrivés.
Alcuni arriveranno più tardi.   Quelques-uns arriveront plus tard.

Qualche et *Alcuni* 323
Qualcuno 325 ◄

➤ Le pronom *poco* se contracte en *po'* dans la locution *un po' (di)* :
Dammi un po' di latte, ma solo un po'!
Donne-moi un peu de lait, mais un petit peu seulement !

3. Quantité distributive : *ogni, ognuno, ciascuno*

Adjectifs Exclusivement au singulier	Pronoms Exclusivement au singulier
*Chiede a **ogni** persona che passa.* Il demande à chaque personne qui passe.	*Ognuno (ciascuno) al suo posto!* Chacun à sa place ! *Diamo una rosa a **ciascuna (ognuna)**!* Offrons une rose à chacune !

🖝 **Ogni** (chaque) est un adjectif invariable en genre et en nombre et est toujours suivi du singulier. Il est également utilisé pour indiquer un pluriel « distributif » :
Ogni sei mesi vado dal dentista.
Tous les six mois, je vais chez le dentiste.

🖝 **Ognuno/a** et son synonyme **ciascuno/a** (chacun/e) sont toujours au singulier. Ils peuvent se référer à des personnes ou à des choses.
Toutefois, *ciascuno* peut également être adjectif :
***Ciascuna persona** ha le proprie esigenze particolari.*
Chaque personne a ses (propres) exigences personnelles.

Ogni 282, Ognuno 283 ◀

4. Quantité totale, globale : *tutto*

Adjectifs		Pronoms	
singulier	pluriel	singulier	pluriel
*Ha bevuto **tutto** il latte.* Il a bu tout son lait.		*L'ha bevuto **tutto**.* Il (l')a tout bu.	
	*Spedisco **tutte** le raccomandate.* J'envoie toutes les lettres recommandées.		*Le ha spedite **tutte**.* Il les a toutes envoyées.

🖝 Le pronom **tutti**, variable, peut indiquer la totalité des personnes dont on parle (= tous) mais aussi l'ensemble des gens, et dans ce cas il correspond à « tout le monde ». Comparez :

*I miei amici, li ho invitati **tutti**.* Mes amis, je les ai tous invités.	*Lo dicono **tutti**.* Tout le monde le dit.

Tutto 355, Expression de la quantité 327 ◀

35 Identité indéterminée, différence d'identité

1. Identité indéterminée :

qualsiasi, qualunque, chiunque, dovunque (ovunque), un certo, certi, un tale

Adjectifs		Pronoms	
singulier	pluriel	singulier	pluriel
***Qualsiasi** persona può farlo.* ***Qualunque** persona può farlo.* N'importe quelle personne peut le faire.		***Chiunque** può farlo.* N'importe qui peut le faire.	

Adjectifs		Pronoms	
singulier	pluriel	singulier	pluriel

Può essere in **qualsiasi** *posto.* Il peut être à n'importe quel endroit.		*Può essere* **dovunque (ovunque)**. Il peut être n'importe où.	
Ha chiamato **un certo** *signor Rizzi.* Un certain M. Rizzi a appelé. *Hanno* **una certa** *esperienza.* Ils ont une certaine expérience.		*Ha chiamato* **un tale**. Untel a appelé.	
	Certi *amici lo dicono.* Certains amis le disent. **Certe** *persone ci credono.* Certaines personnes y croient.		**Certi** *lo dicono.* Certains le disent. **Certe** *ci credono.* Certaines y croient.

◗ *Qualsiasi* et *qualunque* sont des adjectifs invariables qui se réfèrent aussi bien à des choses qu'à des personnes. Leur traduction varie selon les contextes :
Qualsiasi (qualunque) libreria della città.
N'importe quelle librairie de la ville.
Una libreria qualsiasi (qualunque).
Une librairie quelconque (= banale, pas spéciale, n'importe laquelle).

Qualsiasi, Qualunque 326 ◀

◗ Le pronom **chiunque**, en revanche, se réfère exclusivement à des personnes, et le pronom **dovunque** à des lieux.

Chiunque, Dovunque 198 ◀

◗ *Certo* se réfère aussi bien à des personnes qu'à des choses et s'utilise au masculin comme au féminin.
Au singulier, il est précédé de l'article indéfini : *Un certo..., una certa...*

◗ *Un tale* s'utilise comme pronom masculin singulier pour désigner une personne inconnue.

Tale 353 ◀

◗ 2. Différence d'identité : *un altro*

Adjectifs		Pronoms	
singulier	pluriel	singulier	pluriel

Ora ha **un altro** *progetto.* Il a maintenant un autre projet. *Sogna* **un'altra** *vita.* Il rêve d'une autre vie.		**Un altro** *non lo farebbe.* Un autre ne le ferait pas. *Ha sposato* **un'altra**. Il s'est marié avec une autre.	
	Incontra **altri** *amici.* Il rencontre d'autres amis. *Ha* **altre** *esigenze.* Il a d'autres exigences.		**Altri** *non lo farebbero.* D'autres ne le feraient pas. *Lo capisco in certe cose e non in* **altre**. Je le comprends pour certaines choses et pas pour d'autres.

◗ *Un altro, un'altra* sont toujours précédés de l'article indéfini dans leur valeur de « différent de quelqu'un ou de quelque chose ».

◗ Au pluriel, on emploie la forme *altri, altre*, généralement sans l'article partitif.

● À remarquer les locutions indéfinies :

qualcun altro	quelqu'un d'autre
nessun altro	personne d'autre
nient'altro	rien d'autre
chiunque altro	tout autre

À VOUS !

19. Transformez, en remplaçant *tutto* par *ogni* :
a. Tutte le mattine mi sveglio alle cinque. - b. Tutti i mesi le scriveva una lettera. - c. Lo ripeto tutte le volte e non si ricorda mai! - d. Tutti i partecipanti hanno vinto un premio. - e. Ritorna in quest'albergo tutte le estati.

20. Complétez avec *qualche* ou *alcuni* selon le cas :
a. Ho letto ... articoli su questo argomento. - b. Mi ha spedito ... cartolina da Roma. - c. Aspetto ... telefonate di lavoro. - d. Ho visto ... film interessanti. - e. Ha bevuto ... goccia di quel veleno ed è morto.

21. Complétez avec *chiunque, qualsiasi (qualunque), niente (nulla), nessuno, qualcuno, qualcosa, certo, tale, ognuno (ciascuno), altro, dovunque, tutto* :
a. Non capisci ...! - b. È proprio bravo: ... merita questo premio più di lui. - c. È così facile che ... persona può farlo. - d. Ha telefonato ... per te. - e. In caso di incendio non ci sono problemi: ... di noi sa quello che deve fare. - f. ..., anche un bambino, può far funzionare questa macchina. - g. Ha telefonato un ... dottor Bianchi per te. - h. Ha chiesto l'informazione a un ... per strada. - i. Hai visto ... di interessante al cinema? - j. Ieri non ho fatto ... di speciale. - k. È così innamorata che lo seguirebbe ..., anche in capo al mondo! - l. Ha cambiato casa, è andato a vivere in un ... quartiere. - m. Spero che alla riunione vengano ... e che non mancherà ...! - n. È un posto ..., veramente banale. - o. In un ... senso, hai ragione.

LES NUMÉRAUX

Pour exprimer la notion de nombres, l'italien utilise essentiellement des adjectifs et des pronoms numéraux qui sont de deux sortes.

• Les adjectifs et pronoms numéraux cardinaux indiquent le nombre précis de personnes ou de choses désignées par le nom qu'ils déterminent :
uno, due tre... (un, deux, trois...)
• Les numéraux ordinaux indiquent un rang occupé dans une série numérique :
primo, secondo, terzo... (premier, deuxième, troisième...)

On parle également de :
– numéraux collectifs : *un paio, una decina...* (une paire, une dizaine...)
– numéraux multiplicatifs : *doppio, triplo...* (double, triple...)

Voir Numéraux 279 et 280 ◀

LES NUMÉRAUX CARDINAUX

36 Formes des numéraux cardinaux

0 zero	10 dieci	20 venti	30 trenta
1 uno	11 undici	21 ventuno	40 quaranta
2 due	12 dodici	22 ventidue	50 cinquanta
3 tre	13 tredici	23 ventitrè	60 sessanta
4 quattro	14 quattordici	24 ventiquattro	70 settanta
5 cinque	15 quindici	25 venticinque	80 ottanta
6 sei	16 sedici	26 ventisei	90 novanta
7 sette	17 diciassette	27 ventisette	100 cento
8 otto	18 diciotto	28 ventotto	200 duecento
9 nove	19 diciannove	29 ventinove	1 000 mille

2 000 due**mila**
1 000 000 un milione
1 000 000 000 un miliardo

➤ **Les dizaines associées aux chiffres *uno* (1) et *otto* (8), à partir de 20, perdent leur voyelle finale :**
21: ventuno   38: trentotto   41: quarantuno   58: cinquantotto

➤ **Les composés de *uno* peuvent perdre leur voyelle finale :**
Ha trentun anni.   Il a trente et un ans.

➤ **Les nombres composés se terminant par *tre* (3) sont accentués sur cette dernière voyelle :**
33 : trentatré, 53 : cinquantatré, 103 : centotré (mais *3 : tre, 1 003 : mille e tre*)

Le millier suivi d'une centaine s'exprime obligatoirement :
1.900 = millenovecento
L'emploi français « dix-neuf cents » n'a pas de correspondant en italien.

Expression de la date, voir 213 ◀

➤ **Les numéraux cardinaux s'écrivent en un seul mot, sans conjonction.**
1.999 = millenovecentonovantanove

{ Les chiffres qui s'ajoutent à *milione* et *miliardo* s'écrivent séparés et précédés de la conjonction *e*.

*È un contratto da **un milione e ottocentomila** euro.*
C'est un contrat d'un million huit cent mille euros.

Sur les **chèques** et dans les **lettres commerciales,** tous les chiffres doivent être écrits en un seul mot :
*Troverete in allegato un assegno di **unmilioneottocentomila** euro.*
Vous trouverez ci-joint un chèque d'un million huit cent mille euros.

37 Accord des numéraux cardinaux

1. Les numéraux cardinaux sont invariables, sauf *uno* et *mille*

Uno a les mêmes formes que l'article indéfini (*un, uno, una*) :
*Ho comprato **uno** zaino, **un** sacco a pelo, **una** tenda canadese e **tre** cartine.*
J'ai acheté un sac à dos, un sac de couchage, une tente canadienne et trois cartes géographiques.

Mille a un pluriel irrégulier : *mila.*
*Ho speso cinquantadue**mila** euro.*
J'ai dépensé cinquante-deux mille euros.

2. Employés en tant que noms, les numéraux sont de genre masculin

*Si dice che **il** tredici porti fortuna.*   On dit que le (numéro) 13 porte bonheur.
Dans ce cas, les numéraux restent invariables, sauf *lo zero :*
Non prendere in considerazione gli zeri.   Ne pas tenir compte des zéros.

Expression de l'heure 234
Expression de la date 213, des années 214, des siècles 215
Expressions arithmétiques 311, 312
Pourcentages 310

LES NUMÉRAUX ORDINAUX

38 Formes des numéraux ordinaux

1° primo	*8° ottavo*	*26° ventiseiesimo*
2° secondo	*9° nono*	*33° trentatreesimo*
3° terzo	*10° decimo*	*100° centesimo*
4° quarto	*11° undicesimo*	*103° centotreesimo*
5° quinto	*12° dodicesimo*	*1000° millesimo*
6° sesto	*13° tredicesimo*	*1.000.000° milionesimo*
7° settimo	*23° ventitreesimo*	

1. Règle de formation

À partir de *11°*, le numéral ordinal se forme en ajoutant au chiffre cardinal sans la dernière voyelle la terminaison -*esimo.*
Les ordinaux se terminant par *tre* (3) et *sei* (6) gardent la voyelle finale devant -*esimo* :
ventisei ⟶ *ventiseiesimo*   *ventitré* ⟶ *ventitreesimo*

2. Noms de papes, rois ou empereurs

On emploie le numéral ordinal sans article et écrit en chiffres romains.
Papa Giovanni **XXIII°** *(ventitreesimo).*
Le pape Jean XXIII (vingt-trois).

3. Formes particulières

Lorsque l'on compte à partir de la fin d'une série, on utilise les formes ordinales composées avec *-ultimo* (dernier) :

penultimo	*terzultimo*	*quartultimo*
avant-dernier	antépénultième	quatrième avant le dernier

È arrivato **terzultimo**.
Il est arrivé antépénultième.

---

39 Accord des numéraux ordinaux

Ils s'accordent régulièrement en genre et en nombre avec les noms qu'ils quantifient :

la terza a destra	la troisième (rue) à droite
i primi arrivati	les premiers arrivés
le seconde nozze	les secondes noces

Voir aussi Numéraux 279, 280
Expression des siècles 215
Fractions 311 ◄

À VOUS !

22. Lisez et écrivez en toutes lettres :
a. 12 - 33 - 45 - 28 - 60 - 70 - 81 - 15 - 57 - 11 - 99 - 3 - 13 - 31 - 76 - 67 - 19 - 92 - 17 - 4 - 16 - 6 - 10 - 88 - 5 - 14.
b. 341 - 274 - 672 - 505 - 937 - 812 - 438 - 771 - 990.
c. 1.000 - 1.003 - 2.001 - 1.928 - 1.945 - 1.981 - 1.997 - 1.870 - 5.678 - 7.634 - 89.265 - 65.784 - 100.000 - 450.000 - 1.000.000.

23. Complétez avec les ordinaux indiqués :
a. Mario abita al (1°) ... piano. - b. Siamo nel (20°) ... secolo. - c. La (9°) ... sinfonia di Beethoven. - d. È la (7°) ... meraviglia del mondo. - e. La (5°) ... colonna sono le spie, gli agenti segreti. - f. È al (4°) ... anno di università. - g. Ha studiato fino alla (3°) ... media.

LES PRONOMS PERSONNELS

Les pronoms personnels sujets indiquent la personne grammaticale qui accomplit l'action exprimée par le verbe.
En italien, l'emploi du pronom sujet est facultatif dans la plupart des cas car la terminaison du verbe suffit souvent à indiquer la personne qui accomplit l'action.

Lavori troppo, avresti bisogno di riposo!   Tu travailles trop, tu aurais besoin de repos !

1. Formes des pronoms personnels sujets

io	je	*noi*	nous
tu	tu	*voi*	vous
lui, lei	il, elle	*loro*	ils, elles
egli / ella	formes littéraires	*essi / esse*	formes écrites
esso / essa	formes écrites		
Lei	pronom de politesse au singulier	*Loro*	pronom de politesse au pluriel

► Les pronoms de politesse *Lei* et *Loro*
La forme de politesse est exprimée par les pronoms *Lei* et *Loro* qui s'écrivent toujours avec une majuscule et sont suivis de la troisième personne singulier ou pluriel du verbe.
Lei correspond au « vous » de politesse français, alors que le pronom *voi* s'utilise pour s'adresser à plusieurs personnes.
Lei s'utilise indifféremment pour les hommes comme pour les femmes, et l'adjectif ou le participe s'accordent au masculin ou au féminin, selon le cas :
Lei è già venuto altre volte in Italia, avvocato?
Êtes-vous déjà venu d'autres fois en Italie, Maître ?
Signorina, se anche Lei è pronta possiamo cominciare.
Mademoiselle, si vous êtes prête aussi, nous pouvons commencer.
Avec le pronom de politesse pluriel *Loro*, on s'adresse à plusieurs personnes que l'on vouvoie, mais ce pronom est de moins en moins utilisé : on lui préfère la forme *Voi*, moins formelle et plus directe.

Voir aussi Forme de politesse 304 ◄

► Les pronoms *egli, ella* et *esso, essa, essi, esse*
Dans la langue écrite, on peut rencontrer à la troisième personne les pronoms sujets *egli* et *ella*, ou *esso* et *essa* à la place de *lui* et *lei*.
Egli et *ella* se réfèrent exclusivement à des personnes, tandis que *esso* et *essa* se réfèrent en principe à des choses ou à des animaux.
De la même façon, on peut trouver, à la place du pronom pluriel *loro*, les pronoms *essi* et *esse*, aussi bien pour des animés que pour des non-animés.
Egli prese la mano della donna ed ella la ritrasse.   Il prit la main de la femme et elle la retira.
Chiamò a sé i figli ed essi vennero subito.   Il appela à lui ses enfants et ils vinrent de suite.

2. Emplois des pronoms personnels sujets

Habituellement facultatif, le pronom personnel sujet est toutefois **exprimé** dans les cas suivants...

► Pour marquer un contraste ou une opposition :
Lui è inglese, lei è tedesca.   Lui, il est anglais, et elle, allemande.

Dans ce cas, le fait d'exprimer le sujet peut correspondre à la forme française d'insistance « moi, je... toi, tu... » :

Io non sono d'accordo.   Moi, je ne suis pas d'accord.

 Dans une succession d'actions accomplies par des sujets différents :
*Facciamo così: io apparecchio, **tu** fai da mangiare e **lui** si occupa dell'aperitivo.*
Faisons comme ça : moi, je mets la table, toi, tu fais la cuisine et lui, il s'occupe de l'apéritif.

 Avec *anche* (aussi) et *neanche* (non plus) :
Anche lei può venire al mare con noi.   Elle aussi peut venir à la mer avec nous.
Neanche lui è soddisfatto della sua nuova macchina.
Lui non plus n'est pas satisfait de sa nouvelle voiture.
De même avec *pure, neppure, nemmeno*, etc.

 Chaque fois que la forme verbale est ambiguë, notamment au **subjonctif** ou avec la personne de **politesse :**
*Bisogna che **tu** vada a vedere cosa succede.*   Il faut que tu ailles voir ce qui se passe.
Lei è arrivato ieri, o sbaglio?   Vous êtes arrivé hier, ou je me trompe ?
En effet, « *è arrivato ieri?* » sans le sujet « *Lei* » pourrait être une question concernant une troisième personne.

---

41   Pronoms personnels compléments d'objet direct

 1. Formes des pronoms personnels c.o.d.

Les pronoms personnels compléments d'objet direct ont une **forme faible** (ou atone), qui s'utilise généralement devant le verbe :
Incontro il mio amico ⟶ *lo incontro.*
Je rencontre mon ami   je le rencontre.
et une **forme forte** (ou tonique), qui s'utilise après le verbe pour mettre en relief le complément :
Incontro il mio amico e sua moglie ⟶ *incontro **lui** e sua moglie.*
Je rencontre mon ami et sa femme   je le(s) rencontre, lui et sa femme.

Forme faible	Forme forte
mi	*me*
ti	*te*
lo, la	*lui, lei, esso, essa*
La	*Lei*
ci	*noi*
vi	*voi*
li, le	*loro, essi, esse*
	Loro

 Mi, ti, ci, vi, ainsi que *lo* et *la* peuvent s'élider et prendre l'apostrophe devant une voyelle :
T'invito alla mia festa.   Je t'invite à ma fête.

 Li et ***le***, en revanche, ne peuvent pas s'élider :
Lo ascolto.   ⟶   *L'ascolto* mais *Li ascolto.*
Je l'écoute.   Je les écoute.
Lo *ha visto. ⟶   *L'ha visto* mais *Li ha visti.*
Il l'a vu.   Il les a vus.

* Le *h* du verbe *avere*, ne se prononçant pas, donne lieu à l'élision.

2. Les pronoms personnels c.o.d. aux temps composés

Aux temps composés, *lo, la, li, le* exigent l'accord du participe passé du verbe qui suit :

Lo vedo ⟶ *l'ho visto.*
Je le vois   je l'ai vu.

La vedo ⟶ *l'ho vista.*
je la vois   je l'ai vue.

Li vedo ⟶ *li ho visti.*
Je les vois   je les ai vus.

Le vedo ⟶ *le ho viste.*
Je les vois   je les ai vues.

Pour les autres personnes, l'accord est facultatif :

*Carlo e Giulio! Il professore **vi** ha cercato (*ou *cercati).*
Le professeur vous a cherchés.

Voir aussi Accord du participe passé 153
Forme de politesse 304 ◄

42   Pronoms personnels compléments d'objet indirect

1. Formes des pronoms personnels c.o.i.

Ils présentent une forme faible, généralement placée devant les verbes :

Scrivo a mio padre ⟶ *gli scrivo.*
J'écris à mon père   je lui écris.

Ils présentent également une **forme forte**, utilisée pour mettre en relief le complément d'objet indirect, introduit par la préposition *a* :

Scrivo a mio padre ⟶ *scrivo solo **a lui**.*
J'écris à mon père   je n'écris qu'à lui.

Forme faible	Forme forte
mi	*(a) me*
ti	*(a) te*
gli, le	*(a) lui, lei*
Le	*(a) Lei*
ci	*(a) noi*
vi	*(a) voi*
gli (loro)*	*(a) loro*

* La forme *loro* se place après le verbe.

La troisième personne du singulier, à la différence du français, distingue le masculin et le féminin :

Telefono al medico ⟶ *gli telefono.*
   je lui téléphone (à lui, au médecin).

Scrivo alla direttrice ⟶ *le scrivo.*
   je lui écris (à elle, à la directrice).

La troisième personne du pluriel a une forme très employée dans la langue parlée, *gli*, et une forme qui appartient à un registre de langue plus recherché, *loro*, également utilisée pour éviter les ambiguïtés :

Parlo alle persone presenti. ⟨ **Gli** parlo. / Parlo **loro**.   Je leur parle (aux personnes présentes).

Au pluriel, on ne fait pas la distinction entre féminin et masculin.

2. Les pronoms c.o.i. dans les temps composés

Aux temps composés, ces pronoms n'impliquent pas l'accord du participe passé qui suit :

Gli ho parlato.   Je lui ai parlé (à lui) / je leur ai parlé (à eux / à elles).
Le ho parlato.   Je lui ai parlé (à elle).
Vi ho scritto.   Je vous ai écrit (à vous).

---

43 Les pronoms personnels réfléchis

1. Formes des pronoms personnels réfléchis

Ces pronoms s'emploient lorsque le sujet de l'action et le complément qui la subit désignent une même personne :

(io) Mi alzo ogni mattina alle sette.
Je me lève chaque matin à sept heures.

Les pronoms réfléchis ont une forme faible et une forme forte.

 La forme faible s'emploie généralement devant les verbes :
Si prepara.   Il se prépare.
Cette forme faible sert aussi à composer les verbes pronominaux.

 La forme forte est utilisée pour renforcer le complément :
Prepara se stesso poi i suoi figli.
Il se prépare lui-même, puis ses enfants.

Forme faible	Forme forte
mi	*me (stesso/a)*
ti	*te (stesso/a)*
si	*sé (se stesso/a)**
ci	*noi (stessi/e)*
vi	*voi (stessi/e)*
si	*sé (se stessi/e)**

* *Sé* perd l'accent lorsqu'il est suivi de **stesso**.

2. Les pronoms réfléchis dans les temps composés

Les pronoms réfléchis impliquent l'emploi de l'auxiliaire *essere* et donc l'accord du participe passé avec le sujet du verbe :

*Oggi, **mi** sono svegliata tardi.*
Aujourd'hui, je me suis réveillée tard.

*I suoi genitori **si** sono preoccupati del suo ritardo.*
Ses parents se sont inquiétés de son retard.

Voir aussi Accord du participe passé 153, *Si* ou *se* 333

---

44 Place des pronoms compléments et réfléchis de forme faible

Les pronoms précèdent le verbe, sauf dans quelques cas, où ils s'accolent à la finale du verbe. On dit alors qu'ils sont en **position enclitique**.

 avec l'infinitif :

C.O.D.

A quest'ora è inutile cercarlo a casa.
À cette heure-ci, il est inutile de le chercher chez lui.

C.O.I.

È importante parlargli di questa decisione.
Il est important de lui parler de cette décision.

 avec le gérondif :

C.O.D.

Vedendoti si è rallegrato.
En te voyant, il s'est réjoui.

C.O.I.

Parlandovi ho capito.
En vous parlant, j'ai compris.

 avec l'impératif :

Mais seulement aux trois personnes *tu, noi, voi* :

Scusami! *Alziamoci!* *Accomodatevi!*
Excusez-moi ! Levons-nous ! Installez-vous !

 avec ecco :

C.O.D.

Eccomi!
Me voici !

C.O.I.

EccoLe il passaporto.
Voilà votre passeport.

 avec les verbes semi-auxiliaires ou modaux :

Les pronoms se placent soit devant le premier verbe, soit après l'infinitif :

Mi <u>vuole</u> vedere. = *<u>Vuole</u> vedermi.* Il veut me voir.

{ Attention : *loro* (toujours placé après le verbe) se place après l'infinitif, en position forte.
*Vuole parlare **loro**.* Il veut leur parler.

Voir aussi Enclise **227**
et Verbes serviles **361**

---

45 Emplois de la forme forte des pronoms

 1. Place des pronoms forme forte

La forme forte des pronoms personnels directs et compléments et des pronoms réfléchis se place toujours **après le verbe**.

Pronoms compléments :

me	*te*	*lui / lei*	*Lei*	*noi*	*voi*	*loro*	*Loro*
moi	toi	lui / elle	Vous	nous	vous	eux / elles	Vous

Pronoms réfléchis :

me	*te*	*sé (stesso/a)*	*noi*	*voi*	*sé (stessi/e)*
moi	toi	lui / elle(-même)	nous	vous	eux / elles (-mêmes)

 2. Emplois des pronoms forme forte

 Avec les prépositions :

per me, a te, con lui... pour moi, à toi, avec lui...
*L'ho fatto **per te**.* Je l'ai fait pour toi.
*Stanno parlando **di me**.* Ils parlent de moi.
*È in collera **con se stesso**.* Il est en colère avec lui-même.
*Era fuori **di sé** dalla rabbia.* Il était hors de lui de rage.

Avec les sujets indéfinis, on emploie le pronom de forme forte *sé* (suivi ou non du pronom indéfini *stesso*) :
*Ognuno decide **per sé**.* Chacun décide pour soi.

☛ Pour renforcer, opposer, mettre en valeur le complément :

*Ha chiamato **me**. (≠ mi ha chiamato)*   *L'ha detto **a lui**. (≠ gli ha detto)*
C'est moi qu'il a appelé.   C'est à lui qu'il l'a dit.

ou quand le complément est suivi d'un autre nom :

*Ha chiamato **lui** e il suo collega.*   Il l'a appelé, lui et son collègue.

☛ Après *come* et *quanto*, dans une comparaison :

*È alto come **me**.*   Il est grand comme moi.
*Lei fuma quanto **te**.*   Elle fume autant que toi.

☛ Dans certaines expressions et tournures exclamatives :

*Secondo **me**...*   Selon moi...   *Povero **me**!*   Pauvre de moi !
*Beato **te**!*   Bienheureux que tu es !   *Io e te**   Toi et moi.
*mais : *tu ed io.*

Voir aussi *Io* et *me* 260 ◀

À VOUS !

24. Répondez aux questions en utilisant des pronoms :
a. Studi il cinese? (Sì, a scuola) - b. Marco guarda la televisione la sera? (No, mai) - c. Prendete l'autobus? (Sì, qualche volta) - d. Conosci il signor Neri? (No) - e. Tua sorella conosce Giovanna e Marta? (No) - f. I tuoi amici leggono i giornali? (Sì) - g. Quando mi chiama, signorina? (Stasera alle nove).

25. Répondez aux questions en utilisant des pronoms. Attention à l'accord du participe passé !
a. Quando hai finito il lavoro? (Ieri) - b. Dove avete posteggiato la macchina? (In garage) - c. Hai invitato gli amici di Michele? (Sì) - d. I bambini hanno preso la medicina? (Sì) - e. Hai visitato Firenze e Pisa? (Sì) - f. Avete scritto la lettera d'invito? (Non ancora) - g. Hai chiuso tutte le finestre? (Sì, tutte).

26. Répondez aux questions en utilisant des pronoms :
a. Scrivi a Maria? (Sì, stasera) - b. Telefonano a Claudio? (Sì, subito) - c. Che cosa regali a tua madre? (Una borsetta) - d. Che cosa ha regalato ai suoi genitori? (Un mazzo di fiori) - e. Che cosa hai detto ai tuoi amici? (Di venire a cena) - f. Quando mi telefona, signorina? (Stasera alle nove, Signor Rossi) - g. Che cosa avete raccontato a Elena? (Tutta la storia).

27. Complétez avec les pronoms appropriés, en faisant attention à l'accord éventuel du participe passé :
a. Carlo ... fa una domanda e io ... rispondo. - b. Avvocato, ... ringrazio per il consiglio: ... telefonerò domani per dar... una risposta. - c. Sono andato da lui, ... ho parlat... e ... ho spiegat... tutto. E lui ... ha perdonat... - d. Ho incontrato la mia relatrice, ... ho salutat... e ... ho parlat... della mia tesi di laurea. - e. Ho telefonato ai miei amici, ... ho invitat... alla mia festa e ... ho dett... di portare una bottiglia di spumante. - f. ... alzo alle sette mentre Gianni e Marco ... alzano alle nove. - g. Francesca e Luigi... sono conosciut... dieci anni fa. Noi, invece, ... conosciamo da poco.

28. Complétez avec la forme forte des pronoms personnels :
a. Rispondi! chiamano ...! - b. Povero ..., sono proprio in un pasticcio. - c. Mio zio mi ha invitato in campagna, vieni con ...! - d. Caro Giulio, io conto molto su di ...; io e ... siamo una coppia di ferro. - e. Ho litigato con Luisa ma ho capito che aveva ragione ..., e non ... - f. Signor Rossi, ecco a ... 10 euro di resto. Ehi! dico a ...! Non ... sente? - g. Povera ...! Non so più cosa fare!

LES PRONOMS PERSONNELS

LE PRONOM ADVERBIAL *CI*

Ci correspond au pronom adverbial « y » français. Comme lui, il est invariable.
Dans un registre de langue écrit ou littéraire, *ci* peut être remplacé par la forme *vi*.

---

46 Valeurs du pronom adverbial *ci*

1. *Ci* = ici, là, en cet endroit

Vado a Roma in aprile.	→ *Ci vado in aereo.*
Je vais à Rome en avril.	J'y vais en avion.
Sono ritornata a Venezia.	→ *Ci sono ritornata il mese scorso.*
Je suis retournée à Venise.	J'y suis retournée le mois dernier.
I signori Rosi non sono in casa.	→ *Non ci sono.*
M. et Mme Rosi ne sont pas à la maison.	Ils ne sont pas là.

Ci pronom adverbial de lieu prend l'apostrophe devant la voyelle *e* :
Il direttore non c'era.
Le directeur n'était pas là.
Ho cercato di introdurre la chiave nella serratura ma non c'entrava.
J'ai essayé d'introduire la clé dans la serrure mais elle n'y entrait pas.

2. *Ci* = à cela

Credo molto a questo progetto.	→ *Ci credo molto.*
Je crois beaucoup à ce projet.	J'y crois beaucoup.
Penso io alle valigie.	→ *Ci penso io.*
C'est moi qui pense aux bagages.	C'est moi qui y pense.

---

47 Locutions verbales formées avec *ci*

1. *C'è - ci sono* = il y a

La forme *esserci* correspond au français « y avoir ».

 Elle existe à tous les temps, à tous les modes, et le verbe *essere* s'accorde à la
3e personne du singulier ou du pluriel selon le nombre du nom qui suit.
Nel salotto c'è un grande divano e di fianco ci sono due poltrone.
Dans le salon, il y a un grand canapé et à côté, il y a deux fauteuils.

 La forme négative n'admet pas de partitif :
Nell'ingresso ci sono due porte ma non ci sono finestre.
Dans l'entrée il y a deux portes mais il n'y a pas de fenêtres.

 Ci se transforme en *ce* (et *vi* en *ve*) lorsqu'il est suivi du pronom partitif *ne* (en) :

C'è una strada sola che va lassù. →	*Ce n'è una sola.*
Il y a une seule route qui va là-haut.	Il n'y en a qu'une.
Ci sono molte strade. →	*Ce ne sono molte.*
Il y a beaucoup de routes.	Il y en a beaucoup.

Voir aussi Pronoms groupés 320 ◄

2. *Ci vuole* - *ci vogliono* = **il faut**

La forme *volerci* correspond au verbe français « falloir ».

▶ Elle existe à tous les temps, à tous les modes, et s'emploie essentiellement suivie d'un nom (même sous-entendu ou remplacé par un pronom) :
Ci vuole pazienza per sopportarlo.
Il faut de la patience pour le supporter.

▶ Le verbe *volere* s'accorde à la troisième personne du singulier ou du pluriel selon le nombre du nom qui suit :
Per andare alla fontana di Trevi da qui, a piedi ci vuole mezz'ora, con l'autobus ci vogliono dieci minuti.
Pour aller à la fontaine de Trevi d'ici, à pied il faut une demi-heure, par le bus il faut dix minutes.

Voir aussi Il faut 246 ◀

3. *Vederci* et *sentirci*

Ci accompagnant les verbes *vedere* et *sentire* indique la **faculté** de voir et d'entendre, et non l'action ponctuelle :
Se un bambino ha problemi a scuola, bisogna domandarsi prima di tutto se ci vede e ci sente perfettamente...
Si un enfant a des problèmes à l'école, il faut d'abord se demander s'il voit et entend parfaitement...

Voir aussi Y 362, Il y a 247 ◀

---

48 Place du pronom adverbial *ci*

Ci se place généralement devant les verbes mais il se retrouve en **position enclitique** quand les verbes sont :

• à l'infinitif :
In farmacia, ho intenzione di andarci più tardi.
À la pharmacie, j'ai l'intention d'y aller plus tard.

• au gérondif :
Vai a casa a piedi? Andandoci in autobus fai prima!
Vas-tu à la maison à pied ? En y allant en bus tu fais plus vite !

• à l'impératif *(tu, noi, voi)* :
Pensaci!
Penses-y !
Pensiamoci!
Pensons-y !
Pensateci!
Pensez-y !

• avec les verbes serviles :
Ci se place soit devant le premier verbe, soit après l'infinitif, en position enclitique :
Non ci posso andare. / Non posso andarci*.
Je ne peux pas y aller.

* En construction enclitique, l'infinitif perd son -e final.

Enclise, voir 227
Verbes serviles, voir 361 ◀

29. Répondez en utilisant le pronom *ci* :
a. Quando vai in Italia? (Quest'estate) - b. Pensi ancora al tuo problema? (No, non più) - c. Il signor Rossi è in casa? (No) - d. Luigi è già andato a Roma? (No, non ancora) - e. I miei occhiali sono sulla scrivania? (No) - f. Credi davvero a quello che ti ha detto? (Sì) - g. Devi andare a lavorare oggi? (No) - h. Quanti bagni ci sono in quell'appartamento? (Due) - i. C'è un treno diretto per Firenze? (Sì, uno, alle nove) - j. Hai riflettuto alla mia proposta? (Sì, a lungo).

30. Complétez avec la forme *volerci* correctement conjuguée :
a. Volevamo andare a visitare il museo ma … … troppo tempo così abbiamo rinunciato. - b. Per entrare qui … … un lasciapassare speciale. - c. Quante ore di lavoro … …., in teoria, per finire l'impianto? - d. … … ancora molto per arrivare? Solo dieci minuti! - e. Ora abbiamo tutto quello che … … per il picnic! - f. Per ottenere quel posto … … anni di esperienza nel settore. - g. Un buon pranzo è proprio quello che mi … …, ho una fame da lupi!

LE PRONOM ADVERBIAL *NE*

Ne correspond au pronom adverbial (ou adverbe pronominal) français « en », dont il recouvre les principales valeurs.

49 Valeurs du pronom adverbial *ne*

1. *Ne* = de cela (dont on parle)

La critica ha parlato bene di questo film. → *Ne ha parlato bene.*
La critique a bien parlé de ce film.   Elle en a bien parlé.
Ho descritto le caratteristiche della macchina. → *Ne ho descritto le caratteristiche.*
J'ai décrit les caractéristiques de la voiture.   J'en ai décrit les caractéristiques.

2. *Ne* = de cela (exprimant la quantité)

Compro un panino anche per lui. → *Ne compro uno anche per lui.*
J'achète un sandwich pour lui aussi.   J'en achète un pour lui aussi.

▸ À la différence du français, *ne* en tant que pronom partitif implique **l'accord en genre et nombre du participe passé** du verbe qui suit avec le nom quantifié.
*Ho comprato **tre panini** in tutto.* → *Ne ho comprati tre in tutto.*
J'ai acheté trois sandwichs en tout.   J'en ai acheté trois en tout.
*Ho incontrato **due amiche** al cinema.* → *Ne ho incontrate due.*
J'ai rencontré deux amies au cinéma.   J'en ai rencontré deux.

Voir aussi Quantité 327 ◄

▸ *Ne* partitif s'élide devant la voyelle e du verbe *essere* :
*Non posso darti due caramelle: ce **n'è** una sola, non ce ne sono altre.*
Je ne peux pas te donner deux bonbons : il n'y en a qu'un, il n'y en a pas d'autres.

3. *Ne* = de ce lieu

Esce dal cinema adesso.   → *Ne esco adesso.*
Je sors du cinéma à l'instant.   J'en sors à l'instant.
È uscita dal cinema un minuto fa.   → *Ne è uscita un minuto fa.*
Elle est sortie du cinéma il y a une minute.   Elle en est sortie il y a une minute.

---

50   Place du pronom adverbial *ne*

Ne se place généralement devant les verbes mais il se retrouve en **position enclitique** quand les verbes sont :

➤ À l'infinitif :
È inutile farne* una tragedia.   Il est inutile d'en faire une tragédie.

* Dans la forme enclitique, l'infinitif perd son -e final.

➤ Au gérondif :
Discutendone insieme, arriveremo a un accordo.
En en discutant ensemble, nous en viendrons à un accord.

➤ À l'impératif de *tu, noi, voi* :
Parlane con lui!   *Parliamone con lui!*   *Parlatene con lui!*
Parles-en avec lui !   Parlons-en avec lui !   Parlez-en avec lui !

⸾ Attention à la forme de politesse : *Ne parli, signora!*

➤ Avec ecco :
Se volete un esempio, eccone uno.
Si vous voulez un exemple, en voici un.

➤ Avec les verbes semi-auxiliaires :
Ne se place devant le premier verbe ou bien après l'infinitif :
Quante persone puoi trasportare nella tua macchina?
Ne posso portare cinque.
ou *Posso portarne cinque.*
Combien de personnes peux-tu transporter dans ta voiture ? Je peux en transporter cinq.

⬭ À VOUS ! ⬭

31. Répondez en faisant attention à l'accord éventuel du participe passé :
a. Hai discusso di quel problema con il direttore? (Sì) - b. Hai incontrato molte persone? (No, poche) - c. Quanti libri italiani hai già letto? (Uno) - d. Vieni adesso da casa? (Sì) - e. Quante compresse ha prescritto il dottore? (2 al giorno) - f. Avete fatto sport? (Sì, molto) - g. Hanno restituito i libri alla biblioteca? (Solo cinque).

32. Transformez comme dans l'exemple :
Ne parla con lui. → Ha intenzione di parlarne con lui.

a. Ne leggo molti. - b. Ne prendono due. - c. Ne conoscete molti. - d. Ne vediamo quattro. - e. Ne compri un paio. - f. Ne fa riparare uno. - g. Ne restituisce cinque.

LES PRONOMS GROUPÉS

On appelle pronoms groupés *(pronomi combinati)* la combinaison de deux pronoms personnels compléments :

- les compléments d'objet indirect de forme faible
- les compléments d'objet direct *lo*, *la*, *li*, *le*, ou encore *ne*.

pronom c.o.i.	→	*Lui scrive una lettera al padre.*
		Il écrit une lettre **à son père**.
		*Lui **gli** scrive una lettera.*
		Il **lui** écrit une lettre.
pronom c.o.d.	→	*Lui scrive una lettera al padre.*
		Il écrit **une lettre** à son père
		*Lui **la** scrive al padre.*
		Il **l'**écrit à son père.
pronoms groupés	→	*Lui scrive una lettera al padre.*
		Il écrit **une lettre à son père**.
		*Lui **gliela** scrive.*
		Il **la lui** écrit.

51 Formes des pronoms groupés

	lo	la	li	le	ne
mi	me lo	me la	me li	me le	me ne
ti	te lo	te la	te li	te le	te ne
gli, le	glielo	gliela	glieli	gliele	gliene
ci	ce lo	ce la	ce li	ce le	ce ne
vi	ve lo	ve la	ve li	ve le	ve ne
gli	glielo	gliela	glieli	gliele	gliene

1. Formation des pronoms groupés

Les pronoms *mi*, *ti*, *ci*, *vi* changent de forme devant *lo*, *la*, *li*, *le*, *ne* : le *i* devient *e* → **me te ce ve**.

Mi dai una sigaretta?	Tu me donnes une cigarette ?
→ **me la** *dai?*	me la donnes-tu ?
→ **me ne** *dai una?*	m'en donnes-tu une ?

Les pronoms de 3e personne singulier *gli* et *le* (= à lui et à elle) devant *lo*, *la*, *li*, *le*, *ne*, adoptent la forme ***glie-*** et ne constituent qu'un mot avec le deuxième pronom :

glielo   gliela   glieli   gliele   gliene

Gli *verso il té (a lui).*	Je lui verse du thé (à lui) .
Le *verso il té (a lei).*	Je lui verse du thé (à elle).
→ ***Glielo*** *verso (a lui o a lei).*	Je le lui verse (à lui ou à elle).

Masculin et féminin présentent donc une forme commune.

En français parlé, on sous-entend souvent à la 3e personne le complément d'objet direct (« je lui dirai » à la place de « je le lui dirai ») alors qu'en italien l'expression des deux pronoms est obligatoire *(glielo dirò)* même dans un langage très quotidien.

☛ À la troisième personne du pluriel, la forme avec *gli* est également contractée en un seul mot :

glielo   gliela   glieli   gliele   gliene

Gli *spiegherò il problema.*   ⟶ **Glielo** *spiegherò.*
Je leur expliquerai le problème.   Je le leur expliquerai.
Toutefois, la forme avec *loro* ne se contracte pas, celui-ci restant placé après le verbe :
Lo *spiegherò* **loro.**   Je le leur expliquerai.

2. Forme de politesse des pronoms groupés

☛ Elle correspond à la troisième personne :

glielo   gliela   glieli   gliele   gliene

Le confermerò l'appuntamento. ⟶ **Glielo** *confermerò.*
Je vous confirmerai le rendez-vous.   Je vous le confirmerai.

☛ À la forme de politesse, le pronom groupé n'a pas de majuscule en milieu de phrase.

Comparez :

pronom simple	pronom groupé
Domani **Le** *porto i dati.*	*Domani* **glieli** *porto.*
Demain je vous apporte les données.	Demain je vous les apporte.

52   Ordre des pronoms dans le groupe pronominal

À la différence du français, le pronom indirect précède le pronom direct, même à la troisième personne :

me *lo*	me le
te *lo*	te le
glielo	le lui
ce *lo*	nous le
ve *lo*	vous le
glielo	le leur

Le **pronom indirect *loro*, en revanche, se place toujours après le verbe :**
Lo dico **loro.**   Je le leur dis.

53   Place des pronoms groupés

Les pronoms groupés se placent devant les verbes, sauf **à l'infinitif, au gérondif** et **à l'impératif** des personnes *tu, noi, voi*, où ils se placent en **position enclitique** (c'est-à-dire ne formant qu'un mot avec le verbe) :

*Vorrei dir**glielo.***		*Dicendo**glielo**…*
Je voudrais le lui dire.		En le lui disant…
*Di**glielo**!*	*Dite**glielo**!*	*Diciamo**glielo**!*
Dis-le-lui !	Dites-le-lui !	Disons-le-lui !

Enclise, voir 227 ◀

54 | Pronoms groupés et temps composés

Dans les temps composés, le participe passé s'accorde avec les pronoms directs et a donc quatre terminaisons possibles : -o, -a, -i, -e.

Ti ha mandato il fax? Sì, me l'ha mandato.
Est-ce qu'il t'a envoyé le fax ? Oui, il me l'a envoyé.

Gli hai dato la lettera? Sì, gliel'ho data.
Lui as-tu donné la lettre ? Oui, je la lui ai donnée.

Vi ha prenotato i posti a teatro? Sì, ce li ha prenotati.
Il vous a réservé les places au théâtre ? Oui, il nous les a réservées.

Gli hai dato le lettere? Sì, gliele ho date.
Lui as-tu donné les lettres ? Oui, je les lui ai données.

À VOUS !

33. Répondez aux questions en utilisant des pronoms :
a. Quando mi darai la risposta? (domani) - b. La baby-sitter ti ha tenuto i bambini ieri sera? (sì, 2 ore) - c. Dove vi lascia le chiavi quando va via? (in portineria) - d. Lo racconterai a Giulio? (sì) - e. Quanti inviti ci manderai per la festa? (due) - f. Mi hai comprato le caramelle? (no!) - g. Quando le comunicherai la notizia? (oggi stesso).

34. Complétez avec les pronoms appropriés :
a. Allora Giorgio, questa barzelletta ... ... racconti sì o no? - b. Francesco, ecco il mio indirizzo, ... dò così mi potrai scrivere una cartolina! - c. Signor Pollini, la fattura dettagliata ... mando per posta. - d. Troviamo proprio simpatici i tuoi amici! ... ... presenti? - e. Voi vorreste saperlo ma io non ... ... dico. - f. Gli ho detto la verità ma non ... ho dett... tutta. - g. Gli ho chiesto 1.000 euro in prestito, ma non ... ... ha prestat...

L'ADVERBE

L'adverbe est un élément invariable dont le rôle est de modifier ou de qualifier :
- des verbes : *guida **bene*** (il conduit bien)
- des adjectifs : ***molto*** *contento* (très content)
- des noms : *la **quasi** totalità* (la presque totalité)
- d'autres adverbes : ***troppo*** *tardi* (trop tard)
- ou une phrase entière : ***infine*** *ho cambiato idea* (finalement, j'ai changé d'idée).

55 — Les catégories d'adverbes

➤ Du point de vue de leur forme, il existe plusieurs types d'adverbes :
• les adverbes dérivés d'un adjectif qualificatif + *-mente* : *parla lentamente* (il parle lentement) ;
• les adjectifs qualificatifs employés comme adverbes et, dans ce cas, invariables : *parla piano* (il parle doucement) ;
• les adverbes ayant une forme propre : *forse, bene*... (peut-être, bien…)
• les adverbes composés : *stasera, almeno*... (ce soir, au moins…)
• plusieurs mots jouant le rôle d'un adverbe ; dans ce cas, on parle de locutions adverbiales : *con calma* (calmement).

➤ Du point de vue du sens, on distingue :
• les adverbes de manière ;
• les adverbes de temps ;
• les adverbes de lieu ;
• les adverbes de quantité ;
• les adverbes d'opinion (affirmation, négation, doute) ;
• les adverbes interrogatifs.

Interrogatifs, voir 30 ◄

LES ADVERBES DE MANIÈRE

56 — Formation des adverbes de manière

➤ Les adverbes de manière sont très nombreux. Mis à part certains d'entre eux qui ont une forme propre *(bene, male)*, ils se forment à partir de la forme féminine des adjectifs à laquelle est ajouté le **suffixe -*mente***. En général, les adverbes dérivant d'un adjectif suivent cette règle de formation, quelle que soit leur catégorie.

largo → *larga* → *largamente*   largement
vero → *vera* → *veramente*   vraiment

Il existe toutefois quelques exceptions :

violento → *violentemente*   violemment
leggero → *leggermente*   légèrement
benevolo → *benevolmente*   bénévolement
malevolo → *malevolmente*   avec malveillance
altro → *altrimenti*   autrement

➤ Lorsqu'il s'agit d'**adjectifs en -e**, on ajoute simplement *-mente* :

breve → *brevemente*   brièvement   *dolce* → *dolcemente*   doucement

● Les **adjectifs en -*le* ou en -*re*** perdent le -e final :

debole	⟶ *debol**mente***	faiblement
abile	⟶ *abil**mente***	habilement
regolare	⟶ *regolar**mente***	régulièrement
particolare	⟶ *particolar**mente***	particulièrement

On rencontre une forme d'adverbes de manière en -*oni*, assez rares, qui indiquent une attitude physique :
bocconi, carponi, ginocchioni, a tentoni,
à plat ventre, à quatre pattes, à genoux, à tâtons,
a cavalcioni (le braccia) penzoloni, balzelloni
à califourchon, (les bras) ballants, par bonds.

● De même que l'adjectif, certains adverbes ayant une forme propre comme *bene*, *male*, ont une forme spécifique de comparatif :
meglio, peggio, benissimo, malissimo
mieux, pire, très bien, très mal
Ces adverbes peuvent être suffixés :
benino, benone, maluccio, malaccio...

Voir Suffixes 348 ◀

57 Place des adverbes de manière

● **Dans les temps simples,** les adverbes de manière se placent généralement après le verbe :
*Reagisce **violentemente** alle sue parole.*   Il réagit violemment à ses propos.

● **Dans les temps composés,** ils peuvent se placer entre l'auxiliaire et le participe passé, pour un effet de style :
*Ha **violentemente** reagito alle sue parole.*   Il a violemment réagi à ses propos.
*Ha reagito **violentemente** alle sue parole.*   Il a réagi violemment à ses propos.

● Les adverbes **bene** et **male** placés devant le participe passé perdent le -e final :
*Ha **mal** reagito (⟶ ha reagito male).*

● La place de l'adverbe de manière est assez souple et **dépend de l'élément sur lequel on veut apporter une précision.**
Comparez :

***Stranamente**, ha reagito alla sua proposta.*	*Ha reagito **stranamente** alla sua proposta.*
Bizarrement, il a réagi à sa proposition.	Il a réagi bizarrement à sa proposition.

La position de l'adverbe donne aux deux phrases un sens différent.

58 Locutions adverbiales de manière

L'adverbe de manière peut être remplacé par une locution adverbiale, qui se place **après le verbe.**

● ***In modo (in maniera)*** **+ adjectif :**
*Parla **in modo chiaro** / parla **chiaramente**.*
Il parle de façon claire / il parle clairement.
*Ragiona **in maniera assurda** / ragiona **assurdamente**.*
Il raisonne de manière absurde / il raisonne absurdement.

Préposition + nom ou adjectif :

*Espone il problema **con calma**.*   Il expose le problème calmement.
*Parla **con difficoltà**.*   Il parle avec difficulté.
*Parla **in fretta**.*   Il parle vite.
*Lo imparo **a memoria**.*   Je l'apprends par cœur.

À VOUS !

35. Formez des adverbes à partir des adjectifs suivants :
a. ricco - b. moderno - c. gentile - d. leggero - e. probabile - f. violento - g. difficile -
h. ardente - i. caldo - j. grave - k. rapido - l. luminoso - m. freddo - n. simpatico -
o. regolare - p. semplice - q. simile - r. acuto - s. intelligente - t. aspro.

LES ADVERBES DE TEMPS

59   Adverbes de temps ayant une forme propre

adesso	maintenant	*ieri*	hier	*poi*	puis, ensuite
allora	alors	*infine*	enfin	*presto*	tôt
ancora	encore	*intanto*	en attendant	*prima*	avant
appena	tout juste	*mai*	jamais	*raramente*	rarement
domani	demain	*oggi*	aujourd'hui	*sempre*	toujours
dopo	après	*ora (adesso)*	maintenant	*spesso*	souvent
finora	jusqu'ici	*ormai*	désormais	*subito*	tout de suite
già	déjà	*più*	plus	*tardi*	tard

Voir aussi *Più* 302
Avant 190, Après 182
appena 295, Venir de 357

60   Locutions adverbiales de temps

a volte	parfois	*di solito*	d'habitude
all'improvviso	soudain	*di tanto in tanto*	de temps en temps
d'ora in poi	à partir de maintenant	*in tempo*	à temps
di nuovo	à nouveau	*in un batter d'occhio*	en un instant
di rado	rarement	*nel frattempo*	entre-temps
di recente	récemment	*ogni tanto*	de temps en temps

61   Place des adverbes de temps

Aux temps simples comme aux temps composés, les adverbes de temps qui indiquent la fréquence d'une action (souvent, parfois, jamais, toujours, etc.) peuvent adopter n'importe quelle position dans la phrase, sans en changer le sens.

Spesso vado in Italia per motivi di lavoro.
Vado spesso in Italia per motivi di lavoro.
Vado in Italia spesso per motivi di lavoro.
Vado in Italia per motivi di lavoro spesso.
(Souvent) Je vais (souvent) en Italie (souvent) pour des raisons de travail (souvent).

62 Place des adverbes *mai, sempre, ancora, già, più*

Aux temps simples, ces adverbes sont placés après le verbe :
Lo faccio sempre.   Je le fais toujours.
Aux temps composés, ils se placent de préférence **entre l'auxiliaire et le participe passé** :
*L'hai **già** fatto? No, non l'ho **mai** fatto prima.*   L'as-tu déjà fait ? Non, je ne l'ai jamais fait avant.

À VOUS !

36. Complétez avec l'adverbe ou la locution adverbiale de temps appropriés :
a. Com'è ...! La bambina dovrebbe già essere a letto! - b. È una cosa urgente: telefonagli ...! - c. Detesto il teatro perciò non ci vado ... . - d. Arrivano ... in ritardo: non ne posso più! - e. Non andare a casa: è ancora ..., sono solo le cinque. - f. Marco è uscito alla ricerca del gatto, ... però il gatto è ritornato. - g. Adesso è troppo tardi! Perché non me l'hai detto ...?

37. Donnez le contraire des adverbes suivants :
a. prima - b. spesso - c. mai - d. tardi - e. già.

38. Transformez au passé :
a. Non ci vado mai. - b. Ci ritorno spesso. - c. Non gli parlo più. - d. Non li pago ancora. - e. Lo faccio sempre. - f. Lo vedo già.

LES ADVERBES DE LIEU

63 Adverbes de lieu

La plupart de ces adverbes ont également une valeur de préposition.

accanto	à côté	lassù / laggiù	la-haut / là-bas
altrove	ailleurs	lontano / vicino	loin / près
avanti / indietro	en avant / en arrière	quassù / quaggiù	ici (en haut) / ici-bas
dappertutto	partout	qui (qua) / lì (là)	ici / là-bas
dietro / davanti	derrière / devant	sopra / sotto	dessus / dessous
dovunque (ovunque)	partout	su / giù	en haut / en bas
fuori / dentro	dehors / dedans	via	loin, à l'extérieur
intorno	autour		

Voir aussi *Sopra / sotto* 334, *Fuori* 232
Près de 316 ◄

64 Locutions adverbiales de lieu

al di sopra / al di sotto	au-dessus / en dessous	*in giù*	en bas
all'intorno	aux alentours	*in su*	en haut
da nessuna parte	nulle part	*nei dintorni / nei pressi*	dans les alentours
di fronte	en face	*nei paraggi*	dans les parages
in mezzo / nel mezzo	au milieu	*per di qua / per di là*	par ci / par là

65 Place des adverbes et locutions adverbiales de lieu

Ils se placent généralement après le verbe et, aux temps composés, après le participe passé :

Lo cerco dappertutto. ⟶ *L'ho cercato dappertutto.*
Je le cherche partout.   Je l'ai cherché partout.

À VOUS !

39. Complétez avec des adverbes de lieu :
a. Fuori fa freddo! vieni ... a scaldarti! - b. Era un posto molto isolato: non c'era nessuna casa ... per chilometri e chilometri. - c. Non abita lontano! abita molto ... - d. Se ti senti male seduto dietro in macchina, vieni pure ...! - e. È una marca così famosa che è conosciuta ... - f. Siamo saliti al rifugio sul Monte Bianco e ... ci aspettava un panorama stupendo. - g. Abbiamo sbagliato strada: dobbiamo tornare ...!

LES ADVERBES DE QUANTITÉ

66 Adverbes de quantité

L'adverbe de quantité peut modifier un verbe, un adjectif ou un autre adverbe. Il indique la mesure ou l'intensité.

Voir aussi Expression de la quantité 327 ◀

Voici les adverbes de quantité les plus courants :

abbastanza	assez, suffisamment	*parecchio*	pas mal, beaucoup
affatto	du tout, point	*per niente, per nulla*	nullement
alquanto	quelque peu	*più*	plus
altrettanto	autant, de même	*piuttosto*	plutôt
appena	à peine	*poco (un po')*	peu (un peu)
assai	beaucoup	*quanto*	combien
circa	environ	*quasi*	presque
così (talmente)	si (tellement)	*soltanto (solo, solamente)*	seulement
meno	moins	*tanto*	tant, tellement
molto	beaucoup / très	*troppo*	trop

67 Locutions adverbiales de quantité

di più / di meno	davantage / moins
più o meno	plus ou moins
sempre (di) meno	de moins en moins
sempre (di) più	de plus en plus

➤ La forme *sempre più (meno)* s'utilise devant un adjectif :
È sempre più difficile.   C'est toujours plus difficile.

➤ La forme *sempre di più (meno)* s'utilise après un verbe :
Lavora sempre di più.   Il travaille toujours plus.

68 Place des adverbes et locutions adverbiales de quantité

Ils suivent les verbes mais précèdent les adjectifs et les adverbes qu'ils déterminent :
Ha sempre letto molto.   *È molto generosa.*   *Mi alzo molto presto.*
Il a toujours beaucoup lu.   Elle est très généreuse.   Je me lève très tôt.

À VOUS !

40. Complétez avec des adverbes de quantité :
a. Quella ragazza è ... simpatica, simpaticissima! - b. Conosco Luigi da molti anni, e trovo che diventa ... permaloso, ogni anno di più! - c. Non si sentiva ... bene, e non ha ... toccato cibo. - d. Buon appetito! Grazie, ...! - e. Ieri sera ha bevuto ... e oggi ha un terribile mal di testa. - f. Abbiamo studiato ..., non è un caso se non abbiamo superato l'esame! - g. Ti è piaciuto il film? ..., non l'ho trovato brutto ma neanche bello.

LES ADVERBES D'OPINION

69 Adverbes et locutions adverbiales d'affirmation

Ces adverbes servent à répondre de façon affirmative à une question, ou à appuyer une affirmation.

appunto	justement, précisément	*ovvio (ovviamente)*	évidemment
certo (certamente)	certes (certainement)	*per l'appunto*	précisément
davvero (veramente)	vraiment	*proprio*	exactement, tout à fait
di certo	certainement	*senz'altro*	sans aucun doute,
di sicuro	sûrement		sans faute
esatto (esattamente)	justement	*senza dubbio*	sans aucun doute
indubiamente	sans aucun doute	*sì*	oui
naturale	naturellement	*sicuramente*	bien entendu
(naturalmente)		*sicuro*	bien sûr (sûrement)

Réponses affirmatives, voir 173 ◀

70 Adverbes et locutions de négation

Ces adverbes servent à répondre de façon négative à une question, ou à renforcer la négation.

mica	pas (emphatique)
neanche per idea	pas question, pas le moins du monde
nemmeno, neppure, neanche	même pas, non plus
niente affatto	pas du tout, nullement
no	non
non	ne ... pas
(non) affatto	pas du tout, nullement
per niente	pas du tout, nullement

Expression de la négation 271
Mica 268 ◄

71 Adverbes de doute

Ces adverbes servent à nuancer de doute une affirmation.

eventualmente	éventuellement
forse	peut-être
magari	peut-être
probabilmente	probablement

Voir aussi *Magari* 266 ◄

À VOUS !

41. Trouvez au moins un synonyme aux locutions et adverbes suivants :
a. nemmeno - b. davvero - c. forse - d. per niente - e. senza dubbio - f. sicuro - g. per l'appunto.

COMPARATIF ET SUPERLATIF

La qualité exprimée par un adjectif qualificatif *(un bravo medico)* peut être spécifiée dans son degré :

*Un medico **bravissimo**.*   ***Il più** bravo medico del paese.*
Un très bon médecin.   Le meilleur médecin du village.

Cette qualité peut également être évaluée par un rapport de comparaison :
*Un medico **più** bravo di un altro.*   Un médecin meilleur qu'un autre.

> Lorsque l'adjectif exprime une comparaison, on dit qu'il est au degré comparatif. Lorsqu'il exprime une qualité à son degré le plus élevé, l'adjectif est au degré superlatif.

Il est possible de comparer des qualités (par des adjectifs) mais également des actions (par des verbes), des manières d'être ou d'agir (par des adverbes) ainsi que des quantités (par des noms).

LE COMPARATIF

72 Formation du comparatif

Le comparatif d'un adjectif peut exprimer trois types de rapport : supériorité, infériorité, égalité.

1. Comparatifs de supériorité et d'infériorité

Le premier terme de la comparaison est introduit par ***più*** (plus) ou ***meno*** (moins). Le deuxième terme de la comparaison est introduit par *di* ou *che*.

Le comparatif avec *di* :
Quand on compare deux noms (ou pronoms) le deuxième terme de la comparaison est introduit par *di* :
*Roma è **più** antica **di** Milano.*   Roma est plus ancienne que Milan.
*Lui è **meno** giovane **di** me.*   Il est moins jeune que moi.
Di se contracte comme toujours avec l'article qui le suit :
*Il mio ufficio è **meno** spazioso **del** vostro.*   Mon bureau est moins spacieux que le vôtre.

Le comparatif avec *che* :
Le deuxième terme de la comparaison est introduit par *che* dans les cas suivants :

• **Comparaison de deux adjectifs :**
*Quella ragazza è **più** carina **che** simpatica.*   Cette fille-là est plus mignonne que sympathique.
*Un oggetto **meno** pratico **che** utile.*   Un objet moins pratique qu'utile.

• **Comparaison de deux verbes à l'infinitif :**
*È **più** comodo prendere l'aereo **che** prendere il treno.*
Il est plus pratique de prendre l'avion que de prendre le train.
Le deuxième verbe est d'ailleurs souvent sous-entendu :
*È **meno** comodo prendere il treno **che** l'aereo.*
Il est moins pratique de prendre le train que l'avion.

• **Comparaison de deux quantités** (plus de... que de... / moins de... que de...) :
*Ci sono **più** donne **che** uomini al mondo.*
Il y a plus de femmes que d'hommes dans le monde.

Le deuxième terme est souvent sous-entendu :
*Voglio **meno** <u>vino</u> e **più** <u>pane</u>.*   Je veux moins de vin et plus de pain.

• **Comparaison de deux noms ou pronoms précédés d'une préposition :**
*A <u>Milano</u> ci sono **meno** monumenti antichi **che** a <u>Roma</u>.*
À Milan, il y a moins de monuments anciens qu'à Rome.
*È **più** gentile <u>con me</u> **che** <u>con lei</u>.*   Il est plus aimable avec moi qu'avec elle.

• **Comparaison de deux adverbes :**
*Lavora **più** <u>velocemente</u> **che** <u>bene</u>.*   *Meglio <u>tardi</u> **che** <u>mai</u>.*
Il travaille plus vite que bien.   Il vaut mieux tard que jamais.
Dans ce dernier exemple, la forme *meglio* est le comparatif irrégulier de *bene*.

Comparatifs irréguliers, voir 203 ◄

2. Le comparatif d'égalité

☞ **Quand on compare deux adjectifs**, le premier terme de la comparaison est précédé de ***tanto*** et le deuxième de ***quanto*** :
*È un fiore **tanto** <u>bello</u> **quanto** <u>profumato</u>.*
C'est une fleur aussi belle que parfumée.

Tanto peut jouer un rôle emphatique (= tellement) :
*Non ho mai visto un esame **tanto** difficile **quanto** questo.*
Je n'ai jamais vu un examen aussi difficile que celui-ci.

☞ **Quand on compare deux noms, *tanto* peut être omis :**
*<u>Luigi</u> è intelligente **quanto** <u>Carlo</u>.*
Luigi est aussi intelligent que Carlo.

☞ *Tanto* et *quanto* peuvent varier en genre et nombre quand ils signifient « autant de ... que de ... » :
*Ci sono **tante** ragazze **quanti** ragazzi.*
Il y a autant de filles que de garçons.

☞ *Tanto ... quanto* a une forme équivalente : ***così ... come***.
Comme *tanto*, *così* est souvent omis.
*<u>Mio figlio</u> è (**così**) alto **come** <u>me</u>.*   *È (**così**) <u>affettuoso</u> **come** <u>vivace</u>.*
Mon fils est aussi grand que moi.   Il est aussi affectueux que vif.

☞ ***Quanto*** et ***come*** sont souvent interchangeables lorsque l'on omet le premier terme :
*È intelligente **come** lui. / È intelligente **quanto** lui.*   Il est aussi intelligent que lui.

73 Quelques comparatifs irréguliers

Les formes comparatives de *buono* et *cattivo*

buono   bon   →   ***migliore***   meilleur
cattivo   mauvais   →   ***peggiore***   pire
*Non esiste un ristorante **peggiore** (**migliore**) di quello.*
Il n'existe pas de restaurant pire (meilleur) que celui-là.

La forme comparative régulière avec *più* ou *meno* est toutefois admise et fréquente dans la langue parlée :
*Questa pizza è **più buona** (**più cattiva**) di quella che ho mangiato ieri.*
Cette pizza est meilleure (pire) que celle que j'ai mangée hier.

Autres comparatifs irréguliers, voir 203 ◄

42. Complétez avec *di* ou *che* :

a. Questo libro è più caro ... quello. - b. Questo libro è più caro ... interessante. - c. Susanna è più dinamica ... lui. - d. Susanna è più dinamica ... sportiva. - e. Mi piace più sciare ... pattinare. - f. È più utile parlare l'inglese ... il russo. - g. Marzo è più lungo ... febbraio. - h. Legge più saggi critici ... romanzi. - i. Parte domani più per dovere ... volentieri. - j. Quello studente è più preparato ... noi per l'esame di maturità.

43. Complétez avec le bon comparatif, en tenant compte du sens :

a. La metropolitana è ... comoda ... autobus. - b. La Fiat in Italia vende ... macchine ... Renault. - c. La Fiat in genere vende ... automobili ... camion. - d. Il cotone è ... pesante ... lana. - e. La Sardegna è ... grande ... Corsica. - f. I cani sono considerati ... fedeli ... gatti. - g. Tra gli insegnanti ci sono ... donne ... uomini. - h. Il cristallo è ... prezioso ... vetro. - i. L'insalata è ... calorica ... carne. - j. La salute è ... importante ... denaro.

44. Complétez avec *(tanto)... quanto...* :

a. La metropolitana è ... comoda ... l'autobus. - b. È un attore ... giovane ... bravo. - c. Quel maestro ha ... pazienza ... volontà. - d. Riccardo ha ... sorelle ... fratelli. - e. Non ho mai conosciuto nessuno ... permaloso ... lui. - f. Mi sembra interessante ... il primo ... il secondo. - g. La mia macchina è ... potente ... la tua.

LE SUPERLATIF

Le superlatif exprime la qualité d'un être ou d'une chose à son degré le plus élevé, défini par rapport à un ensemble auquel on le compare (superlatif relatif) ou en absolu, sans faire de comparaisons (superlatif absolu).

Superlatif relatif :   *È la più bella di tutte.*
                      C'est la plus belle de toutes.

Superlatif absolu :   *È bellissima.*
                      Elle est très belle.

74   Formes des superlatifs relatif et absolu

adjectif	superlatif relatif	superlatif absolu
leggero léger	*il più / meno leggero* le plus / moins léger	*leggerissimo* très léger

Les adjectifs en **-co** et **-go** forment leur superlatif absolu à partir de leur forme du masculin pluriel :

ricco	→ *ricchi*	→ *ricchissimo*	très riche
simpatico	→ *simpatici*	→ *simpaticissimo*	très sympathique
stanca	→ *stanchi*	→ *stanchissime*	très fatiguées

Pluriel des mots en *-co* et *-go*, voir **199**

75 Le superlatif relatif

Il se construit comme en français :
La più bella *città del mondo*...   La plus belle ville du monde...

{ Noter que lorsque l'adjectif se place après le nom, contrairement au français, on
ne répète pas l'article défini :
La città ∅ più bella *del mondo*...   La ville la plus belle du monde...

76 Le superlatif absolu

Il existe plusieurs façons d'exprimer le superlatif absolu :
– en ajoutant un suffixe à l'adjectif *(-issimo)* ;
– par un adverbe *(molto)* ;
– par un préfixe *(arci-, stra- ...)* ;
– par la répétition de l'adjectif.

▶ 1. Le superlatif absolu avec *-issimo*

Le superlatif absolu se forme en ajoutant le suffixe *-issimo, a, i, e* à l'adjectif, qui perd sa der-
nière voyelle. L'adjectif ainsi transformé peut précéder ou suivre le nom qu'il détermine.
Ladri di biciclette **è** *un famosissimo film di De Sica.*   *È un'occasione importantissima.*
Le Voleur de bicyclette est un très célèbre film de De Sica.   C'est une occasion très importante.

▶ 2. Le superlatif absolu avec *molto*

Comme en français, on peut former le superlatif absolu en faisant précéder l'adjectif
par *molto* (très, beaucoup) qui est ici invariable :
*È una ragazza **molto** bella.*   C'est une fille très belle.
La forme superlative de l'adjectif avec *molto* ne peut pas, à la différence du français,
précéder le nom :
C'est une très belle fille. ⟶ *È una ragazza **molto** bella.*
Molto peut être remplacé par ***assai*** (également invariable) dans un registre de langue
plus recherché.

Voir aussi Superlatif 203 ◀

À VOUS !

45. Complétez avec le superlatif relatif :
a. Questo libro è ... venduto nel mondo. - b. È ... cantante ... celebre ... Brasile. -
c. Roma è ... città ... ricca di monumenti dell'antichità. - d. Febbraio è ... mese ...
corto ... anno. - e. Il Po è ... fiume ... lungo ... Italia. - f. La Gioconda è ... quadro ...
famoso ... mondo. - g. Questa strada è ... antica ... regione.

46. Transformez l'adjectif à la forme superlative avec *-issimo* :
a. Questo caffè è (molto amaro). - b. Sono ragazze (molto intelligenti). - c. L'inverno
è stato (molto freddo). - d. La signora è stata (molto gentile). - e. Quegli attori sono
(molto bravi). - f. È una donna (molto ricca). - g. Il film era (molto lungo) ma (molto
interessante).

LES PRÉPOSITIONS
ET LOCUTIONS PRÉPOSITIVES

LES PRÉPOSITIONS SIMPLES

Les prépositions sont des éléments invariables de la phrase, qui introduisent des compléments. Elles n'ont pas de signification propre et n'assument tout leur sens que dans un contexte donné.

*Vado **a** casa.*
Je vais à la maison.

*Lo imparo **a** memoria.*
Je l'apprends par cœur.

Les prépositions déterminent également le type de complément qu'elles introduisent.

Comparez : *Il libro è **di** Roberto.*
Le livre est à Robert.

▼
Complément d'appartenance

*Il libro è **per** Roberto.*
Le livre est pour Robert.

▼
Complément d'attribution

Le premier exemple montre également que les prépositions italiennes et françaises ne correspondent pas toujours.

77 Emplois généraux des prépositions simples

Les prépositions simples sont des monosyllabes invariables :

di   a   in   con   su   per   tra / fra   da

Excepté *tra* et *fra,* toutes les autres prépositions simples se contractent avec l'article défini qui les suit.

Voir Articles contractés 11 ◄

1. La préposition *di*

La préposition *di* n'a pas de valeur sémantique définie, tout en étant la plus couramment employée. Elle peut souvent, mais pas toujours, recouvrir les emplois de la préposition française « de ».

Devant une voyelle, *di* peut être élidée en *d'* :
*Un bicchiere **d'**acqua.*   Un verre d'eau.
Suivie d'un article, *di* se contracte avec celui-ci :
*L'arrivo **del** treno.*   L'arrivée du train.

Di peut correspondre à « de » :

di	de	
*Paola è **di** Torino.*	Paola est de Turin.	origine
*La città **di** Genova.*	La ville de Gênes.	dénomination
*La cintura **di** sicurezza.*	La ceinture de sécurité.	spécification
*Discutono **di** politica.*	Ils discutent de politique.	propos
*Il libro **di** Roberto.*	Le livre de Robert.	appartenance

{ Attention : l'italien diffère du français dans :
Di chi è questo libro? È di Roberto.   À qui est ce livre ? C'est à Robert.

☛ *Di* peut correspondre à « en » :

di	en	
*Un tavolo **di** legno.*	Une table en bois.	matière

☛ *Di* peut correspondre à « que » dans les comparaisons :

di	que	
*Lui è più alto **di** lei.*	Il est plus grand qu'elle.	comparatif

Voir Comparatif 204
Voir aussi *Di* 221, *Di* ou *Da* 222 ◀

2. La préposition *a*

☛ Devant une voyelle, cette préposition peut prendre un *-d* euphonique *(ad)* :
*Fino **ad** oggi*   jusqu'à aujourd'hui

-d euphonique, voir 210 ◀

Suivie d'un article, *a* se contracte avec celui-ci :
*Vado **alla** stazione.*   Je vais à la gare.

☛ La préposition *a* recouvre les principaux emplois de « à » :

a	à	
*Lo regalo **a** un amico.*	Je l'offre à un ami.	attribution
*Lui vive **a** Roma, io, **a** Capri.*	Il vit à Rome, moi, à Capri.	lieu (villes et petites îles)
*Vado **a** Milano.*	Je vais à Milan.	direction
*Funziona **a** motore,* *a** benzina, **a** pile.*	Cela marche à moteur, à essence, à piles.	fonctionnement
*Vedersi **a** mezzogiorno,* *a** mezzanotte.*	Se voir à midi, à minuit.	temps (heure)
*L'appuntamento è **all'**una, **alle** due.*	Le rendez-vous est à une heure, à deux heures.	

Voir autres emplois de *A*, 164 ◀

3. La préposition *in*

☛ *In* indique en général la situation dans l'espace et dans le temps.
Suivi d'un article, *in* se contracte avec celui-ci :
*Lo metto **nel** portafoglio.*   Je le mets dans le portefeuille.

☛ *In* peut correspondre à « en » ou « dans » en français.

in	en / dans	
*Vado **in** Italia, **in** Europa, **in** Toscana...*	Je vais en Italie, en Europe, en Toscane...	lieu : – États, continents, régions
*Abito **in** una bella casa.*	J'habite (dans) une belle maison.	– à l'intérieur de
*Andare **in** macchina, **in** treno...*	... en voiture, en train ...	moyens : – de transport

Pagare in dollari, *in contanti...*	Payer en dollars, comptant...	– de paiement
		temps :
Sono nato nel 1970.	Je suis né en 1970.	– moment
Finisco in un attimo.	Je termine en un instant.	– durée

➤ *In* peut correspondre à « à » français.

in	à	
Le vacanze in campagna, *in montagna...*	Les vacances à la campagne, à la montagne...	lieu
Andare in ufficio, in piscina, *in biblioteca...*	Aller au bureau, à la piscine, à la bibliothèque...	
in banca, in farmacia, *in cucina...*	à la banque, à la pharmacie, à la cuisine...	

⸮ Attention : *andare a scuola.*

Autres emplois de *In*, voir 252 ◀

● 4. La préposition *con*

Les formes contractées avec l'article défini sont assez rarement employées (sauf *col / coi*) :
Esco coi miei amici.   Je sors avec mes amis.
Con correspond généralement à « avec ».

con	avec	
Vado al cinema con un amico.	Je vais au cinéma avec un ami.	accompagnement
Vieni con l'autobus?	Tu viens avec le bus ?	moyen
Lo lega con una corda.	Il l'attache avec une corde.	
Agire con calma e con amore.	Agir avec calme, avec amour.	manière

Mais **con** peut correspondre à « à ».

con	à	
Una ragazza con i capelli neri.	Une fille aux cheveux noirs.	caractéristique

Voir aussi *Con* 206 ◀

● 5. La préposition *su*

➤ Suivi de l'article défini, *su* a une forme contractée :
La giacca è sulla sedia.   La veste est sur la chaise.

➤ *Su* correspond généralement au français « sur ».

su	sur	
Su questo tavolo.	Sur cette table.	lieu : au-dessus
Un caso su cento.	Un cas sur cent.	proportion
Un libro su Pirandello.	Un livre sur Pirandello.	thème

◗ *Su* peut également exprimer une idée d'approximation :

su	environ	
Un signore sui 50 anni.	Un monsieur d'environ 50 ans.	approximation
Costerà sul milione.	Il doit coûter environ un million.	

Voir aussi *Su* 339 ◀

6. La préposition *per*

◗ *Per* ne se contracte pas avec l'article défini (sauf dans les formes poétiques anciennes *pel / pei*).

◗ *Per* peut recouvrir les emplois de « pour » :

per	pour	
È un libro per te.	C'est un livre pour toi.	attribution
Il treno per Milano.	Le train pour Milan.	destination
Ti rigrazio per la tua gentilezza.	Je te remercie pour ta gentillesse.	cause
Lavora per vivere.	Il travaille pour vivre.	but

◗ *Per* peut correspondre à « par » :

per	par	
Spedire una lettera per posta.	Envoyer une lettre par la poste.	moyen
Parlare per telefono.	Parler par téléphone.	
L'ho trovato per terra.	Je l'ai trouvé par terre.	lieu

◗ *Per* peut exprimer la durée d'une période et correspondre à « pendant » :

per	pendant	
Resto a Roma per due giorni.	Je reste à Rome pendant deux jours.	durée

Voir aussi *Per* 297 ◀

7. Les prépositions *tra* et *fra*

◗ Interchangeables, *tra* et *fra* indiquent une position intermédiaire entre deux éléments dans l'espace ou dans le temps. Ils ne se contractent pas avec l'article défini.

◗ *Tra* et *fra* correspondent à « entre » ou « parmi » :

tra / fra	entre, parmi	
a / *fra la Francia e l'Italia.*	Entre la France et l'Italie.	lieu
a *sconosciuta fra (tra) gli ospiti.*	Une inconnue parmi les invités.	
/ *tra il 7 e il 9 aprile.*	Entre le 7 et le 9 avril.	temps

a et *fra* expriment également une idée de futur comme la préposition française
s ».

tra / fra	dans (temporel)	
no *tra due settimane.*	Ils arriveront dans deux semaines.	action future

Voir aussi *Tra* et *Fra* 353 ◀

8. La préposition *da*

◗ Suivi d'un article défini, *da* se contracte avec celui-ci :
Ritorno dalle vacanze.
Je reviens de vacances.

◗ *Da* ne correspond à aucune préposition française en particulier. Il introduit de nombreux compléments :

da	de	
Vengo da Padova.	Je viens de Padoue.	provenance
Leonardo da Vinci.	Léonard de Vinci.	
		point de départ :
Parto da Parigi,	Je pars de Paris,	– espace
da gennaio a marzo	de janvier à mars.	– temps
È lontano da Pisa,	C'est loin de Pise,	distance
a un'ora da qui.	à une heure d'ici.	
Una nave da guerra.	Un bateau de guerre.	fonction, destination d'un objet
Una banconota da 50 euro.	Un billet de 50 euros.	valeur
È molto diverso da me.	Il est très différent de moi.	différence

da	chez	
Vengo da te (= a casa di) alle otto.	Je viens chez toi à huit heures.	lieu

da	depuis	
Abita a Pescara da tre mesi.	Il habite à Pescara depuis trois mois.	point de départ temporel

da	à	
Un servizio da tè.	Un service à thé.	fonction, destination
Un bambino dagli occhi verdi.	Un enfant aux yeux verts.	qualité
Un uomo dal cuore d'oro.	Un homme au cœur d'or.	
Ho molte cose da fare.	J'ai beaucoup de choses à faire.	devant infinitif

da	par	
Il libro scritto da Tabucchi.	Le livre écrit par Tabucchi.	agent
Siamo passati da Modane.	Nous sommes passés par Modane.	à travers

da	en	
Trattare qualcuno da amico.	Traiter quelqu'un en ami.	manière

Voir aussi *Di* ou *Da* 222 ◀

78 | Expression du temps avec les prépositions simples

Certaines prépositions permettent d'introduire des compléments de temps tout en nous renseignant sur l'action exprimée par le verbe : sa durée, son point de départ, son accomplissement, etc.
Comparez :

*Lo faccio **in** un'ora.*	*Lo faccio **da** un'ora.*
Je le fais en une heure.	Je le fais depuis une heure.
▼	▼
quantifification d'une durée	point de départ d'une action non révolue

Une même phrase peut donc prendre un sens différent selon la préposition employée.

1. *Tra / fra* introduisent une action future

Ils expriment l'intervalle de temps qui sépare de l'accomplissement d'une action (= dans, après un intervalle de) :
Il treno arriverà tra mezz'ora.   Le train arrivera dans une demi-heure.

2. *Da* indique le point de départ d'une action

L'action peut être passée, présente (= depuis) ou à venir (= à partir de) :
*Il treno era arrivato **da** dieci minuti.*
Le train était arrivé depuis dix minutes.
Gli sportelli sono aperti dalle otto alle ventidue.
Les guichets sont ouverts de huit heures à vingt-deux heures.
Sarò in vacanza da domani.
Je serai en vacances à partir de demain.

3. *Fa* introduit une action passée révolue

Il indique le temps écoulé depuis l'accomplissement d'une action passée (= il y a) :
Sono arrivato alla stazione due ore fa.   Je suis arrivé à la gare il y a deux heures.

{ Attention ! *Fa* est une forme verbale invariable (du verbe *fare*) ayant valeur de préposition. Elle est toujours positionnée **après** le marqueur temporel.

4. *In* indique le temps nécessaire pour une action

Il quantifie la durée nécessaire à l'accomplissement d'une action (= en).
Ho fatto una ventina di parole crociate in due ore.
J'ai fait une vingtaine de mots croisés en deux heures.

5. *Per* indique la durée quantifiée de l'action

Il exprime la durée, période continue dans laquelle se situe une action passée, en cours, ou à venir (= pendant, pour) et peut être sous-entendu.
Ho aspettato il treno (per) due ore (e ora non l'aspetto più).
J'ai attendu le train pendant deux heures (et je ne l'attends plus).
Vado in vacanza (per) dieci giorni.
Je pars en vacances (pour) dix jours.

47. Complétez :

a. Abita ... Roma, ... Italia. - b. Paolo Conte, un famoso cantante italiano, è ... Asti, una città che si trova ... Piemonte. - c. I miei amici vengono ... Londra ... Parigi ... il treno. - d. Vado a cena ... Gloria ... Marco e Luisa. - e. Ha telefonato ... una moneta ... 1 euro. - f. Ho molto lavoro ... finire. - g. Ha comprato un servizio ... piatti ... dessert. - h. Ha dimenticato i libri ... una panchina. - i. Abbiamo cercato un regalo ... Franco. - j. La sua casa si trova ... la banca e la farmacia.

48. Complétez :

a. Questo non è il tuo posto, è il posto ... Gianni. - b. Studio l'italiano ... motivi ... lavoro. - c. Telefoniamo ... Carla ... invitarla alla festa. - d. ... chi è questa penna? È ... Andrea. - e. Abita ... suo marito ... una bella casa fuori città. - f. Giacomo è ... una situazione difficile. - g. Costruiscono una casa ... quel terreno. - h. Ha insistito ... ottenere una risposta immediata. - i. Ha cinquanta possibilità ... cento di riuscire. - j. Vuoi dire che... noi è finita, che non mi ami più?

49. Complétez avec *di* ou *da* :

a. Ha versato per errore il vino nel bicchiere ... acqua ancora vuoto. - b. Posso offrirle un bicchierino ... cognac? - c. Carlo è ... Vicenza. - d. Il signor Ferri viene ... Mantova. - e. La signora Cervi parte ... Torino. - f. Abito qui .... tre settimane. - g. È un metodo usato ... molte scuole. - h. ... chi è questo ombrello? È ... Rita. - i. Il corso ... italiano sarà ... ottobre a giugno. - j. La mia macchina ... scrivere è ... riparare.

50. Complétez avec des prépositions de temps :

a. ... dieci giorni partirò per Siracusa e ci resterò ... una settimana. - b. Il treno è arrivato due ore ... alla stazione di Milano. - c. Conosco Luigi ... tre anni. - d. È stato velocissimo: è arrivato ... due minuti. - e. Un anno ... mi sono iscritto ad un corso di judo. - f. Il conferenziere ha parlato ... un'ora. - g. Marcello ha detto che ritelefonerà ... poco.

51. Complétez par des prépositions avec l'article :

a. Ho spedito il Curriculum Vitae ... direttore ... personale. - b. Ho appuntamento ... parrucchiere ... 17.30. - c. Gli amici ... signora Pitti sono arrivati ... ristorante ... 8.00. - d. Per lavoro va spesso ... Stati Uniti e ... paesi ... Est. - e. La finestra .... camera dà ... strada. - f. Questa merce viene ... estero: ... Francia e ... Olanda. - g. Il prezzo ... articoli in vetrina è scritto ... etichette. - h. Ha scritto ... avvocato, ma ha spedito la lettera ... indirizzo sbagliato. - i. Non ricordo tutti i nomi ... persone presenti ... riunione. - j. Ho messo la mia agenda ... cassetto ... scrivania.

52. Complétez :

a. Sono andato ... medico ... una visita ... controllo. - b. È venuto qui in taxi ... aereoporto ... Fiumicino. - c. Si è iscritta ... facoltà ... lettere ... Università ... Bologna. - d. ... cortesia, ... che ora parte il treno? ... 2.50. - e. La proposta ... legge è stata approvata ... governo. - f. Il nome ... vincitori ... concorso sarà comunicato domani. - g. Lottano ... la parità ... diritti ... uomini e donne. - h. Queste clausole figurano ... statuto ... Società. - i. Telefono ... ufficio informazioni ... sapere l'ora ... arrivo ... aereo proveniente ... Tunisi. - j. Molti italiani ... inizio ... secolo sono emigrati ... Stati Uniti o ... Sudamerica.

LES PRÉPOSITIONS

LES LOCUTIONS PRÉPOSITIVES

Des mots grammaticaux tels que des adjectifs, des adverbes, des verbes, peuvent adopter la fonction de préposition *(contro, insieme, durante...)*. On les appelle en italien **preposizioni improprie,** par opposition aux « prépositions propres » qui n'occupent que cette seule fonction *(da, per, con...)*.

> **Les locutions prépositives** sont des groupes de mots associant des prépositions (le plus souvent *a* et *di*) à des noms, des adjectifs, etc. :
> *Vicino a, per causa di, in mezzo a...*

79 Prépositions « impropres »

contro	contre	*Il mobile è **contro** la parete.*
		Le meuble est contre le mur.
dentro	dans	*Ho tutto **dentro** la valigia.*
		J'ai tout dans ma valise.
dietro	derrière	*È nascosto **dietro** la porta.*
		Il est caché derrière la porte.
dopo	après	*Arrivano **dopo** Natale.*
		Ils arrivent après Noël.
senza	sans	*È un uomo **senza** scrupoli.*
		C'est un homme sans scrupules.
sopra	sur	*Passano **sopra** il ponte.*
	au-dessus	Ils passent sur le pont.
sotto	sous	*Cammina **sotto** la pioggia.*
		Il marche sous la pluie.
verso	vers	*Vanno **verso** Milano.*
		Ils vont vers Milan.

> Attention : Les locutions prépositives citées ci-dessus sont suivies par **di** devant les pronoms personnels :
> *dentro **di** me, contro **di** me, verso **di** lui...*   en moi, contre moi, vers lui...

durante	pendant	*Leggo molto **durante** le vacanze.*
		Je lis beaucoup pendant les vacances.
malgrado	malgré	*Sorride **malgrado** la paura.*
		Il sourit malgré la peur.
eccetto	excepté	*Tutti **eccetto** / **salvo** / **tranne** lui*
salvo	sauf	Tous sauf lui
tranne	excepté, sauf	

80 Les locutions prépositives

a causa di	à cause de	*La banca è chiusa **a causa dello** sciopero.*
		La banque est fermée à cause de la grève.
davanti a	devant	*Abita nella casa **davanti al** mare.*
		Il habite la maison devant la mer.

di fianco a	à côté de	*Cammino **di fianco a** lui.*
		Je marche à côté de lui.
fino a	jusqu'à	*Rimango **fino a** domani.*
		Je reste jusqu'à demain.
di fronte a	en face de	*È **di fronte al** ristorante.*
		C'est en face du restaurant.
in fondo a	au bout de	*È **in fondo al** corridoio.*
		C'est au bout du couloir.
in mezzo a	au milieu de	*Non rimanere **in mezzo alla** strada.*
		Ne reste pas au milieu de la rue.
insieme a (con)	avec	*Lavoro **insieme a** lui.*
		Je travaille avec lui.
intorno a	autour de	*I bambini giocano **intorno alla** fontana.*
		Les enfants jouent autour de la fontaine.
invece di	au lieu de	***Invece di** studiare, esce.*
		Au lieu d'étudier, il sort.
prima di	avant	*Tutto sarà a posto **prima del** suo ritorno.*
		Tout sera en ordre avant son retour.
vicino a	près de	*Abita **vicino alla** stazione.*
		Il habite près de la gare.

À VOUS !

53. Complétez avec les locutions prépositives appropriées :
a. Siamo usciti ... ombrello. - b. Nell'incidente ha battuto la testa ... il parabrezza. - c. La fermata dell'autobus è ... l'angolo. - d. Ha nascosto la valigia ... il letto. - e. È meglio mettere al sicuro i gioielli ... la cassaforte. - f. Il ladro è finito ... le sbarre. - g. Si sono sposati ... la volontà dei genitori. - h. ... l'esplosione si è formata una nuvola di fumo ... la città. - i. Cristoforo Colombo credeva di dirigersi ... le Indie. - j. ... l'età avanzata aveva una salute di ferro. - k. Erano tutti d'accordo, ... lui. - l. Si sono conosciuti in trincea, ... la guerra. - m. Non ho niente ... di te. - n. Se non può venire andremo anche ... di lui. - o. Il gatto era salito ... un albero.

54. Complétez avec des prépositions ou des articles contractés :
a. Il castello si trova in fondo ... un lungo viale. - b. Prima ... trovare posteggio ha dovuto girare molte volte intorno ... palazzo. - c. La tabaccheria è di fronte ... fermata dell'autobus. - d. A causa ... nebbia, invece ... continuare il viaggio abbiamo preferito fermarci. - e. In mezzo ... stanza c'era un grande tavolo. - f. Non ci vedremo più fino ... mese prossimo. - g. La vecchia era seduta davanti ... porta di casa sua. - h. Era una villetta in mezzo ... prati. - i. Siediti qui, vicino ... me. - j. Faremo il viaggio insieme ... loro.

LES PRONOMS RELATIFS

Le pronom relatif introduit une proposition subordonnée rattachée à un nom ou à un pronom appartenant à une proposition précédente.

81 Les pronoms *che* et *il quale*

➤ 1. La forme simple, *che*, est invariable

➤ Pronom sujet   **che**   *Conosci la persona che parla?*
                qui   Connais-tu la personne qui parle ?

➤ Pronom objet   **che**   *La persona che incontro è un vecchio amico.*
                que   La personne que je rencontre est un vieil ami.

Voir aussi Ce qui 194 ◄

➤ 2. La forme composée, *il quale*, varie en genre et nombre

il quale   lequel ⟶ *i quali*   lesquels   *la quale*   laquelle ⟶ *le quali*   lesquelles

➤ Elle est utilisée en cas d'ambiguïté (1) ou pour renforcer l'énoncé (2).

(1) *Il padre di Chiara, che vive a Torino, è insegnante d'inglese.*
Le père de Chiara, qui vit à Turin, est enseignant d'anglais.
Dans ce cas, il serait préférable de dire :
Il padre di Chiara, il quale vive a Torino, è insegnante d'inglese.

(2) *Questo libro, il quale ha vinto il premio Strega, è stato venduto a migliaia di copie.*
Ce livre, qui a gagné le prix Strega, a été vendu à des milliers d'exemplaires.

➤ Précédés d'une préposition, les formes de *il quale* suivent la règle de contraction de l'article.
Ho incontrato il fratello di Giorgia, al quale ho dato il mio indirizzo. (a + il ⟶ al)
J'ai rencontré le frère de Giorgia, auquel j'ai donné mon adresse.
I problemi dei quali ci ha parlato non ci riguardano. (di + i ⟶ dei)
Les problèmes desquels (dont) il nous a parlé, ne nous concernent pas.

Voir Articles contractés 11 ◄

82 Le pronom invariable *cui*

➤ 1. Emplois de *cui* avec les prépositions

Avec les prépositions, *cui* remplace *il quale, i quali, la quale, le quali,* plus recherchés et employés surtout à l'écrit.

di	*il libro di cui ti parlo*	(dont)
a	*la persona a cui parlo*	(à qui)
da	*l'amico da cui vado*	(chez qui)
in cui	*la casa in cui abito*	(où / dans laquelle)
con	*la persona con cui vivo*	(avec qui)
su	*il foglio su cui scrivo*	(où / sur lequel)
	la persona su cui conto	(sur qui)
per	*il motivo per cui sono venuto*	(pour lequel)
tra / fra	*i paesi, fra cui il Togo...*	(parmi lesquels)

Voir A 164, Di 221 ◄

☞ Avec *in* et *su*, dans un sens spatial, le relatif peut être exprimé par ***dove*** :

*Il terreno **su cui (dove)** hanno costruito.*   *La città **in cui (dove)** abita.*
Le terrain sur lequel (où) on a bâti.   La ville dans laquelle (où) il habite.

☞ Dans un sens temporel, en revanche, on n'emploie que ***in cui*** :

*Il giorno **in cui** si sono conosciuti.*   Le jour où ils se sont connus.

2. Emplois de *cui* avec l'article

Précédé de l'article défini, *cui* prend une valeur de possessif :

*Roberto, **la cui madre** (la madre del quale) è spagnola, è perfettamente bilingue.*
Roberto, dont la mère est espagnole, est parfaitement bilingue.

Emploi possessif de *cui*, voir Relatifs 332 ◄

83 Le pronom relatif indéfini *chi*

Il s'agit d'une forme particulière de pronom indéfini, employée au singulier et se référant à des êtres animés, qui intègre en un seul mot le pronom démonstratif « celui » et le pronom relatif « qui ». Le verbe s'accorde à la 3e personne du singulier.

***Chi** vivrà, vedrà.*   (Celui) qui vivra, verra.
*Lo dico per **chi** non lo sa ancora.*   Je le dis pour (celui) qui ne le sait pas encore.

{ Attention de ne pas confondre *chi* et *cui* :
{ *Ascolterò **chi** vorrà parlare.*   J'écouterai (celui) qui voudra parler.
{ *Ascolterò la persona con **cui** hai parlato.*   J'écouterai la personne avec qui tu as parlé.

Voir aussi Qui 330 ◄

⬤⬤⬤ À VOUS ! ⬤⬤⬤

55. Complétez avec *chi* ou *che* selon le cas :
a. ... va piano, va sano e va lontano. - b. La casa ... abbiamo visitato è in centro. - c. Telefonerò all'agenzia ... si occupa della vendita. - d. Le persone ... aspettano e quelle ... abbiamo già chiamato possono passare in segreteria. - e. Hanno comunicato a ... aveva fatto domanda per partecipare al concorso la data d'apertura delle iscrizioni.

56. Transformez la forme entre parenthèses par une construction avec *cui* :
a. La casa (nella quale) abitano è molto accogliente. - b. Sono persone (con le quali) è piacevole chiacchierare. - c. Non ricordo il titolo del film (del quale) parli. - d. La sedia (sulla quale) si era seduto ha ceduto improvvisamente. - e. Gli amici (dai quali) siamo andati a cena sono inglesi.

57. Transformez par une construction avec *il quale, i quali,* etc. :
a. Ecco la persona (di cui) ti parlavo. - b. Il treno (con cui) viaggia arriva alle 8,30. - c. Ti spiegherò i motivi (per cui) non sono venuto. - d. Conosci la città (in cui) vivono? - e. La domanda (a cui) doveva rispondere era proprio imbarazzante.

58. Complétez avec la forme relative appropriée :
a. Come si chiama il programma ... stai guardando? - b. Chi era la ragazza con ... sei uscito ieri? - c. Chiederò la risposta a ... la sa. - d. Quel ristorante in ... siamo andati anni fa non esiste più. - e. È una condizione essenziale, alla ... non si può rinunciare. - f. Questo è un affare di ... non posso occuparmi personalmente.

LES CONJONCTIONS

Les conjonctions sont des éléments invariables de la phrase qui relient deux ou plusieurs termes à l'intérieur d'une proposition, ou deux ou plusieurs propositions à l'intérieur de la phrase. Elles peuvent indiquer :
– un rapport de **coordination** :
I cani abbaiano e la carovana passa.   Les chiens aboient et la caravane passe.
– un rapport de **subordination** :
I cani abbaiano perché la carovana passa.   Les chiens aboient parce que la caravane passe.

Certaines conjonctions, comme *perché, come, se...* peuvent avoir des fonctions différentes, selon le contexte et le mode de la phrase qu'elles introduisent.
Comparez :

Mangio perché ho fame.	*Parla forte perché tutti ti sentano.*
▼	▼
Je mange <u>parce que</u> j'ai faim.	Parle fort <u>afin que</u> tout le monde t'entende.

Les conjonctions de coordination

Selon les types de rapports qui relient les éléments coordonnés, on distingue plusieurs sortes de conjonctions.

► **1.** Conjonctions reliant deux termes ayant la même fonction grammaticale *(congiunzioni copulative)* :

e	et	*anche, pure*	aussi
né	ni	*neanche, neppure, nemmeno*	non plus

Paola e Marina sono amiche.
Paola et Marina sont amies.
Compra il caffé e anche lo zucchero, per favore!
Achète du café, et du sucre aussi, s'il te plaît !
Se non vieni tu, neanche noi usciamo.
Si tu ne viens pas, nous non plus ne sortons pas.

Suivi d'une voyelle, *e* peut prendre un **-d** euphonique :
Carlo prepara l'esame ed io vado al cinema.
Carlo prépare son examen et moi, je vais au cinéma.

-*D* euphonique, voir 210 ◄

► **2.** Conjonctions reliant deux termes qui s'excluent sur un plan logique *(congiunzioni disgiuntive)* ou qui s'opposent *(avversative)* :

o (oppure)	ou bien	*mentre*	alors que
ma	mais	*eppure*	pourtant
però	mais, pourtant	*invece*	au contraire, en revanche
tuttavia	cependant		

Preferisci pesce oppure carne?   Est-ce que tu préfères du poisson ou bien de la viande ?
Prendere o lasciare.   C'est à prendre ou à laisser.

◥ Dans quelques rares cas, devant un mot commençant par *o*, la conjonction **o** peut prendre un **-d** euphonique :
*Virgilio **od** Omero.*   Virgile ou Homère.

-D euphonique, voir 210 ◀

◥ À la différence de *ma*, **però** peut se placer en fin de phrase ou après le sujet :
*Lui lo dice, io, **però**, non ci credo (ma io non ci credo).*
Il le dit. Pourtant, je n'y crois pas (mais je n'y crois pas).
*Lo voglio imparare; è difficile, **però** (ma è difficile).*
Je veux l'apprendre ; c'est difficile, cependant (mais c'est difficile).

> Il ne faut pas dire **ma però**. À l'écrit, il est conseillé de ne pas commencer une phrase par ma, mais de placer ce dernier après une virgule :
> *Vorrei uscire, ma non posso.*   Je voudrais sortir mais je ne peux pas.

Ma et però, voir 265 ◀

*Lei dice di sì **mentre** non lo pensa affatto.*
Elle dit que oui alors qu'elle ne le pense pas du tout.
*Doveva finire oggi, **invece** non ce l'ha fatta.*
Il devait terminer aujourd'hui ; il n'y est pas arrivé, au contraire.

3. Conjonctions établissant une correspondance entre deux ou plusieurs termes coordonnés (affirmativement ou négativement) ou juxtaposés *(congiunzioni correlative)* :

e... e...	et... et...	*né... né...*	ni... ni...
sia... sia...	soit... soit...		
o... o...		*non solo... ma (anche)...*	non seulement... mais aussi...

*Possiamo prendere **o** la carne **o** il pesce.*
Nous pouvons prendre soit la viande soit le poisson.
*Da « Mario » fanno bene **non solo** la carne **ma anche** il pesce.*
Chez Mario, on cuisine bien non seulement la viande mais aussi le poisson.
*Mi piace **sia** la carne **sia** il pesce.*
J'aime et la viande et le poisson (aussi bien la viande que le poisson).

Lorsque **né** est placé avant le verbe, il n'y a pas de double négation.
Comparez :

*Né lui **né** lei erano al corrente.*	*Non mi piace **né** la carne **né** il pesce.*
Ni lui ni elle n'étaient au courant.	Je n'aime ni la viande ni le poisson.

4. Conjonctions reliant deux éléments dont le deuxième représente l'explication du premier *(congiunzioni esplicative)* :

cioè	*vale a dire*	*ossia*	c'est-à-dire
infatti	*difatti*	*in effetti*	en effet

*Scenda al capolinea, **cioè** all'ultima fermata.*
Descendez au terminus, c'est-à-dire au dernier arrêt.
*Non l'ho riconosciuta! **Infatti** aveva cambiato pettinatura.*
Je ne l'ai pas reconnue ! En effet, elle avait changé de coiffure.

5. Conjonctions reliant deux propositions dont la deuxième exprime la conclusion, la conséquence de la première *(congiunzioni conclusive)* :

dunque	*quindi*	*perciò*	*pertanto*	*sicché*	donc, alors

*Non gioco mai al lotto **quindi** non posso vincere.*
Je ne joue jamais au loto donc je ne peux pas gagner.

85 Les conjonctions de subordination

Les conjonctions de subordination, qui introduisent une proposition subordonnée, sont très nombreuses. Certaines d'entre elles exigent le subjonctif pour le verbe de la proposition subordonnée.

*Questa pasta è squisita **perché** l'**ha** preparata la mamma.* (—→ subordonnée à l'indicatif)
Ces pâtes sont délicieuses parce que c'est maman qui les a préparées.
*Questa pasta è squisita, **benché** l'**abbia** preparata io!* (—→ subordonnée au subjonctif)
Ces pâtes sont délicieuses bien que ce soit moi qui les aie préparées.

1. Principales conjonctions introduisant des subordonnées à l'indicatif

🔹 **Déclaratives** *(dichiarative)* :

che	que	*come*	comme

*Dice **che** non può venire all'appuntamento.*   Il dit qu'il ne peut pas venir au rendez-vous.
*Tu non sai **come** mi dispiace!*   Tu ne sais pas comme je le regrette !

🔹 **Causales** *(causali)* :

perché	parce que	*dato che*	étant donné que
siccome	puisque, comme	*visto che*	vu que

*Non sono venuto **perché** ero occupato.*
Je ne suis pas venu parce que j'étais occupé.
***Siccome** pioveva, c'era molto traffico.*
Comme il pleuvait, il y avait beaucoup de circulation.
*È inutile che io parli, **dato che** non mi ascolti!*
Il est inutile que je parle, étant donné que tu ne m'écoutes pas !
***Visto che** siamo in quattro, facciamo una partita a carte!*
Vu qu'on est quatre, faisons une partie de cartes !

2. Principales conjonctions introduisant des subordonnées au subjonctif

🔹 **Concessives** *(concessive)* :

benché	*sebbene*	bien que
nonostante	*malgrado*	malgré

***Benché (sebbene)** sia molto vecchio è ancora in gamba.*
Bien qu'il soit très âgé, il est encore vaillant.
***Nonostante (malgrado)** abbia fatto il possibile, non ci è riuscito.*
Bien qu'il ait fait tout son possible, il a échoué.

🔹 **Conditionnelles** *(condizionali)* :

a patto che	*a condizione che*	*basta che*	*purché*	à condition que

*Te lo dico **a patto che** (**a condizione che** / **basta che** / **purché**) tu mantenga il segreto.*
Je te le dis à condition que tu gardes le secret.

• *Basta che* exprime une notion de « suffisance » (= comme condition, il suffit que...) :
*Le risponderò certamente, **basta che** Lei mi dia il Suo indirizzo!*
Je vous répondrai sûrement, il suffit que vous me donniez votre adresse !

• *Purché* exprime une nuance d'espoir (= pourvu que...) :
*Verrò al concerto **purché** trovi ancora posto!*
Je viendrai au concert pourvu que je trouve encore des places !

● **De but** *(finali)* :

affinché	**perché**	afin que, pour que

*Lo avvertirono del pericolo **affinché (perché)** fuggisse.*   Ils l'avertirent du danger pour qu'il s'enfuie.

● **Autres conjonctions :**

prima che	avant que (temporelle)
senza che	sans que (opposition)
a meno che (non)	à moins que (restrictive)

*Tornerà **prima che** arrivino gli altri, **senza che** nessuno se ne accorga.*
Il rentrera avant que les autres n'arrivent, sans que personne ne s'en aperçoive.
*Usciremo stasera **a meno che** Marco non sia troppo stanco.*
Nous sortirons ce soir, à moins que Marco ne soit trop fatigué.

Subjonctif, emplois obligatoires, voir 340 ◀

---

86 La conjonction *se*

Se sert à introduire des propositions exprimant la condition ou l'hypothèse. Il sert également à introduire des questions indirectes – à l'indicatif, au subjonctif, au conditionnel ou à l'infinitif.

● **1. *Se* suivi d'un verbe à l'indicatif introduit**

● **une question indirecte :**
*Non so **se** arriverà in tempo.*   Je ne sais pas s'il arrivera à temps.

● **une subordonnée concessive :**
*Anche **se** non vuole lo farò lo stesso.*   Même s'il ne veut pas, je le ferai quand même.

● **une subordonnée conditionnelle :**
Se posso, vengo. Se non potrò, ti avvertirò.   Si je peux, je viendrai. Si je ne peux pas, je te préviendrai.
*Ha detto che **se** è libera viene.*   Elle a dit qu'elle viendra, si elle est libre.

● **une subordonnée causale :**
Se ti piace stare da solo, perchè sei andato con loro?
Si (puisque) tu aimes rester seul, pourquoi es-tu allé avec eux ?

Voir aussi Hypothèse 243 ◀

● **2. *Se* suivi d'un verbe au subjonctif introduit**

● **une question indirecte :**
*Non capivo **se** scherzasse o no.*   Je ne comprenais pas s'il plaisantait ou non.

● **une hypothèse possible dans le présent ou irréalisable puisque située dans un passé révolu :**

*Lo farei, **se** potessi.*	*L'avrei fatto, **se** avessi potuto.*
Je le ferais, si je pouvais.	Je l'aurais fait, si j'avais pu.

Voir Hypothèse 243 ◀

● **une concession hypothétique :**
*Anche **se** fosse vero lo perdonerei.*   Même si c'était vrai, je le pardonnerais.

● **une comparaison hypothétique :**
*Si comporta come **se** fosse una bambina.*   Elle se conduit comme si elle était une enfant.

Voir aussi 244 ◀

3. *Se* suivi d'un verbe au conditionnel ou à l'infinitif introduit

● une question indirecte :

Non so se lo farebbe.
Je ne sais pas s'il le ferait.

Mi chiedo se farlo o no.
Je me demande si je dois le faire ou pas.

Voir aussi Concordance des temps 162 ◀

À VOUS !

59. Complétez avec la conjonction de coordination appropriée :
a. Firenze ... Pisa sono due città toscane. - b. Resti ancora ... vieni a casa con me? - c. Secondo te ho ragione ... torto? - d. Non mi piace ... l'Opera ... il Jazz. - e. Forse è vero, ... non possiamo esserne sicuri. - f. Ha avuto un sacco di problemi ... era stanco e nervoso. - g. Perché non lo dici ... a Paolo? - h. Paolo crede ancora a Babbo Natale ... suo fratello non ci crede già più. - i. Michele ... io siamo arrivati in ritardo. - j. Lei me l'ha giurato, io, ..., non ci credo.

60. Complétez avec la conjonction de subordination appropriée :
a. Ho mangiato un panino per strada ... avevo fame. - b. ... fossi molto stanco, non sono riuscito a dormire. - c. Mi chiedo ... sia sincero quando mi parla. - d. I ritardatari sono riusciti a entrare ... il portiere della scuola chiudesse definitivamente la porta. - e. Il direttore aveva mandato a chiamare l'impiegato ... spiegasse il suo comportamento. - f. Ci vengo volentieri ... non piova. - g. Mi chiedo ... abbia fatto ad entrare. - h. Andiamo in un ristorante italiano! ... tu non preferisca un cinese! - i. Aveva molta antipatia per quella persona, ... lei non gli avesse fatto niente. - j. Ti presto il mio libro ... tu me lo restituisca domani.

LE VERBE

87 Les trois conjugaisons

Les verbes italiens peuvent se répartir en trois groupes, déterminés par la terminaison de l'infinitif :
• la première conjugaison, qui regroupe le plus de verbes, est constituée des verbes en **-are**, comme *parlare* ;
• la deuxième par les verbes en **-ere**, comme *scrivere* ;
• la troisième par les verbes en **-ire**, comme *partire*.

Les verbes irréguliers sont les verbes qui, selon la conjugaison à laquelle ils appartiennent, présentent des altérations du radical et / ou des terminaisons.
(Voir verbes irréguliers en « Annexes ».)
Certains verbes irréguliers le sont également à l'infinitif : ce sont les verbes en **-durre**, **-porre** et **-trarre**, qui appartiennent à la deuxième conjugaison.

Verbes en *-durre, -porre, -trarre* 359 ◀

88 Les éléments de la forme verbale

Un verbe se compose d'un radical, porteur du sens du verbe, et d'une désinence, qui apporte une information grammaticale du type mode, temps, personne, nombre...
Par exemple, dans **amavo** (j'aimais) on distingue :
• **le radical** (ici **am-**, de *am-avo*) qui se retrouve à tous les temps, à toutes les personnes et à tous les modes ;
• **la désinence** (ici **-avo**) qui se décompose ainsi :
– **la voyelle thématique** (ici **a**), qui est généralement celle de l'infinitif, et qui indique à quelle conjugaison appartient le verbe (dans le cas présent, le premier groupe en *-are*) ;
– **la consonne ou le groupe de consonnes** (ici, **v**) qui caractérisent le temps et le mode (dans cet exemple, le *v* spécifie l'imparfait de l'indicatif) ;
– **la terminaison** (ici **o**) qui marque la personne (en l'occurrence, la première personne du singulier).

89 Les différentes catégories de verbes

◀ **1. Les auxiliaires**

▶ Les verbes *essere* (être) et *avere* (avoir) ont une valeur propre mais aussi une fonction d'auxiliaires dans la formation des temps composés. *Essere*, par ailleurs, sert d'auxiliaire pour la formation de la voix passive des autres verbes.
Les verbes *venire* et *andare* peuvent également jouer le rôle d'auxiliaires dans la formation de la voix passive.

Voir *Venire* 358, *Andare* 178 ◀

▶ **Choix des auxiliaires avec les verbes transitifs et intransitifs :**
Les verbes **transitifs** se conjuguent systématiquement avec l'auxiliaire *avere* dans les temps composés.
Les verbes **intransitifs** se conjuguent avec l'auxiliaire *essere*, sauf lorsqu'il s'agit de verbes que l'on pourrait définir comme « **autosuffisants** » c'est-à-dire n'ayant pas

besoin d'un complément pour exprimer pleinement leur sens. C'est le cas de *dormire* (dormir), *camminare* (marcher), etc. qui forment leurs temps composés avec l'auxiliaire *avere*.

Dans les temps composés, l'emploi de l'auxiliaire *essere* entraîne, de façon systématique, l'accord du participe passé avec le sujet.

Choix des auxiliaires 189, Accord du participe passé 153 ◄

2. Les verbes « serviles »

▶ On appelle *verbi servili* les verbes comme **dovere, volere, potere, sapere,** qui peuvent être suivis d'un autre verbe à l'infinitif. Ils indiquent alors la « modalité » de l'action exprimée par l'infinitif qui les suit (nécessité, volonté, possibilité, capacité...) et jouent un rôle de semi-auxiliaire auprès de celui-ci.

***Puoi** farmi un favore?* ***Vorrei** lasciare il mio gatto da te.*
Peux-tu me rendre un service ? J'aimerais laisser mon chat chez toi.

▶ Avec les pronoms, les verbes semi-auxiliaires admettent deux constructions possibles.

Pronom devant le semi-auxiliaire	Pronom après l'infinitif (en position enclitique)	
Ti volevo vedere	*Volevo vederti*	je voulais te voir
Lo so fare	*So farlo*	je sais le faire
Gli devo dire	*Devo dirgli*	je dois lui dire
Li posso dare	*Posso darli*	je peux les donner

Le pronom ne peut jamais être placé entre les deux verbes !

Voir aussi Verbes serviles 361
Enclise 227, Choix des auxiliaires 189 ◄

3. Les verbes auxiliaires d'aspect

On appelle ainsi les verbes suivis d'une préposition ou figurant dans une tournure périphrastique, et qui précèdent d'autres verbes dont ils expriment l'aspect de l'action (qui va commencer, commence, se déroule, se continue, se termine...). Les principaux auxiliaires d'aspect sont les suivants :

stare per	être sur le point de	*continuare a*	continuer à
cominciare a	commencer à	*finire di*	finir de
mettersi a	se mettre à	*smettere di*	cesser de
stare (+ gérondif)	être en train de		

*L'aereo **stava per** partire, poi **ha cominciato a** decollare.*
L'avion était sur le point de partir, puis il a commencé à décoller.
*Il cane **stava abbaiando**.*   Le chien était en train d'aboyer.
***Ha smesso di** piovere.*   Il a cessé de pleuvoir.

Voir *Stare* 336 ◄

4. Les verbes pronominaux

Certains verbes pronominaux en français ne le sont pas en italien, et inversement.
dimenticarsi   oublier   *passeggiare*   se promener

Voir Verbes pronominaux 317 ◄

⚫ Tous les verbes pronominaux (réfléchis ou non) se conjuguent avec **essere**.

⚫ Ils sont caractérisés par la présence du **pronom en position enclitique** :
• après l'infinitif : *alzarsi* (se lever), *riuscirci* (y parvenir)...
• après le gérondif : *alzandosi* (en se levant), *riuscendoci* (en y parvenant)...
• après certaines formes de l'impératif : *alzatevi* (levez-vous), *riusciteci* (parvenez-y)...
Mais le pronom personnel complément se place normalement devant la forme verbale conjuguée : *mi alzo* (je me lève), *ci riesco* (j'y parviens)...

Voir aussi Enclise 227 ◀

⚫ La forme pronominale réfléchie est couramment utilisée en italien pour exprimer la *forma impersonale,* équivalente de la tournure indéfinie « on » ou de la forme passive.

Si può vedere il mare dalla mia finestra.   *Questo libro si legge tutto d'un fiato.*
On peut voir la mer de ma fenêtre.   Ce livre se lit d'une traite.

Tournure réfléchie indéfinie, voir 159 ◀

5. Les verbes impersonnels

Ces verbes n'admettent que le sujet impersonnel de troisième personne. Il s'agit de verbes intransitifs qui, de ce fait, prennent **l'auxiliaire essere** dans la formation des temps composés.
De cette catégorie font partie notamment :

⚫ **Les verbes dits « atmosphériques »,** qui expriment des phénomènes météorologiques comme *piovere* (pleuvoir), *nevicare* (neiger), *grandinare* (grêler), *tuonare* (tonner), etc.
Oggi piove forte.   Aujourd'hui, il pleut beaucoup.

⚫ Les verbes comme **piacere** (aimer), **dispiacere** (regretter), **rincrescere** (être désolé), dont l'agent peut être exprimé par un pronom personnel complément :
Mi dispiace molto.   Je regrette beaucoup.
De même, **succedere** (arriver), **accadere** (se passer), **capitare** (se produire) :
*Che cosa succede? Che cosa ti è **capitato**?*   Que se passe-t-il ? Que t'est-t-il arrivé ?

Voir Arriver 183, Impersonnels 250 ◀

⚫ Le verbe **bisognare** (falloir), également défectif car, à la différence du français, il n'existe qu'aux formes simples :
bisogna, bisognava, bisognerà, bisognerebbe...   il faut, il fallait, il faudra, il faudrait...

⚫ Les verbes **occorrere** et **volerci** (falloir) employés aussi bien à la troisième personne du singulier que du pluriel, quand ils se réfèrent à un nom au pluriel.
Comparez :

Occorre prenotare.   *Occorrono due libri.*
Il faut réserver.   Il faut deux livres.
Ci vuole la prenotazione.   *Ci vogliono due libri.*
Il faut une réservation.   Il faut deux livres.

Voir aussi Il faut 246 ◀

90 La forme impersonnelle

⚫ Certains verbes comme **sembrare** (sembler), **parere** (paraître), **bastare** (suffire), peuvent être utilisés à la forme impersonnelle, suivis de *che* (+ subjonctif) :
Pare che il governo si sia dimesso.   Il paraît que le gouvernement a donné sa démission.
Basta che il direttore dia il proprio consenso.   Il suffit que le directeur donne son accord.

▶ Tout verbe actif peut adopter une construction impersonnelle par la tournure réfléchie avec *si* (= « on ») :

*Si **dice** che i gatti neri portino sfortuna.*   On dit que les chats noirs portent malheur.

Voir Tournure réfléchie 159 et On 285 ◀

---

91 Voix active et voix passive

La voix exprime le rapport qui unit le sujet à l'action exprimée par le verbe :
• Le sujet fait l'action ⟶ voix active
La polizia arresta il ladro.   La police arrête le voleur.
• Le sujet subit l'action ⟶ voix passive
Il ladro è arrestato dalla polizia.   Le voleur est arrêté par la police.
• Lorsque le sujet fait et subit l'action, le verbe est à la forme réfléchie.
Il ladro si arrende alla polizia.   Le voleur se rend à la police.
La forme réfléchie peut être également employée pour une construction impersonnelle (voir 90) ou pour exprimer la voix passive.
I libri di Umberto Eco si vendono bene.   Les livres d'Umberto Eco se vendent bien.

Voir aussi Passif 296, Pronominaux 319 ◀

---

92 Les modes et leur valeur

▶ 1. Les modes personnels

Ces modes (qui varient en personne) sont l'indicatif, le conditionnel, le subjonctif et l'impératif *(l'indicativo, il condizionale, il congiuntivo, l'imperativo).*

▶ De façon très générale, le mode **indicatif** exprime une **réalité objective** :
*Massimo **studia** l'inglese.*   Massimo étudie l'anglais.
Il s'emploie aussi bien dans des phrases principales que dans les subordonnées :
Massimo studia mentre ascolta la musica.   Massimo étudie pendant qu'il écoute de la musique.
Massimo dice che gli piace studiare l'inglese.   Massimo dit qu'il aime étudier l'anglais.

▶ Le mode **subjonctif**, en revanche, n'apparaît pas dans les propositions principales mais seulement dans les subordonnées introduites par toute une série de verbes et de locutions conjonctives qui le demandent.

Voir Subjonctif 340 ◀

Le subjonctif est beaucoup plus utilisé en italien qu'en français, notamment parce qu'il est employé après les verbes d'opinion comme *pensare, credere, ritenere* et d'espoir comme *sperare, augurarsi…*
En soi, il exprime **une réalité subjective,** nuancée de doute ou d'incertitude :
*Credo che Massimo **studi** l'inglese, ma non ne sono sicuro.*
Je crois que Massimo étudie l'anglais, mais je n'en suis pas sûr.

Le subjonctif imparfait, presque disparu en français dans la langue parlée, est en revanche couramment employé en italien, à l'écrit comme à l'oral, car la concordance des temps est rigoureusement respectée :
*Bisognava che **andassero** al Consolato per i documenti.*
Il fallait qu'ils aillent au Consulat pour les papiers.

Voir Subjonctif 342, Concordance des temps 162 ◀

Le **conditionnel** exprime la **possibilité de réalisation** d'une action :
*Quel ragazzo **studierebbe** volentieri fisica all'università.*
Ce garçon étudierait volontiers la physique à l'université.

Emplois du Conditionnel, voir **123**

L'**impératif** exprime généralement un ordre ou une défense :
Giri a destra e prosegua dritto fino al semaforo!
Tournez à droite et continuez tout droit jusqu'au feu !

2. Les modes impersonnels (qui ne varient pas en personne) sont le gérondif, l'infinitif et le participe *(il gerundio, l'infinito, il participio).*

Le **gérondif** exprime, de façon implicite et à la manière d'un adverbe, la **manière dont une action est faite :**
*Lo dice **ridendo**.*   Il le dit en riant.
Le gérondif a deux temps, le présent (simple) et le passé (composé).

Emplois du gérondif, voir **149**

L'**infinitif** exprime l'action en elle-même, sans sujet actif.
Suonare la chitarra è un vero piacere per lui.   Jouer de la guitare est un vrai plaisir pour lui.
L'infinitif peut occuper toutes les fonctions du nom.

Infinitif substantivé, voir **145**

L'infinitif a deux temps, le présent (simple) et le passé (composé).

Le **participe** a deux temps simples, le présent et le passé.
Le présent a une fonction presque exclusivement d'adjectif *(brillante, ridente)* et tous les verbes n'ont pas cette forme.
Le passé joue un rôle essentiel dans la formation des temps composés et de la forme passive. En soi, il a une valeur d'adjectif (comme *preparato*) ou de nom *(il fatto).*

Participe, voir **150** à **153**

LE MODE INDICATIF

LE PRÉSENT

Emplois de l'indicatif présent

Les emplois italiens du présent *(il presente)* correspondent généralement au français. On emploie aussi fréquemment le présent de l'indicatif pour exprimer un futur proche, notamment dans les constructions suivantes :
• avec *ora* et *adesso* :
Ora *vi spiego.*   Je vais vous expliquer (tout de suite).
• avec *tra (fra)* + une quantité de temps :
*Lo chiamo **tra** una settimana.*   Je l'appelle dans une semaine.
• avec un marqueur temporel :
Domani, *vado in piscina.*   Demain, je vais à la piscine.

Indicatif présent des auxiliaires

	Essere être	**Avere** avoir
(io)	sono	ho
(tu)	sei	hai
(lui / lei)	è	ha
(Lei)*	è	ha
(noi)	siamo	abbiamo
(voi)	siete	avete
(loro)	sono	hanno

* Forme de politesse.

Indicatif présent des verbes réguliers

1. Conjugaisons régulières

	-are (parlare)	**-ere** (scrivere)	**-ire** (dormire)
(io)	parlo	scrivo	dormo
(tu)	parli	scrivi	dormi
(lui / lei)	parla	scrive	dorme
(Lei)	parla	scrive	dorme
(noi)	parliamo	scriviamo	dormiamo
(voi)	parlate	scrivete	dormite
(loro)	parlano	scrivono	dormono

{ Les terminaisons de *noi* et *voi* portent toujours l'accent tonique ; à la troisième personne du pluriel, l'accent tonique est toujours comme celui de la première personne du singulier.

2. Verbes du troisième groupe

▸ **Les verbes en -*ire* sont peu nombreux.**
Parmi eux, seuls les verbes suivants (et leurs composés) se conjuguent normalement, sur le modèle de *dormire* :

aprire	ouvrir	*divertire*	divertir	*pentirsi*	se repentir
avvertire	avertir	*fuggire*	fuir	*seguire*	suivre
bollire	bouillir	*mentire*	mentir	*sentire*	sentir, entendre
convertire	convertir	*nutrire*	nourrir	*servire*	servir
coprire	couvrir	*offrire*	offrir	*soffrire*	souffrir
cucire	cuire	*partire*	partir	*vestire*	habiller

▸ **Les autres verbes, en -*isc*, sont majoritaires.**
On les appelle ainsi car ils insèrent cet élément entre la racine et la terminaison des trois personnes du singulier et de la troisième personne du pluriel :

Finire   (finir)

fin**isc**o
fin**isc**i
fin**isc**e
finiamo
finite
fin**isc**ono

| Cette particularité se rencontre également au subjonctif présent et à l'impératif, aux mêmes personnes *(finisca, finiscamo)*.

▸ **La plupart des verbes du 3ᵉ groupe se conjuguent sur le modèle de *finire*.**

capire	comprendre	*preferire*	préférer	*suggerire*	suggérer
contribuire	contribuer	*proibire*	interdire	*tradire*	trahir
definire	définir	*restituire*	restituer	*ubbidire*	obéir
favorire	favoriser	*sostituire*	substituer	*unire*	unir
garantire	garantir	*spedire*	expédier		
guarire	guérir	*subire*	subir		

3. Particularités orthographiques et phonétiques

▸ **Verbes en -*care* ou -*gare* :**
Le son dur de l'infinitif est maintenu dans la conjugaison. Cela se traduit à l'écrit par la présence du *h* devant la voyelle *i* :

Cercare (chercher)	**Pagare** (payer)
cerco	pago
cerchi	pag**h**i
cerca	paga
cerchiamo	pag**h**iamo
cercate	pagate
cercano	pagano

● **Verbes en -*ciare* et -*giare* :**

Le *i* faisant partie de la racine n'est pas redoublé aux personnes *tu* et *noi* :

Cominciare (commencer)	Mangiare (manger)
comincio	mangio
cominc**i**	mang**i**
comincia	mangia
cominc**iamo**	mang**iamo**
cominciate	mangiate
cominciano	mangiano

● **Verbes en -*cere* et -*gere* :**

Les sons durs *(co, go)* et les sons doux *(ci, gi ; ce, ge)* s'alternent selon la terminaison :

Vincere (vaincre)	Leggere (lire)
vinco [k]	leggo [g]
vinci [t∫]	leggi [dj]
vince	legge
vinciamo	leggiamo
vincete	leggete
vincono [k]	leggono [g]

● **Verbes en -*scere* :**

Le son dur *(sco)* et les sons doux *(sci, sce)* s'alternent selon la terminaison :

Conoscere (connaître)
conosco [k]
conosci [∫]
conosce
conosciamo
conoscete
conoscono [k]

96   Présent irrégulier des verbes en -*are*, -*ere*, -*ire*

● **1. Verbes irréguliers en -*are***

Andare	Dare	Fare	Stare
aller	donner	faire	être / rester
vado	do	faccio	sto
vai	dai	fai	stai
va	dà	fa	sta
andiamo	diamo	facciamo	stiamo
andate	date	fate	state
vanno	danno	fanno	stanno

2. Principaux verbes irréguliers en -ere

Bere boire	Rimanere rester	Scegliere choisir
bevo	rimango	scelgo
bevi	rimani	scegli
beve	rimane	sceglie
beviamo	rimaniamo	scegliamo
bevete	rimanete	scegliete
bevono	rimangono	scelgono

Tenere tenir	Togliere enlever	Sedersi s'asseoir
tengo	tolgo	mi siedo
tieni	togli	ti siedi
tiene	toglie	si siede
teniamo	togliamo	ci sediamo
tenete	togliete	vi sedete
tengono	tolgono	si siedono

3. Principaux verbes irréguliers en -ire

Dire dire	Salire monter	Uscire sortir	Venire venir	Morire mourir
dico	salgo	esco	vengo	muoio
dici	sali	esci	vieni	muori
dice	sale	esce	viene	muore
diciamo	saliamo	usciamo	veniamo	moriamo
dite	salite	uscite	venite	morite
dicono	salgono	escono	vengono	muoiono

Autres verbes irréguliers, voir « Annexes grammaticales ».

97 Présent des verbes en -durre, -porre, -trarre

-durre **Tradurre** traduire	-porre **Proporre** proposer	-trarre **Estrarre** extraire
traduco	propongo	estraggo
traduci	proponi	estrai
traduce	propone	estrae
traduciamo	proponiamo	estraiamo
traducete	proponete	estraete
traducono	propongono	estraggono

➤ Se conjuguent comme *tradurre* tous les verbes se terminant par -*durre* :

condurre	conduire	*introdurre*	introduire
dedurre	déduire	*produrre*	produire
indurre	induire	*sedurre...*	séduire...

> ➤ **Se conjuguent comme** *proporre* **tous les composés du verbe** *porre* **(poser) :**

comporre	composer		*opporre*	opposer
deporre	déposer		*scomporre*	décomposer
disporre	disposer		*supporre*	supposer
esporre	exposer		*sottoporre*	soumettre
imporre	imposer		*sovrapporre…*	superposer…

> ➤ **Se conjuguent comme** *estrarre* **tous les composés du verbe** *trarre* **(tirer) :**

contrarre	contracter		*protrarre*	prolonger
detrarre	soustraire		*ritrarre*	illustrer, décrire
distrarre	distraire		*sottrarre…*	soustraire…

Voir Verbes en *-durre, -porre, -trarre* 359 ◄

---

98   Présent régulier des verbes pronominaux

Au présent de l'indicatif, les formes conjuguées des verbes pronominaux sont précédées des pronoms réfléchis *mi*, *ti*, *si*, *ci*, *vi*, *si* :

	-are **Lavarsi** se laver	-ere **Iscriversi** s'inscrire	-ire **Vestirsi** s'habiller
(io)	**mi** lavo	mi iscrivo	mi vesto
(tu)	**ti** lavi	ti iscrivi	ti vesti
(lui / lei)	**si** lava	si iscrive	si veste
(Lei)	**si** lava	si iscrive	si veste
(noi)	**ci** laviamo	ci iscriviamo	ci vestiamo
(voi)	**vi** lavate	vi iscrivete	vi vestite
(loro)	**si** lavano	si iscrivono	si vestono

---

99   Présent des verbes serviles

Volere vouloir	**Dovere** devoir	**Potere** pouvoir	**Sapere** savoir
voglio	devo	posso	so
vuoi	devi	puoi	sai
vuole	deve	può	sa
vogliamo	dobbiamo	possiamo	sappiamo
volete	dovete	potete	sapete
vogliono	devono	possono	sanno

Avec les pronoms compléments, deux constructions sont possibles : soit devant le semi-auxiliaire, soit en position enclitique.

Lo *so fare*   *So farlo*   Je sais le faire.
Gli *devo dare*   *Devo dargli*   Je dois lui donner.

Enclise, voir 227 ◄

61. Complétez avec un auxiliaire au présent de l'indicatif :
a. (Voi) ... veramente una bella casa! - b. (Io) ... stanco e ... sonno. - c. (Noi) non ... paura. - d. Signor Pratolini, ... sicuro di quello che dice? - e. Signora, ... un momento libero questo pomeriggio? - f. I miei amici non ... la macchina. - g. Dove ... i miei occhiali?

62. Complétez avec le présent de l'indicatif :
a. Carlo ed io (guardare) ... il telegiornale. - b. (Lui - partire) ... per Amsterdam. - c. (Voi - prendere) ... l'autobus? - d. (Loro - dormire) ... in albergo. - e. (Voi - chiedere) ... un'informazione. - f. (Io - telefonare) ... a Marta. - g. Signor Valli, dove (abitare) ...?

63. Complétez avec le présent de l'indicatif :
a. L'avvocato (spedire) ... i documenti in raccomandata. - b. (Voi - capire) ... quello che dico? - c. (Lui - non capire) ... niente. - d. I giovani (seguire) ... la moda. - e. Gli operai (costruire) ... una diga. - f. Chi (avvertire) ... Lucia che la lezione è annullata? - g. Oggi (io - finire) ... di lavorare alle cinque.

64. Complétez avec le présent de ces verbes pronominaux :
a. Rosanna (truccarsi) ... e (pettinarsi) ... prima di uscire. - b. (Noi - svegliarsi) ... alle sette del mattino. - c. A che ora (voi - addormentarsi) ... di solito? - d. Marco (non ricordarsi) ... mai del mio compleanno. - e. Come (tu - sentirsi) ... oggi? - f. (Noi - divertirsi) ... sempre con loro. - g. I miei genitori (preoccuparsi) ... troppo.

65. Complétez avec le présent de l'indicatif :
a. (Io - salire) ... le scale a piedi mentre gli altri (salire) ... in ascensore. - b. Fino a quando (tu - rimanere) ... a Roma? - c. Perché (voi - togliere) ... le piante dal balcone? - d. Loro (venire) ... a cena da noi stasera. - e. Sono sicuro che Luisa non mi (dire) ... tutta la verità. - f. Stamattina (io - andare) ... in piscina, (rimanere) ... un'oretta e (uscire) ... a mezzogiorno. - g. Che cosa mi (tu - proporre) ... di bello? Ti (io - proporre) ... di andare al cinema. - h. Qui gli operai della miniera (estrarre) ... il carbone. - i. Quale rosa (tu - scegliere) ...? (io - scegliere) ... quella rossa. - j. Questa fabbrica (produrre) ... elettrodomestici.

66. Mettez les verbes « serviles » à l'indicatif présent :
a. Il direttore (volere) ... vedere i documenti. (Tu - potere) ... portarli nel suo ufficio, per favore? - b. (Lei - non sapere) ... scrivere a macchina, ma (Lei - potere) ... imparare se (Lei-volere) ... - c. Noi (dovere) ... avvertire Carlo che (noi - non potere) ... finire il lavoro in tempo. - d. Se (tu - volere) ..., (noi - potere) ... andare al cinema insieme. - e. (io - non volere) ... andare a letto tardi perché (dovere) ... alzarmi presto domani. - f. (voi - non dovere) ... fare rumore. - g. Per favore (voi - potere) ... aiutarmi? (io dovere) ... andare in centro ma (io - non sapere) ... arrivarci da solo.

67. Transformez en changeant la place des pronoms :
a. Ti voglio parlare. - b. Non posso sopportarlo. - c. Lo devo fare. - d. Lo so tradurre. - e. Gli può parlare. - f. Ci deve telefonare. - g. Non vi possono ricevere. - h. Dobbiamo ancora prepararci. - i. Non vogliono parlarne. - j. Non sapete farne a meno.

LE PASSÉ COMPOSÉ

100 Emplois du passé composé

Le passé composé *(il passato prossimo)* s'utilise pour exprimer :

➤ **des actions révolues ayant eu lieu dans un passé récent :**
Ieri sono andata dal parrucchiere.
Hier je suis allée chez le coiffeur.

➤ **des actions qui viennent de se dérouler** (passé proche), avec l'adverbe *appena*
placé entre l'auxiliaire et le participe :
Mi ha appena telefonato.
Il vient de me téléphoner.

Voir Passé proche 295 ◄

➤ **des actions éloignées dans le temps mais conservant un lien avec le présent**
(lien affectif ou émotionnel, ou lien dont les conséquences portent jusqu'au moment
présent) :
Negli ultimi dieci anni abbiamo cambiato casa sette volte.
Durant les dix dernières années, nous avons déménagé sept fois.
È un film che ho visto tre anni fa ma che ricordo come se l'avessi visto oggi.
C'est un film que j'ai vu il y a trois ans mais dont je me souviens comme si je l'avais vu aujourd'hui.

> Dans la langue parlée du nord de l'Italie, le passé composé tend à remplacer le passé simple,
> devenu fort rare, comme en français. Dans le sud de l'Italie, c'est le phénomène inverse, le passé
> simple étant préféré au passé composé...
> Dans la langue littéraire, la différence entre passé composé et passé simple reste en revanche
> mieux cernée. Aussi, lorsqu'une narration est commencée dans l'un de ces deux temps, est-il
> impératif de la poursuivre avec le même temps, le mélange n'étant pas admis.

101 Formation du passé composé

➤ Le passé composé se forme avec les auxiliaires *essere* (être) ou *avere* (avoir) à l'indicatif présent, suivis du participe passé du verbe :

Parlare parler	Andare aller
ho parlato	sono andato/a
hai parlato	sei andato/a
ha parlato	è andato/a
abbiamo parlato	siamo andati/e
avete parlato	siete andati/e
hanno parlato	sono andati/e

Choix des auxiliaires, voir 189 ◄

➤ Les formes régulières du participe passé sont :
• verbes en *-are* : *parlare* → **parlato**
• verbes en *-ere* : *credere* → **creduto**
• verbes en *-ire* : *finire* → **finito**

Participes passés irréguliers 292
Accord du participe passé 153 et 290 ◄

102 Passé composé des auxiliaires

▰ Le passé composé du verbe **avere** se compose de l'auxiliaire *avere* au présent et du participe passé régulier *avuto* :

ho avuto
hai avuto
ha avuto
abbiamo avuto
avete avuto
hanno avuto

▰ **Essere**, dont le participe passé vient du verbe *stare*, se construit comme ce dernier au passé composé, avec *essere* en auxiliaire :

sono stato/a
sei stato/a
è stato/a
siamo stati/e
siete stati/e
sono stati/e

{ Attention : *essere* ne se conjugue pas, comme en français, avec l'auxiliaire « avoir » !

*Ieri ho avuto la febbre e **sono stato** a letto tutto il giorno.*
Hier, j'ai eu de la fièvre et j'ai été/je suis resté au lit toute la journée.
*La giornata **è stata** caldissima.*
La journée a été très chaude.

103 Passé composé des verbes serviles

Définition des verbes serviles, voir 89 ◂

● 1. Les verbes serviles utilisés seuls

Ils se conjuguent exclusivement avec l'auxiliaire **avere** :
ho voluto   ho potuto   ho dovuto
j'ai voulu   j'ai pu   j'ai dû
*Non sono venuto perché non **ho potuto**.*
Je ne suis pas venu parce que je n'ai pas pu.
*Non volevano rompere il vetro ma **hanno dovuto**.*
Ils ne voulaient pas casser la vitre mais ils ont dû (le faire).

● 2. Les verbes serviles suivis d'un infinitif

Ils adoptent l'auxiliaire habituel du verbe qui les suit :
***ho** aspettato* ⟶ *Non **ho** potuto **aspettare**.*
J'ai attendu.   Je n'ai pas pu attendre.
è uscita ⟶ *La ragazza non **è** potuta **uscire**.*
Elle est sortie.   La fille n'a pas pu sortir.

La construction avec *essere* implique l'accord du participe passé avec le sujet *(la ragazza non è potuta...)*.

{ Exception : le verbe *sapere* se conjugue exclusivement avec l'auxiliaire *avere*, quel que soit le verbe qui le suit :

ho trovato ⟶ **Ho saputo trovare la strada da solo.**
J'ai pu (su) trouver le chemin tout seul.

sono sceso ⟶ **Ho saputo scendere dall'albero.**
J'ai pu (su) descendre de l'arbre.

À VOUS !

68. Complétez avec la forme appropriée du passé composé des verbes entre parenthèses :
a. Ieri (io - telefonare) ... all'avvocato. - b. A che ora (partire) ... Mario e Giovanni? - c. La settimana scorsa Carla e Lucia (andare) ... a Milano e (visitare) ... una mostra d'arte. - d. Monica (essere) ... malata: (avere) ... l'influenza. - e. Il professore (ripetere) ... la regola. - f. La baby-sitter (tenere) ... i bambini per due ore. - g. Stamattina Marina (svegliarsi) ... alle sette e (uscire) ... alle otto.

69. Complétez avec la forme appropriée du passé composé des verbes entre parenthèses :
a. Che cosa (tu - fare) ... ieri sera? - b. (Noi - prendere) ... il treno delle otto. - c. A chi (tu - scrivere) ...? - d. (voi - dire) ... a Marco di telefonarmi? - e. (Io - chiedere) ... l'ora a una persona che non mi (rispondere) ... perché non mi (sentire) ... - f. (voi - vedere) ... questo film? No, ma (noi - leggere) ... la critica. - g. La donna di servizio (chiudere) ... tutte le porte e (aprire) ... tutte le finestre della casa. - h. A che ora (venire) ... il dottore? - i. Dove (tu - mettere) ... le chiavi? - j. Per festeggiare l'avvenimento (loro-bere) ... una coppa di champagne.

70. Transformez au passé composé en employant l'auxiliaire approprié :
a. Massimo ed io non possiamo partire con il treno, dobbiamo prendere l'aereo. - b. Giovanna vuole uscire prima perché deve passare in banca. - c. Perché non vuoi venire con noi? Perché non posso. - d. Non sa o non vuole rispondere? - e. Vogliono partecipare al concorso. - f. Quanta strada dovete fare per andare al lavoro? - g. Non posso restare di più perché devo tornare a casa.

LE MODE INDICATIF

L'IMPARFAIT

104 Emplois de l'indicatif imparfait

🔹 L'indicatif imparfait *(l'imperfetto)* s'utilise généralement comme en français, pour exprimer :
• une action non déterminée (situation, condition, sentiment...) ;
*Quando **abitavo** a Londra **studiavo** e **lavoravo**.*
Quand j'habitais à Londres, j'étudiais et je travaillais.

• une action prolongée, habituelle ou répétée dans le passé ;
*L'anno scorso, d'estate, **andavo** al mare tutti i giorni.*
L'année dernière, durant l'été, j'allais à la mer tous les jours.

• la contemporanéité dans le passé (avec *mentre*).
*Mentre **aspettava** il treno, **leggeva** il giornale.*
Pendant qu'il attendait le train, il lisait son journal.

🔹 Alors qu'en français on peut utiliser l'imparfait de l'indicatif après « si », l'italien exige le subjonctif imparfait dans les subordonnées de condition avec *se*.
Comparez :

*Se **potessi** lo farei.*	Si je pouvais, je le ferais.
▼	▼
imparfait du subjonctif	imparfait de l'indicatif

Voir Hypothèse **243**
Subjonctif **139**
Concordance des temps **163** ◀

105 Formes régulières de l'indicatif imparfait

L'imparfait se forme à partir de l'infinitif.
Les terminaisons de l'imparfait sont les mêmes pour les verbes en *-are*, *-ere* et *-ire* mais chaque groupe garde sa propre voyelle thématique :

	-are Parlare parler	-ere Scrivere écrire	-ire Finire finir
(io)	parlavo	scrivevo	finivo
(tu)	parlavi	scrivevi	finivi
(lui / lei)	parlava	scriveva	finiva
(Lei)	parlava	scriveva	finiva
(noi)	parlavamo	scrivevamo	finivamo
(voi)	parlavate	scrivevate	finivate
(loro)	parlavano	scrivevano	finivano

{ Remarques : à la troisième personne du pluriel, l'accent tonique est toujours identique à celui de la première personne du singulier ; *-amo* et *-ate* reçoivent toujours l'accent tonique.

106   Indicatif imparfait des auxiliaires

Le verbe *essere* est irrégulier, tandis que *avere* se conjugue sur le modèle des verbes en *-ere* :

Essere	Avere
ero	avevo
eri	avevi
era	aveva
eravamo	avevamo
eravate	avevate
erano	avevano

107   Formes irrégulières de l'indicatif imparfait

Les irrégularités sont très peu nombreuses et concernent exclusivement le radical, et non la terminaison : une fois connue la première personne, toute la conjugaison suit.

Fare faire	Dire dire	Bere boire
facevo	dicevo	bevevo
facevi	dicevi	bevevi
faceva	diceva	beveva
facevamo	dicevamo	bevevamo
facevate	dicevate	bevevate
facevano	dicevano	bevevano

Verbes en *-durre, -porre, -trarre* :
Tradurre   (traduire) :   traducevo, traducevi, traduceva...
Comporre   (composer) : componevo, componevi, componeva...
Sottrarre   (soustraire) : sottraevo, sottraevi, sottraeva...
(Voir aussi Verbes irréguliers en « Annexes ».)

À VOUS !

71. Complétez en mettant à l'imparfait le verbe entre parenthèses :
a. Claudio (ascoltare) ... la radio mentre (studiare) ... - b. Quando (noi - essere) ... in ferie (andare) ... tutti i giorni in spiaggia. - c. Quando (io - avere) ... quattro anni (essere) ... una vera peste. - d. Dove (voi - essere) ... ieri sera e che cosa (fare) ...? - e. Mentre (io - leggere) ... il giornale Marco e Giulio (finire) ... la partita. - f. A che ora (tu - alzarsi) ... quando (andare) ... al liceo? - g. I bambini (aspettare) ... con grande gioia il giorno di Natale.

72. Conjuguez au passé composé ou à l'imparfait, selon le cas, les verbes entre parenthèses :
a. Mentre (io - tornare) ... a casa (incontrare) ... il mio professore. - b. Sull'autobus (esserci) ... alcune persone che (leggere) ... il giornale. - c. Finalmente (io - comprare) ... quel vestito che (piacermi) ... tanto! - d. Francesca e Serena non (venire) ... perché (avere) ... un appuntamento. - e. Di che cosa (loro - stare) ... parlando quando (voi - arrivare) ...? - f. Quando (io - venire) ... qui in vacanza, una volta, in questo punto (esserci) ... una fontana. - g. Quei due (separarsi) ... perché non (andare) ... d'accordo.

LE MODE INDICATIF

LE PLUS-QUE-PARFAIT

108 Formation du plus-que-parfait

Le plus-que-parfait de l'indicatif *(il trapassato prossimo)* se compose, comme en français, de l'auxiliaire *(essere* ou *avere)* à l'indicatif imparfait, suivi du participe passé du verbe.

Parlare ⟶ *avevo parlato*   j'avais parlé
Scrivere ⟶ *avevo scritto*   j'avais écrit
Finire ⟶ *avevo finito*   j'avais fini

109 Emplois du plus-que-parfait

Le plus-que-parfait de l'indicatif sert à indiquer qu'une action passée est **antérieure** à une autre action du passé.
*Il mio compleanno **era** già **passato** quando mi ha fatto il regalo.*
Mon anniversaire était passé quand il m'a fait un cadeau.
*Arrivato a casa, mi sono accorto che **avevo dimenticato** le chiavi.*
Arrivé à la maison, je me suis rendu compte que j'avais oublié les clés.

À VOUS !

73. Mettez au passé les verbes entre parenthèses, en exprimant l'antériorité des actions par un plus-que-parfait :
a. Dato che (io - finire) … il mio lavoro, (uscire) … a prendere una boccata d'aria. -
b. Roberta (tornare) … da poco, quando (noi - arrivare) … da lei. - c. Al ritorno dall'Olanda, Marcello (farmi)… sapere che (trovarsi) … molto bene. - d. (io - ringraziarlo) … per tutto quello che, in passato, (fare) … per me. - e. (lui - fare) … molti progetti ma la malattia (impedirgli) … di realizzarli.

LE MODE INDICATIF

LE PASSÉ SIMPLE

Le passé simple est appelé en italien *passato remoto*, c'est-à-dire « passé éloigné », par opposition avec le *passato prossimo* (littéralement « passé proche »), équivalent de notre passé composé.

Courant dans la langue littéraire, le passé simple est toutefois d'un emploi beaucoup plus rare dans la langue quotidienne du nord de l'Italie, où il est supplanté par le passé composé.

Dans le sud du pays, en revanche, le passé simple est d'un emploi très fréquent.

110 Emplois du passé simple

Le passé simple exprime une action accomplie dans un passé éloigné, ou récent si l'action est ressentie comme **n'ayant plus de lien avec le présent**.
Si l'action est ressentie comme ayant un rapport avec le présent, on utilisera le passé composé.
Comparez :

Passé simple	Passé composé
Cristoforo Colombo **scoprì** *l'America nel 1492.*	*Da quando Cristoforo Colombo l'ha* **scoperta**, *l'America* **ha completamente cambiato** *volto.*
Christophe Colomb découvrit l'Amérique en 1492.	Depuis que Christophe Colomb l'a découverte, l'Amérique a complètement changé de visage.
▼	▼
action révolue, datée	action ayant des conséquences sur le présent

111 Formes régulières du passé simple

Le passé simple se forme à partir de la racine de l'infinitif.

	-are **Parlare** parler	-ere **Credere** croire	-ire **Partire** partir
(io)	parl**ai**	cred**ei** (-**etti**)*	part**ii**
(tu)	parl**asti**	cred**esti**	part**isti**
(lui / lei)	parl**ò**	cred**é** (-**ette**)	part**ì**
(Lei)	parl**ò**	cred**é** (-**ette**)	part**ì**
(noi)	parl**ammo**	cred**emmo**	part**immo**
(voi)	parl**aste**	cred**este**	part**iste**
(loro)	parl**arono**	cred**erono** (-**ettero**)	part**irono**

* Remarquer la double forme possible pour les verbes du deuxième groupe, aux trois personnes *io*, *lui* et *loro*. Ces deux formes sont équivalentes.

112 | Passé simple des auxiliaires

Essere	être	**Avere**	avoir
fui	je fus	ebbi	j'eus
fosti	tu fus	avesti	tu eus
fu	il, elle fut	ebbe	il, elle eut
fummo	nous fûmes	avemmo	nous eûmes
foste	vous fûtes	aveste	vous eûtes
furono	ils, elles furent	ebbero	ils eurent

113 | Formes irrégulières du passé simple

Verbes irréguliers

Dare (donner), *fare* (faire), *stare* (être, rester), comme le verbe *essere*, présentent des conjugaisons irrégulières au passé simple :

Dare	**Stare**
donner	être
diedi (detti)	stetti
desti	stesti
diede (dette)	stette
demmo	stemmo
deste	steste
diedero (dettero)	stettero

Verbes semi-irréguliers

Ils sont réguliers avec *tu, noi, voi* mais irréguliers aux autres personnes :
Vedere voir : **vidi** vedesti **vide** vedemmo vedeste **videro**

PRENDERE
presi
prendesti
prese
prendemmo
prendeste
presero

Se conjuguent sur le modèle de *prendere* (prendre) :

accendere	allumer	→ *accesi*	*ridere*	rire	→ *risi*
chiedere	demander	→ *chiesi*	*rimanere*	rester	→ *rimasi*
chiudere	fermer	→ *chiusi*	*risolvere*	résoudre	→ *risolsi*
concludere	conclure	→ *conclusi*	*rispondere*	répondre	→ *risposi*
correre	courir	→ *corsi*	*scendere*	descendre	→ *scesi*
decidere	décider	→ *decisi*	*spendere*	dépenser	→ *spesi*
mettere	mettre	→ *misi*	*uccidere*	tuer	→ *uccisi*

> **SCRIVERE**
> **scrissi**
> scrivesti
> **scrisse**
> scrivemmo
> scriveste
> **scrissero**

Se conjuguent sur le modèle de *scrivere* (écrire) :

concedere	concéder	→ *concessi*	*leggere*	lire	→ *lessi*
costruire	construire	→ *costrussi, costruii*	*muovere*	bouger	→ *mossi*
dirigere	diriger	→ *diressi*	*riscuotere*	secouer	→ *riscossi*
discutere	discuter	→ *discussi*	*vivere*	vivre	→ *vissi*
distruggere	détruire	→ *distrussi*			

> **CADERE**
> **caddi**
> cadesti
> **cadde**
> cademmo
> cadeste
> **caddero**

Se conjuguent sur le modèle de *cadere* (tomber) :

conoscere	connaître	→ *conobbi*	*sapere*	savoir	→ *seppi*
crescere	grandir	→ *crebbi*	*tenere*	tenir	→ *tenni*
piovere	pleuvoir	→ *piovve*	*venire*	venir	→ *venni*
rompere	casser	→ *ruppi*	*volere*	vouloir	→ *volli*

> **NASCERE**
> **nacqui**
> nascesti
> **nacque**
> nascemmo
> nasceste
> **nacquero**

Se conjuguent sur le modèle de *nascere* (naître) :

piacere	plaire	→ *piacqui*
tacere	taire	→ *tacqui*

> **VINCERE**
> **vinsi**
> vincesti
> **vinse**
> vincemmo
> vinceste
> **vinsero**

Se conjuguent sur le modèle de *vincere* (vaincre) :

accorgersi	s'apercevoir	→ *mi accorsi*	*piangere*	pleurer	→ *piansi*
dipingere	peindre	→ *dipinsi*	*raggiungere*	rejoindre	→ *raggiunsi*
emergere	émerger	→ *emersi*	*stringere*	serrer	→ *strinsi*

> **TOGLIERE**
> **tolsi**
> togliesti
> **tolse**
> togliemmo
> toglieste
> **tolsero**

Se conjuguent sur le modèle de *togliere* (ôter, prendre) :

cogliere   cueillir → *colsi*   *scegliere*   choisir → *scelsi*
sciogliere   défaire → *sciolsi*

Fare	Bere	Dire
faire	boire	dire
feci	bevvi	dissi
facesti	bevesti	dicesti
fece	bevve	disse
facemmo	bevemmo	dicemmo
faceste	beveste	diceste
fecero	bevvero	dissero

Fare, bere et *dire* sont formés sur des racines latines *(facere, bevere et dicere)* que l'on retrouve dans certaines variations de radical.
Il en est de même pour les verbes en -*durre* (lat. *ducere*), *porre* (*ponere*) et *trarre* (*traere*).

Tradurre	Proporre	Trarre
traduire	proposer	tirer
tradussi	proposi	trassi
traducesti	proponesti	traesti
tradusse	propose	trasse
traducemmo	proponemmo	traemmo
traduceste	proponeste	traeste
tradussero	proposero	trassero

À VOUS !

74. Transformez ce texte au passé simple :
Dante nasce a Firenze nel 1265 da una famiglia della piccola nobiltà guelfa. In giovinezza frequenta la vita elegante della città e intraprende studi di retorica con Brunetto Latini. Nel 1285 si sposa con Gemma Donati, dalla quale ha tre o quattro figli. L'incontro più importante per Dante è però quello con Beatrice, che vede per la prima volta nel 1274. Dante si iscrive alla corporazione dei medici e entra nella vita politica cittadina ma la sua carriera politica si conclude in un lungo e amaro esilio durante il quale scrive la sua opera più famosa, *La Divina Commedia*. Muore a Ravenna nel 1321.

LE MODE INDICATIF

LE FUTUR

Emplois du futur simple

● Le futur *(il futuro)* sert à exprimer une action ou une situation à venir :
*Tra dieci anni, **andrà** in pensione.*
Dans dix ans, il prendra sa retraite.

● Le futur est couramment utilisé pour exprimer une supposition ou un doute :
Perché Mario non telefona? Mah! Non potrà...
Pourquoi Mario ne téléphone pas ? Eh bien, peut-être ne peut-il pas...
*Quanti anni avrà? **Avrà** una quarantina d'anni.*
Quel âge peut-il avoir ? Il doit avoir la quarantaine.
*Chi **sarà** a quest'ora?*
Qui cela peut être à cette heure-ci ?

● En italien, le futur est utilisé après *se* (« si ») dans les subordonnées de condition, lorsque le verbe de la principale est déjà au futur :
*Se **potrò**, verrò volentieri.*
Si je peux, je viendrai avec plaisir.

Formes régulières du futur simple

Le futur se forme à partir de l'infinitif.

● Les verbes en *-are* changent le *a* de la terminaison en *e* :

	-are **Parlare** parler	**-ere** **Scrivere** écrire	**-ire** **Dormire** dormir
(io)	parlerò	scriverò	dormirò
(tu)	parlerai	scriverai	dormirai
(lui / lei)	parlerà	scriverà	dormirà
(Lei)	parlerà	scriverà	dormirà
(noi)	parler**emo**	scriver**emo**	dormir**emo**
(voi)	parler**ete**	scriver**ete**	dormir**ete**
(loro)	parler**anno**	scriver**anno**	dormir**anno**

{ Remarquer l'accent graphique des première et troisième personnes du singulier. Par ailleurs l'accent tonique est toujours sur la terminaison.

● **Les verbes en *-care* et *-gare*** maintiennent la prononciation dure du son guttural en prenant un *h* devant la terminaison à toutes les personnes :
cercherò, pagherò...
je chercherai, je paierai...

● **Les verbes en *-ciare* et *-giare*** (comme *cominciare* et *mangiare*), en revanche, perdent leur *i* car celui-ci n'est plus nécessaire à la prononciation molle de la gutturale :
comincerò, mangerò...
je commencerai, je mangerai...

116 Futur simple des auxiliaires

Essere et *avere* ont un futur irrégulier. Comme tous les verbes irréguliers au futur l'irrégularité concerne exclusivement le radical, les terminaisons restant inchangées.

Essere	Avere
sarò	avrò
sarai	avrai
sarà	avrà
saremo	avremo
sarete	avrete
saranno	avranno

117 Formes irrégulières du futur simple

1. Les formes contractées

Certains verbes (la plupart en *-ere*) ont des formes irrégulières dites « contractées », car leur radical se contracte en perdant la voyelle thématique.

Potere

potrò	je pourrai
potrai	tu pourras
potrà	il, elle pourra
potremo	nous pourrons
potrete	vous pourrez
potranno	ils, elles pourront

Se conjuguent sur le modèle de *potere* (pouvoir) :

dovere	devoir	⟶ *dovrò...*		*vivere*	vivre	⟶ *vivrò...*
sapere	savoir	⟶ *saprò...*		*cadere*	tomber	⟶ *cadrò...*
vedere	voir	⟶ *vedrò...*		*andare*	aller	⟶ *andrò...*

2. Les formes « à double *r* »

Certains verbes ont une double contraction de leur radical. Ce sont les formes dites « à double *r* ».

venire	venir	⟶ *verrò...*		*rimanere*	rester	⟶ *rimarrò...*
bere	boire	⟶ *berrò...*		*tenere*	tenir	⟶ *terrò...*
volere	vouloir	⟶ *vorrò...*				

Et, naturellement, tous les composés de *tenere* :

ottenere, contenere, mantenere, sostenere...   obtenir, contenir, maintenir, soutenir...

{ Attention de ne pas confondre **verrò** (je viendrai) avec **vedrò** (je verrai), futur du verbe *vedere*.

3. *Dare, fare, stare*

Les verbes *dare* (donner), *fare* (faire), *stare* (rester / être) gardent la voyelle thématique *a* :

Darò, darai, darà...	*Farò, farai, farà...*	*Starò, starai, starà...*
Je donnerai, tu donneras, il donnera…	Je ferai, tu feras, il fera…	Je resterai, tu resteras, il restera…

118 Le futur antérieur

1. Emplois

Le futur antérieur *(il futuro anteriore)* sert à indiquer qu'une action s'est accomplie ou s'accomplira avant une autre action exprimée au futur.

*Quando **avrai finito** di scherzare, potremo parlare sul serio.*

Quand tu auras fini de plaisanter, nous pourrons parler sérieusement.

Comme le futur simple, le futur antérieur peut servir à exprimer une supposition mais sur un fait passé.

*Non l'ho riconosciuto: **avrà fatto** una dieta dimagrante.*

Je ne l'ai pas reconnu : il a dû faire un régime amaigrissant.

2. Formation

Le futur antérieur se forme, comme en français, avec le futur simple de l'auxiliaire *(essere* ou *avere)* suivi du participe passé du verbe :

avrò parlato	*avrò dormito*	*sarò partito*
j'aurai parlé	j'aurai dormi	je serai parti

À VOUS !

75. Complétez en mettant au futur les verbes entre parenthèses :
a. Domani (io - telefonare) ... all'agenzia. - b. La settimana prossima Luigi (ritornare) ... dalle vacanze. - c. A che ora (voi - finire) ... di lavorare stasera? - d. A chi (loro - vendere) ... la casa? - e. L'anno prossimo (noi - comprare) ... una macchina nuova. - f. Se (tu - arrivare) ... prima delle sette mi (tu - trovare) ... in casa. - g. Quando (loro - partire) ... per la Sicilia? - h. Tra un'ora (io - vestirsi) ... e (uscire) ... - i. Claudia ed io (iscriversi) ... a un corso di tennis. - j. A che ora (cominciare) ... il film?

76. Complétez en mettant au futur les verbes entre parenthèses :
a. Stasera (io - vedere) ... i miei amici. - b. Che cosa (tu - fare) ... l'estate prossima? - c. Tra cinque minuti il caffè (essere) ... pronto e (noi - berlo) ... - d. Se (io - potere) ... (io - venire) ... subito dopo cena. - e. Quando i bambini (dovere) ... prendere lezioni di nuoto (andare) ... nella piscina vicino a casa. - f. Non so se (io - avere) ... il tempo di finire oggi. - g. Chi (vivere) ... (vedere) ... - h. Il professore (tenere) ... una conferenza alla Bocconi di Milano. - i. (noi - sapere) ... la risposta solo sabato. - j. Quando (cadere) ... la neve finalmente (noi - potere) ... sciare.

LE MODE CONDITIONNEL

119 Formes régulières du conditionnel présent

	-are **Parlare** parler	-ere **Scrivere** écrire	-ire **Partire** partir
(io)	parler**ei**	scriver**ei**	partir**ei**
(tu)	parler**esti**	scriver**esti**	partir**esti**
(lui / lei)	parler**ebbe**	scriver**ebbe**	partir**ebbe**
(Lei)	parler**ebbe**	scriver**ebbe**	partir**ebbe**
(noi)	parler**emmo**	scriver**emmo**	partir**emmo**
(voi)	parler**este**	scriver**este**	partir**este**
(loro)	parler**ebbero**	scriver**ebbero**	partir**ebbero**

Comme au futur, les verbes du premier groupe changent leur voyelle thématique *a* en **e**.

120 Conditionnel présent des auxiliaires

Au conditionnel présent *(il condizionale presente)* les auxiliaires sont irréguliers :

Essere		**Avere**	
sarei	je serais	avrei	j'aurais
saresti	tu serais	avresti	tu aurais
sarebbe	il / elle serait	avrebbe	il / elle aurait
saremmo	nous serions	avremmo	nous aurions
sareste	vous seriez	avreste	vous auriez
sarebbero	ils / elles seraient	avrebbero	ils / elles auraient

121 Formes irrégulières du conditionnel présent

1. Les formes « contractées »

Certains verbes ont des formes irrégulières dites « contractées », car leur terminaison se contracte en faisant tomber la voyelle thématique. Ce sont les mêmes verbes que ceux présentant des irrégularités au futur.

POTERE
potrei
potresti
potrebbe
potremmo
potreste
potrebbero

Se conjuguent sur le modèle de *potere* (pouvoir) :

andare	aller	→ *andrei...*		*sapere*	savoir → *saprei...*
cadere	tomber → *cadrei...*			*vedere*	voir → *vedrei...*
dovere	devoir → *dovrei...*			*vivere*	vivre → *vivrei...*

2. Les formes « à double r »

Il s'agit de certains verbes avec une double contraction du radical :

bere	boire	→ *berrei...*
rimanere	rester	→ *rimarrei...*
tenere	tenir	→ *terrei...*
venire	venir	→ *verrei...*
volere	vouloir	→ *vorrei...*

Et bien entendu tous les composés de *tenere* :
ottenere, contenere, mantenere, sostenere...
obtenir, contenir, maintenir, soutenir...

> Attention : ne pas confondre ***verrei*** (je viendrais) avec le conditionnel du verbe *vedere* (voir) → ***vedrei!***

3. *Dare, fare, stare*

Les verbes *dare* (donner), *fare* (faire), *stare* (rester / être) gardent la voyelle thématique *a* :

Darei, daresti, darebbe...   *Farei, faresti, farebbe...*   *Starei, staresti, starebbe...*

122 Formation du conditionnel passé

Le conditionnel passé *(il condizionale passato)* se forme régulièrement avec un auxiliaire *(essere* ou *avere)* au conditionnel présent, suivi du participe passé :

sarei stato/a	*avrei avuto*	*avrei parlato*	*avrei scritto*	*sarei partito/a*
j'aurais été	j'aurais eu	j'aurais parlé	j'aurais écrit	je serais parti(e)

123 Emplois du conditionnel

1. Exprimer un souhait

Vorrei visitare la Sicilia.
Je voudrais visiter la Sicile.

Mi piacerebbe saperlo.
J'aimerais bien le savoir.

2. Exprimer une action réalisable à certaines conditions

*In caso di necessità, lo **chiamerei**.*
En cas de nécessité, je l'appellerais.

3. Exprimer une situation irréalisable car révolue dans le passé

*Se avesse voluto, **avrebbe potuto** aiutarci.*
S'il avait voulu, il aurait pu nous aider.

4. Formuler une demande polie

Saprebbe dimmi che ora è?   Sauriez-vous me dire l'heure ?

5. Exprimer un doute

Che cosa potrei fare?   Que pourrais-je faire ?

6. Reporter une information non confirmée, une hypothèse

I banditi sarebbero penetrati nella banca durante la notte.
Les bandits auraient pénétré dans la banque durant la nuit.

7. Exprimer le « futur dans le passé »

Disse che l'avvocato avrebbe richiamato il giorno dopo.
Il a dit que l'avocat rappellerait le lendemain.

Ce « futur dans le passé » est plutôt rendu par un conditionnel présent en français.

Voir aussi Conditionnel 207 ◄

{ Attention : le conditionnel français se traduit souvent en italien par un subjonctif :

Pensavo che tu partissi.   ⟶ subjonctif imparfait
Je pensais que tu partirais.   ⟶ conditionnel présent

Voir Concordance des temps 154 ◄

À VOUS !

77. Complétez avec le conditionnel présent du verbe entre parenthèses :
a. A che ora (tu - telefonare) ... a Guido? - b. Franco (uscire) ... volentieri ma
deve studiare. - c. Noi (scrivere) ... una cartolina a Luisa ma non abbiamo il suo
indirizzo. - d. Lui non (prestare) ... la sua macchina a nessuno. - e. (voi - parlare) ...
più piano, per favore? - f. (io - spendere) ... di più per il suo regalo, ma in questo
momento sono al verde! - g. Sono sicura che loro (capire) ... la situazione.

78. À partir des verbes suivants, posez des questions au conditionnel des
personnes *tu* et *Lei* :
a. Aprire la porta. - b. Abbassare la radio. - c. Spegnere la televisione. - d. Uscire un
attimo. - e. Chiudere la finestra. - f. Parlare più piano. - g. Telefonare domani. -
h. Spedire le cartoline. - i. Venire da me stasera. - j. Prendere un caffè.

79. Transformez le verbe en italiques au conditionnel présent, puis au conditionnel
passé :
a. *Devo* farlo. - b. *È* meglio reagire. - c. *Vogliamo* vederti. - d. *Fai* un viaggio. - e. *Dite*
di no. - f. *Hanno* fretta. - g. Ci *sono* tutti. - h. *Vengono* subito. - i. *Vedono* il film. -
j. *Rimaniamo* qui.

L'IMPÉRATIF

124 Formes régulières de l'impératif

	-are **Parlare** parler	-ere **Scrivere** écrire	-ire **Partire** partir
(tu)	parla!	scrivi!	parti!
(Lei)	parli!	scriva!	parta!
(noi)	parliamo!	scriviamo!	partiamo!
(voi)	parlate!	scrivete!	partite!
(Loro)	parlino!	scrivano	partano!

Aux personnes *noi* (nous) et *voi* (vous), l'impératif a les mêmes formes que le présent de l'indicatif ; de même pour la personne *tu* des verbes en *-ere* et en *-ire*.
Noter, à la 2ᵉ personne *tu*, la terminaison en *-a* aux verbes du premier groupe.
La forme de politesse *Loro* est peu employée ; on lui préfère la forme *voi*.

125 L'impératif négatif

➤ Aux personnes *Lei*, *noi* et *voi*, l'impératif est précédé de *non* :

parli!   parlez !   ⟶ *non parli!*   ne parlez pas !
partite!   partez !   ⟶ *non partite!*   ne partez pas !
scriviamo! écrivons ! ⟶ *non scriviamo!* n'écrivons pas !

➤ Avec *tu*, la forme négative est exprimée par **non + infinitif** :

non parlare!   *non scrivere!*   *non partire!*
ne parle pas !   n'écris pas !   ne pars pas !

➤ À l'impératif négatif, le pronom complément peut aussi bien être placé en position enclitique qu'entre la négation et le verbe :
*Non **lo** fare!* = *Non **far**lo!*   Ne le fais pas !

126 L'impératif de politesse

Il ne s'agit pas d'un véritable impératif puisqu'à la troisième personne l'ordre ne peut être direct, mais indirect. Cette forme correspond à un subjonctif :
Giri a destra!   Tournez à droite ! = qu'il / qu'elle tourne à droite !

127 Formes particulières de la 2ᵉ personne du singulier

Certains verbes du 1ᵉʳ groupe, monosyllabiques à l'impératif, peuvent avoir **deux formes** :
andare: va'!   vai!   *stare:* sta'!   stai!
dare: da'!   dai!   *fare:*   fa'!   fai!
Le verbe *dire* a une forme contractée, également avec une apostrophe : *di'!*

Voir aussi Impératif, emplois particuliers 249 ◀

128 Impératif des auxiliaires

Essere		Avere	
(tu) sii!	non essere!	(tu) abbi!	non avere!
(Lei) sia!	non sia!	(Lei) abbia!	non abbia!
(noi) siamo!	non siamo!	(noi) abbiamo!	non abbiamo!
(voi) siate!	non siate!	(voi) abbiate!	non abbiate!

129 Formes irrégulières de l'impératif

1. Le verbe *sapere* (savoir)

sappi!	sache !
sappia!	sachez ! (politesse)
sappiamo!	sachons !
sappiate!	sachez !

2. Verbes irréguliers à l'impératif de politesse

Tous les verbes irréguliers au présent de l'indicatif sont irréguliers à l'impératif de politesse. Le radical à partir duquel ils se forment est celui de la première personne du présent indicatif et leur terminaison est toujours -a, quel que soit le groupe auquel ils appartiennent :

dire *(io dico)* ⟶ *dica!*   dis !

andare ⟶ *vada!*	va !	*salire* ⟶ *salga!*	monte !
bere ⟶ *beva!*	bois !	*uscire* ⟶ *esca!*	sors !
fare ⟶ *faccia!*	fais !	*venire* ⟶ *venga!*	viens !
finire ⟶ *finisca!*	finis !		

Attention : le verbe *stare* fait **stia** et *dare* fait **dia**.

130 Place des pronoms avec l'impératif

Les pronoms personnels compléments – réfléchis, directs et indirects, groupés, *ci* et *ne* – se placent après le verbe en position enclitique :

alzati!	lève-toi !
alziamoci!	levons-nous !
alzatevi!	levez-vous !

Exceptions :
- À la forme de politesse, les pronoms précèdent le verbe :
Si alzi!   Levez-vous, monsieur !
- Le pronom *loro* suit le verbe mais jamais en enclise :
*Telefona **loro**!*   Téléphone-leur !

Enclise, voir 227 ◄

Les pronoms atones (sauf *gli*) en position enclitique avec les verbes *andare, dare, dire, fare, stare,* redoublent leur consonne initiale :

vacci!	*dammela...!*	*dimmi!*	*fallo!*	*stacci!*
vas-y !	donne-la-moi !	dis-moi !	fais-le !	restes-y !

Voir Impératif, emplois particuliers **249** ◄

À VOUS !

80. Transformez en un ordre :

	tu	lei	voi
a. Aprire la finestra.	...	...	...
b. Chiudere la porta.	...	...	...
c. Parlare più piano.	...	...	...
d. Aspettare un attimo.	...	...	...
e. Scendere le scale.	...	...	...
f. Chiamare l'ascensore.	...	...	...
g. Girare a sinistra.	...	...	...
h. Attraversare la piazza.	...	...	...
i. Prendere via Manzoni.	...	...	...
j. Chiedere l'indirizzo.	...	...	...

81. Répondez comme dans l'exemple :
Posso entrare? (tu) Sì, entra!
                   No, non entrare!
a. Possiamo venire? - b. Posso salire? (Lei) - c. Posso uscire? (tu) - d. Possiamo finire? (voi) - e. Posso andare via? (tu) - f. Posso rimanere? (Lei) - g. Posso bere? (tu).

LE MODE SUBJONCTIF

LE PRÉSENT ET LE PASSÉ

131 Formes régulières du subjonctif présent

	-are **Parlare** parler	-ere **Scrivere** écrire	-ire **Partire** partir
che io	parli	scriva	parta
che tu	parli	scriva	parta
che lui / lei	parli	scriva	parta
che Lei	parli	scriva	parta
che (noi)	parliamo	scriviamo	partiamo
che (voi)	parliate	scriviate	partiate

➤ Les formes des trois premières personnes du subjonctif présent *(il congiuntivo presente)* étant identiques, **il est nécessaire d'exprimer le pronom sujet** afin d'éviter toute ambiguïté de l'énoncé.

➤ La forme de la première personne du pluriel *(noi)* est toujours semblable à celle de l'indicatif présent :

Parliamo di lui. ⟶ *Vuole che **parliamo** di lui.*
Nous parlons de lui. ⟶ Il veut que nous parlions de lui.

➤ **Les verbes en -*care* et -*gare*** prennent un *h* devant la terminaison, à toutes les personnes.

Cercare	chercher	**Pagare**	payer
cerchi	que je cherche	paghi	que je paie
cerchi	que tu cherches	paghi	que tu paies
cerchi	qu'il / elle cherche	paghi	qu'il / elle paie
cerchiamo	que nous cherchions	paghiamo	que nous payions
cerchiate	que vous cherchiez	paghiate	que vous payiez
cerchino	qu'ils / elles cherchent	paghino	qu'ils / elles paient

132 Subjonctif présent des auxiliaires

Essere être		**Avere** avoir	
che io	sia	che io	abbia
che tu	sia	che tu	abbia
che lui, che lei	sia	che lui, che lei	abbia
che noi	siamo	che noi	abbiamo
che voi	siate	che voi	abbiate
che loro	siano	che loro	abbiano

133   Formes irrégulières du subjonctif présent

Tous les verbes irréguliers au présent de l'indicatif le sont également au présent du subjonctif.
Ils se forment à partir du radical de la première personne de l'indicatif présent, auquel on ajoute les terminaisons régulières (io **dic**o ⟶ che io **dic**a).

> **DIRE**
> che io dica
> che tu dica
> che lui / lei dica
> che noi diciamo
> che voi diciate
> che loro dicano

Se conjuguent de la même façon :

bere:	*che io beva...*	que je boive...	*venire:*	*che io venga...*	que je vienne...
salire:	*che io salga...*	que je sorte...	*uscire:*	*che io esca...*	que je sorte...
finire:	*che io finisca...*	que je finisse...			

Verbes particuliers

▶ **Verbes en -are :**
Fare: **faccia**, *faccia, faccia, facciamo, facciate, facciano.*
Andare: **vada**, *vada, vada, andiamo, andiate, vadano.*

{ Attention :
Stare: *stia, stia, stia, stiamo, stiate, stiano.*
Dare: *dia, dia, dia, diamo, diate, diano.*

▶ **Verbes en -ere :**
Sapere: **sappia**, *sappia, sappia, sappiamo, sappiate, sappiano.*
Dovere: **debba**, *debba, debba, dobbiamo, dobbiate, debbano.*
(Voir aussi « Annexes » pour toutes les formes irrégulières.)

134   Emplois du subjonctif présent

1. L'impératif de politesse

Pour exprimer un ordre à la 3e personne de politesse *(Lei* ou *Loro)*, on recourt au subjonctif présent :

Venga!	*Mi dica...*	*Senta...*	*Scusi...*
Venez !	Dites-moi...	Écoutez...	Excusez-moi...

▶ La forme négative s'exprime normalement, avec *non* :
Non venga!   Ne venez pas !

▶ Les pronoms compléments ne se placent pas en position enclitique comme pour les autres personnes :

Prendi il libro. Prendilo.	*Prenda il libro.* **Lo** *prenda.*
Prends le livre. Prends-le.	Prenez le livre. Prenez-le.

2. Verbes entraînant le subjonctif

 Verbes de volonté, de désir ou de nécessité :
volere, desiderare, ordinare, bisognare, occorrere, pretendere...
*Mio padre **vuole** che io **continui** gli studi in Inghilterra.*
Mon père veut que je continue mes études en Angleterre.

 Verbes d'opinion :
pensare, credere, ritenere, immaginare, supporre...
***Pensi che sia** molto ricco? No, non **credo che sia** ricco.*
Penses-tu qu'il est très riche ? Non, je ne crois pas qu'il **soit** riche.

{ Attention : à la différence du français, le subjonctif italien peut être employé à la forme affirmative comme à la négative. Cela tient à la notion même de « subjonctif » qui introduit les notions d'incertitude, de subjectivité.
Comparez :

*Sono sicuro che quel negozio **è** già **aperto** a quest'ora.*	*Penso che quel negozio **sia** già aperto a quest'ora.*

▼ | ▼
c'est une certitude | c'est une opinion subjective

Il est également possible d'utiliser l'indicatif, lorsqu'on veut mettre en valeur « la réalité objective » d'une opinion, lorsqu'on veut la renforcer, la marquer de certitude :
Penso che quel negozio è già aperto a quest'ora (e ne sono sicuro).
Je pense que ce magasin est déjà ouvert à cette heure-ci (et j'en suis certain).
Toutefois, l'emploi du subjonctif reste préférable dans ce dernier cas.

 Verbes d'attente, de crainte, de doute, d'espoir :
aspettare, attendere, essere in attesa che... sperare, augurarsi...
temere, avere paura, dubitare, non essere sicuro, non sapere se...
*Aspettando che **ritornino**, prendiamoci un caffè.*   En attendant qu'ils reviennent, prenons un café.
*Spero che lui **partecipi** alla riunione.*   J'espère qu'il participera à la réunion.

 Verbes de sentiment :
essere contento / felice / triste..., dispiacersi, rallegrarsi, preferire...
*Sono **contento** che tu **venga** a trovarmi.*   Je suis heureux que tu viennes me voir.

3. Phrases impersonnelles entraînant le subjonctif

 Formes impersonnelles :
è probabile, è possibile, è utile, è giusto che...
*È **inutile** che tu **insista**.*   Il est inutile que tu insistes.

Voir aussi Impersonnels 251 ◄

 Verbes impersonnels *(sembrare, parere)* ou verbes à la tournure réfléchie indéfinie :
*Si **dice** che la torre di Pisa **possa** cadere!*   On dit que la tour de Pise peut tomber !

Voir aussi Impersonnels 250 ◄

4. Conjonctions entraînant le subjonctif

 Benché, sebbene, nonostante, malgrado = bien que
*Benché **sia** molto giovane ha già fatto molte cose.*
Bien qu'il soit très jeune, il a déjà fait pas mal de choses.

 A condizione che, a patto che, purché = à condition que (pourvu que)
*Ha detto che l'avrebbe fatto solo **a patto che** lo **paghino** bene.*
Il a dit qu'il le ferait à la seule condition qu'on le paye bien.

● *Affinché, perché* = afin que (pour que)
Te lo ripeto perché tu non lo dimentichi.   Je te le répète pour que tu ne l'oublies pas.

● *A meno che, senza che, prima che* = à moins que, sans que, avant que
Facciamolo prima che arrivino gli altri.   Faisons-le avant que les autres n'arrivent.

● *Basta che* = il suffit que
Basta che lo accettino.   Il suffit qu'ils l'acceptent.

> Lorsque le sujet de la phrase principale est le même que celui de la subordonnée, le verbe sera à l'infinitif plutôt qu'au subjonctif, pour des raisons de style :
> *Penso di partire domani.*   Je pense partir demain. (= Je pense que je partirai demain.)

Voir Subjonctif, emplois obligatoires 340 ◀

135 Le subjonctif passé

● Le subjonctif passé *(il congiuntivo passato)* se forme avec le subjonctif présent de l'auxiliaire, suivi du participe passé du verbe :
Che io abbia parlato.   Que j'aie parlé.   *Che io abbia dormito.*   Que j'aie dormi.
Che io abbia scritto.   Que j'aie écrit.

● Auxiliaires :
Essere: *Che io sia stato/a...*   Que j'aie été.   **Avere:** *Che io abbia avuto...*   Que j'aie eu.

À VOUS !

82. Complétez avec les formes appropriées du verbe entre parenthèses :
a. Spero che tuo fratello (essere) ... contento del regalo. - b. Credo che i miei amici (arrivare) ... domani. - c. Non mi sembra che il signor Merli (avere) ... figli. - d. È importante che (voi - capire) ... la situazione. - e. Non so se Marco (prendere) ... il treno o l'aereo. - f. Mi dispiace che (tu - non capire) ... - g. Sto aspettando che (smettere) ... di piovere. - h. Credo che i suoi genitori (preoccuparsi) ... - i. È inutile che (io - parlare) ... - j. Penso che (esserci) ... un problema.

83. Complétez avec les formes appropriées du verbe entre parenthèses :
a. Bisogna che (voi - andare) ... subito dal direttore. - b. Scriverò a Mario prima che (sapere) ... la notizia da altri. - c. Speriamo che anche domani (fare) ... bel tempo. - d. Mio marito non vuole che (io - uscire) ... sola di sera. - e. Mi dispiace che (tu - dovere) ... andare via subito. - f. Mi sembra che Luisa non (volere) ... dirmi quello che è successo realmente. - g. Credo che Marco e Giulio non (potere) ... venire. - h. È assurdo che (voi - volere) ... prendere la macchina con questa nebbia. - i. Ritengo che (lui - dare) ... troppa importanza al lavoro. - j. Benché (lui - tenerci) ... molto, gli ha prestato la macchina.

84. Formez une seule phrase en utilisant le subjonctif ou l'infinitif selon le cas :
a. Abbiamo fatto bene. Pensiamo. - b. Mi presta la macchina. È necessario. - c. Non posso venire. Penso. - d. Tu gli dici di telefonarmi. Bisogna. - e. Lui vuole iscriversi. Non crediamo. - f. Partite subito. Volete. - g. Fanno un buon lavoro. Sperano. - h. Fanno tutto il possibile. Mi auguro.

85. Transformez le verbe souligné au subjonctif passé :
a. Penso che <u>venga</u>. - b. Mi sembra che lui <u>arrivi</u> alle otto. - c. Dubitiamo che lo <u>faccia</u> volentieri. - d. Dicono che <u>ci sia</u> una manifestazione in centro. - e. Mi dispiace che tu <u>pensi</u> una cosa simile. - f. È probabile che lui <u>esca</u> con Luisa. - g. Credo che i bambini <u>abbiano</u> la varicella.

LE MODE SUBJONCTIF

L'IMPARFAIT ET
LE PLUS-QUE-PARFAIT

136 Formes régulières du subjonctif imparfait

	-are	-ere	-ire
che io	parl**assi**	scriv**essi**	part**issi**
che tu	parl**assi**	scriv**essi**	part**issi**
che (lui / lei)	parl**asse**	scriv**esse**	part**isse**
che Lei	parl**asse**	scriv**esse**	part**isse**
che (noi)	parl**assimo**	scriv**essimo**	part**issimo**
che (voi)	parl**aste**	scriv**este**	part**iste**
che (loro)	parl**assero**	scriv**essero**	part**issero**

À l'imparfait du subjonctif *(il congiuntivo imperfetto)* les deux premières personnes étant identiques, il est nécessaire d'exprimer le pronom sujet en cas d'ambiguïté.

137 Subjonctif imparfait des auxiliaires

Essere		**Avere**	
che io	fossi	che io	avessi
che (tu)	fossi	che (tu)	avessi
che lui / lei / Lei	fosse	che lui / lei / Lei	avesse
che (noi)	fossimo	che (noi)	avessimo
che (voi)	foste	che (voi)	aveste
che (loro	fossero	che (loro)	avessero

138 Formes irrégulières du subjonctif imparfait

Les irrégularités sont peu nombreuses. Elles touchent aux mêmes verbes qu'à l'imparfait de l'indicatif, avec les mêmes transformations de radical :

Fare	**Bere**	**Dire**
fa**ce**ssi	be**ve**ssi	di**ce**ssi
fa**ce**ssi	be**ve**ssi	di**ce**ssi
facesse	bevesse	dicesse
facessimo	bevessimo	dicessimo
faceste	beveste	diceste
facessero	bevessero	dicessero

Verbes en -*durre* :   ***tradurre*** ⟶ *traducessi...*
Verbes en -*porre* :   ***comporre*** ⟶ *componessi...*
Verbes en -*trarre* :   ***sottrarre*** ⟶ *sottraessi...*
Dare ⟶ *dessi, dessi, desse, dessimo, deste, dessero.*
Stare ⟶ *stessi, stessi, stesse, stessimo, steste, stessero.*

139   Emplois du subjonctif imparfait

L'imparfait du subjonctif est bien plus utilisé en italien qu'en français, l'italien respectant scrupuleusement la concordance des temps.

Voir Concordance des temps 162

Ainsi, à un subjonctif présent dépendant d'une principale au présent, correspond un **subjonctif imparfait dépendant d'une principale au passé :**

*Bisogna che io **prenda** il treno delle otto.*   *Bisognava che io **prendessi** il treno delle otto.*
Il faut que je prenne le train de huit heures.   Il fallait que je prenne le train de huit heures.

Autres emplois du subjonctif imparfait, voir 342

140   Le plus-que-parfait du subjonctif

Le subjonctif plus-que-parfait *(il congiuntivo trapassato)* se forme avec le subjonctif imparfait de l'auxiliaire du verbe suivi du participe passé.

Che io avessi parlato.   Que j'eusse parlé.
Che io avessi scritto.   Que j'eusse écrit.
Che io avessi dormito.   Que j'eusse dormi.

Essere	Avere
che io fossi stato/a	che io avessi avuto
che tu fossi stato/a	che tu avessi avuto
che lui / lei / Lei fosse stato/a	che lui / lei / Lei avesse avuto
che noi fossimo stati/e	che noi avessimo avuto
che voi foste stati/e	che voi aveste avuto
che loro fossero stati/e	che loro avessero avuto

Emplois, voir Concordance des temps 162

À VOUS !

86. Complétez en mettant à la forme appropriée le verbe entre parenthèses :
a. Credevo che (essere) ... più facile. - b. Sembrava che (dovere) ... piovere. - c. Era necessario che (loro - aiutarci) ... - d. Aspettava che Marta (arrivare) ... - e. Volevamo che nostro figlio (andare) ... all'università. - f. Pretendevano che (voi - ritornare) ... il giorno dopo. - g. Mi dispiaceva che (lui - partire) ... - h. Pensavo che Giorgio (avere) ... la mia età. - i. Era prevedibile che loro (offendersi) ... - j. Non sapevo che tu (parlare) ... giapponese.

87. Transformez à l'imparfait en respectant la concordance des temps :
a. Non penso che vengano con noi. - b. Credono che lui sia ingegnere. - c. Ho paura che dica uno sproposito. - d. Temiamo che sbaglino. - e. Bisogna che lui mi dia una mano. - f. Mi dispiace che tu non l'abbia saputo. - g. Preferisco che prendano il treno. - h. Non so dove sia andato. - i. Vogliamo che proponga una soluzione. - j. Basta che facciano attenzione.

LES MODES IMPERSONNELS

L'INFINITIF

141 Formes de l'infinitif

L'infinitif *(l'infinito)* a deux temps : le présent et le passé. On distingue trois principales formes d'infinitifs, correspondant aux trois grands groupes de verbes : en *-are*, *-ere*, *-ire*.

	présent	passé
verbes en -are	arrivare parlare	esser(e)* arrivato aver(e)* parlato
verbes en -ere	credere scendere	aver(e) creduto esser(e) sceso
verbes en -ire	finire partire	aver(e) finito esser(e) partito

* L'infinitif suivi d'un verbe ou d'un substantif peut perdre sa voyelle finale, atone :

avere	→	*aver fame*	avoir faim	*volere*	→	*voler fare*	vouloir faire
		aver sonno	avoir sommeil	*sapere*	→	*saper vivere*	savoir vivre
potere	→	*poter dire*	pouvoir dire	*fare*	→	*far fare*	faire faire

Voir aussi Apocope 179 ◄

142 Formes particulières de l'infinitif

Verbes en -durre		**Verbes en -porre**		**Verbes en -trarre**	
dedurre	déduire	*comporre*	composer	*estrarre*	extraire
produrre	produire	*proporre*	proposer	*protrarre*	prolonger
tradurre	traduire	*supporre*	supposer	*sottrarre*	soustraire

Voir Verbes en *-durre*, *-porre*, *-trarre* 359 ◄

143 Infinitif des auxiliaires

présent	passé
essere **avere**	essere stato / stata / stati / state avere avuto

144 Enclise des pronoms personnels compléments

Les pronoms personnels réfléchis et compléments se placent derrière l'infinitif, en position enclitique, le verbe perdant sa dernière voyelle :

Ho intenzione di parlarti.   J'ai l'intention de te parler.

Bisogna farlo adesso, il lavoro.   Il faut le faire maintenant, le travail.

Non gli piace alzarsi presto.   Il n'aime pas se lever tôt.

> Le pronom *loro* suit toujours le verbe, mais jamais en enclise :
> *Scrivo loro di venire.*   Je leur écris de venir.

145 Emplois de l'infinitif

1. L'infinitif peut être utilisé comme un substantif

Il est alors précédé de l'article :
*Tra **il dire** e **il fare** c'è di mezzo il mare (proverbio).*
Entre la parole et l'action il y a un abîme (proverbe).

Cette possibilité existe également en français, mais dans une bien moindre mesure, tandis que tous les verbes italiens peuvent être substantivés :
l'agire, il parlare, il camminare, lo scrivere...   le fait d'agir, le fait de parler, de marcher, d'écrire...

2. L'infinitif peut avoir une valeur d'impératif

La personne à laquelle on s'adresse est alors indéterminée :
Circolare!   Circulez !   *Spingere / Tirare*   Pousser / Tirer (sur les portes).

L'infinitif est en revanche une forme obligatoire à la deuxième personne du singulier de l'**impératif négatif** :
Non entrare!   N'entre pas !   *Non toccare!*   Ne touche pas !

3. Emplois des prépositions avec l'infinitif

Infinitif + *di*
Avec les verbes d'opinion, d'espoir et de savoir lorsque le sujet de la principale et celui de la subordonnée désignent une même personne :
pensare, credere, ritenere, supporre, immaginare, considerare, sembrare, sperare, augurarsi, sapere...
*Penso **di** venire alla festa.*   Je pense ø venir à la fête.
*Sa **di** essere ammalato.*   Il se sait malade.

Infinitif + *a*
Avec les verbes de mouvement :
andare, correre, venire, scendere, dirigersi, uscire, giungere, arrivare...
*Vado **a** fare la spesa.*   Je vais ø faire les courses.

Noter que dans les tournures impersonnelles, l'infinitif n'est introduit par aucune préposition, à la différence du français :
È vietato fumare.   Il est interdit de fumer.
È utile avere una buona memoria.   Il est utile d'avoir une bonne mémoire.

Tournures impersonnelles, voir 251 ◄

À VOUS !

88. Traduisez :
a. J'espère avoir trouvé une solution. - b. Ne viens pas me chercher à la gare. - c. Ce soir je voudrais aller danser. - d. Penses-tu pouvoir venir avec moi ? - e. Il est inutile d'appeler un médecin. - f. Il estime avoir raison. - g. Il est indispensable de réserver.

LES MODES IMPERSONNELS

LE GÉRONDIF

Le gérondif *(il gerundio)* exprimé en français par un participe présent précédé de « en », a en italien une forme spécifique, invariable.
Le participe présent est une forme très peu usitée en italien.

Participe présent, voir 293 ◄◄◄

---

146 Formation du gérondif présent

1. Formes régulières

Verbes en *-are* → *-ando*	*studiando*	en étudiant
Verbes en *-ere*	*scrivendo*	en écrivant
Verbes en *-ire* → *-endo*	*partendo*	en partant

2. Formes irrégulières

Dire → **dicendo**   en disant
Fare → **facendo**   en faisant
Bere → **bevendo**   en buvant

Verbes en *-durre* → *-ducendo*	*traducendo*	en traduisant
Verbes en *-porre* → *-ponendo*	*proponendo*	en proposant
Verbes en *-trarre* → *-traendo*	*sottraendo*	en soustrayant

---

147 Formation du gérondif passé

Pour former le gérondif passé, on utilise les auxiliaires *avendo* (ayant) ou *essendo* (étant), suivis du participe passé :

avendo studiato	*avendo scritto*	*essendo partito*
en ayant étudié	en ayant écrit	en étant parti

---

148 Place des pronoms avec le gérondif

Tous les pronoms personnels compléments (excepté *loro*) se placent après le gérondif, en **position enclitique** :
Spiegandomi quello che è successo, ti sentirai meglio.
En m'expliquant ce qui est arrivé, tu te sentiras mieux.

Loro se place après le verbe mais isolément de celui-ci :
Spiegando loro quello che è successo, ti sentirai meglio.
En leur expliquant ce qui est arrivé, tu te sentiras mieux.

149 Emplois du gérondif

1. Gérondif et participe présent

Attention de ne pas confondre le gérondif avec le participe présent.
Très rare en italien, le participe présent est plus fréquemment exprimé par une proposition relative.
Comparez :

*Le ho viste **uscendo** dal bar.*	*Le ho viste **che uscivano** dal bar.*
Je les ai vues <u>en sortant</u> du café.	Je les ai vues <u>sortant</u> du café.
▼	▼
C'est moi qui sort.	Ce sont elles qui sortaient.

Voir aussi Participe présent 293 ◄

2. Le gérondif équivaut à des compléments circonstanciels

Le gérondif fonctionne comme une subordonnée circonstancielle.
Il peut correspondre à :

un complément de temps :
Ritornando a casa... = *mentre tornava a casa...*
En rentrant chez lui... = alors qu'il rentrait chez lui...

Le gérondif indique alors la contemporanéité de deux actions.
L'appetito viene mangiando.
L'appétit vient en mangeant (= pendant que l'on mange).

un complément de cause :
Essendo senza voce... = *siccome era senza voce...*
Étant sans voix... = comme il était sans voix...

une condition :
Volendo, potrei. = *Se volessi, potrei.*
En voulant, je pourrais. = Si je voulais, je pourrais.

Cette forme n'est toutefois possible que si le sujet des deux propositions est le même.

la concession ou l'opposition lorsqu'il est précédé de *pur* (bien que, tout en) :
Pur essendo molto malato, non ha voluto chiamare il medico.
(Bien qu') étant très malade, il n'a pas voulu appeler le médecin.
Pur conoscendo la verità, ha taciuto.
Tout en connaissant (bien qu'il connût) la vérité, il s'est tu.

un complément de manière ou de moyen :
Ho imparato il giapponese, guardando i film di Mizoguci.
J'ai appris le japonais en regardant les films de Mizoguchi.
Prendendo l'aereo, arriverai in tempo.
En prenant l'avion, tu arriveras à temps.

3. La forme progressive *stare* + gérondif

Un emploi particulier du gérondif : la forme progressive.

Stare + gérondif = être en train de

*I responsabili **stanno negoziando** con i sindacati per la sospensione dello sciopero.*
Les responsables sont en train de négocier avec les syndicats pour l'arrêt de la grève.
Stavamo giocando a carte quando è arrivato.
Nous étions en train de jouer aux cartes quand il est arrivé.

D'éventuels pronoms peuvent se placer aussi bien devant *stare* qu'après le gérondif, en position enclitique :

Si sta preparando / sta preparandosi.   Il est en train de se préparer.

Voir aussi *Stare* 336

À VOUS !

89. Remplacez les mots en italique par un gérondif :
a. *Se passi* da via Verdi, eviti due semafori. - b. *Mentre aspettiamo* il treno, andiamo al bar? - c. *Se producono* meno, guadagnano troppo poco. - d. Studia *mentre ascolta* la radio. - e. *Siccome era* domenica, i negozi erano chiusi. - f. *Se voltate* la pagina, trovate lo schema. - g. *Siccome aveva perso* le chiavi si è trovato chiuso fuori.

90. Réécrivez ces phrases en employant la forme progressive :
a. Scrive una lettera. - b. Che cosa dicevano? - c. In questo momento faccio una traduzione. - d. I miei genitori guardano la televisione. - e. Che cosa bevi? - f. A che cosa penserà Giorgio? - g. L'autista va alla stazione.

LES MODES IMPERSONNELS

LE PARTICIPE

Le mode participe a deux temps : présent et passé.
Le participe présent est peu utilisé en italien.

Voir Participe présent 293 ◄

Le participe passé *(il participio passato)* joue un rôle fondamental dans la formation des temps composés et de la voix passive des verbes. Le participe passé ne doit pas être confondu avec l'adjectif verbal, lui aussi dérivé d'un verbe mais qui en tant que prédicat met l'accent sur un état davantage que sur une action :

participe passé		adjectif verbal	
stancato	fatigué	*stanco*	las
svegliato	réveillé	*sveglio*	éveillé

Voir Adjectif verbal 172 ◄

150 Le participe passé absolu

Il s'agit d'un participe passé sans auxiliaire, accompagnant un substantif avec lequel il s'accorde, et ayant la valeur d'une proposition temporelle ou conditionnelle, causale, etc.
Finito il mio lavoro, andrò a Bali, per le vacanze. (= quando avrò finito il mio lavoro...)
(Quand j'aurai) fini mon travail, je partirai à Bali, pour les vacances.
Finite le vacanze, torneremo a Parigi.
Les vacances finies, nous retournerons à Paris.

151 Formes régulières du participe passé

1ᵉʳ groupe en **-are**	→ **-ato**	*parlare*	→ *parlato*	parlé
2ᵉ groupe en **-ere**	→ **-uto**	*credere*	→ *creduto*	cru
3ᵉ groupe en **-ire**	→ **-ito**	*finire*	→ *finito*	fini

Abbiamo visitato Pompei e la costa amalfitana.
Nous avons visité Pompéi et la côte amalfitaine.
Hai ricevuto la mia cartolina da Napoli?
As-tu reçu ma carte postale de Naples ?
Hanno dormito in uno splendido albergo con piscina.
Ils ont dormi dans un magnifique hôtel avec piscine.

152 Participes passés irréguliers

Quelques participes passés irréguliers parmi les plus courants :

aprire	→ aperto	ouvert	mettere	→ messo	mis
bere	→ bevuto	bu	prendere	→ preso	pris
chiedere	→ chiesto	demandé	rispondere	→ risposto	répondu

chiudere	→ *chiuso*	fermé		*scrivere*	→ *scritto*	écrit
dire	→ *detto*	dit		*vedere*	→ *visto (veduto)*	vu
fare	→ *fatto*	fait		*venire*	→ *venuto*	venu
leggere	→ *letto*	lu				

Voir Participes passés irréguliers 292 ◀

153 Accord du participe passé

Dans la majorité des cas, les règles d'accord du participe passé en italien coïncident avec celles en usage en français.

Accords particuliers, voir 290 ◀

▶ 1. Cas où le participe passé s'accorde

● Avec le sujet de l'auxiliaire *essere* :

Enzo è arrivato ieri.
Enzo est arrivé hier.

I ragazzi sono arrivati ieri.
Les garçons sont arrivés hier.

Fulvia è arrivata ieri.
Fulvia est arrivée hier.

Le ragazze sono arrivate ieri.
Les filles sont arrivées hier.

● Avec le sujet des verbes pronominaux :
qu'ils soient réfléchis ou réciproques :
Anna si è lavata i capelli.
Anna s'est lavé les cheveux.
Si sono sposati e sono andati in viaggio di nozze a Venezia.
Ils se sont mariés et sont allés en voyage de noces à Venise.

● Avec les pronoms c.o.d. *lo*, *la*, *li*, *le*, simples ou groupés :
(la sua lettera) l'ho ricevuta solo oggi, ma me l'ha spedita tre giorni fa.
(sa lettre) je ne l'ai reçue qu'aujourd'hui, mais il me l'a envoyée il y a trois jours.

Avec *mi*, *ti*, *ci*, *vi*, l'accord est facultatif :
Mia moglie ed io abbiamo visto Luigi ma non ci ha salutato. ... ma non ci ha salutati.
Ma femme et moi avons vu Luigi mais il ne nous a pas salués.

● Avec *ne*, pronom partitif :
Le participe passé s'accorde en genre avec le complément d'objet direct exprimé par *ne* et en nombre avec la quantité indiquée :
(di ciliegie) ne ho mangiata una.   J'en ai mangé une.
ne ho mangiate molte.   J'en ai mangé beaucoup.

Voir aussi expression de la Quantité 327 ◀

● Avec le participe passé absolu :
Vista la situazione, decise di andarsene.   Vu la situation, il décida de partir.

▶ 2. Cas où le participe passé ne s'accorde pas

● Ni avec le sujet de l'auxiliaire *avere*, ni avec le c.o.d. qui le suit :
Gianna ha bevuto una spremuta di limone.   Gianna a bu un citron pressé.
Abbiamo creduto alle loro promesse.   Nous avons cru à leurs promesses.

● Avec *ne* non partitif :
(en = d'une personne / d'une chose)

Ne abbiamo parlato fin troppo (di Rita e Pietro).
Nous en avons même trop parlé (de Rita et Pietro).
Ne abbiamo sentito la necessità (di questo).
Nous en avons ressenti la nécessité (de cela).

Avec les pronoms indirects :
Le ho scritto. (le = a lei)   Je lui ai écrit (à elle).
Vi ho scritto. (vi = a voi)   Je vous ai écrit (à vous).

Avec les pronoms relatifs :
Ecco la casa che ho comprato.   Voilà la maison que j'ai achetée.

L'emploi ancien (avec accord facultatif) comme dans *la casa che ho comprata*, semble actuellement disparu dans la langue parlée tout comme dans la langue écrite.

Voir aussi Accords particuliers 291 ◄

À VOUS !

91. Transformez au passé composé en faisant les accords nécessaires :
a. Le scrivo un biglietto e la invito alla mia festa. - b. Quelle ragazze si alzano presto per prendere il treno. - c. La segretaria esce dall'ufficio e il direttore la richiama e le detta una lettera. - d. Compro una scatola di cioccolatini e ne mangio due. - e. La persona che vedo parla con la responsabile. - f. Faccio il punto della situazione contabile e ne parlo al ragioniere. - g. Come ve li comunica, questi risultati? Ce li trasmette via fax. - h. Maria si mette il cappello, si profuma, si dà un ultimo tocco al trucco e corre via. - i. Il cliente ci ordina la merce e noi gliela spediamo a giro di posta. - j. I nostri amici vengono a trovarci e li portiamo a visitare la città.

SYNTAXE DU VERBE

LE DISCOURS INDIRECT

Le discours indirect permet de rapporter les propos d'un locuteur en les transposant dans une proposition **subordonnée complétive** introduite par un verbe de parole tel que *dire, affermare, dichiarare, rispondere, spiegare…*

discours direct	discours indirect
Marina dice : « Ho fame. »	*Marina dice che ha fame.*

Le passage du style direct au style indirect entraîne des changements portant non seulement sur le verbe (sa personne et éventuellement son temps et son mode) mais aussi sur des éléments non verbaux comme les déterminants, les pronoms (personnels, possessifs, démonstratifs…) ou les adverbes de lieu et de temps.

154 Concordance des temps dans le discours indirect

Les changements de mode et de temps portant sur les verbes des subordonnées complétives se font selon les règles de la concordance des temps.

Concordance des temps, voir aussi 162 ◄

Selon le temps du verbe de la principale, les subordonnées peuvent être :
• à l'indicatif
• au subjonctif
• à l'infinitif
• au conditionnel

► **1. Discours rapporté au présent, au passé proche ou au futur**

	discours direct	discours indirect
Paola dice:	*« Parlerò piano. »*	*che parlerà piano.*
ha (appena) detto:	*« Parlo piano. »*	*che parla piano.*
dirà:	*« Ho parlato piano. »*	*che ha parlato piano.*
	« Parlavo piano. »	*che parlava piano.*

Les temps de la subordonnée restent inchangés. Sauf pour l'**impératif** qui devient un infinitif ou un subjonctif présent :
Dice: « Parlate piano! » ⟶ *Dice di **parlare** piano.*
⟶ *Dice che **parlino** piano.*

► **2. Discours rapporté au passé**

	discours direct	discours indirect
Paola	*« sto bene »*	*che stava bene*
ha detto:	*« stavo bene »*	*che stava bene*
diceva:	*« sono stata bene »*	*che era stata bene*
aveva detto:	*« **starò** bene »*	
disse:	*« **sarei** bene »*	*che **sarebbe stata** bene*
	*« **sarei stata** bene »*	

133

☞ **Futur et conditionnel** du discours direct se convertissent tous deux en **conditionnel passé** dans le passage au discours indirect.

☞ Comme dans le précédent cas, **l'impératif** se transforme en infinitif ou en subjonctif (imparfait) :

Diceva: « Parlate piano! » ⟶ *Diceva **di parlare** piano.*

⟶ *Diceva **che parlassero** piano.*

> **N.B.** Lorsque l'affirmation exprimée dans le discours direct présente une valeur intemporelle, permanente, le verbe ne change de temps ni au présent ni au passé :
>
> *Mi ha detto (mi diceva / mi aveva detto / mi disse): « L'acqua bolle a 100°. »*
>
> ⟶ *Mi ha detto che l'acqua bolle a 100°.*
>
> Il m'a dit (il me disait / m'avait dit / me dit) : « L'eau bout à 100°. » ⟶ * Il m'a dit que l'eau bout à 100°.
>
> * Construction incorrecte en français : l'imparfait serait ici requis.

155 L'interrogation indirecte

Pour passer d'une interrogation directe à une interrogation indirecte, on emploie un verbe du type *chiedere, domandare, non sapere,* etc. suivi d'une subordonnée introduite par *se* :

« *Hai sete, Giorgio? »* ⟶ *Marina **chiede** a Giorgio **se** ha sete (se abbia sete).*

On peut aussi employer des adverbes, des adjectifs et des pronoms interrogatifs qui restent inchangés dans le passage du style direct au style indirect :

« *Dov'è Luca? »* ⟶ *Luisa chiede / vuole sapere dov'è Luca (dove sia Luca).*

Luisa demande / veut savoir où est Luca.

« *Che cos'è successo? »* ⟶ *Luisa non sa che cos'è successo (che cosa sia successo).*

Luisa ne sait pas ce qui s'est passé.

Subordonnées dépendant d'une principale au présent, au passé proche ou au futur :

	discours direct	discours indirect
Paola	« *Luigi lo farà subito? »*	*se lo farà subito*
chiede:	« *l'avrà fatto subito? »*	*se l'avrà fatto subito*
ha (appena) chiesto:	« *lo **fa** subito? »*	*se lo fa (se lo **faccia**)*
chiederà:	« *l'**ha fatto** subito? »*	*se l'ha fatto subito (l'**abbia** fatto)*
	« *lo **faceva** subito? »*	*se lo faceva subito (lo **facesse**)*
	« *l'**aveva fatto** subito? »*	*se l'aveva fatto subito (l'**avesse** fatto)*
	« *lo farebbe subito? »*	*se lo farebbe subito*
	« *l'avrebbe fatto subito? »*	*se l'avrebbe fatto subito*

Ici également, l'emploi de l'indicatif (présent, imparfait ou plus-que-parfait) à la place des temps correspondants au subjonctif est le plus courant dans la langue parlée.

156 L'hypothèse au discours indirect

● **1. Verbe de la principale au présent**

Dans ce cas, l'hypothèse exprimée dans le discours direct ne change pas de temps verbal dans le passage au discours indirect.

Dice: « Se potrò, verrò. » ⟶ *Dice che se potrà, verrà.*
(Hypothèse au futur) (Hypothèse au futur)

◗ 2. Verbe de la principale au passé

L'hypothèse est toujours exprimée au subjonctif plus-que-parfait et le verbe de la complétive au conditionnel passé :

discours direct	discours indirect
Diceva: « Se potrò, verrò. » *Diceva: « Se potessi, verrei. »* *Diceva: « Se avessi potuto, sarei venuto. »*	*Diceva che se **avesse potuto, sarebbe venuto.***

157 Changement des éléments non verbaux

◗ 1. Quand le sujet de la principale ne coïncide pas avec le sujet de la phrase au discours direct, les pronoms personnels et les pronoms et adjectifs possessifs changent :

*Dice: « **Io** non vado d'accordo con mio padre. »* ⟶ *Dice che **lui** non va d'accordo con suo padre.*

Il dit : « Je ne m'entends pas avec mon père. » Il dit qu'il ne s'entend pas avec son père.

Formes des pronoms sujets, voir **40**
Formes des pronoms compléments, voir **41-42**
Formes des Possessifs, voir **27** ◀

◗ 2. Le verbe *venire* devient *andare* :

Dice: « Vieni da me! » ⟶ *Dice di andare da lui.*
Il dit : « Viens chez moi ! » Il a dit d'aller chez lui.

◗ 3. Lorsque la phrase principale est à un temps passé, les marqueurs de lieu et de temps changent :

style direct		style indirect	
ora, adesso	maintenant	*allora*	alors
oggi	aujourd'hui	*quel giorno*	ce jour-là
domani	demain	*il giorno **dopo** / **l'indomani***	le lendemain
domani sera	demain soir	*la sera **dopo***	le soir suivant
		l'indomani sera	le lendemain soir
domani mattina	demain matin	*la mattina **dopo***	le matin suivant
		l'indomani mattina	le lendemain matin
ieri	hier	*il giorno **prima** / **precedente***	la veille
ieri sera	hier soir	*la sera **prima** / **precedente***	la veille au soir
iera mattina	hier matin	*la mattina **prima** / **precedente***	la veille au matin
l'altroieri	avant-hier	*due giorni **prima***	l'avant-veille
dopodomani	après-demain	*due giorni **dopo***	le surlendemain
*poco **fa***	il y a peu	*poco **prima***	peu avant
*due giorni **fa***	il y a deux jours	*due giorni **prima***	deux jours avant
l'altro giorno	l'autre jour	*qualche giorno **prima***	quelques jours avant
***fra** poco*	sous peu	*poco **dopo***	peu après
***fra** due giorni*	dans deux jours	*due giorni **dopo***	deux jours plus tard

style direct		style indirect	
l'anno scorso / *passato*	l'an dernier / passé	*l'anno prima* / *precedente*	l'année précédente
l'anno prossimo	l'an prochain	*l'anno dopo* / *seguente*	l'année suivante
questo	ce, celui-ci	*quello*	ce, celui-là
qui / *qua*	ici, là	*lì* / *là*	là, là-bas

À VOUS !

92. Transformez les phrases suivantes au discours indirect :

a. Ada dice a Eva: « Ho provato a telefonarti ma tu non c'eri. » - b. Mi avevano detto: « Ieri siamo arrivati qui all'una. » - c. Mi dirà: « Fallo tu, al posto mio! » - d. Francesco disse: « Mi è simpatico questo ragazzo! » - e. Aveva risposto: « Lo vedrò sicuramente domani mattina qui in ufficio. » - f. Ci aveva annunciato: « Mi farò crescere la barba. » - g. Ha appena detto: « Lo farei volentieri ma non posso. » - h. La settimana scorsa gli avevamo detto: « Ci piacerebbe proprio andare in vacanza con te. » - i. Gli ripeteva sempre: « Non insistere, non è necessario. » - j. Dicevano: « Vi daremo una conferma fra una settimana. »

93. Transformez les phrases suivantes au discours indirect :

a. Mi aveva chiesto: « Sai dove sono andati i bambini? » - b. Mi domandò: « Ci vieni anche tu domani? » - c. Disse: « Se fossi al posto suo non sarei tranquillo. » - d. Disse: « Se fossi stato al posto suo non sarei stato tranquillo. » - e. Lo aveva salutato dicendogli: « Se ho tempo ti telefono stasera. » - f. Lei gli chiese: « Perché non sei venuto a trovarmi quest'estate? » - g. Antonio gli chiese: « Puoi darmi una mano a finire? »

SYNTAXE DU VERBE

LA VOIX PASSIVE

On emploie la forme passive lorsque l'on veut mettre l'accent davantage sur l'action (le verbe) que sur le sujet (parfois inexprimé) qui subit cette action.

Comparez :

*La riunione è **prevista** per mercoledì.*
La réunion est prévue pour mercredi.

▼

passif

*Dante **ha scritto** « La Divina Commedia. »*
Dante a écrit *La Divine Comédie.*

▼

actif

---

158 Formation de la voix passive

Le passage de la voix active à la voix passive entraîne quelques modifications, la plupart équivalentes de celles qui se produisent en français.

➤ Le complément d'objet direct de la phrase active devient le sujet de la phrase passive, tandis que le sujet de la phrase active devient « l'agent » introduit par la préposition *da*. Le verbe s'accorde avec le sujet.

Actif : *La pioggia ha bagnato **la sabbia**.*   La pluie a mouillé le sable.

▼   ▼

sujet   c.o.d.

Passif : ***La sabbia** è stata bagnata dalla pioggia.*   Le sable a été mouillé par la pluie.

▼   ▼

sujet   compl. d'agent

➤ Les verbes transitifs (conjugués normalement avec *avere*) prennent l'auxiliaire *essere* à la voix passive.
La forme passive des temps simples (indicatif présent, futur, passé simple, etc.) peut se construire avec le verbe *venire*.

Voir *Venire* 358, Passif 296 ◄

➤ Comme en français, il y a concordance de temps.
Le temps du verbe à la voix active devient celui de l'auxiliaire *essere* utilisé dans la voix passive.

actif	passif
• Présent	
*Il popolo **elegge** il parlamento.*	*Il parlamento **è eletto** dal popolo.*
Le peuple élit le parlement.	Le parlement est élu par le peuple.
• Futur	
*Riccardo Muti **dirigerà** l'orchestra.*	*L'orchestra **sarà diretta** da Riccardo Muti.*
Riccardo Muti dirigera l'orchestre.	L'orchestre sera dirigé par Riccardo Muti.
• Passé composé	
*Il suo racconto mi **ha** molto **impressionato**.*	***Sono stato** molto impressionato dal suo racconto.*
Son récit m'a beaucoup impressionné.	J'ai été très impressionné par son récit.

actif	passif

• Imparfait

Ne « La Dolce Vita » Marcello Mastroianni interpretava il personaggio di Paparazzo.

Dans *La Dolce Vita,* Marcello Mastroianni interprétait le rôle de Paparazzo.

Ne « La Dolce Vita », il personaggio di Paparazzo era interpretato da Marcello Mastroianni.

Dans *La Dolce Vita*, le rôle de Paparazzo était interprété par Marcello Mastroianni.

• Conditionnel passé

I vicini avrebbero visto il ladro uscire verso mezzanotte.

Les voisins auraient vu le voleur sortir vers minuit.

Il ladro sarebbe stato visto uscire dai vicini verso mezzanotte.

Le voleur aurait été vu sortir par les voisins vers minuit.

Autres formes du passif, voir 296

À VOUS !

94. Transformez à la forme passive :
a. La madre allatta il bambino. - b. I cacciatori inseguono la preda. - c. I sindacati proclameranno lo sciopero generale. - d. L'agenzia procurerà l'interprete per la riunione. - e. La segretaria del direttore ha prenotato personalmente l'aereo. - f. Chi ha visto la vittima per l'ultima volta? - g. Secondo le ultime notizie, i belligeranti avrebbero firmato un accordo di pace.

SYNTAXE DU VERBE

LA TOURNURE RÉFLÉCHIE IMPERSONNELLE

159 La tournure impersonnelle avec *si*

▶ 1. La construction avec *si*

La forme indéfinie des verbes, exprimée en français avec le pronom *on*, correspond en italien à une forme verbale réfléchie, appelée *forma impersonale*. Elle est introduite par le pronom *si* suivi de la 3ᵉ personne du singulier du verbe.

Si può/ non si può.
On peut / on ne peut pas.
Si fuma, si parte, si scrive.
On fume, on part, on écrit.

Le français dispose d'une tournure équivalente mais plus rarement utilisée :
Si dice = il se dit des choses.

{ Attention : cette tournure réfléchie n'a pas valeur de « nous ». Lorsque « on » signifie « nous », il faut recourir à *noi*.
On s'est bien amusés = *ci siamo divertiti*.

▶ 2. La tournure impersonnelle dans les temps composés

L'auxiliaire utilisé est toujours *essere* :
Si è mangiato.   *Si è usciti.*
On **a** mangé.   On **est** sortis.

Mais le participe passé des verbes intransitifs s'accorde au masculin pluriel. Cette forme est rarement employée.

Autres traductions de On, voir 284-288 ◀

160 La tournure impersonnelle suivie d'un nom

Comme il s'agit d'une forme réfléchie, elle peut être suivie d'un nom, le sujet exprimé de la phrase.
Dans ce cas, le verbe s'accorde avec ce nom :
In quel negozio si vendono prodotti italiani.
Dans ce magasin, on vend des produits italiens (= des produits italiens se vendent / sont vendus).

161 La tournure impersonnelle suivie d'un adjectif

La tournure impersonnelle avec *si* peut être suivie d'un adjectif qui s'accorde, à la différence du français, au **masculin pluriel** :
Si è giovani una volta sola.   On n'est jeune qu'une seule fois.

Voir aussi On 285 ◀

95. Transformez les éléments entre parenthèses par une tournure impersonnelle avec *si* :

ex : (Nessuno può) entrare. ⟶ **Non si può** entrare.

a. (È possibile) telefonare dalla cabina? - b. In questo ristorante (tutti mangiano) bene. - c. (Tutti devono) fare attenzione. - d. In questo articolo (il giornalista parla) di politica. - e. Con questo metodo (tutti smettono) di fumare e (diventano liberi) dal fumo. - f. Alla fine della giornata (tutti sono stanchi) e (hanno voglia) di tornare a casa.

SYNTAXE DU VERBE

LA CONCORDANCE DES TEMPS

Le temps d'une proposition subordonnée varie selon deux facteurs :
• le temps du verbe de la proposition principale ;
• le rapport chronologique qui lie principale et subordonnée, selon que l'action de la subordonnée est antérieure, contemporaine ou postérieure à celle de la principale.
Dans le cas des phrases hypothétiques, les temps utilisés dépendent de la nuance que l'on souhaite exprimer, selon que l'hypothèse est présentée comme réalisable ou non.

162 | Concordance des temps dans les complétives

1. Verbe de la principale à l'indicatif

Principale	Relation temporelle	Subordonnée	
OGGI *So che*	antérieure contemporaine postérieure	*è venuto* *viene* *verrà*	passé composé indicatif présent futur
IERI *Sapevo che*	antérieure contemporaine postérieure	*era venuto* *veniva* *sarebbe venuto*	plus-que-parfait indicatif imparfait conditionnel passé

Le temps verbal de la subordonnée est conditionné par celui du verbe de la principale :

So che Mario è venuto.
Je sais que Mario est venu.

Sapevo che Mario era venuto.
Je savais que Mario était venu.

Toutes les subordonnées au mode indicatif gardent le même temps que si elles étaient des propositions indépendantes :

Mario verrà con noi.
Mario viendra avec nous.

So che Mario verrà con noi.
Je sais que Mario viendra avec nous.

Lorsque le verbe de la principale est au **passé**, l'action **postérieure** du verbe de la subordonnée (action « future dans le passé ») est toujours exprimée par un **conditionnel passé** :

So che Mario verrà.
Je sais que Mario viendra.

Sapevo che Mario sarebbe venuto.
Je savais que Mario viendrait (serait venu).

2. Verbe de la principale entraînant le subjonctif dans la subordonnée

Les verbes exigeant l'emploi du subjonctif sont les verbes exprimant une opinion, un désir, un souhait ou un regret, une obligation, un sentiment, etc.

Voir Subjonctif, emplois 340 ◄

Principale	Relation temporelle	Subordonnée	
OGGI *Penso che*	antérieure contemporaine postérieure	*sia venuto* *venga* *verrà / venga*	subjonctif passé subjonctif présent futur / subj. présent

Principale	Relation temporelle	Subordonnée	
IERI *Pensavo che*	antérieure	*fosse venuto*	subjonctif plus-que-parfait
	contemporaine	*venisse*	subjonctif imparfait
	postérieure	*sarebbe venuto* *	conditionnel passé

* Nous sommes en présence d'un « futur dans le passé », d'où l'emploi du conditionnel passé (voir précédent paragraphe).

◆ **Relation d'antériorité lointaine avec une principale au présent**

Le subjonctif imparfait ou plus-que-parfait peut être employé après une principale au présent, quand on introduit une action située dans un passé lointain :

*Penso che all'epoca non **fosse** soddisfatto della situazione.*
Je pense qu'à l'époque il n'était pas satisfait de la situation.
*Penso che all'epoca **avesse accettato** quella proposta a malincuore.*
Je pense qu'à l'époque il avait accepté cette proposition à contrecœur.

Dans ces contextes, les subordonnées correspondent à des propositions indépendantes à l'indicatif imparfait (il n'était pas satisfait) ou plus-que-parfait (il n'avait pas accepté).

3. Verbe de la principale au conditionnel

Principale	Relation temporelle	Subordonnée	
OGGI *Vorrei che*	antérieure	*fosse venuto*	subjonctif plus-que-parfait
	contemporaine	*venisse*	subjonctif imparfait
	postérieure	*venisse*	subjonctif imparfait
IERI *Avrei voluto che*	antérieure	*fosse venuto*	subjonctif plus-que-parfait
	contemporaine	*venisse*	subjonctif imparfait
	postérieure	*venisse*	subjonctif imparfait

Les verbes ***dire*** et ***pensare*** employés au conditionnel présent pour nuancer un propos entraînent une subordonnée au présent (de l'indicatif ou du subjonctif) :

*Direi che è **(sia)** meglio così.*   Je dirais que c'est mieux ainsi.

---

163   Concordance des temps dans les phrases hypothétiques

1. Hypothèse réalisable, possible

Principale	Subordonnée	
Oggi *se posso* *se vuoi* indicatif présent	*lo compro* *compralo!*	indicatif présent impératif
Domani *se potrò* futur	*lo comprerò*	futur

Remarquez l'emploi du futur avec *se*, exclu en français.

2. Hypothèse improbable dans le présent

se potessi   *comprerei tutto*
si je pouvais   j'achèterais tout
subjonctif imparfait   conditionnel présent

3. Hypothèse irréalisable dans le passé

Se avessi potuto   *avrei comprato tutto*
si j'avais pu   j'aurais tout acheté
subjonctif passé   conditionnel passé

4. Autres contextes d'hypothèses

> *Se non fosse così avaro, mi avrebbe fatto un bel regalo.*
> S'il n'était pas aussi avare, il m'aurait fait un beau cadeau.

La condition est exprimée au subjonctif imparfait puisqu'elle a une portée générale (il est et sera toujours avare).

> *Se avessi prenotato prima l'albergo, ora non avrei tutti questi problemi.*
> Si j'avais réservé l'hôtel avant, maintenant je n'aurais pas tous ces problèmes.

La conséquence concerne le présent *(ora)* : elle est donc exprimée au conditionnel présent.

À VOUS !

96. Complétez avec la forme appropriée du verbe entre parenthèses :
a. Affermava che Carlo e Giulio il giorno prima (arrivare) ... in ritardo a causa dello sciopero dei treni. - b. Era sicuro che anche il giorno dopo (avere) ... lo stesso problema. - c. Dal suo accento tutti si sono accorti che lei (essere) ... russa. - d. Mi hanno detto che domani (non potere) ... arrivare prima delle nove. - e. Mi aveva risposto che alla fine della settimana (farlo lui) ... ma la settimana è finita e lui non ha fatto niente. - f. Sapevo che la Juventus (vincere) ... il campionato anche quest'anno! - g. La segreteria telefonica pregava di lasciare un messaggio avvertendo che i padroni di casa (essere) ... assenti e che (richiamare) ... al loro ritorno.

97. Complétez avec la forme appropriée du verbe entre parenthèses :
a. Pensi davvero che Luisa non (sapere) ... farlo da sola? - b. Era indispensabile che il direttore (firmare) ... il contratto nei termini stabiliti. - c. Spero che non (piovere) ... - d. Vorrei che tu (andare) ... a vedere quel film. - e. Mi dispiace che Gianni ieri (dire) ... questo. - f. Credevo che due anni fa loro (fare) ... un viaggio in Cina. - g. Non so se loro (arrivare) ... già ... a casa. - h. Bisognerebbe che voi (prendere) ... nota di queste informazioni. - i. Avrei preferito che tu non gliel (proporre) ... - j. Pare che il governo (dimettersi) ... ieri sera.

98. Complétez avec la forme appropriée du verbe entre parenthèses :
a. Me ne andrei in vacanza, se non (avere) ... tanto lavoro da finire! - b. Se (esserci) ... delle difficoltà, mi chiamerebbero. - c. Saremmo partiti con l'aereo se (trovare) ... posto. - d. Andrò a Roma la settimana prossima, se mia moglie (potere) ... venire con me. - e. Ti avrei aiutato volentieri, se (io - potere) ... farlo. - f. Se tu me lo (dire) ... prima, avrei saputo cosa fare. - g. Se (essere) ... vero, sarei proprio contento! - h. Se questo modello non ti (piacere) ..., puoi rispedirlo indietro. - i. Se (voi - leggere) ... bene l'orario non avreste perso il treno. - j. Se lei non (bere) ... e non (mangiare) ... in questo modo non ingrasserebbe tanto.

DICTIONNAIRE
GRAMMATICAL

A

(préposition)

L'emploi général de la préposition *a* correspond à l'emploi français, avec toutefois des différences ponctuelles.

Emplois généraux des prépositions simples, voir 77 ◀

164   Valeurs et emplois particuliers de *a*

1. *a* = pas de préposition en français

Avec les verbes de mouvement suivis d'un infinitif :
Stasera vado a vedere l'ultimo film di Nanni Moretti.
Ce soir je vais ø voir le dernier film de Moretti.

Avec certaines locutions prépositives :

a	ø
*davanti **a*** *Si rende ridicolo davanti a tutti.*	Il se ridiculise **devant** tout le monde.
*insieme **a*** *Ho viaggiato insieme a lui.*	J'ai voyagé **avec** / en compagnie de lui.
*oltre **a*** *Oltre alla macchina, si è comprato la moto.*	**Outre** la voiture, il s'est acheté une moto.

Avec les expressions décrivant la manière d'être ou d'agir :

a gonfie vele   toutes voiles déployées   *a mani vuote*   les mains vides
a bocca piena   la bouche pleine   *ad* occhi aperti*   les yeux ouverts

* La préposition prend un « d » euphonique devant une voyelle.

D euphonique, voir 210 ◀

2. *a* = « à » + article en français

Dans les expressions de lieu :

a casa	à *la* maison		*a scuola*	à l'école
a caccia	à *la* chasse		*a pesca*	à *la* pêche
a teatro	*au* théâtre		*a lezione*	*au* cours
a letto	*au* lit		*a messa*…	à *la* messe…

Ainsi que dans les expressions suivantes :
a caso   au hasard   *a nuoto*   à *la* nage   *a differenza di*   à *la* différence de…

Avec le verbe *giocare* (jouer) :
giocare a carte, a scacchi, a tennis…
jouer aux cartes, aux échecs, au tennis…

3. *a* + article en italien = « à » sans article en français

all'una, alle due, alle tre…   à une heure, à deux heures, à trois heures…

4. *a* = « de » en français

Avec les verbes :

*provare **a***	essayer *de*	*avvicinarsi **a***	s'approcher *de*
*essere obbligato **a***	être obligé *de*	*ispirarsi **a***	s'inspirer *de*
*sbrigarsi **a***	se dépêcher *de*	*fare bene / male **a***	mal / bien faire *de*...

Avec les locutions prépositives :

*vicino **a***	près *de*	*di fianco **a***	à côté *de*
*(accanto **a**)*		*in fondo **a***	au fond *de*
*intorno **a****	autour *de*	*in cima **a***	au sommet *de*
*in mezzo **a***	au milieu *de*	*in riva **a***	sur le bord *de*

* Regarder autour de soi = *Guardarsi intorno.*
Si guardava intorno senza capire dov'era.
Il regardait autour de lui sans comprendre où il se trouvait.

5. *a* = « par » en français

Dans les expressions :
al giorno, all'ora, al mese, all'anno, al minuto...
par jour, par heure, par mois, par an, par minute...

a memoria	***a testa***	***a due a due***
par cœur	par tête	deux par deux

À VOUS !

99. Traduisez :

a. Il reste au lit pour rêver les yeux ouverts. - b. Il va à l'école le matin à 7 h 30 en compagnie de son ami. - c. Le voleur s'était approché de la voiture, avait essayé d'ouvrir la serrure et comme il n'y était pas arrivé, s'était dépêché de s'éloigner. - d. Il a été obligé de fermer sa boutique avant à cause de la manifestation. - e. Tu as bien fait de dire la vérité. - f. Au milieu de la place et tout autour du parc, il y avait des statues. - g. Il va voir son psychanalyste trois fois par semaine. - h. Il s'est inspiré de la nature pour peindre. - i. Un camion arrêté au milieu de la rue bloquait la circulation. - j. Nous faisons une réunion deux fois par an. - k. Si je regarde autour de moi, je ne vois que l'eau de la mer. - l. Je vais souvent au théâtre le samedi soir, puisque le dimanche je ne vais pas à l'école.

-A

(noms masculins en ~)

Les noms masculins en -*a* | 165

1. Pluriel des noms masculins en -*a*

Leur pluriel est, comme pour la plupart des autres mots masculins, en -*i*.

il problema ⟶ *i problemi*
le problème   les problèmes

Forment leur pluriel sur le même modèle :

il carisma	le charisme	*il panorama*	le panorama	*il programma*	le programme
il clima	le climat	*il papa*	le pape	*il sistema*	le système
il diploma	le diplôme	*il pigiama*	le pyjama	*il telegramma*	le télégramme
il dramma	le drame	*il prisma*	le prisme	*il tema*	le thème
il fantasma	le fantôme	*il profeta*	le prophète	*il teorema...*	le théorème...

Au singulier, le genre de ces noms peut être identifié grâce à leur déterminant (article, adjectif possessif ou démonstratif, etc.), éventuellement à l'adjectif qualificatif ou au verbe qui les accompagne, ou encore grâce au contexte.

Par ailleurs, la plupart de ces noms sont également masculins en français.

2. Noms en -*a* à double genre

Certains noms d'animés se terminant par -*a* au singulier peuvent être aussi bien masculins que féminins.

Dans ce cas, ces noms n'ayant qu'une forme au singulier ont deux pluriels différents, selon leur genre :

Il *collega*	le collègue	→	**I** *colleghi*	les collègues
La *collega*	la collègue	→	**Le** *colleghe*	les collègues
Il *farmacista*	le pharmacien	→	**I** *farmacisti*	les pharmaciens
La *farmacista*	la pharmacienne	→	**Le** *farmaciste*	les pharmaciennes

3. Noms en -*a* invariables

Quelques noms masculins en -*a* sont invariables.

il sosia ⟶ *i sosia*
le sosie   les sosies

De même :

il boa	⟶ *i boa*	les boas	*il gorilla*	⟶ *i gorilla*	les gorilles
il boia	⟶ *i boia*	les bourreaux	*il lama*	⟶ *i lama*	les lamas
il delta	⟶ *i delta*	les deltas	*il vaglia*	⟶ *i vaglia*	les mandats

Sont également invariables les noms abrégés, du type *cinema* (*i cinema*).

Voir Invariables **259**
Voir aussi noms en -*ista* **262** ◀

À VOUS !

100. Masculin ou féminin ? Transformez au pluriel en ajoutant l'article défini (donnez les deux formes possibles pour les noms à double genre) :

a. geometra. - b. papa. - c. pediatra. - d. regista. - e. zebra. - f. enigma. - g. poltrona. - h. aquila. - i. aroma. - j. panorama. - k. delega. - l. turista. - m. boa. - n. guida. - o. pistola. - p. cifra. - q. sabbia mobile. - r. flautista. - s. pianeta.

101. Traduisez :

a. Le Pape a béni la foule. - b. Des gorilles se sont échappés du zoo. - c. Ils n'ont pas trouvé une solution à tous ces problèmes. - d. Cette région est célèbre pour son climat très doux et pour ses panoramas. - e. Malgré son diplôme, il a des difficultés pour trouver un travail. - f. Ils ont changé de programme à la dernière minute. - g. C'est un drame de la jalousie. - h. Les fantômes n'existent pas.

ACCENT GRAPHIQUE

Tous les mots italiens comportent une syllabe tonique, c'est-à-dire sur laquelle la prononciation est marquée avec plus d'intensité. Toutefois, seuls quelques-uns d'entre
ces mots prennent un accent graphique.

Types d'accent graphique   **166**

L'accent graphique peut être grave *(grave)* ou aigu *(acuto)*.

• Il est toujours grave sur *a, i, o* et *u* :

pietà	*lì*	*ciò*	*lassù*
piété	là	ça	là-haut

• Sur *e*, l'accent peut être grave ou aigu et indiquer alors des prononciations
différentes :

è [ɛ] : *è, caffè*   é [e] : *perché, benché*

Emplois de l'accent graphique   **167**

L'accent graphique ne marque l'accent tonique que dans certains cas.

1. L'accent graphique obligatoire

Sur les *parole tronche* (c'est-à-dire les mots dont l'accent tonique porte sur la
dernière syllabe) :

possibilità	*caffè*	*lunedì*	*però*	*avrò*	*gioventù*
possibilité	café	lundi	mais	aurai	jeunesse

**Sur certains monosyllabes changeant de sens selon qu'ils ont ou non un
accent :**

dà : verbe donner ≠	*da* : préposition (de)	*né* : conjonction (ni) ≠	*ne* pronom (en)
mi dà la mano	*da molti anni*	*né lui, né lei*	*ne prendo uno*
è : verbe être	≠ *e* : conjonction (et)	*sé* : pronom (soi)	≠ *se* : conjonction (si)
è giusto	*lui e lei*	*con sé*	*se posso*
là : adverbe (là)	≠ *la* : pronom (la)	*sì* : adverbe (oui)	≠ *si* : pronom (se)
vai là	*la vedo*	*sì, lo so*	*si alza presto*
lì : adverbe (là)	≠ *li* pronom (les)	*tè* : nom (thé) ≠	*te* : pronom (toi)
vai lì	*li vedo*	*prendo un tè*	*io e te*

Sur certains monosyllabes constitués d'une diphtongue :

ciò	*già*	*giù*	*più*	*può*

2. L'accent graphique distinctif

L'accent peut être marqué dans certains homonymes, pour éviter des ambiguïtés.
Toutefois son emploi n'est pas obligatoire.

àncora	ancre	*ancòra*	encore
àmbito	limites	*ambìto*	ambitionné
còmpito	tâche	*compìto*	poli
prìncipi	princes	*princìpi*	principes

séguito	suite	*seguìto*	suivi
sùbito	tout de suite	*subìto*	subi
tèndine	tendon	*tendìne*	rideaux
tùrbine	tourbillon	*turbìne*	turbines

À VOUS !

102. Ajoutez les accents manquants :
a. Mercoledi avro gia ricevuto la tua lettera. - b. Non mangio piu ne carne ne pesce. - c. A me non piace il te; e a te? - d. Perche vai la? - e. Non si puo piu fermare li. - f. Dicono che e un ragazzo sicuro di se. - g. Giu le mani! - h. Ho detto di si. - i. In gioventu bevevo troppi caffe. - j. Sono stanco, pero non ho voglia di dormire. - k. Cio che dici e molto interessante. - l. C'e la possibilita di dormire lassu nel rifugio.

ADJECTIF

(formes particulières)

Les adjectifs **bello, buono, grande** et **santo** placés devant le nom qu'ils qualifient peuvent changer de forme selon le genre et l'initiale du nom qui les suit.

168 | Bello

☞ Lorsque l'adjectif masculin *bello* (beau) est **placé devant le nom**, il varie comme l'article contracté *dello* :

	singulier	pluriel
– devant consonne	*un **bel** viaggio*	*dei **bei** viaggi*
– devant s impur, z	*un **bello** stivale*	*dei **begli** stivali*
– devant voyelle	*un **bell'**esempio*	*dei **begli** esempi*

☞ Les formes féminines singulier *una bella vista* et pluriel *delle belle viste* ne changent pas. Devant une voyelle au singulier, on trouve aussi bien *una bella opera* que *una bell'opera*.

Article contracté, voir 11 ◀◀

169 | Buono

☞ L'adjectif masculin *buono* (bon) **placé devant le nom** se comporte comme l'article indéfini *uno*.
Au masculin singulier :

– devant consonne	*un **buon** pranzo*
– devant s impur, z	*un **buono** zaino*
– devant voyelle	*un **buon** albergo*

Le pluriel de *buono* se forme comme pour tout adjectif en -o : *buoni amici.*

La forme féminine *buona* peut s'élider devant une voyelle *(una buon'immagine)* alors que le pluriel ne change pas : *buone immagini.*

Article indéfini *uno*, voir 9 ◀

Grande | 170

Généralement décliné comme tout adjectif en -e, *grande* (grand) peut aussi prendre les formes suivantes :

gran (élidé) **devant une consonne** au masculin et au féminin, singulier et pluriel :

*un **gran** momento*	un grand moment
*una **gran** biblioteca*	une grande bibliothèque
*dei **gran** principi*	de grands principes
*delle **gran** cose*	de grandes choses

sauf devant *s* impur et *z*, où la forme *grande* reste obligatoire :

*un **grande** sconto*	une grande réduction
*un **grande** zar*	un grand tsar

grand' (avec une apostrophe) **devant une voyelle** au masculin et au féminin singulier :

*un **grand'**attore*	un grand acteur
*una **grand'**invenzione*	une grande invention

Santo | 171

Santo (saint) ne change de forme que devant des noms propres :

san devant une consonne au masculin singulier :
San Michele   *San Zaccaria*

Mais pas devant un *s* impur :
Santo Stefano

sant' devant une voyelle au masculin et au féminin singulier :
Sant'Ignazio   *Sant'Isabella*

Les formes régulières sont maintenues dans les autres cas :

tutto il santo giorno	toute la sainte journée
i santi patroni	les saints patrons
la santa messa	la sainte messe

À VOUS !

103. Traduisez :
a. Il a de beaux yeux. - b. Saint Michel avait un coq. - c. As-tu fait un bon voyage ? - d. Il n'est pas facile de devenir un grand acteur. - e. Ils travaillent toute la sainte journée. - f. Quel bel enfant ! - g. Bon appétit ! - h. Avec de l'entraînement, il deviendra un bon athlète. - i. Joyeux Noël ! - j. Joyeuses Pâques ! - k. Joyeux anniversaire ! - l. Il y avait un grand désordre.

ADJECTIF VERBAL

172 | Distinguer l'adjectif verbal du participe passé

L'adjectif verbal est une forme adjective d'un verbe, qu'il ne faut pas confondre avec le participe passé.
Le risque de confusion réside dans le fait que la langue française ne dispose souvent que d'un même mot pour traduire le participe passé et l'adjectif verbal dérivant du même verbe.

1. Le participe passé d'un verbe peut jouer le rôle d'un adjectif qualificatif

Ha un aspetto **preoccupato.**   Il a un air préoccupé.

2. L'adjectif verbal, tout en dérivant du verbe, est une forme spécifique abrégée

Il met en valeur l'état résultant de l'action, plutôt que l'action elle-même.
Comparez :

participe passé	adjectif verbal
Il camion si è **fermato** *al semaforo.*	*Il camion era* **fermo** *al semaforo.*
Le camion s'est arrêté au feu rouge.	Le camion était arrêté au feu rouge.
▼	▼
action	résultat, bilan

3. Les adjectifs verbaux dérivent de verbes en -are

En voici quelques-uns parmi les plus courants :

Participe passé		Adjectif verbal	
adattato	adapté	*adatto*	adéquat
asciugato	séché	*asciutto*	sec
caricato	chargé	*carico*	chargé
chinato	penché	*chino*	penché
colmato	rempli	*colmo*	plein
destato	éveillé	*desto*	éveillé
gonfiato	gonflé	*gonfio*	gonflé
guastato	abîmé	*guasto*	abîmé
lessato	abîmé	*lesso*	bouilli
logorato	usé	*logoro*	usé
pestato	pilé	*pesto*	pilé
privato	privé	*privo*	privé
salvato	sauvé	*salvo*	sauf
spogliato	dépouillé	*spoglio*	nu
stancato	fatigué	*stanco*	fatigué
storpiato	estropié	*storpio*	estropié
svegliato	réveillé	*sveglio*	réveillé
troncato	tronqué	*tronco*	tronqué
(s)vuotato	vidé	*vuoto*	vide

104. Traduisez, en distinguant bien adjectif verbal et participe passé :
a. Ils ont chargé la statue dans le camion, qui est parti aussitôt, chargé de sa précieuse marchandise. - b. L'enfant a gonflé les pneus de son vélo parce qu'ils étaient dégonflés. - c. Les éboueurs ont vidé les poubelles et les ont laissées vides sur le trottoir. - d. Je me suis réveillé à trois heures du matin et, une fois réveillé, je n'ai plus pu dormir. - e. Il a incliné la tête et il l'a regardée longuement en silence, la tête penchée vers elle. - f. La bonne avait essuyé les verres et contrôlé que tous soient parfaitement propres et secs. - g. Les alpinistes, sauvés par les secours alpins, sont rentrés chez eux sains et saufs.

AFFIRMATION

Les réponses affirmatives   **173**

1. *Sì* (oui) exprimant la réponse affirmative

Vuoi un caffè? – Sì, grazie.   Veux-tu un café ? – Oui, merci.

Sì peut être renforcé par le redoublement :
Il lavoro che ti ho chiesto, l'hai fatto? – Sì, sì.
Le travail que je t'ai demandé, l'as-tu fait ? – Oui, oui.

Négation, voir 271

2. Adverbes remplaçant ou renforçant *sì*

Volentieri! D'accordo! Davvero!

*Vuole venire con me? – **Volentieri!***   *Bel tempo oggi! – **Davvero!***
Voulez-vous venir avec moi ? – Volontiers !   Beau temps, aujourd'hui ! – Vraiment !

Certo! Certamente! Naturalmente!

*Hai fatto il lavoro che ti ho chiesto? – (Sì) **Certo**.*
Tu as fait le travail que je t'ai demandé ? – (Oui) Bien sûr.

Autres adverbes et locutions :

in effetti /	en effet	*appunto*	justement
effettivamente		*proprio*	précisément
evidentemente	évidemment	*indubbiamente /*	sans aucun doute
esattamente	exactement	*non c'è dubbio*	

3. *Senz'altro*

Senz'altro peut remplacer ou renforcer *sì* dans une phrase affirmative au **futur** – ou au présent avec une valeur de futur.

Signorina, spedisca il telegramma appena possibile.
*– **Senz'altro**, Avvocato. (= Sì, lo farò certamente.)*
Mademoiselle, envoyez le télégramme dès que possible.
– Certainement, Maître. (Oui, je le ferai sans faute.)

4. Già

L'adverbe *già* (qui présente plusieurs autres sens) peut également exprimer une affirmation, un assentiment, surtout dans la langue parlée :
Sei stato tu a telefonare? – Già.
C'est toi qui as téléphoné ? – Eh bien, oui.

Già peut aussi exprimer une constatation ou marquer l'approbation :
Domani è il compleanno di Daniele. – Ah, già, hai ragione! L'avevo dimenticato!
Demain c'est l'anniversaire de Daniele. – Ah, oui, c'est vrai, tu as raison. Je l'avais oublié !

5. Come no! Altroché! Eccome!

Ces expressions sont employées dans la langue parlée, en interjections, pour appuyer et renforcer tout particulièrement l'affirmation.
Ti piace la cucina italiana? – Altroché! (Eccome! Come no!)
Est-ce que tu aimes la cuisine italienne ? – Et comment !

6. Di sì

Dans une phrase du type « je pense que oui », *sì* sera introduit par la préposition *di* :
È arrivato, Giulio? – Credo di sì.   Est-ce que Giulio est arrivé ? – Je crois que oui.
L'aereo sarà in ritardo? – Spero di no.   Est-ce que l'avion sera en retard ? – J'espère que non.
Cette construction s'emploie avec tous les verbes d'opinion et d'affirmation : *credere, pensare, sperare, rispondere, ritenere, dire, supporre...*

À VOUS !

105. Traduisez :
a. Est-il enfin parti ? Je suppose que oui ! - b. Il est très intelligent, ce garçon ! Ah oui, cela ne fait pas de doute ! - c. Que le temps passe vite ! Oui, c'est vrai, vous avez raison. - d. Vous n'aviez pas dit que vous êtes en retard, madame ? Justement ! Je dois partir tout de suite. - e. Aimerais-tu aller à Venise pour le Carnaval ? Et comment ! - f. Est-ce que tu travailles demain ? Evidemment, quelle question... - g. As-tu envoyé toutes les invitations ? Bien sûr !

ÂGE

174 Expression de l'âge

1. Interroger et répondre sur l'âge

Interroger sur l'âge	Donner son âge
Quanti anni hai?	*Ho ventidue anni e mezzo.*
Quel âge as-tu ?	J'ai vingt-deux ans et demi.
*A quanti anni ti sei sposata?**	*A vent'anni.*
À quel âge t'es-tu mariée ?	À vingt ans.

* La question peut être également formulée de la manière suivante (attention au faux ami *età* !) : *A che età...?* (À quel âge... ?)

2. Exprimer un âge approximatif

L'approximation est exprimée par des **numéraux suffixés en -ina** et éventuellement introduits par la **préposition** *su* qui prend ici le sens de « environ, autour de » :
*Ha una **ventina** d'anni (una trentina, una quarantina, una cinquantina...).*
Il a une vingtaine d'années (une trentaine, une quarantaine, une cinquantaine...).
*È **sulla ventina** (sulla trentina, sulla quarantina, sulla cinquantina...).*
Il a environ vingt ans (trente, quarante, cinquante...).
È sui vent'anni (sui trent'anni, sui quarant'anni, sui cinquant'anni...).
Il a dans les vingt ans (dans les trente ans, dans les quarante ans, dans les cinquante ans...).

Voir aussi Numéraux 280 ◄

3. Exprimer l'âge avec le suffixe *-enne*

Ce suffixe permet de former des adjectifs ou des noms :
*Una ragazza undic**enne**, dodic**enne**, tredic**enne**...*
Une fille de onze ans, douze ans, treize ans...
*Un vent**enne**, ventun**enne**, novant**enne**, ultranovant**enne**...*
Un homme de vingt ans, vingt et un ans, quatre-vingt-dix ans, de plus de quatre-vingt-dix ans...

Mais : un centenaire = *un centenario*.

Le suffixe *-enne* sert également à former des mots exprimant l'idée de **majorité** et de **minorité** *(maggiore età, minorità)* :
*I **minorenni** non votano; per votare, bisogna avere diciotto anni **compiuti**.*
Les mineurs ne votent pas ; pour voter, il faut avoir dix-huit ans révolus.
*All'età di diciotto anni, si diventa **maggiorenni**.*
On devient majeur à l'âge de dix-huit ans.

Ne pas confondre les suffixes *-enne* et *-ennio*.
Ce dernier sert à exprimer des périodes de temps quantifiées en années :
*un quinqu**ennio**, un mill**ennio**...*
un quinquennat, un millénaire...

Voir aussi Numéraux, formes particulières 280 ◄

4. Expressions avec l'âge

Compiere gli anni = fêter son anniversaire
*Quando **compi gli anni**? – Li compio il 27 aprile.*
Quand est-ce que tu fêtes ton anniversaire ? – Je le fête le 27 avril.
*Quand'è il tuo **compleanno**?*
Quand est-ce, ton anniversaire ?

Tournures particulières :
I minori di 16 anni.   Les moins de 16 ans.
*Una persona di **mezza età**.*   Une personne entre deux âges.
*Una persona che (non) **dimostra la sua età**.*   Une personne qui (ne) fait (pas) son âge.
*Una persona che **porta bene (male)** i suoi anni.*   Une personne qui fait plus âgée.
*L'università della **terza età**.*   L'université du troisième âge.

Noter l'emploi de l'article dans :
*L'età **della** pietra.*   L'âge de pierre.

À VOUS !

106. Traduisez :

a. C'est un homme d'environ quatre-vingts ans, qui ne fait pas du tout son âge. - b. Hier, c'était mon anniversaire : j'ai eu trente ans. - c. Mon petit frère est encore mineur. - d. Quel âge a-t-il ? - e. Il a dix-sept ans et demi. - f. Il a mon âge, il a fêté ses vingt-cinq ans la semaine dernière. - g. Mon oncle doit avoir une cinquantaine d'années. - h. Quel âge as-tu ? - i. À l'âge de vingt-deux ans, il est allé vivre aux États-Unis. - j. C'est un film interdit aux moins de quatorze ans. - k. Il s'est remarié pour la troisième fois avec une fille de vingt ans.

AIMER

Traductions de « aimer »

La langue italienne distingue plusieurs façons d'aimer :
1. aimer d'amour — ▸ *amare*
2. aimer d'affection — ▸ *voler bene*
3. aimer par goût — ▸ *piacere*

1. AMARE QUALCUNO (O QUALCOSA)

En fait, *amare* exprime l'amour sentimental :

Amo mio marito, i miei figli…   J'aime mon mari, mes enfants…

ou un fort élan idéal :

Amo il mio lavoro, la mia patria…   J'aime mon travail, ma patrie…

2. VOLER BENE A QUALCUNO

Voler bene exprime exclusivement de l'affection envers des personnes :

Voglio bene a mia sorella, ai miei amici.   J'aime ma sœur, mes amis.

Voler bene n'est donc pas équivalent à « je veux bien » !

3. PIACERE A QUALCUNO

Piacere exprime un goût envers des choses mais aussi envers des personnes :

Mi piace il gelato, mi piace il cinema...   *Mi piace Monica Vitti.*

J'aime (bien) la glace, j'aime (bien) le cinéma…   J'aime (bien) Monica Vitti.

Piacere s'utilise à la **troisième personne** du singulier ou du pluriel selon le sujet :

Mi piace la letteratura francese.   *Mi piacciono i romanzi di fantascienza.*

J'aime la littérature française (elle me plaît).   J'aime bien les romans de science-fiction (ils me plaisent).

Piacere est précédé du pronom complément indirect *mi, ti, gli / le, ci, vi, gli (loro)*.

Pronoms compléments, voir 42 ◀

❨ *Piacere* se conjugue avec *essere* et exige donc l'accord du participe passé :

Quel film mi è piaciuto molto.   *La commedia mi è piaciuta.*

J'ai beaucoup aimé ce film (il m'a plu).   J'ai aimé la comédie (elle m'a plu).

La forme négative du verbe *piacere* est *non piacere* :

Non mi piacciono *gli spinaci.*
Je n'aime pas les épinards.

{ Cette forme est à ne pas confondre avec l'expression *mi dispiace,* qui signifie « je regrette, je suis désolé » :

Mi dispiace, *ma non posso venire.*
Je suis désolé, je ne peux pas venir.

4. « AIMER BIEN » OU « AIMER MIEUX »

Aimer bien se traduit par *piacere*, lorsqu'il concerne une action ou un objet :

Mi piace nuotare.	*Mi piacciono i mobili moderni.*
J'aime bien nager.	J'aime bien les meubles modernes.

Aimer mieux se traduit par *preferire* :

Preferirei andarmene.
J'aimerais mieux m'en aller.

À VOUS !

107. Traduisez :
a. Je n'aime pas le chocolat au lait. - b. J'aime beaucoup les films italiens. - c. Aimez-vous Brahms ? - d. Il n'aime plus sa femme. - e. La petite fille aimait beaucoup sa maîtresse. - f. Quand j'étais jeune, j'aimais me promener au bord de la mer. - g. Je suis sûr que tu aimeras ce livre. - h. Nous l'aimons comme un frère. - i. J'aime ton parfum. - j. Elle n'aime pas vivre en ville.

108. Traduisez :
a. J'ai beaucoup aimé son interprétation. - b. Il n'a pas aimé ton attitude. - c. Nous aurions aimé vous voir ce soir. - d. Elle aurait aimé devenir une danseuse. - e. Tout le monde sait que Roméo aimait Juliette. - f. Les invités ont aimé le gâteau fait par la maîtresse de maison. - g. Je n'ai pas aimé ses plaisanteries.

ALLER

Traductions de « aller » 176

En général, « aller » se traduit par le verbe *andare*, lorsqu'il exprime un mouvement. *Andare* est suivi de la préposition *a* quand il précède un infinitif de but :

Vado a <u>comprare</u> *la carne dal maccellaio.*   Je vais acheter la viande chez le boucher.

Emplois de *Andare*, voir 177 ◄

1. JE VAIS FAIRE

Le futur proche français construit avec « aller » n'existe pas en italien.
La traduction de cette expression change selon la modalité de l'action.

L'action a lieu tout de suite, dans le futur immédiat → *ora* ou *adesso* + présent de l'indicatif :

***Ora** vi **spiego** come funziona.*   Je vais vous expliquer comment cela fonctionne.

L'action aura lieu dans un futur plus lointain → verbe au futur :

***Faranno** un'inchiesta su questo delitto.*   Ils vont faire une enquête sur ce crime.

L'action est sur le point d'avoir lieu → *stare per* + infinitif :

***Stavo per uscire** quando mi hai telefonato.*   J'allais sortir quand tu m'as téléphoné.

2. JE VAIS BIEN, JE VAIS MAL

Cette forme (= se porter) se traduit par le verbe ***stare*** :

*Come **sta**, signora? E come **stanno** i bambini?*
Comment allez-vous, madame ? Et comment vont vos enfants ?

§ La formule *Come va? Come vanno?* ne peut se référer à des personnes :

Allora Mario, come va?	Alors, Mario, comment ça va ? (sous-entendu : *la vita*)
Come va il lavoro?	Le travail, ça va ?
Come vanno gli affari quest'anno?	Comment vont les affaires, cette année ?

3. CELA ME VA BIEN, CELA ME VA MAL

« Aller bien » ou « aller mal » en parlant d'un vêtement se traduit par :

andare quand on parle de la taille :

*Questa gonna mi **va** bene.*   Cette jupe me va bien (c'est à ma taille).

stare quand on exprime un jugement esthétique :

*Questa gonna mi **sta** bene.*   Cette jupe me va bien (je suis jolie avec).

À VOUS !

109. Traduisez :

a. Pour les vacances, je vais visiter Venise. - b. Il est allé manger au restaurant. - c. Un instant, le professeur va vous expliquer la règle. - d. La commission va se réunir demain pour décider. - e. Le rideau se lève : le spectacle va commencer. - f. Il allait le faire mais il a compris qu'il n'aurait pas assez de temps. - g. Un instant, madame, je vais contrôler dans votre dossier. - h. Je vous donne des exercices que vous allez faire à la maison. - i. Comment vont les enfants ? - j. Tu es ravissante, cette robe te va très bien !

ANDARE

1. *Andare* = aller

En tant que verbe de mouvement, *andare* exige **la préposition *a* devant un infinitif** :

***Andiamo a prendere** un caffè!*   Allons prendre un café !

2. *Andare* = partir

È andato in Italia una settimana fa.
Il est parti en Italie il y a une semaine.

De même *andare via* et *andarsene* (s'en aller) :

A quest'ora è già andato via.
À cette heure-ci, il est déjà parti.

Se n'è andato senza salutare.
Il est parti sans nous dire au revoir.

3. *Andare* + adverbe

Accompagné de certains adverbes, *andare* est très utilisé dans la langue parlée pour former des périphrases verbales :

*andare **avanti***	= *continuare, avanzare*	continuer
*andare **indietro***	= *retrocedere*	reculer
*andare **fuori***	= *uscire*	sortir
*andare **dentro***	= *entrare*	entrer
*andare **su***	= *salire*	monter
*andare **giù***	= *scendere*	descendre

À remarquer aussi que *andare d'accordo* signifie « s'entendre ».
*Si volevano molto bene ma purtroppo **non andavano affatto d'accordo**.*
Ils s'aimaient beaucoup mais malheureusement ne s'entendaient pas du tout.

Andare semi-auxiliaire   **178**

1. *Andare* + participe passé

Utilisée exclusivement aux temps simples, cette construction exprime une **obligation** et correspond à la forme passive *deve essere* :
*La lettera **va scritta** a macchina. (= deve essere scritta)*
La lettre doit être écrite à la machine.

Obligation, voir **281** ◄

2. *Andare* + gérondif

Utilisée avec les verbes *dire, raccontare, fare et spiegare*, cette construction exprime **une action continue et insistante** :
*I vicini **andavano raccontando** cose orribili su di lei.*
Les voisins ne cessaient de raconter des choses horribles sur son compte.

Avec un verbe de changement d'état, cette construction met l'accent sur la **progression** :
*La situazione **andava migliorando**.*
La situation s'améliorait petit à petit.

Gérondif, voir **149** ◄

3. *Andare* = essere

Dans certaines constructions, le verbe *andare* peut remplacer l'auxiliaire être :
Va molto fiero del suo cappello nuovo (= è molto fiero).
Il est très fier de son nouveau chapeau.
Nella confusione, è andato perso il biglietto (= è stato perso).
Dans la confusion, son billet a été égaré.

110. Traduisez en utilisant le verbe *andare* aux formes correctes :
a. Avancez, monsieur, s'il vous plaît ! - b. Il est parti à la maison il y a cinq minutes.
- c. Je suis partie en Grèce en juin. - d. Continuez avec votre discours ! - e. Nos enfants s'entendent très bien. - f. Je regrette, ils sont déjà partis.

111. Paraphrasez les mots soulignés en employant le semi-auxiliaire *andare* aux formes correctes :
a. È un lavoro che deve essere fatto bene. - b. La fattura è stata persa durante lo sciopero delle poste. - c. Dicevano cose terribili sul suo conto. - d. Gli alberi devono essere potati regolarmente. - e. È molto orgogliosa della sua folta capigliatura bruna.

APOCOPE

L'apocope *(il troncamento)* est la chute, par la prononciation, de la dernière voyelle ou syllabe d'un verbe ou d'un mot au singulier.
Bien qu'entrée dans l'usage écrit, l'apocope reste néanmoins facultative.

179   Mots provoquant l'apocope

L'apocope peut s'effectuer devant des mots qui commencent aussi bien par une voyelle que par une consonne, à condition qu'ils soient au singulier.
Elle n'est possible qu'avec des mots dont la voyelle finale est atone (non accentuée) et précédée de *l, n, r* et parfois *m* :

• ***Uno*** et ses composés :
un apparecchio   ***alcun*** bisogno   ***nessun*** altro
un appareil   aucun besoin   aucun autre

• ***Tale*** (tel) et ***quale*** (quel) :
in ***tal*** *modo*   ***qual*** *è la sua professione?*
de telle façon   quelle est sa profession ?

• ***Buono*** :
un ***buon*** *pranzo*   un bon repas

• ***Bello*** et ***quello*** :
un ***bel*** *ragazzo*   un beau garçon
in ***quel*** *periodo*   à ce moment-là

• ***Grande*** :
un ***gran*** *momento*   un grand moment

• ***Santo*** (saint) suivi d'un nom propre :
San *Marco*   Saint Marc

• ***Frate*** (frère) et ***suora*** (sœur) suivis d'un nom propre :
Fra *Angelico*   ***Suor*** *Luisa*

• ***Dottore, professore, signore*** (docteur, professeur, monsieur) :
il ***dottor*** *Miselli*   *il* ***professor*** *Crupi*   *il* ***signor*** *direttore*
le docteur Miselli   le professeur Crupi   monsieur le directeur

L'apocope n'est pas marquée par une apostrophe, sauf dans certaines formes de l'impératif et dans *un po'* (un peu) :

Di', che ora è?   Dis, quelle heure est-il ?
Sta' zitto un momento!   Tais-toi un peu !
Un po' (poco) di pane.   Un peu de pain.

Voir Impératif, formes particulières au *tu* 127 ◄

Ne pas confondre l'apocope (sans apostrophe à l'écrit) avec l'élision qui, elle, est marquée par une apostrophe !

Voir Elision 225 ◄

APPARTENANCE

L'appartenance s'exprime en italien de nombreuses façons.

1. La préposition *di*

Di chi è questo libro?   *È di Mario.*
À qui est ce livre ?   Il est à Mario.

Di, voir 221 ◄

2. Les adjectifs et les pronoms possessifs

*Dammi **il tuo** numero di telefono.*   Donne-moi ton numéro de téléphone.
Di chi è?   *È **mio**, è **tuo**...*   *È **il mio**, **il tuo**...*
À qui est-ce ?   C'est à moi, à toi...   C'est le mien, le tien...

Lorsqu'il y a ambiguïté, le possessif *suo* / *sua* peut être remplacé par *di lui* / *di lei* :

*Mario e Anna sono usciti con la madre **di lei**.*   Mario et Anna sont sortis avec sa mère à elle.

Voir aussi Possessifs 27 ◄

3. L'article à valeur de possessif

Lorsque la possession est évidente, le possessif est omis :

*Prende **la** macchina.*   *Leggo **il** giornale.*   *È arrivato con **la** moglie.*
Il prend *sa* voiture.   Je lis *mon* journal.   Il est arrivé avec *sa* femme.

4. La forme réfléchie

Mi lavo i denti.   Je me lave les dents.   *Si è rotto una gamba.*   Il s'est cassé une jambe.

5. La forme pronominale

Pour parler de l'habillement :

*Si **mette** i guanti.*   Il met ses gants.   *Togliti la giacca!*   Enlève ta veste !

Pour introduire une notion de plaisir, d'intérêt personnel :
*Ora **mi bevo** un caffè!*   Je vais me boire un bon café !
*Mi siedo e **mi leggo** il giornale.*   Je m'assieds et je me lis le journal.

L'usage français du possessif pour indiquer une action habituelle n'a pas de correspondant en italien :
*J'attends **mon** train.* —→ Aspetto **il** treno.
*Je vais à **mon** cours d'italien.* —→ Vado a lezione d'italiano.

À VOUS !

112. Traduisez :
a. À qui est ce parapluie ? Il est à Cristina. - b. À qui sont ces livres ? Ils sont à moi. - c. Dès qu'il entre à la maison, il retire ses chaussures et il met ses chaussons. - d. Je vais à mon rendez-vous. - e. J'ai enfin un peu de temps pour lire mon journal en paix ! - f. Ils sont à Mario ces gants, je crois. - Non, ce sont les miens. Les siens sont gris. - g. Je pars demain et je dois encore faire mes valises ! - h. Je vais à mon travail en voiture. - i. J'ai garé ma voiture dans le garage. - j. Je vais prendre mon petit déjeuner. - k. À qui est la faute ? Certainement pas à moi !

APRÈS

182   Traductions de « après »

« Après » se traduit par **dopo**, qu'il s'agisse de la préposition ou de l'adverbe.

1. DOPO

Préposition :
***Dopo** la fine della guerra, è stato indetto un referendum per scegliere tra la monarchia e la Repubblica.*
Après la fin de la guerre, un référendum a été organisé pour choisir entre la monarchie et la République.

Adverbe :
*Vent'anni **dopo**, l'Italia era in pieno sviluppo economico.*
Vingt ans après, l'Italie était en plein essor économique.

2. DOPO DI

Avec les pronoms personnels, *dopo* est suivi de *di* :
dopo di me, te, lei, lui, noi, voi, loro   *Dopo **di** Lei, Signora!*
après moi, toi, elle, lui, nous, vous, eux   Après vous, Madame !

3. L'expression « après Jésus-Christ » se traduit par *dopo Cristo (d.C.)*, le contraire étant *avanti Cristo (a.C.)*.
La tradizione attribuisce all'imperatore Nerone l'incendio di Roma del 64 d.C.
La tradition attribue à l'empereur Néron l'incendie de Rome de 64 après J.-C.

4. « Après dîner », « après déjeuner » se traduisent par *dopo cena, dopo pranzo*.
*Vieni da me **dopo pranzo** per il caffè!*   Viens chez moi après déjeuner pour le café !

En revanche, le nom « après-midi » se traduit par ***pomeriggio***.

5. « D'après moi (d'après toi…) » se traduit par *secondo me (secondo te…)*.
Secondo lui, non bisogna preoccuparsi.   D'après lui, il ne faut pas s'inquiéter.

À VOUS !

113. Traduisez :
a. Après la réunion, ils sont allés au restaurant. - b. Je suis passé après elle. - c. Tito Flavio Domiziano, empereur romain, mourut à Rome en 96 après J.-C. - d. Ils sont arrivés après nous. - e. Après dîner, nous sommes allés au cinéma. - f. Après tout, ce n'est pas un problème. - g. Après votre départ, la maison semblait vide. - h. Après vous, ce sera notre tour.

ARRIVER

Traductions de « arriver »   183

1. Parvenir à destination, atteindre

En tant que verbe de mouvement, « arriver » se traduira dans ce cas par ***arrivare*** ou ***giungere*** :
*Il treno è **arrivato** in orario.*   ***Siamo giunti** alla fine del nostro lavoro.*
Le train est arrivé à l'heure.   Nous sommes arrivés à la fin de notre travail.

2. Se produire, se passer

Pour parler d'événements, de faits, d'accidents se produisant, on utilisera ***succedere*** ou, dans un registre de langue plus recherché, ***accadere*** :
*Che cosa **succede**?*   Qu'arrive-t-il, que se passe-t-il ?
*Non è **successo** niente di grave.*   Il ne s'est passé rien de grave.
*Quando è **accaduto** il fatto?*   Quand cela est-il arrivé ?

3. Survenir, advenir, se présenter

Capitare est un synonyme de ***succedere*** et ***accadere*** qui introduit souvent une notion de hasard et d'impromptu :
*Mi è **capitata** un'avventura strana. (= mi è successa)*   Il m'est arrivé une aventure étrange.
*Non ti è mai **capitato** di sbagliare? (= ti è successo)*   Il ne t'est jamais arrivé de te tromper ?

Il peut être également utilisé avec le sens de « **se présenter** » :
*Mi è **capitata** l'occasione e l'ho colta al volo.*
L'occasion s'est présentée et je l'ai saisie au vol.
*Sono **capitati** a casa mia mentre stavo cenando.*
Ils se sont présentés chez moi au moment où je dînais.

4. Réussir, parvenir à

Lorsque l'on parle de l'atteinte d'un objectif, avec une notion de réussite, « arriver » se traduit par **riuscire (a)** et « y arriver » par **riuscirci** :

*Non **riesco a** capire. Non **ci riesco**.*   Je n'arrive pas à comprendre. Je n'y arrive pas.

À VOUS !

114. Traduisez :
a. Il est arrivé à la fin de son voyage. - b. Qu'est-il arrivé à son frère ? Il lui est arrivé un malheur ? - c. Je n'arrive pas à trouver la solution, et plus j'y pense, moins j'y arrive. - d. Qu'arrive-t-il quand on tire sur l'alarme ? Le train s'arrête. - e. Ne t'inquiète pas ! Cela arrive parfois, mais ce n'est pas grave. - f. Cela ne m'arrive jamais ! - g. Cela n'arrive qu'aux autres. - h. Qu'est-ce qu'il va leur arriver ? - i. C'est arrivé un soir que j'étais seul à la maison.

ARTICLES

184   Formes particulières de l'article défini

L'article défini masculin adopte des formes particulières selon la forme du mot qu'il détermine.

Formes générales de l'article, voir 8 ◀

L'article défini **lo** (**gli** au pluriel) s'emploie :

• devant **s impur** (= *s* suivi d'une consonne) :
lo spettacolo   le spectacle

• devant **z** :
gli zingari   les gitans

• devant **ps, gn, x, i** + voyelle et devant **y** :

lo pseudonimo – gli pseudonimi	le(s) pseudonime(s)
lo gnomo – gli gnomi	le(s) gnome(s)
lo xilofono – gli xilofoni	le(s) xylophone(s)
lo Iugoslavo – gli Iugoslavi	le(s) Yougoslave(s)
lo yogurt – gli yogurt	le(s) yogourt(s)

185   Emplois particuliers de l'article défini

Emplois généraux de l'article défini et indéfini 8-9 ◀

1. Emplois de l'article défini en italien, là où le français l'omet :

▸ Devant les mots *signore, signora, signorina* (monsieur, madame, mademoiselle).
Ho visto il signor Vignali.   J'ai vu ø monsieur Vignali.

Sauf lorsque l'on s'adresse à ces personnes :
« *Buongiorno, signor Vignali!* »   Bonjour, monsieur Vignali !

{ Avec les titres, la place de l'article diffère dans les deux langues :
Ho visto la signora direttrice.   J'ai vu Madame **la** directrice.

Devant les possessifs
Vi presento il mio assistente.   Je vous présente ø mon assistant.

Possessifs, voir **28** ◄◄◄

Dans l'expression de l'heure
Sono le tre.   Il est ø trois heures.

Heure, voir **234** ◄◄◄

Devant le millésime
Il 1492 fu l'anno della scoperta dell'America.
ø 1492 fut l'année de la découverte de l'Amérique.

Années, voir **214** ◄◄◄

Devant les pourcentages
Il 15 per cento della popolazione.   ø 15 % de la population.

Pourcentages, voir **310** ◄◄◄

Devant les noms patronymiques des femmes (célèbres ou non)
La Callas, la Magnani...   La Callas, la Magnani...
La Bianchi, la Rossi...   Madame Bianchi, madame Rossi...

L'article peut parfois apparaître devant les noms de famille ou surnoms de peintres et écrivains italiens :
Tra i grandi, citiamo il Petrarca, il Boccaccio e il Giorgione.
Parmi les plus grands, citons Petrarque, Boccace et Giorgione.
De même, devant les prénoms (surtout féminins) dans certains emplois régionaux :
la Marina, l'Agnese, il Carlo, l'Armando...
Marina, Agnès, Carlo, Armando...

2. Absence d'article en italien là où le français l'utilise

Dans certaines expressions avec préposition

a caccia	à la chasse	*di giorno*	le jour
a casa	à la maison	*di notte*	la nuit
a letto	au lit	*di moda*	à la mode
a lezione	au cours	*in montagna*	à la montagne
a pesca	à la pêche	*in campagna*	à la campagne
a scuola	à l'école	*in piscina*	à la piscine
a teatro	au théâtre	*in serata*	dans la soirée
giocare a calcio	jouer au foot	*in mattinata*	dans la matinée
giocare a tennis	jouer au tennis	*in ufficio*	au bureau

Devant *papa* et *re* lorsque l'accent est mis davantage sur la personne que sur la fonction occupée
Papa Giovanni XXIII° era detto il papa buono.   Le Pape Jean XXIII était surnommé le pape bon.
Re Vittorio Emanuele II° era basso di statura.   Le roi Victor-Emmanuel II était de petite taille.

Dans le superlatif relatif, où l'article n'est pas répété
È il film più interessante dell'anno.
C'est le film le plus intéressant de l'année.

Dans le vocatif, où l'on s'adresse directement à quelqu'un
Andiamo, ragazzi!   On y va, les enfants !

Formes particulières de l'article indéfini *un*

Uno s'emploie :

• devant *s* impur et *z* :
uno sguardo   un regard

• devant les noms masculins singuliers commençant par *ps*, *gn*, *x*, *i* + voyelle et devant *y* :

uno pseudonimo   un pseudonyme   *uno Iugoslavo*   un Yougoslave
uno gnomo   un gnome   *uno yoghurt*   un yogourt
uno xilofono   un xylophone

L'article indéfini n'a pas de pluriel mais lorsque l'on veut souligner une quantité, on utilise la forme du partitif :
*Vorrei **delle** informazioni.*   Je voudrais des renseignements.
ou, mieux encore, les indéfinis *qualche* ou *alcuni/e* :
*Vorrei **alcune** informazioni. / Vorrei **qualche** informazione.*
Je voudrais quelques informations.

Qualche, alcuni, voir 323
Article partitif, voir 10 ◄

115. Complétez avec les articles définis, puis indéfinis avec la forme partitive au pluriel :
a. ... psicologo ; ... psicologi. - b. ... gnocco ; ... gnocchi. - c. ... iodio. - d. ... yoga. - e. ... xenofobo ; ... xenofobi. - f. ... psichiatra ; ... psichiatri. - g. ... iugoslavo ; ... iugoslavi. - h. ... yen giapponese ; ... yen giapponesi. - i. ... iato ; ... iati. - j. ... psicofarmaco ; ... psicofarmaci.

116. Traduisez :
a. Le Pô est le fleuve le plus long d'Italie. - b. La TVA italienne (IVA) représente 19 %. - c. 1989 a été l'année du bicentenaire de la Révolution française. - d. Nous avons rendez-vous à six heures mais il est seulement six heures moins dix. - e. J'ai rencontré Madame Rivelli à l'exposition. - f. Comment allez-vous, mademoiselle ? - g. Quel est ton acteur préféré ? - h. Venez, les filles ! - i. Nous avons pris des décisions très importantes. - j. Il a parlé avec des étudiants et des professeurs du lycée.

ASSEZ

Traductions de « assez »

1. Lorsque « assez » a le sens de « suffisamment, plutôt, passablement »

Il peut se traduire par :

abbastanza, piuttosto ou **alquanto**
*Sto **abbastanza** bene.*   Je vais assez bien.
*Quel romanzo è **piuttosto** lungo e **alquanto** triviale.*   Ce roman est assez long et assez trivial.

un diminutif en -etto, -ino, -uccio de l'adjectif ou de l'adverbe auquel il se réfère :

*Sto **benino**. (= sto abbastanza bene)*   Je vais assez bien.

*Sta **maluccio**. (= sta piuttosto male)*   Je vais assez mal.

*Quel romanzo è **lunghetto**. (= abbastanza lungo)*   Ce roman est assez long.

*Leopardi era un bambino **bruttino** e **deboluccio**.*

Leopardi était un enfant plutôt laid et assez fragile.

Voir aussi Suffixes 344 ◀

2. « Assez de » se traduit par *abbastanza*

Abbastanza est directement suivi du nom, sans préposition :

*Non ho **abbastanza** soldi per pagare il conto.*   Je n'ai pas assez d'argent pour payer l'addition.

3. « Assez » (= « ça suffit ! ») se traduit par *basta!*

*Adesso, **basta**!*   Assez ! (Maintenant ça suffit !)

Basta est suivi de la préposition *con* lorsqu'il introduit un nom :

***Basta con** le chiacchiere!*   Ça suffit, les bavardages !

4. « Assez » + participe passé se traduit par *basta* + infinitif

***Basta parlare**, al lavoro!*   Assez parlé, au travail !

5. « En avoir assez » se traduit par *averne abbastanza* ou *essere stufo*

Ces deux constructions sont suivies de la préposition *di* :

*Sono **stufo di** questa storia!*   J'en ai assez de cette histoire !

*Ne ho **abbastanza**!*   J'en ai assez !

◖◗ A VOUS! ◖◗

117. Traduisez :

a. J'en ai assez de tes mensonges ! - b. C'est un endroit assez calme. - c. Assez pleuré, maintenant il faut réagir ! - d. J'ai assez de farine pour faire un bon gâteau. - e. Assez ! Allez jouer au ballon ailleurs ! - f. Ils sont assez sympathiques mais passablement snobs. - g. Ça suffit, les grands discours ! Nous en avons assez ! - h. Ce film est assez bien fait. - i. Il est assez mignon. - j. Je n'ai pas assez de courage pour essayer tout seul. - k. J'ai assez d'ennuis comme cela !

AUSSI

Traductions de « aussi »   188

1. « Aussi » signifiant « également » : *anche*

Anche se place toujours devant le nom ou le pronom auquel il se réfère :

Anche lui è italiano.   Lui aussi est italien.

Anche ne s'élide que devant *io* (et *egli, ella, esso, essa* dans la langue littéraire) :

Lo conosco bene anch'io.

Je le connais bien moi aussi.

È venuto anche ieri.

Il est venu hier aussi.

⬤ *Pure* (également antéposé) s'emploie plus rarement et dans un langage familier.

Ci siamo andati pure noi.   Nous y sommes allés aussi.

⬤ Les contraires de *anche* et *pure* sont **neanche, nemmeno** et **neppure** :

Non lo penso neanch'io / nemmeno io / neppure io.   Je ne le pense pas **non plus**.

2. « Aussi » signifiant « autant, tellement » : *così* ou *tanto*

Non l'ho mai visto così / tanto agitato.   Je ne l'ai jamais vu aussi agité.

3. Le comparatif « aussi... que... »

⬤ **Dans une comparaison entre deux adjectifs : *tanto... quanto...***

Quella ragazza è tanto bella quanto intelligente.   Cette fille est aussi belle qu'intelligente.

⬤ **Dans une comparaison entre un adjectif et un nom : *(così)... come...* ou *(tanto)... quanto...***

È (così) giovane come sua cugina.   *È (tanto) giovane quanto sua cugina.*

Il est aussi jeune que sa cousine.

Voir aussi Comparatif 72 ◄

3. « Aussi » exprimant la conséquence : *quindi* ou *perciò*

Pioveva forte, perciò abbiamo deciso di non uscire.

Il pleuvait dru, aussi avons-nous décidé de ne pas sortir.

À VOUS !

118. Traduisez :

a. Vers cinq heures, nous sommes sortis aussi. - b. Ce vase est aussi fragile que précieux. - c. J'y vais volontiers aussi. - d. Il est aussi grand que son père. - e. Elle est italienne aussi. - f. Nous avons visité Naples, et Pompéi aussi. - g. Il était trop tard pour acheter le billet, aussi y ai-je renoncé. - h. Moi aussi, je suis italienne mais je suis également française car j'ai la double nationalité. - i. Prenez mes valises aussi !

AUXILIAIRES

189   Choix des auxiliaires

1. Le choix de l'auxiliaire dans les temps composés

Il dépend du type de verbe.

⬤ En règle générale, les verbes **transitifs** se conjuguent avec *avere*, les verbes **pronominaux** et la plupart des verbes **intransitifs** se conjuguent avec *essere*.

Abbiamo com prato il biglietto.
Nous avons acheté le billet.

Siamo partiti alle due.
Nous sommes partis à deux heures.

Un même verbe peut donc se conjuguer soit avec *avere* soit avec *essere*, selon qu'il est employé transitivement ou non.
Comparez :
Ho finito di leggere il libro.
J'ai terminé de lire mon livre.

Le vacanze sono finite.
Les vacances sont terminées.

Attention! Le verbe *essere* a pour auxiliaire *essere* :
Sono stato contento del risultato.   J'ai été content du résultat.

L'emploi de l'auxiliaire *essere* entraîne toujours l'accord du participe passé avec le sujet.

Luisa è uscita.
Luisa est sortie.

*Marco e Gianni **sono** usciti.*
Marco et Gianni sont sortis.

Accord du participe passé, voir 153 ◀

2. Différences d'auxiliaires en français et en italien

Les verbes indiquant un changement d'état et les verbes impersonnels se conjuguent avec *essere* en italien mais souvent avec « avoir » en français.

Verbes indiquant un changement d'état

abbronzare	bronzer	→ *sono abbronzato/a*	j'ai bronzé
arrossire	rougir	→ *sono arrossito/a*	j'ai rougi
crescere	grandir	→ *sono cresciuto/a*	j'ai grandi
dimagrire	maigrir	→ *sono dimagrito/a*	j'ai maigri
fiorire	fleurir	→ *è fiorito/a*	il / elle a fleuri
guarire	guérir	→ *sono guarito/a...*	j'ai guéri
impallidire	pâlir	→ *sono impallidito/a*	j'ai pâli
ingrassare	grossir	→ *sono ingrassato/a*	j'ai grossi
invecchiare	vieillir	→ *sono invecchiato/a*	j'ai vieilli
maturare	mûrir	→ *sono maturato/a*	j'ai mûri
peggiorare	empirer	→ *è peggiorato/a*	il / elle a empiré
ringiovanire	rajeunir	→ *sono ringiovanito/a*	j'ai rajeuni
scomparire	disparaître	→ *sono scomparso/a*	j'ai disparu

Verbes impersonnels

bastare	suffire	→ *mi è bastato/a*	cela m'a suffi
costare	coûter	→ *è costato/a*	cela a coûté
dispiacere	regretter	→ *mi è dispiaciuto*	j'ai regretté
durare	durer	→ *è durato/a*	cela a duré
parere	paraître	→ *mi è parso/a*	il m'a paru
piacere	plaire	→ *mi è piaciuto/a*	j'ai aimé
sembrare	sembler	→ *mi è sembrato/a*	il m'a semblé
sparire	disparaître	→ *è sparito/a*	cela a disparu

À remarquer, le verbe *crollare* qui est pronominal en français :

crollare	s'écrouler	→ *è crollato/a*	il/elle s'est écroulé(e)

3. Verbes pouvant se conjuguer avec les deux auxiliaires

Les verbes « atmosphériques » se conjuguent indifféremment avec *essere* ou *avere* :

nevicare	neiger	⟶ *è nevicato / ha nevicato*	il a neigé
piovere	pleuvoir	⟶ *è piovuto / ha piovuto*	il a plu
grandinare	grêler	⟶ *è grandinato / ha grandinato*	il a grêlé
tuonare	tonner	⟶ *è tuonato / ha tuonato*	il a tonné

De nombreux verbes se conjuguent avec *avere* quand ils sont employés avec un sens transitif, *essere* quand ils ont un sens intransitif.

	Emploi transitif	Emploi intransitif
aumentare	*Hanno aumentato i prezzi.*	*I prezzi sono aumentati.*
augmenter	Ils ont augmenté les prix.	Les prix ont augmenté.
bruciare	*Ho bruciato le erbacce.*	*Il palazzo è bruciato nell'incendio.*
brûler	J'ai brûlé les mauvaises herbes.	L'immeuble a brûlé dans l'incendie.
cambiare	*Ho cambiato macchina.*	*La situazione è cambiata.*
changer	J'ai changé de voiture.	La situation a changé.
cominciare	*Ho cominciato un nuovo lavoro.*	*Il film è cominciato alle 3.00.*
commencer	J'ai commencé un nouveau travail.	Le film a commencé à 3 heures.
correre	*Ho corso un rischio.*	*Sono corso a casa.*
courir	J'ai couru un risque.	J'ai couru chez moi.
diminuire	*Hanno diminuito la produzione.*	*La produzione è diminuita.*
diminuer	Ils ont baissé la production.	La production a baissé.
finire	*Ho finito il dolce.*	*Il dolce è finito.*
finir	J'ai fini le gâteau.	Le gâteau est fini.
passare	*Ho passato le vacanze al mare.*	*Il dolore è passato.*
passer	J'ai passé les vacances à la mer.	La douleur est passée.
salire	*Ho salito le scale.*	*Sono salito al 2° piano.*
monter	J'ai monté les escaliers.	Je suis monté au 2ᵉ étage.
saltare	*Il cavallo ha saltato l'ostacolo.*	*Il ladro è saltato dalla finestra.*
sauter	Le cheval a sauté l'obstacle.	Le voleur a sauté de la fenêtre.
scendere	*Ho sceso le scale.*	*Sono sceso al 1° piano.*
descendre	J'ai descendu les escaliers.	Je suis descendu au 1ᵉʳ étage.
suonare	*Ho suonato il campanello.*	*La sveglia è suonata alle sette.*
sonner	J'ai appuyé sur la sonnette.	Le réveil a sonné à sept heures.
vivere	*Ho vissuto un'avventura straordinaria.*	*Marco è vissuto (ou : ha vissuto*) molti anni in Giappone.*
vivre	J'ai vécu une aventure extraordinaire.	Marco a vécu longtemps au Japon.
volare	*Ho volato con il deltaplano.*	*La rondine è volata sul tetto della casa.*
voler	J'ai volé en deltaplane.	L'hirondelle a volé sur le toit de la maison.

* L'emploi de *avere* est également courant dans le deuxième exemple.

4. Choix de l'auxiliaire avec les verbes « serviles » *potere, volere, dovere*

Les verbes serviles adoptent l'auxiliaire du verbe qui les suit :

Verbe suivant transitif : auxiliaire *avere*	Verbe suivant intransitif : auxiliaire *essere*
Abbiamo dovuto prendere il treno delle cinque.	*Siamo dovuti ritornare indietro.*
Nous avons dû prendre le train de cinq heures.	Nous avons dû revenir en arrière.

Lorsque *essere* est utilisé, il entraîne l'accord du participe passé avec le sujet.

> Les verbes serviles se conjuguent avec *avere* lorsqu'ils sont suivis de *essere* :
> **Ha** *voluto* **essere** *amichevole.* Il a voulu être amical.
> Dans la langue parlée, on peut trouver *avere* pour des verbes se conjuguant habituellement
> avec *essere* : **Ho** *dovuto* / **ho** *potuto* / **ho** *voluto andare.*

Verbes serviles, voir 361 ◄◄

5. Verbes pronominaux

C'est la place du pronom qui détermine le choix de l'auxiliaire, mais les deux formes
sont strictement équivalentes.

Pronom en enclise (accolé à l'infinitif) → *avere* :

*Ho voluto alzar**mi** presto.*   ***Hanno** dovuto andar**ci** insieme.*
J'ai voulu me lever tôt.   Ils ont dû y aller ensemble.

Pronom précédant l'auxiliaire → *essere* :

***Mi sono** voluto alzare presto.*   ***Ci sono** dovuti andare insieme.*
J'ai voulu me lever tôt.   Ils ont dû y aller ensemble.

À VOUS !

119. Transformez les phrases au passé composé :
a. Mi piace molto questo libro. - b. Il film comincia alle nove. - c. La squadra comincia
il turno a mezzanotte. - d. Non riusciamo a risolvere il problema. - e. Questo abito
da sera costa un occhio della testa. - f. Con la crisi la situazione peggiora. -
g. Quando arrivano a Torino cambiano treno.

120. Transformez les phrases au passé composé :
a. I metodi pedagogici cambiano con gli anni. - b. È un piacere vedervi. - c. Corre
cento metri e poi crolla di fatica. - d. Quando lo vede lei gli corre incontro a braccia
aperte. - e. Vive quest'avventura con passione. - f. Suona il telefono e lui corre a
rispondere. - g. La domanda aumenta e i prezzi diminuiscono.

121. Traduisez :
a. Malgré la grève il a pu partir. - b. J'aurais dû rester jusqu'à minuit pour finir cette
traduction. - c. Vous auriez voulu venir mais c'était trop tard. - d. Je crois qu'il n'a
pas su répondre. - e. Ils avaient dû se présenter au commissariat. - f. Nous avons dû
choisir une solution de compromis. - g. Tu aurais dû y être.

AVANT

Traductions de « avant »   `190`

« Avant » se traduit par *prima*. La seule difficulté de traduction est qu'il ne faut pas
oublier **la préposition *di*** qui accompagne *prima* dans la plupart des cas.

1. *Prima* (adverbe) = auparavant

*Avevano preparato tutto tre giorni **prima**.*   Ils avaient tout préparé trois jours avant.

2. *Prima di* (préposition) = avant, avant de

devant un nom :

Prima di tutto, mettiamoci d'accordo.	Avant tout, mettons-nous d'accord.
Sono arrivato prima del previsto.	Je suis arrivé avant l'heure prévue.
È nato prima della guerra.	Il est né avant la guerre.

Di suivi d'un article défini se contracte avec celui-ci.

Article contracté, voir 11 ◄

devant un pronom personnel :

È partito prima di me (di te, di lui...).	Il est parti avant moi (toi, lui...).

devant un verbe à l'infinitif :

Prima di partire, avvertimi!	Avant de partir, préviens-moi !

3. *Prima che* + subjonctif (locution conjonctive) = avant que... ne

Nascondiamoci prima che arrivino!   Cachons-nous avant qu'ils n'arrivent !

4. *Avanti* (locution adverbiale) = en avant

Non ti fermare, va' avanti!   Ne t'arrête pas, va en avant (de l'avant) !

5. La formule « avant Jésus-Christ » se traduit par *avanti Cristo (a.C.)*

La città fu fondata nel 450 a.C.   La ville fut fondée en 450 avant J.-C.

À VOUS !

122. Traduisez :
a. Je préfère rentrer avant qu'il ne pleuve. - b. A l'examen, je suis passée avant lui. - c. Il faut s'inscrire avant qu'il ne soit trop tard. - d. Avant de t'en aller, aide-moi, s'il te plaît ! - e. Retrouvons-nous quelques minutes avant le début du film. - f. Jules César fut nommé consul en 59 avant Jésus-Christ. - g. Elle a répondu avant moi. - h. Il est arrivé avant l'heure du dîner. - i. Avant de protester, écoute-moi ! - i. C'est la vérité qui m'intéresse avant tout.

BUT

191   Expression du but

1. Le complément circonstantiel de but

Il peut être exprimé par :

Per + nom (ou groupe nominal)
Abbiamo lottato per l'emancipazione della donna.
Nous avons lutté pour l'émancipation de la femme.

Per + infinitif
*Vado in Italia **per** perfezionarmi in italiano.*
Je vais en Italie pour perfectionner mon italien.

Dans la langue écrite, l'infinitif est souvent également introduit par ***allo scopo di (con lo scopo di) al fine di*** (dans le dessein de, afin de, pour) :
*È arrivato fin qui **al solo scopo (con il solo scopo) di** vederla.*
Il est arrivé jusqu'ici dans le seul dessein de la voir.
*Le scrivo **al fine di** comunicarLe i risultati della nostra inchiesta.*
Je vous écris afin de vous communiquer les résultats de notre enquête.

2. La subordonnée circonstancielle de but

Le verbe de la proposition subordonnée circonstancielle finale (ou de but) est **toujours au subjonctif.**
Celle-ci est introduite par l'une des conjonctions ou locutions conjonctives suivantes :

affinché (afin que), **perché** (pour que)
*Te ne parlo **affinché (perché)** tu lo sappia per primo.*
Je t'en parle afin que tu le saches en premier.

{ Ne pas confondre *perché* final (« pour que ») avec *perché* causal (« parce que ») qui, lui, est suivi de l'indicatif.

Comparez :

*I tifosi gridano **perché vinca** la squadra di Roma.*	*I tifosi gridano **perché vince** la squadra di Roma.*
Les supporters crient **pour que** gagne l'équipe de Rome.	Les supporters crient **parce que** l'équipe de Rome gagne.
▼	▼
BUT	CAUSE

in modo che (de sorte que)
*Gli lascio un biglietto sulla porta, **in modo che** lo veda quando torna.*
Je lui laisse un mot sur la porte, de sorte qu'il le voie quand il rentre.

acciocché (afin que)
Cette conjonction est plus rare, littéraire.
*Ve lo dico **acciocché** provvediate.*
Je vous le dis afin que vous vous en occupiez.

che, pronom relatif (que)
Il s'emploie après un verbe à l'impératif :
*Vieni, **che** ti possa ammirare!*
Viens, que je t'admire !
*Vattene, **che** non ti veda!*
Va-t'en, qu'il ne te voie pas !

Emplois obligatoires du Subjonctif, voir 340 ◄

3. La subordonnée relative à valeur de circonstancielle finale

Pour exprimer l'intention ou le but, on peut également utiliser une proposition relative au subjonctif, introduite par le relatif **che** :
*Vorrei una medicina **che** mi faccia guarire subito!*
Je voudrais un médicament qui me guérisse tout de suite !

Conséquence, voir 208 ◄

123. Traduisez :

a. Je reste pour parler encore un peu avec vous. - b. Il l'a fait exprès, dans le dessein de leur nuire. - c. Nous l'avions prévenu à temps pour qu'il puisse se défendre. - d. Je cherche quelqu'un qui puisse nourrir mon chat pendant mes vacances. - e. Reste ici, que je te dise encore quelque chose ! - f. Je mets la clé sous le paillasson, de sorte qu'il la trouve en rentrant.

124. Reliez les deux propositions par une conjonction de but et en opérant les transformations nécessaires.

ex. : Vado in piscina. Imparo a nuotare.

⟶ Vado in piscina per imparare a nuotare.

a. Le scrivo. Le comunico i risultati. - b. Parlo chiaro. Non ci saranno equivoci fra noi. - c. Cerco una baby-sitter. Deve tenere i bambini stasera. - d. Mi esercito. Non farò più errori. - e. Insisto con lui. Deve smettere di fumare.

CAUSE

1. Le complément circonstantiel de cause

Il peut être exprimé par :

▸ Un groupe nominal, introduit par des prépositions ou locutions prépositives :

• **di, da, per** + nom

Piange di rabbia.
Piange dalla rabbia.   Il pleure de rage.
Piange per la rabbia.

À la différence de *di*, suivi d'un nom sans déterminant, les prépositions *da* et *per* exprimant la cause sont **toujours suivies de l'article**.

• **a causa di** + nom

È arrivato in ritardo a causa dello sciopero dei treni.
Il est arrivé en retard à cause de la grève des trains.

Avec la construction *a causa di*, les pronoms personnels compléments sont remplacés par des possessifs :
a causa mia, a causa tua...   à cause de moi, à cause de toi...

▸ Un infinitif prépositionnel

• **per** + infinitif passé

È stato premiato per aver realizzato il miglior tempo.
Il a été primé pour avoir réalisé le meilleur temps.

Il ne faut pas confondre cette construction avec *per* (+ infinitif présent) exprimant le but.

• **a forza di** + infinitif présent

A forza di ridere, aveva le lacrime agli occhi.
À force de rire, il en avait les larmes aux yeux.

2. La subordonnée circonstancielle causale

Le verbe des subordonnées causales est généralement à l'**indicatif**.
Le conditionnel est également possible si le verbe de la subordonnée est un modal ou un verbe exprimant un désir, une hypothèse, une possibilité...
*Siccome **vorrei** andare in Indonesia, cerco di risparmiare.*
Comme je voudrais aller en Indonésie, j'essaye d'économiser.
*Non prenderlo in giro perché **si offenderebbe**.*
Ne te moque pas de lui parce qu'il se vexerait.

Lorsque la conjonction est accompagnée d'une négation (*non perché, non che*: « non pas que »), le verbe introduit passe au subjonctif :
*Non lo posso comprare, non perché non mi **piaccia**, ma perché è troppo caro.*
Je ne peux l'acheter, non pas qu'il me déplaise, mais parce que c'est trop cher.

Les propositions subordonnées causales sont introduites par les conjonctions ou locutions conjonctives de subordination suivantes :

• *perché* (parce que)
*Non è in ufficio **perché** è in ferie.*
Il n'est pas à son bureau parce qu'il est en congé.

Pour exprimer une réponse brève se limitant à « parce que ! » on utilise *perché sì* en réponse à une interrogative et *perché no* en réponse à une interronégative :
*Perché sorridi? **Perché sì!***
Pourquoi souris-tu ? Parce que !
*Perché non sei venuto con noi? **Perché no!***
Pourquoi n'es-tu pas venu avec nous ? Parce que !

• *siccome* (comme, puisque)
Siccome eravamo in ritardo, abbiamo preso un taxi.
Comme nous étions en retard, nous avons pris un taxi.

Ainsi que *poiché, giacché* dans un registre plus littéraire.

• *dato che* (étant donné que), *visto che* (vu que), *dal momento che* (du moment que)
Dato che non vuole, è inutile insistere.
Étant donné qu'il ne veut pas, il est inutile d'insister.

3. Le gérondif à valeur de circonstancielle causale

Essendo arrivato in ritardo, non ho più trovato posto a sedere.
Étant arrivé en retard, je n'ai plus trouvé de place assise.

À VOUS !

125. Traduisez :
a. Je t'offrirai un livre de Pirandello, vu que tu veux découvrir le théâtre italien. - b. Votre ami ne pourra pas venir dîner puisqu'il a eu un contretemps. - c. Du moment qu'elle est enceinte, elle ne doit pas faire trop d'efforts. - d. Ayant passé une quinzaine de jours en Italie, cette fille a fait beaucoup de progrès en italien. - e. Comme il n'était pas du quartier, il a fini par s'égarer. - f. Il riait de joie. - g. Il cherche du travail pour cet été parce qu'il a besoin d'argent. - h. Il a été puni pour avoir menti. - i. À force d'insister, il a fini par obtenir ce qu'il voulait.

CELUI QUI, CELUI QUE

1. *QUELLO / QUELLA CHE - QUELLI / QUELLE CHE*

Quello et ses formes du féminin et du pluriel réfèrent à une personne précise, déjà connue des locuteurs.

*Conosceva bene **quello che** dieci anni dopo sarebbe diventato presidente.*
Il connaissait bien celui qui, dix ans plus tard, deviendrait président.

***Quelle che** siamo riusciti ad avvertire sono fuggite.*
Celles que nous avons pu prévenir se sont enfuies.

2. *CHI*

Chi, invariable, réfère à une personne indéterminée, sans identité définie.

*Supererà l'esame **chi** darà tutte le risposte giuste.*
Celui qui (quiconque) donnera toutes les bonnes réponses sera reçu à l'examen.

***Chi** non è d'accordo, lo dica.*   Que ceux qui ne sont pas d'accord le disent.

3. *COLUI / COLEI CHE - COLORO CHE*

Ces formes rares, sont utilisées dans un registre de langue recherché ou ancien :

*Il re disse che avrebbe dato sua figlia in sposa a **colui che** l'avrebbe vinto in una gara di corsa a cavallo.*
Le roi dit qu'il donnerait la main de sa fille à celui qui le vaincrait dans une course à cheval.

***Coloro che** desiderano iscriversi al corso devono compilare l'apposito modulo.*
Ceux qui désirent s'inscrire au cours doivent remplir le formulaire à cet effet.

À VOUS !

126. Traduisez en utilisant les formes *quello / quella che* ou *quelli / quelle che* :
a. Des deux spécialistes, j'ai choisi celui que tu m'avais conseillé. - b. Nous avons dîné avec ceux qui avaient participé au congrès. - c. Il a donné un formulaire à remplir à tous ceux qui se présentaient. - d. Nous avons retrouvé à Venise ceux qui étaient partis avant nous. - e. Dans l'avion pour Rome, il a rencontré celle qui est ensuite devenue son épouse.

CE QUI, CE QUE

1. *QUELLO CHE*

« Ce qui, ce que » se traduisent par le démonstratif *quello* avec le relatif *che*.

*Capisco **quello che** vuoi dire.*   Je comprends ce que tu veux dire.

***Quello che** conta è che adesso tu sia felice.*   Ce qui compte, c'est que maintenant tu sois heureux.

Quello che, qui signifie en fait *la cosa che*, peut aussi être traduit par **ciò che** :
*Ha ottenuto **ciò che** voleva (**quello che** voleva).*
Il a obtenu ce qu'il voulait.

2. IL CHE

« Ce qui » ou « ce que », en position d'apposition, peuvent être traduits par une forme particulière, **il che** :
*Non si fa vivo da mesi, **il che** mi stupisce (= **cosa che** mi stupisce).*
Il ne s'est pas manifesté depuis des mois, ce qui m'étonne (= chose qui m'étonne).

À VOUS !

127. Traduisez :
a. Est-ce que tu te souviens de ce que je t'ai dit ? - b. Il ne sait pas ce qu'il veut. - c. Elle m'a parlé de ce qui la préoccupait. - d. Nous avons reçu hier ce que nous avions commandé. - e. Il est parti sans prévenir personne, ce qui m'étonne. - f. Je ne sais pas ce qui se passe. - g. C'est tout ce que je peux faire pour vous. - h. Il m'a expliqué ce qu'il fallait faire. - i. Dis-moi ce que tu en penses. - j. Il n'a eu que ce qu'il méritait !

C'EST

Traductions de « c'est »   195

1. C'est

« Ce » ne se traduit pas :
È inutile.   C'est inutile.
Che cos'è?   Qu'est-ce que c'est ?
Sono cose che capitano.   Ce sont des choses qui arrivent.

Le verbe *essere* s'accorde toujours avec le sujet :
Sono io.   C'est moi.
Siamo noi.   C'est nous.

L'interrogation ne diffère pas de l'affirmation, si ce n'est par l'intonation et la ponctuation :
È chiuso?   C'est / Est-ce fermé ?

2. « C'est moi qui... / c'est toi qui... »

Cette construction se traduit en italien par la postposition du sujet :
L'ho detto io.   C'est moi qui l'ai dit.
Mais aussi par :
Sono io che l'ho detto.   C'est moi qui l'ai dit.

Postposition du sujet, voir 309 ◄

3. « C'est moi que... / c'est toi que... »

Cette construction se traduit par la postposition du pronom à la forme forte :

*Hanno scelto **me**.*   C'est moi qu'ils ont choisi.

4. « C'est à moi, à toi... »

Lorsque cette construction exprime la possession, elle se traduit par le simple pronom possessif :

*È **mio**, è **tuo**...*   C'est à moi, c'est à toi...

Ou par **è *di*** quand un nom suit :

*È **di** mia madre.*   C'est à ma mère.   *È **del** Signor Rossi.*   C'est à monsieur Rossi.

Voir aussi Appartenance 181 ◄

Lorsque « c'est à moi, c'est à toi » signifie « c'est mon tour, c'est ton tour », etc. il se traduit par ***tocca a me, tocca a te***... :

*****Tocca a me** parlare.*   C'est à moi de parler.

• « C'est à moi / à toi / à lui... de... » signifiant « c'est mon devoir / ton devoir... » se traduit par ***spetta a***... :

*****Spetta a me** trovare la soluzione.*   C'est à moi de trouver la solution (= il revient à moi de...)

5. « C'est pourquoi... »

Cette construction se traduit par ***ecco perché*** ou ***è per questo (che)*** :

*Sono molto occupato, **ecco perché** non posso accettare l'invito.*

Je suis très occupé, c'est pourquoi je ne peux pas accepter l'invitation.

6. « C'est-à-dire » = *cioè*

*Scenda al capolinea, **cioè** all'ultima fermata.*

Descendez au terminus, c'est-à-dire au dernier arrêt.

À VOUS !

128. Traduisez :

a. Ne l'oublie pas, c'est très important ! - b. C'est lui qui l'a dit. - c. Cet ordinateur, c'est à mon père. - d. Aujourd'hui, c'est à toi de faire les courses. - e. Allô ? Bonjour, chérie, c'est moi. - f. C'est à vous de faire respecter les ordres. - g. C'est nous qui voulons essayer. - h. C'est à moi que tu parles ? - i. C'est les vacances. - j. Je ne connais pas Rome, c'est pourquoi je voudrais y aller.

CHE? ou *QUALE?*

196 | Distinguer *che* de *quale*

Che et ***quale*** sont des adjectifs ou pronoms interrogatifs qu'il ne faut pas confondre.

Interrogatifs, voir 31 ◄

Comparez :

che est invariable	quale a un pluriel ⟶ quali
Che libri hai comprato?	*Quali libri hai comprato?*
Quels livres as-tu achetés ?	
Che lingue parli?	*Quali lingue parli?*
Quelles langues parles-tu ?	

1. *Che* ou *quale* adjectifs interrogatifs

Synonymes, ils signifient « quel(s) ? quelle(s) ? »
In che città sei nato?   *In quale città sei nato?*
            Dans quelle ville es-tu né ?

Il peut y avoir, toutefois, une petite nuance de sens entre *che* et *quale*.
Par exemple : « *Che libro leggi?* » (Quel livre lis-tu ?) implique en réponse le titre du livre lu, alors que « *Quale libro leggi?* » peut impliquer un choix : « *Il nome della Rosa o La Storia?* » (lequel parmi ceux-là ?). Mais la langue parlée tend à effacer cette distinction, préférant dans les deux cas la forme **che**.

2. *Che* pronom interrogatif

Il est invariable, ne s'applique qu'aux non-animés et correspond au français « que » :
Che fai?   Que fais-tu ?

D'autres formes sont fréquentes : **che cosa?** ou **cosa?**
Che cosa *hanno fatto?* (**Che** *hanno fatto?* **Cosa** *hanno fatto?*)
Qu'ont-ils fait ? (Qu'est-ce qu'ils ont fait ?)
A **che (cosa)** *pensi?*
À quoi penses-tu ?
Di **che (cosa)** *ti lamenti?*
De quoi te plains-tu ?
Che (cos') *è la poesia?*
Qu'est-ce que la poésie ?

Les trois formes *che? che cosa? cosa?* sont équivalentes. Leur utilisation diffère selon les régions.

3. *Quale* pronom interrogatif

Il s'applique à la fois aux personnes et aux choses et correspond à « lequel, laquelle » :
Quale delle due hai scelto?
Laquelle des deux as-tu choisie ?
Quali di loro sono stati chiamati?
Lesquels d'entre eux ont été appelés ?

Devant è (ou era), *quale* perd son e final sans prendre d'apostrophe *(qual è?)* et se traduit par « quel(le) est ? » :
Qual è il motivo della Sua visita?
Quelle est la raison de votre visite ?

Voir Apocope 179 ◄

Le pluriel *quali sono...?* se traduit par « quel(le)s sont... ? » :
Quali sono le condizioni per aprire un conto corrente?
Quelles sont les conditions pour ouvrir un compte courant ?

4. *Che* et *quale* avec le subjonctif

À la forme **interrogative indirecte,** la phrase dépendant des pronoms interrogatifs *che* et *quale* suit la concordance des temps au subjonctif :

*Non so che (cosa) **facciano (abbiano fatto, facessero...)**.*
Je ne sais pas ce qu'ils font (ont fait, faisaient).
*Tra le soluzioni proposte, mi chiedo quali **preferiscano**.*
Parmi les solutions proposées, je me demande lesquelles ils préfèrent.

Voir Interrogation indirecte 155 ◀

À VOUS !

129. Traduisez :
a. En quoi puis-je vous être utile ? - b. Qu'y a-t-il de nouveau ? - c. Je ne sais pas quelle décision prendre à ce sujet. - d. Laquelle des deux voitures préfères-tu ? - e. Il ne sait pas quels sont ses droits. - f. À quelle heure arrivent-ils ? - g. De quoi s'agit-il ? - h. Quelle est sa position ? - i. Ils se demandaient quelle était sa motivation. - j. Parmi les différentes propositions, lesquelles te semblent les plus adaptées ? - k. Qu'est-ce que tu fais ce soir ? - l. Qu'est-ce que le Style ? - m. Qu'en penses-tu ?

CHEZ

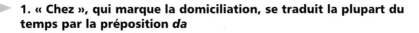

197 Traductions de « chez »

1. « Chez », qui marque la domiciliation, se traduit la plupart du temps par la préposition *da*

Da, voir 211 ◀

La préposition *da* se contracte avec l'article défini qui peut la suivre.
*Abita **da** sua zia (= **a casa di** sua zia).*   Il habite chez sa tante (à la maison de sa tante).
*Vado **dal** medico (= **nello studio** del medico).*   Je vais chez le médecin (à son cabinet).
*Vado **dal** panettiere (= **nel negozio** del panettiere).*   Je vais chez le boulanger (dans son magasin).

Article contracté, voir 11 ◀

{ Si « chez » est précédé d'une préposition, il ne peut être traduit par *da*. On utilise dans ce cas la forme explicite *(a casa di... nello studio di...)* :

Parto da casa mia.   Je pars de chez moi.
Abito vicino a casa tua.   J'habite près de chez toi.
Esce ora dallo studio del medico.   Il sort à l'instant de chez le médecin.

{ Il existe deux possibilités pour traduire « chez moi (chez toi, lui, etc.) » :
a casa mia (tua, sua...) ou *da me (da te, da lui...)*

Da s'emploie exclusivement avec les personnes :
Comparez :

*Vado **dal** farmacista.*	*Vado **in** farmacia.*
Je vais chez le pharmacien.	Je vais à la pharmacie.

Mais avec le nom d'une société :

Je vais **chez** FIAT. ⟶ *Vado **alla** FIAT.*

À propos d'une adresse, on peut traduire « chez » par *presso* :

*Mi scriva **presso** il signor Galimberti.*   Écrivez-moi chez monsieur Galimberti.

2. Quand « chez » signifie « parmi », il peut se traduire par :

presso ou *tra* :

*Questa è l'usanza **presso** / **tra** i Cinesi.*   Tel est l'usage chez les Chinois.

in :

Negli animali, l'istinto è molto sviluppato.   Chez les animaux, l'instinct est très développé.

3. Quand « chez » s'emploie dans un sens figuré et signifie « dans l'esprit », « dans le caractère de », il se traduit par *in* :

*C'è una cosa che non capisco **in** lui.*
Il y a une chose que je ne comprends pas chez lui.

De même, lorsque « chez » signifie « dans l'œuvre de » :

*Il tema della provvidenza divina è fondamentale **in** Manzoni.*
Le thème de la Providence divine est fondamental chez Manzoni.

À VOUS !

130. Traduisez :

a. Je vais déjeuner chez des amis. - b. Il travaille chez Renault depuis quinze ans. - c. C'est une attitude fréquente chez les jeunes. - d. Il habite une chambre meublée chez Madame Marini. - e. Ils ont emmené l'enfant chez un spécialiste. - f. Viens chez moi, j'habite chez une copine. - g. L'astronomie était très développée chez les Mayas. - h. On sent un grand pessimisme chez Buzzati. - i. Il a été embauché chez Olivetti. - j. Chez nous, on mange à huit heures. - k. Derrière chez moi, il y a un étang. - l. Ils sont tristes car ils sont loin de chez eux. - m. Marta n'est pas encore revenue de chez Luisa ?

CHIUNQUE

Emplois de *chiunque*   198

Chiunque est un pronom indéfini, invariable, qui ne s'emploie qu'au singulier.
Sa traduction en français varie selon le contexte.

1. *Chiunque* = n'importe qui

*Questo lavoro, può farlo **chiunque**.*   Ce travail, n'importe qui peut le faire.
***Chiunque** saprebbe farlo!*   N'importe qui saurait le faire !
*Non ti fidare di **chiunque**!*   Ne te fie pas à n'importe qui !

2. *Chiunque* = celui qui - tous ceux qui - quiconque

Quand *chiunque* met en relation deux propositions, il exige le subjonctif de la proposition subordonnée, en respectant la concordance des temps :

Chiunque voglia, può riuscirci.   Celui qui le veut, peut y arriver. (Quiconque le voudra…)
*Aiutava **chiunque** ne avesse bisogno.*   Il aidait tous ceux qui en avaient besoin.

Chiunque sia signifie « qui que ce soit » :
Chiunque sia, non aprire la porta!   Qui que ce soit, n'ouvre pas la porte !

Voir aussi Indéfinis 35 ◀

131. Traduisez :
a. Je ne le dirais pas à n'importe qui. - b. N'importe qui y arriverait. - c. Tous ceux qui en font la demande l'obtiennent. - d. L'entrée était libre pour tous ceux qui voulaient assister au spectacle. - e. Il le donnera au premier arrivé, quel qu'il soit. - f. Il sait le faire mieux que quiconque (d'autre). - g. Quiconque trouvera mon portefeuille sera récompensé. - h. Elle demanderait n'importe quoi à n'importe qui. - i. Quiconque le ferait, serait puni. - j. Qui que ce soit, n'ouvre pas la porte !

-CO et -GO

(noms en ~)

199 Pluriel des mots en *-co* et *-go*

1. Pluriel des mots en *-co*

Les mots « *piani* » (accent sur l'avant-dernière syllabe) ont un pluriel en *-chi* :

arco ⟶ *archi*   arc(s)   *cuoco* ⟶ *cuochi*   cuisinier(s)

⸮ Exceptions :
amico ⟶ *amici*   *nemico* ⟶ *nemici*   *greco* ⟶ *greci*   *porco* ⟶ *porci*
    ami(s)   ennemi(s)   grec(s)   porc(s)

Les mots « *sdruccioli* » (dont l'accent est sur l'antépénultième syllabe) ont généralement un pluriel en *-ci* :

medico ⟶ *medici*   médecin(s)   *sindaco* ⟶ *sindaci*   maire(s)

⸮ Exceptions :
carico ⟶ *carichi*   chargement(s)   *incarico* ⟶ *incarichi*   charge(s)
rammarico ⟶ *rammarichi*   regret(s)   *valico* ⟶ *valichi*   col(s)

Les adjectifs suivent la même règle que les noms :

bianco ⟶ *bianchi*   blanc(s)   *tossico* ⟶ *tossici*   toxique(s)
*glauco** ⟶ *glauchi*   glauque(s)   *rauco** ⟶ *rauchi*   enroué(s)

* Ces mots sont en effet « *piani* » parce que *-au-* est une diphtongue, ce qui fait donc des mots de deux syllabes.

2. Pluriel des mots en -go

Les mots « *piani* » (dont l'accent est sur l'avant-dernière syllabe) ont un pluriel en **-ghi** :

albergo	→ alberghi	hôtel(s)
fungo	→ funghi	champignon(s)
spago	→ spaghi	ficelle(s)

Les mots « *sdruccioli* » (dont l'accent est sur l'antépénultième syllabe) ont généralement un pluriel en **-gi** :

asparago	→ asparagi	asperge(s)

comme :

astrologo	→ astrologi	astrologue(s)
biologo	→ biologi	biologiste(s)
cardiologo	→ cardiologi	cardiologue(s)
entomologo	→ entomologi	entomologiste(s)
filologo	→ filologi	philologue(s)
ornitologo	→ ornitologi	ornithologue(s)
psicologo	→ psicologi	psychologue(s)
teologo	→ teologi	théologien(s)

Sauf les mots suivants qui ont un pluriel en **-ghi** :

apologo	apologue		naufrago	naufragé
arcipelago	archipel		obbligo	obligation
catalogo	catalogue		omologo	homologue
dialogo	dialogue		prodigo	prodigue
epilogo	épilogue		profugo	réfugié
girovago	ambulant		prologo	prologue
monologo	monologue		sacrilego	sacrilège

3. Les mots féminins en -ca et -ga font toujours -che et -ghe

amica	→ amiche	amie(s)	riga	→ righe	ligne(s)
mucca	→ mucche	vache(s)	valanga	→ valanghe	avalanche(s)

À remarquer :

il Belga / la Belga → i Belgi / le Belghe
le / la Belge — les Belges

Voir aussi noms en *-a* 165 ◀

A VOUS !

132. Mettez au pluriel, en soulignant la syllabe accentuée :
albergo - antico - asparago - attico - banca - bellico - bianca - calco - celtica - celtico - fantastico - gorgo - lacca - lago - lega - manico - orco - paga - palco - pesca - ricco - riga - sacco - simpatico - stanca - tasca - tipico - tropico - vago - vasca.

133. Mettez au pluriel (attention aux exceptions !) :
a. Il classico sovietico. - b. L'amico greco. - c. La collega belga e il collega austriaco. - d. Il medico porta un camice bianco. - e. Mangiato fresco questo fungo non è tossico. - f. È una barca fatta con un tronco d'albero scavato. - g. È un dialogo sarcastico. - h. Questo professore è diventato un ricco e famoso cardiologo. - i. È un antico sarcofago greco. - j. Il falco ha emesso un grido rauco.

COMBIEN

1. « Combien » se traduit par *quanto*

Quanto costa?   Combien cela coûte ?

2. « Combien de » se traduit par *quanto (quanta, quanti, quante)*

Quanto tempo sei rimasto?   Combien de temps es-tu resté ?
Quanta birra hai comprato?   Combien de bière as-tu acheté ?
Quanti libri hai letto?   Combien de livres as-tu lus ?
Quante cravatte hai?   Combien de cravates as-tu ?

Interrogatifs, voir 31 ◀

3. « Combien » introduisant une subordonnée

Il se traduit par *quanto* + subjonctif.
Dans une phrase interrogative indirecte ou au discours indirect, le verbe introduit par *quanto* est au subjonctif, bien que la langue parlée préfère l'indicatif.
Non sai quanto sia felice di questa notizia.
Tu ne sais pas combien je suis heureux de cette nouvelle.
Mi raccontava quanto quel periodo fosse stato difficile per lui.
Il me racontait combien cette période-là avait été difficile pour lui.

Concordance des temps, voir 162 ◀

4. Pour interroger sur la date

« Le combien sommes-nous ? » se traduit par *quanti ne abbiamo oggi?*

Expression de la Date, voir 213 ◀

5. « Ô combien ! » se traduit par *quantomai*

*Ha assunto una responsabilità **quantomai** pesante.*
Il a pris une responsabilité ô combien lourde.

À la différence du français, le participe passé ne s'accorde pas quand il est précédé de l'auxiliaire *avere* :
*Quanti **libri** hai letto?*
Combien de livres as-tu lus ?

Sauf si un pronom d'objet direct le précède :
*Quanti **ne** hai letti?*
Combien en as-tu lu ?
*Quanto **li** hai pagati?*
Combien les as-tu payés ?

Voir aussi Participe passé, accords 290 ◀

134. Traduisez :
a. Combien de billets as-tu achetés ? - b. Je ne sais combien de fois je le lui ai dit ! - c. Quelles belles chaussures ! Combien les a-t-elle payées ? - d. Combien de personnes as-tu invitées à ton anniversaire ? - e. Cet enfant, ô combien difficile, refuse d'obéir. - f. Combien de vols directs pour Berlin y a-t-il ? - g. Combien d'essence cette voiture consomme-t-elle au kilomètre ? - h. Je me demande combien il a dépensé. - i. Nous ne savons pas encore combien de films sont candidats à l'Oscar. - j. Le combien serons-nous, dimanche prochain ?

COMME

Traductions de « comme » 202

« Comme » se traduit de différentes façons en italien, selon le sens qu'il adopte et la fonction qu'il occupe.

1. « Comme », conjonction de subordination

Cause : *siccome, dato che, visto che*
Siccome piove, oggi non esco.
Comme (puisque) il pleut, aujourd'hui je ne sors pas.

Temps (pour marquer la simultanéité) : *nel momento in cui, allorché, proprio mentre, quando, appena*
Siamo andati via nel momento in cui lui arrivava.
Nous sommes partis comme (au moment où) il arrivait.

Comparaison : *come*
È biondo come sua madre.
Il est blond comme sa mère.

On peut également dire :
È così biondo come sua madre.
È tanto biondo quanto sua madre.

Comparatifs, voir 72 ◀

Comparaison hypothétique (« comme si ») : *come se*

• *Come se* est suivi du subjonctif imparfait ou plus-que-parfait, selon la règle de la concordance des temps.
Si comporta come se fosse suo padre.
Il se comporte comme s'il était son père.

Concordance des temps, voir 163 ◀

• Dans la langue écrite et littéraire, « comme si » peut être traduit par *quasi* :
Lo guardò appena, quasi fosse stato un estraneo.
Il le regarda à peine, comme s'il avait été un inconnu.

2. « Comme », adverbe

Adverbe d'intensité : *come...! quanto...!*
Come et *quanto* s'emploient avec les verbes :
Come *piove!* **Quanto** *piove!*
Comme il pleut !

Adverbe exclamatif : *che... !*
Avec le sens de « comme », *che* s'emploie avec les adjectifs :
Che *bello!*   Comme c'est beau !

Exclamatifs, voir 33 ◄◄◄

Adverbe interrogatif dans l'interrogation indirecte : *come* + indicatif ou subjonctif
Non so come fa (faccia) per sedurre tutti.
Je ne sais comment il fait pour séduire tout le monde.

Interrogatifs, voir 31 ◄◄◄

Adverbe de manière : *come*
Sai com'è lei!   Tu sais comme elle est !

« Comme » = « en tant que » : *come, in qualità di, in veste di*
Come *avvocato non vale un gran ché.*
En tant qu'avocat, il ne vaut pas grand-chose.
L'ho assunta **come** *interprete.*
Je l'ai embauchée comme interprète.
Ha partecipato alla riunione **in veste di** *amministratore (***in qualità di** *amministratore).*
Il a participé à la réunion comme (en qualité de) syndic.

3. Expressions et locutions avec « comme »

• comme ci, comme ça : *così così*
Com'è andata oggi? – Così, così...
Comment ça s'est passé aujourd'hui ? – Comme ci, comme ça...

• comme il faut : *perbene, come si deve, a modo*
È una persona molto **perbene** *(come si deve, a modo).*
C'est une personne très « comme il faut ».

• comme tout : *proprio, davvero*
I suoi amici sono **proprio** *simpatici.*
Ses amis sont sympa comme tout.

• comme quoi (conclusion) : *per cui, perciò*
Per cui *tutto finisce sempre bene.*
Comme quoi, tout finit toujours par s'arranger.

◣◣◣ À VOUS ! ▶▶▶

135. Traduisez :
a. Nous sommes italiens comme elle. - b. Comme c'est difficile ! - c. Comme c'est difficile, il nous faudra beaucoup de temps pour résoudre ce problème. - d. Comme ils se réveillaient, le chat commençait à miauler pour sortir. - e. Il est jaloux comme tout ! - f. Elle est très permissive, comme mère. - g. Comme c'est étrange : il se comporte comme s'il savait quelque chose.

COMPARATIF et SUPERLATIF

Comparatif et superlatif réguliers, voir 72, 74 ◀━━

Formes irrégulières du comparatif et du superlatif `203`

forme positive	comparatif	superlatif absolu
bene bien	*meglio* mieux	*benissimo* très bien
male mal	*peggio* pire	*malissimo* très mal
buono bon	*migliore* *più buono* meilleur	*ottimo* *buonissimo* excellent / très bon
cattivo mauvais	*peggiore* *più cattivo* pire, plus mauvais	*pessimo* *cattivissimo* très mauvais
alto haut (grand)	*superiore* supérieur *più alto* plus haut	*supremo (sommo)* suprême *altissimo* très haut
basso bas	*inferiore* inférieur *più basso* plus bas	*infimo* infime *bassissimo* très bas
grande grand	*maggiore* majeur *più grande* plus grand	*massimo* maximum *grandissimo* très grand
piccolo petit	*minore* mineur, moindre *più piccolo* plus petit	*minimo* minime / minimum *piccolissimo* très petit

Emplois des comparatifs et superlatifs irréguliers `204`

Les formes irrégulières coïncident pour la plupart en français et en italien et leur emploi est en général le même, à quelques différences près.

1. En italien, on peut utiliser le comparatif régulier *più buono / più cattivo* quand il s'agit du goût ou des qualités de cœur de quelqu'un :

*Questo vino è **migliore (più buono)** dell'altro.*   Ce vin est meilleur que l'autre.
*Giorgio è **migliore (più buono)** di Giuseppe.*   Giorgio est meilleur (il a plus de cœur) que Giuseppe.

La forme irrégulière est préférée dans les autres cas :
*Ha un carattere ben **peggiore** del tuo!*   Il a un caractère bien pire que le tien !

2. *Superiore* et *inferiore* se traduisent souvent par « au-dessus » et « au-dessous » :

*È di statura **superiore** alla media.*   Il a une taille au-dessus de la moyenne.

3. *Maggiore* et *minore* s'utilisent beaucoup plus en italien qu'en français, qui leur préfère « plus grand, plus petit ».

*Ha un potere di concentrazione **maggiore** del mio.*
Il a un pouvoir de concentration plus grand que le mien.

Qualifiant des personnes, *maggiore* et *minore* signifient « aîné » et « cadet » :
*Il mio fratello **maggiore**, la mia sorella **minore**.*
Mon frère aîné, ma sœur cadette.

> *Maggiore* et *minore* se réfèrent à **l'âge** et non à la taille d'une personne :
> *È **maggiore** di me ma non è **più alto** di me.*
> Il est **plus vieux** que moi mais il n'est pas **plus grand** que moi.

205   Formes particulières de superlatifs

Certains adjectifs, très rares, adoptent des terminaisons d'origine latine pour former leur superlatif :

-errimo

acre	âcre	*acerrimo*		*misero*	misérable	*miserrimo*
aspro	aigre	*asperrimo*		*salubre*	salubre	*saluberrimo*
celebre	célèbre	*celeberrimo*				

-entissimo

benefico	bénéfique	*beneficentissimo*
benevolo	bienveillant	*benevolentissimo*
magnifico	magnifique	*magnificentissimo*
malefico	maléfique	*maleficentissimo*
malevolo	malveillant	*malevolentissimo*
munifico	généreux	*munificentissimo*

À VOUS !

136. Paraphrasez les formes en italique en utilisant la forme irrégulière :
ex : È a un livello *più alto* ⟶ È a un livello **superiore**.

a. La sua sorella *più piccola* abita a Torino. - b. È un dettaglio *piccolissimo*, senza importanza. - c. È il *più cattivo* dolce che abbia mai fatto, è davvero *cattivissimo*! - d. Ha avuto un ruolo *piccolissimo* nella storia. - e. Sartre è il *più grande* esponente dell'esistenzialismo francese. - f. È un *buonissimo* affare. - g. L'euro è sceso a un livello *bassissimo*, *più basso di* qualsiasi previsione.

137. Traduisez :
a. C'est ma meilleure amie. - b. Il est son pire ennemi. - c. Il lui parla avec le plus grand respect. - d. Il a accompagné sa fille cadette au cinéma. - e. C'est une très bonne cuisinière. - f. Dante est l'un des plus grands écrivains de tous les temps. - g. Il a un très mauvais caractère. - h. Il parle anglais pire que nous. - i. Il parle un très mauvais allemand. - j. Je ne veux pas courir le moindre risque. - k. Je vous demande la plus grande discrétion sur cette affaire.

CON

La préposition « con » exprime en italien les compléments d'accompagnement, de cause, de moyen et de manière, qui ont en français plusieurs possibilités de traduction.

Voir aussi Prépositions 77 ◀

1. *CON* = AVEC

accompagnement	*Vieni con me.*	Viens avec moi.
cause	*Con questo caldo, non ho voglia di camminare.*	Avec cette chaleur, je n'ai pas envie de marcher.
manière	*Ascoltare con attenzione.*	Écouter avec attention.
moyen	*Faccio la maionese con il frullatore.*	Je fais la mayonnaise avec le mixeur.

2. *CON* = PAR

moyen	*È arrivato con il treno delle cinque.*	Il est arrivé par le train de cinq heures.
	Che cosa vuoi dire con questo?	Que veux-tu dire par là ?
cause	*Con questo freddo non ho voglia di uscire.*	Par ce froid je n'ai pas envie de sortir.

3. *CON* = DE

moyen	*Scrivere con la mano desta.*	Écrire de la main droite.
	L'ho visto con i miei occhi.	Je l'ai vu de mes propres yeux.
	Indicare con il dito.	Montrer du doigt.
manière	*Ti amo con tutto il cuore.*	Je t'aime de tout mon cœur.
	Mangiare con appetito.	Manger de bon appétit.

4. *CON* = À

caractérisation par accompagnement	*Risotto con i funghi.*	Risotto aux champignons.
	Lavare con l'acqua calda e con il sapone.	Laver à l'eau chaude et au savon.
	Pescare con la lenza.	Pêcher à la ligne.
	Una donna con i capelli lunghi.	Une femme aux cheveux longs.
	Una finestra con le tende bianche.	Une fenêtre aux rideaux blancs.

5. *Con* non traduit en français

Il ne se traduit pas quand il signifie « ayant » :
Parlava con la sigaretta in bocca.
Il parlait la cigarette à la bouche.
Era seduta con le gambe accavallate.
Elle était assise les jambes croisées.

6. *Con* + infinitif substantivé

À valeur de gérondif
*Con l'insistere in questo modo finirai per innervosirlo (**insistendo** in questo modo...).*
En insistant de cette manière tu finiras par l'agacer.
*Con il piangere (**piangendo**) non si risolve nulla.*
En pleurant on ne résout rien.

Avec des auxiliaires d'aspect
Précédé de *finire, incominciare, continuare...*, *con* se traduit par « par + infinitif »
*Ha finito **con** il confessare la verità.*
Il a fini par avouer la vérité.
*Cominciamo **con** il presentare il nostro ospite!*
Commençons par présenter notre invité !
*Continuiamo **col** citare i nomi dei prescelti.*
Continuons par citer les noms des élus.

Voir aussi Infinitif 254 ◀

À VOUS !

138. Traduisez :
a. J'écris aussi bien de la main droite que de la main gauche. - b. Nous l'avons entendu de nos propres oreilles. - c. Il l'a accueilli par des insultes. - d. Il attendait les mains dans les poches. - e. Par un froid pareil il vaut mieux ne pas sortir. - f. L'homme aux cheveux blancs regardait l'enfant avec amour. - g. J'ai lavé le sol à l'eau, puis je l'ai désinfecté à l'alcool et enfin je l'ai lustré à la cire. - h. Il est patient avec les enfants. - i. Il finit par être antipathique à tout le monde. - j. Il soulignait les fautes au crayon rouge.

CONDITIONNEL

207 Emplois particuliers du conditionnel

1. Subordonnées au conditionnel

Dans les subordonnées dépendant d'un verbe au passé, le « futur dans le passé » est exprimé par le conditionnel passé :
*Aveva detto che **avrebbe fatto** il possibile per aiutarci.*
Il avait dit qu'il ferait tout son possible pour nous aider.
*Dicevano che **sarebbe diventato** una persona importante.*
Ils disaient qu'il deviendrait une personne importante.
*Pensavo che **sarebbe venuto**.*
Je pensais qu'il viendrait.

Comme le montrent les exemples, la concordance des temps est ici différente dans les deux langues : en français, le « futur dans le passé » est exprimé par le conditionnel présent alors que le conditionnel passé exprime, dans un système hypothétique, une action passée antérieure à l'action de la principale :
*Pensavo che **sarebbe venuto** (se avesse potuto).*
Je pensais qu'il serait venu (s'il avait pu).

Pour la traduction du français vers l'italien, la règle de concordance est simple :

principale au passé ▶ subordonnée au conditionnel passé

Pour la traduction de l'italien vers le français, il faut considérer le contexte pour déterminer si en français il s'agit d'un conditionnel présent (= « futur dans le passé ») ou d'un conditionnel passé (= marquant une action antérieure) :

*Ero sicura che mi **avrebbe telefonato**, così non sono uscita e ho aspettato la sua chiamata.*
J'étais sûre qu'il **m'appellerait**, donc je ne suis pas sortie et j'ai attendu son appel.
→ Conditionnel présent, car il s'agit d'un futur dans le passé.

*Ero sicura che mi **avrebbe telefonato** se avesse avuto un contrattempo.*
J'étais sûre qu'il **m'aurait appelée** s'il avait eu un contretemps.
→ Conditionnel passé, car il s'agit de la conséquence d'une hypothèse non réalisée.

2. Principale au conditionnel

Une principale au conditionnel entraîne toujours une subordonnée au subjonctif (imparfait ou plus-que parfait).

principale au conditionnel ▶ subordonnée au subjonctif imparfait

Lorsque l'action de la subordonnée est postérieure à l'action de la principale, elle est exprimée par le subjonctif imparfait :

*Mi piacerebbe che tu **andassi** a vedere quel film per parlarne con te.*	*Mi sarebbe piaciuto che tu **andassi**...*
J'aimerais que tu ailles voir ce film pour en parler avec toi.	J'aurais aimé que tu ailles...

principale au conditionnel ▶ subordonnée au subjonctif plus-que-parfait

Lorsque l'action de la subordonnée est antérieure à celle de la principale, elle est exprimée par le subjonctif plus-que-parfait :

*Preferirei che non **avesse** ancora **cenato** per poter andare a cena insieme.*	*Avrei preferito che non **avesse** ancora **cenato**...*
Je préférerais qu'il n'ait pas encore dîné pour pouvoir aller dîner ensemble.	J'aurais préféré qu'il n'ait pas encore dîné...

Verbes du type *dire* et *pensare* au conditionnel dans la principale
Employés au conditionnel présent dans une proposition principale, *dire* ou *pensare* entraînent une **subordonnée au présent** (de l'indicatif ou du subjonctif) :

Direi che è (sia) meglio così.	*Penserei che non **ha** (**abbia**) torto.*
Je dirais que c'est mieux ainsi.	Je penserais qu'il n'a pas tort.

3. L'hypothèse sans *se*

Une condition sans « si » exprimée en français par un conditionnel se traduit toujours en italien par un subjonctif plus-que-parfait. Le fait que *se* puisse être sous-entendu ne modifie pas la concordance des temps :

conditionnel passé en français	subjonctif plus-que-parfait en italien
Vous me l'**auriez dit** avant, j'aurais réservé. (= si vous me l'aviez dit avant....)	*(se) me l'**aveste detto** prima, avrei prenotato.*

139. Transformez au présent selon le modèle :
ex : Diceva che sarebbe venuto → Dice che verrà.

a. Mi aveva promesso che l'avrebbe fatto. - b. Gli aveva risposto che ci avrebbe riflettuto. - c. Speravano che l'avrebbe ritrovato. - d. Affermavano che avresti potuto. - e. Pensavo che avrebbe mantenuto la promessa. - f. Ero sicura che non mi avrebbe dimenticata. - g. Aveva scommesso che la sua squadra vincerà. - h. Sapevo che avrebbe detto di sì.

140. Transformez au passé selon le modèle :
ex : Dice che verrà → Diceva che **sarebbe venuto.**

a. Pensa che lo farà. - b. Credo che accetteranno. - c. Siamo sicuri che dirà di no. - d. Dicono che ci sarà lo sciopero. - e. Non pensiamo che lo troverete. - f. Sembra che pioverà. - g. Spero che lo gradirà. - h. Si augurano che non succederà più. - i. Temo che non ci riuscirà. - j. Sono certa che mi aiuterete.

141. Traduisez :
a. J'étais convaincue qu'il ferait un chef-d'œuvre. - b. La radio annonçait qu'il y aurait une tempête. - c. J'étais sûr que cela te plairait. - d. Ils nous ont écrit qu'ils arriveraient le lendemain. - e. L'accord était que la réunion serait à vingt heures. - f. J'ai cru qu'ils ne finiraient pas à temps. - g. Il m'a dit qu'il me rendrait l'argent le plus vite possible. - h. Il m'avait promis que personne ne saurait la vérité. - i. Ses parents pensaient qu'ils se marieraient l'année suivante. - j. Elle savait qu'il lui mentirait encore.

CONSÉQUENCE

208 | Expression de la conséquence

1. Avec les conjonctions de coordination

Dans deux propositions indépendantes coordonnées, la conséquence (c'est-à-dire le résultat de l'action de la première proposition) est exprimée dans la seconde par le biais de conjonctions comme **quindi, dunque, perciò** :
*Ho sonno, **quindi** vado a dormire.*
J'ai sommeil, donc je vais me coucher.

2. Avec les subordonnées consécutives

Dans les subordonnées consécutives, qui expliquent le résultat de l'action exprimée par le verbe de la principale, la conséquence est introduite par :

Così (talmente, tanto) + adjectif + che
Lorsque le sujet de la principale est différent de celui de la subordonnée :
la conséquence est exprimée par *che* suivi de l'indicatif.
*È **così** bella, **che** la guardano tutti.*
Elle est si belle que tout le monde la regarde.
*Sono ragazzi **così** studiosi, **che** riusciranno senz'altro a superare l'esame.*
Ce sont des jeunes gens si studieux qu'ils réussiront certainement leur examen.

◗ **Così** *(talmente / tanto)* **+ da + infinitif**
Lorsque le sujet de la principale coïncide avec le sujet de la subordonnée :
la conséquence peut être exprimée par *da* **suivi de l'infinitif.**
È così bella da far ingelosire tutte le altre (= che fa ingelosire tutte le altre).
Elle est si belle qu'elle rend jalouses toutes les autres.
Ha gridato tanto da svegliare tutti. (= che ha svegliato tutti).
Il a tellement crié qu'il a réveillé tout le monde.

La forme avec *da* **+ infinitif, en revanche, est préférable quand la principale est**
une phrase négative ou interrogative :
Non è così stanco da non poter guidare.
Il n'est pas si fatigué qu'il ne puisse conduire.
Ti sembra così stupido da non capire?
Te semble-t-il si stupide qu'il ne puisse comprendre ?

◗ *Tale ... che / Tale...da*
Tale peut précéder ou suivre le nom auquel il se réfère, et être suivi de *che* + indicatif ou *da* + infinitif, sans différences de sens :
Ha una tale forza, che può sollevare un armadio.
Ha una forza tale, da sollevare un armadio.
Il a une telle force qu'il peut soulever une armoire.

À VOUS !

142. Traduisez :
a. Il était si maigre qu'ils l'appelaient « petit squelette ». - b. Elle est tellement en colère qu'elle ne veut plus me voir. - c. Ils ont tant insisté que j'ai accepté leur proposition. - d. Nous sommes en retard, donc dépêchons-nous ! - e. Ils étaient si fatigués qu'ils n'arrivaient pas à s'endormir. - f. La malade n'était pas si faible qu'elle ne puisse se lever du lit.

143. Reliez les deux propositions en exprimant la conséquence avec *perciò* *(quindi, dunque), così... che, così... da...*
ex. : È intelligente. Ci può riuscire ⟶ È intelligente, quindi ci può riuscire.

a. Sono in ritardo. Affretto il passo. - b. Ha parlato troppo piano. Nessuno ha sentito. - c. Non vuole ingrassare. Mangia solo carne e insalata. - d. Non è completamente sordo. Può sentire. - e. È fortunato. Tutti lo invidiano. - f. È fortunato. Fa invidia a tutti. - g. È emozionata. Non riesce a parlare.

COULEUR

Accord des adjectifs de couleur   209

La plupart des adjectifs de couleur s'accordent en genre et en nombre avec le nom qu'ils qualifient :
Una macchina rossa.
Une voiture rouge.

Delle camicie gialle.
Des chemises jaunes.

Pour une expression plus précise, on peut utiliser la formule *di colore rosso, di colore giallo*, où l'adjectif s'accorde avec le mot masculin *colore* et reste au singulier.

1. Les adjectifs de couleur sont invariables dans les cas suivants

Lorsque un autre terme en précise la nuance

• un adjectif du type *scuro* (foncé), *chiaro* (clair), *pallido* (pâle)… :

Due cravatte rosso scuro.
Deux cravates rouge foncé.

Due vestiti verde cupo.
Deux robes vert sombre.

• un substantif référant à un élément réel (végétal, animal…) :

Una poltrona verde acqua.
Un fauteuil vert eau.

Dei guanti giallo canarino.
Des gants jaune canari.

Lorsque l'adjectif lui-même désigne une couleur par référence

Delle scarpe senape, smeraldo, nocciola, ocra…
Des chaussures moutarde, émeraude, noisette, ocre…

Souvent, dans ce cas, on préfère ajouter *color (color senape, color smeraldo…).*

Sont toujours invariables les adjectifs *rosa, viola* et *blu* :

Una gonna blu.
Une jupe bleue.

Delle tende rosa.
Des rideaux roses.

2. « En couleur / En noir et blanc »

Les photos et les films se définissent par la présence ou non de la couleur :

a colori   en couleur

in bianco e nero   en noir et blanc

Quand le blanc et le noir sont coordonnés, il est d'usage de citer d'abord le blanc :

Una camicia bianca e nera.
Une chemise noire et blanche.

On peut dire, également, malgré le désordre évident de la formule :

La bandiera italiana è bianca, rossa e verde.
Le drapeau italien est vert, blanc et rouge.

À VOUS !

144. Traduisez et accordez lorsqu'il y a lieu :
a. C'est un homme blond avec des chaussures noires. - b. Sa cravate vert bouteille ne va pas avec son pantalon gris. - c. Prête-moi ton écharpe jaune et tes gants noirs ! - d. Tu ne peux pas te tromper : la couverture du livre est moutarde. - e. Ta robe bleu ciel va bien avec tes yeux noisette. - f. J'ai acheté une voiture gris métallisé avec des fauteuils rouges. - g. *La Strada* de Fellini est un film en noir et blanc.

D EUPHONIQUE

210   Le « *d* » euphonique

Les lettres euphoniques sont les lettres ajoutées entre des mots, pour faciliter et rendre plus agréable la succession de certains sons à l'oral, comme par exemple le « t » dans « a-t-il » ou le « s » de « vas-y » en français.

En italien, on peut donc trouver un « d » euphonique à la jonction de deux sons vocaliques, principalement avec la **conjonction e** (et) la **préposition a** (à).

*Un vestito comodo **ed** elegante.*
Une robe confortable et élégante.

*Fino **ad** ora.*
Jusqu'à maintenant.

Le *d* euphonique est toujours **facultatif**, bien qu'il soit souvent préféré à la forme simple. Il est aussi fréquent à l'écrit qu'à l'oral.

Une forme exclusivement écrite de *d* euphonique concerne la conjonction **o** (ou) lorsqu'elle est suivie d'un mot commençant également par o :

*Facilitare **od** ostacolare le operazioni.*
Faciliter ou entraver les opérations.

(préposition)

Recouvrant plusieurs valeurs, la préposition *da* n'a pas de correspondant direct en français.
Voici un récapitulatif de ses différentes traductions.

1. DA = DE

origine, provenance	*Vengo (parto) **da** Milano.*	Je viens (pars) de Milan.
	*… **da** Roma a Firenze.*	… de Rome à Florence.
fonction	*Una nave **da** guerra.*	Un bateau de guerre.
distance	*È lontano **da** qui.*	C'est loin d'ici.
intervalle	***Da** martedì a venerdì.*	De mardi à vendredi.
différence	*È diverso **da** loro.*	Il est différent d'eux.
valeur	*Una moneta **da** 2 euro.*	Une pièce de 2 euros.
cause	*Moriva **dalla** paura.*	Il mourait de peur.

2. DA = CHEZ

domiciliation	*Vado a cena **da** mia madre.*	Je vais dîner chez ma mère.

3. DA = À

fonction	*Una tazza **da** caffè.*	Une tasse à café.
cause	*L'ho capito **dal** suo tono e **da** quello che diceva.*	Je l'ai compris à son ton et à ce qu'il disait.
caractéristique	*Un tappeto **dai** colori vivaci.*	Un tapis aux couleurs vives.
	*Una ragazza **dagli** occhi azzurri.*	Une fille aux yeux bleus.

4. DA = PAR

agent	*La sinfonia composta **da** Verdi.*	La symphonie composée par Verdi.
lieu	*È passato **da** Bologna.*	Il est passé par Bologne.

5. *DA* = EN, EN TANT QUE

qualité	*Ti parlo **da** amico.*	Je te parle en ami.
	*Comportati **da** uomo.*	Comporte-toi en homme.
âge	***Da** bambino era una peste.*	Enfant, c'était une vraie peste.
	*Dice che **da** grande farà l'as-tronauta.*	Il dit que quand il sera grand il sera astronaute.
condition	***Da** avvocato guadagnava bene.*	Lorsqu'il était avocat, il gagnait bien sa vie.

6. *DA* = DEPUIS

| origine temporelle | *Lo conosco **da** tre anni.* | Je le connais depuis trois ans. |

{ Attention : on ne peut pas utiliser *da* dans le sens de « depuis » avec un passé composé :

*Non vado a teatro **da** molto tempo.*   Je ne suis pas allé au théâtre **depuis** longtemps.

*Non lo vedevo **da** anni*   Je ne l'avais pas vu **depuis** des années.

Sauf quand l'action est considérée comme complètement achevée :

*Sono arrivata **da** dieci minuti.*   Je suis arrivée depuis dix minutes.

*Non l'ho più visto **da** allora.*   Je ne l'ai plus vu depuis lors.

Voir aussi Expression du temps avec les prépositions 78 ◄

---

212 Locutions prépositives avec *da*

1. *Da* + adverbe de temps

da allora = « depuis » ou « depuis lors »

*Non gli abbiamo più telefonato **da allora**.*   Nous ne lui avons plus téléphoné depuis lors.

da quando = « depuis que »

***Da quando** è partito molte cose sono cambiate.*   Depuis qu'il est parti bien des choses ont changé.

da ... in poi = « à partir de »

***Da** domani **(in poi)** mi metto a dieta!*   À partir de demain, je me mets au régime !

2. *Da* introduisant une subordonnée infinitive

da + infinitif = obligation

*Questa notizia è **da confermare** (= deve essere confermata).*

Cette nouvelle est à confirmer (= doit être confirmée).

*Non c'è niente **da fare** (= che deve essere fatto).*   Il n'y a rien à faire.

tanto... da + infinitif

• tellement... que...

*Ha parlato **tanto** bene **da** convincere tutti.*   Il a tellement bien parlé qu'il a convaincu tout le monde.

• assez... pour...

*Non sono **tanto** stupidi **da** cadere in questa trappola.*

Ils ne sont pas assez idiots pour tomber dans ce piège.

3. *Da* + pronom personnel

da me, da te, da sé... = *da solo*   moi-même, toi-même, lui-même... = tout seul

*L'ha fatto **da** sé **(da solo)**.*   Il l'a fait lui-même (tout seul).

Voir aussi *Di* ou *Da* 222 ◄

145. Traduisez :

a. Ils ont divorcé et depuis lors ils n'ont plus voulu se voir. - b. Depuis qu'il a commencé à aller à l'école cet enfant a fait de gros progrès. - c. Elle a été vue en compagnie d'un jeune homme aux cheveux blonds. - d. J'ai compris à son regard qu'il avait quelque chose à cacher. - e. Quand il était enfant, il disait que quand il serait grand il voudrait devenir docteur. - f. Depuis que je le connais, il a la passion des chevaux de course. - g. Je n'ai pas mangé d'huîtres depuis des mois. - h. Tu abordes ce sujet en scientifique alors que moi j'en parle en profane.

146. Traduisez :

a. Les banques sont ouvertes à partir de 9 heures, du lundi au vendredi. - b. Elle n'est pas assez naïve pour croire à ces mensonges. - c. J'ai appris par ma voisine que les voleurs se sont enfuis par la fenêtre. - d. Il cherche une chambre à louer depuis le mois de février. - e. Il a acheté un service d'assiettes à dessert chez cet antiquaire. - f. Il habite non loin de Fiumicino, à quelques kilomètres de Rome. - g. Cette chemise est trop chère : montrez-moi l'autre modèle à 50 euros.

DATE, ANNÉES, SIÈCLES

Expression de la date *(la data)*   **213**

Oggi è il 12 ottobre 1999.
Aujourd'hui nous sommes le 12 octobre 1999.
Che giorno è oggi? Oggi è lunedì.
Quel jour sommes-nous aujourd'hui ? Aujourd'hui nous sommes lundi.
Quanti ne abbiamo oggi? Ne abbiamo 12.
Le combien sommes-nous aujourd'hui ? Nous sommes le 12.

Expression des années *(gli anni)*   **214**

1. Les années sont précédées de l'article défini

Cet article se contracte avec une éventuelle préposition :
Il 1961 è stato l'anno del centenario dell'unità d'Italia.
1961 a été l'année du centenaire de l'unité de l'Italie.
Cristoforo Colombo ha scoperto l'America nel 1492.
Christophe Colomb a découvert l'Amérique en 1492.

2. Le millénaire et le siècle peuvent être sous-entendus et remplacés par une apostrophe

C'est le cas lorsque la période dont on parle est évidente :
L'uomo si è posato sulla luna nel '69.
L'homme s'est posé sur la lune en 69.
Il pop è un fenomeno degli anni '60.
Le pop est un phénomène des années 60.

---

215 | Expression des siècles *(i secoli)*

Les siècles – écrits en chiffres romains – sont désignés par un adjectif ordinal.
Mais, à partir du XIIIᵉ siècle, on peut ne préciser que la centaine.
C'est la tournure la plus fréquente (parce que la plus rapide).
Il secolo XVIII = il diciottesimo secolo / il Settecento / il '700
Il secolo XX = il ventesimo secolo /il Novecento / il '900
*I pittori del **Quattrocento**.*   Les peintres du XVᵉ siècle.
*La letteratura dell'**Ottocento**.*   La littérature du XIXᵉ siècle.

À VOUS !

147. Écrivez en toutes lettres :
a. 1861 - b. 1922 - c. 1754 - d. 1915 - e. 1848 - f. 2003 - g. 1996 - h. 1988 - i. 1973 -
j. 3/11/1977 - k. 21/03/1834 - l. 17/07/1781 - m. 30/06/1913 - n. 14/01/1968 -
o. 28/12/1907.

148. « *In che anno...?* » Répondez en écrivant les dates en toutes lettres :
a. Napoleone è incoronato Re d'Italia (1805) - b. Giuseppe Mazzini fonda la Giovane
Italia (1831) - c. È proclamato il Regno d'Italia (1861) - d. Roma è annessa al Regno
d'Italia (1871) - e. A Torino nasce la FIAT (1899) - f. Scoppia la prima guerra mondiale
(1914) - g. Un referendum popolare decide che l'Italia sarà una repubblica (1946) -
h. Nasce la Cassa per il Mezzogiorno (1978).

149. « *In che secolo sono nati?* » Répondez en utilisant les deux formes possibles :
a. Dante Alighieri è nato nel 1265. - b. Giovanni Boccaccio è nato nel 1313. -
c. Leonardo da Vinci è nato nel 1452. - d. Galileo Galilei è nato nel 1564. -
e. Alessandro Scarlatti è nato nel 1660. - f. Alessandro Manzoni è nato nel 1785. -
g. Giuseppe Mazzini è nato nel 1805. - h. Elsa Morante è nata nel 1912.

DE

---

216 | La préposition « de » non traduite en italien

▶ 1. Dans les expressions avec « de » + infinitif

En effet, l'infinitif se trouve être le **sujet** du verbe :
È inutile insistere. (= insistere è inutile)   Il est inutile d'insister.
Sarebbe bello partire.   Ce serait bien de partir.
L'importante è partecipare.   L'important est de participer.
È uno sbaglio crederci.   C'est une faute d'y croire.

▶ 2. À la suite de certains verbes

• **Bastare** (suffire) :
Non basta chiedere scusa.   Il ne suffit pas de demander pardon.
• ***Cambiare*** (changer) :
Ho saputo che hai cambiato macchina.   J'ai appris que tu as changé de voiture.
• ***Sognare qualcosa*** (rêver de quelque chose) :
Stanotte ho sognato mia nonna.   Cette nuit j'ai rêvé de ma grand-mère.

1. Dans des phrases négatives

Non metto zucchero nel caffè.
Je ne mets pas de sucre dans mon café.

2. « Beaucoup de, peu de, trop de, tant de » : *molto, poco, troppo, tanto*

*Mi ha dato **molti** buoni consigli.*
Il m'a donné beaucoup **de** bons conseils.
*Dopo **tanta** fatica, si merita un po' di riposo.*
Après tant **de** fatigue, il mérite un peu de repos.

3. « De nombreux (ses) » : *numerosi/e* ; « d'autres » : *altri/e*

***Numerosi** Paesi hanno votato a favore.*
De nombreux pays ont voté pour.
***Altri** Paesi hanno votato contro.*
D'autres pays ont voté contre.

À VOUS !

150. Traduisez :
a. Il est essentiel de terminer avant ce soir. - b. Elle a changé de coiffure. - c. Il est dangereux de ne pas porter le casque en moto. - d. Pour s'inscrire au stage, il est nécessaire d'envoyer le formulaire rempli. - e. S'il y a un problème, il suffit d'en parler. - f. As-tu jamais rêvé d'un serpent ? - g. Il est stupide de ne pas saisir cette occasion.

151. Traduisez :
a. Je ne vois pas de solutions à ce problème. - b. J'avais mis trop de sel dans l'eau des pâtes ! - c. De nombreux pays ont participé à la Convention alpine. - d. Certains voulaient partir, d'autres voulaient rester. - e. Je ne prends pas de risques inutiles. - f. Il est rare d'arriver à faire beaucoup de choses en même temps. - g. Il ne mange jamais de viande.

DÉMONSTRATIFS

(emplois particuliers)

L'adjectif démonstratif *quel (quella, quei, quelle)* peut précéder un possessif, dans une tournure peu traduisible en français :
Camminava in quella sua maniera un po' strana.
Il marchait de cette étrange façon qui était la sienne.

Emplois particuliers du pronom *quello*

Le pronom quello se décline régulièrement : *quello, quella, quelli, quelle.*

{ Attention de ne pas confondre le pronom avec l'adjectif :
*Hai poi letto **quei** libri? No, non ho letto **quelli**, ne ho letti altri.*
As-tu lu ces livres ? Non, je n'ai pas lu ceux-là, j'en ai lu d'autres.

Quello s'utilise également suivi d'un adjectif, alors que le français emploie l'article :
*Che giacca hai scelto? Ho scelto **quella** verde.*   Quelle veste as-tu choisie ? J'ai choisi **la** verte.

Formes particulières de démonstratifs

1. Le pronom démonstratif *ciò*

Invariable, il signifie « ceci, cela, ça ».
Dans un registre de langue un peu plus recherché, *questo* est remplacé par *ciò* :
*Tutto **ciò** mi lascia indifferente. (Tutto questo…)*
Tout ceci (cela) me laisse indifférent.
***Ciò** significa che non ha capito la situazione. (Questo significa...)*
Cela (ça) signifie qu'il n'a pas compris la situation.

« Ce qui, ce que », voir **194** ◀

2. *Colui, costui*

	singulier	pluriel	singulier	pluriel
masculin	colui		costui	
		coloro		costoro
féminin	colei		costei	

On utilise *colui, colei, coloro* dans un registre de langue plutôt littéraire, pour désigner des personnes.
Ils sont généralement suivis du pronom relatif *che* et utilisés à la place de *quello, quella, quelli, quelle* :
***Colui** che non ha peccato scagli la prima pietra.*
Que celui qui n'a pas péché lance la première pierre.

On utilise *costui, costei, costoro* dans un sens souvent péjoratif, à la place de *questo, questa, questi, queste* :
*Che cosa vuole **costui**?*   Que veut-il celui-là ?

3. *Codesto*

	singulier	pluriel
masculin	codesto	codesti
féminin	codesta	codeste

On utilise *codesto* à la place de *quel(lo)*, surtout en Toscane ainsi que dans une langue littéraire ou administrative, quand l'objet désigné se trouve loin du locuteur mais à proximité de l'interlocuteur :
*Portami **codesta** borsa!*   Apporte-moi ce sac (qui est à côté de toi) !

152. Traduisez :

a. Dis ce que tu veux. - b. Il a fait tout ce qu'il pouvait faire. - c. Il parlait avec ceux qui devaient continuer son travail. - d. Avec cela nous avons terminé. - e. Nous avons deux voitures à disposition : je prends la grande et toi la petite, d'accord ? - f. L'entrée est interdite à tous ceux qui ne font pas partie de l'association. - g. Des deux projets, je préfère celui de l'architecte Boneri.

153. Complétez avec le démonstratif approprié :

a. Tra i due progetti, preferisco … dell'architetto Boneri. - b. … che non capisco, è come possa fare tutto … . - c. Dopo l'incrocio, non prendere la via piccola, ma … grande, alla tua destra. - d. Maestà, … sono banditi che non meritano la Sua benevolenza. - e. Con … sua espressione maliziosa, ci guardava senza dire niente.

DI

(préposition)

Valeurs et traductions de la préposition *di*   221

Di ne recouvre pas toujours les emplois de la préposition française « de ».

Prépositions simples, voir 77 ◀

1. *Di* en italien, « en » en français

matière	*una camicia **di** seta*	une chemise en soie
	*un orologio **d'**oro*	une montre en or
certaines saisons	***d'**inverno, **d'**estate*	en hiver, en été
	(mais… ***in** autunno, **in** primavera*)	
manière	***di** nascosto*	en cachette
	***di** corsa*	en courant
	***di** fretta*	en toute hâte
abondance ou privation	*un piatto ricco **di** proteine*	un plat riche en protéines
	*ma povero **di** calorie*	mais pauvre en calories

2. *Di* en italien, « à » en français

possession	***Di** chi è? È **di** Paola.*	À qui est-ce ? C'est à Paola.
fonction	*La cassetta **delle** lettere.*	La boîte aux lettres.
« chercher à »	*Cerca **di** rendersi utile.*	Il cherche à se rendre utile.
« être à la mode »	*È un colore **di** moda.*	C'est une couleur à la mode.

3. *Di* en italien, « par » en français

verbes d'affirmation	*Rispondere **di** sì o **di** no.*	Répondre par oui ou par non.
verbes de mouvement	*Andare **di** qui e **di** là.*	Aller par-ci par-là.
	*Passare **di** qui (**di** là).*	Passer par ici (par là).

4. *Di* en italien, « que » en français

comparatif entre deux noms ou deux pronoms	*Roma è più grande di Como.*	Rome est plus grande que Côme.

Comparatifs, voir 72 ◄◄◄◄

verbes d'opinion	*Penso di sì.* *Mi sembra di avere ragione.*	Je pense que oui. Il me semble que j'ai raison (il me semble avoir raison*).
verbes déclaratifs	*Ha affermato di avere tele-fonato.*	Il a affirmé qu'il avait télé-phoné (il a affirmé avoir télé-phoné*).

| *L'infinitif est introduit par une préposition en italien mais pas en français (voir ci-dessous).

5. *Di* en italien, pas de préposition en français

Avec les verbes d'opinion et les verbes déclaratifs suivis d'un infinitif :
Pensano di ritornare in Italia con l'aereo.
Ils pensent ø rentrer en Italie par avion.
Spero di avere vinto.
J'espère ø avoir gagné.

Dans l'expression des parties du jour, de l'année, etc., dans un sens général :
di giorno, di notte, di sabato...
le jour, la nuit, le samedi...
Susanna quest'anno lavora anche di sabato.
Cette année, Susanna travaille aussi le samedi.

Certaines prépositions s'accompagnent toujours de *di* pour introduire les pronoms personnels :

senza di me	*sopra di te*	*dietro di lei*
sans moi	sur toi	derrière elle
verso di voi	*contro di loro*	*dopo di Lei*
vers vous	contre eux	après vous (polit.)

Il s'agit des prépositions suivantes : *contro, dentro, dietro, dopo, presso, prima, senza, sopra, sotto, su, verso.*

Tra et *fra* peuvent être ou non suivies de *di* :
tra (di) noi   entre nous

Prima est toujours suivi de *di* :

prima di Roberto	*prima di Natale*	*prima di pranzo*
avant Roberto	avant Noël	avant le repas

Fuori s'utilise sans *di* lorsque le nom qu'il introduit n'est pas précédé d'un article :

Abitare fuori città.	Habiter hors de la ville.
Essere fuori pericolo.	Être hors de danger.
Essere fuori moda.	Être démodé.
Chiuso fuori orario.	Fermé hors des heures de service.

6. Emploi de la préposition dans les titres d'œuvres

Devant les titres de livres, films, noms de journaux, etc. on préfère séparer la préposition de l'article en gardant la forme *de* à la place de *di* :
Manzoni è l'autore de **I** *promessi sposi.*
Manzoni est l'auteur de *Les Fiancés.*

154. Traduisez :

a. Cette table est en bois. - b. En été les journées sont plus longues qu'en hiver. - c. Il a fait le chemin en courant. - d. Il espère trouver un travail une fois arrivé là-bas. - e. L'Italie est un pays pauvre en matières premières. - f. Paris est plus cosmopolite que Turin. - g. Tu peux toujours compter sur moi. - h. Je pense avoir droit à une explication. - i. C'est hors de question ! - j. Il est nécessaire de le savoir avant ce soir et avant eux ! - k. Tu crois vraiment pouvoir vivre sans moi ? - l. Je n'ai rien contre lui, sauf qu'il est beaucoup plus vieux que toi. - m. Après moi, le déluge !

DI ou *DA?*

Distinguer *di* de *da*   222

Di et *da* prêtent souvent à confusion, car on les traduit par « de » dans de nombreux cas. Pourtant, malgré quelques exemples d'emplois équivalents ou presque, ces prépositions ont un sens très différent.

1. Emplois équivalents de *di* et *da*

Certaines expressions sont équivalentes, même si les deux prépositions introduisent deux compléments différents :
*un insieme composto **di** tre parti* (spécification)
*un insieme composto **da** tre parti* (agent)
un ensemble composé de trois parties (par trois parties)

Certaines expressions, avec le verbe ***uscire*** (ou *passare*), sont parfaitement équivalentes :

uscire di casa	= *uscire da casa*	sortir de chez soi
uscire di qui	= *uscire da qui*	sortir d'ici
passare di qui	= *passare da qui*	passer par ici

Certaines expressions particulières, introduites par le verbe ***uscire***, diffèrent dans l'emploi de l'article :

Di sans article ▼	*Da* avec article ▼
sens absolu	lieu déterminé
*uscire **di** prigione*	*uscire **dalla** prigione di Palermo*
sortir de prison	sortir de la prison de Palerme
*uscire **di** casa*	*uscire **dalla** Casa dello Studente*
sortir de chez soi	sortir de la Maison de l'Étudiant
*uscire **di** scuola*	*uscire **dalla** scuola del quartiere*
sortir de l'école	sortir de l'école du quartier

Certaines expressions sont identiques par leur sens (elles expriment la cause) mais diffèrent dans l'emploi de l'article :

cause (*di* sans article)	cause (*da* avec article)	
ride **di** gioia	ride **dalla** gioia	il rit de joie
piange **di** dolore	piange **dal** dolore	il pleure de douleur
trema **di** paura	trema **dalla** paura	il tremble de peur
sospira **di** sollievo	sospira **dal** sollievo	il soupire de soulagement

2. Emplois différents de *di* et *da*

Di : origine	**Da** : provenance
Sono **di** *Roma.*	*Vengo* **da** *Roma.*
Je suis de Rome.	Je viens de Rome.
Di : spécification du contenu	**Da** : fonction (finalité, destination d'un objet)
Una tazza **di** *caffé.*	*Una tazza* **da** *caffé.*
Une tasse de café.	Une tasse à café.
Di : appartenance, possession	**Da** : nécessité
Il lavoro **di** *Franco.*	*Il lavoro* **da** *fare.*
Le travail de Franco.	Le travail à faire.
Di : matière	**Da** : caractéristique
Un anello **di** *brillanti.*	*Un anello* **dai** *brillanti magnifici.*
Une bague de brillants.	Une bague aux brillants magnifiques.
Di : prix	**Da** : valeur
Il prezzo è **di** *27 euro.*	*Un francobollo* **da** *50 centesimi, una moneta* **da** *2 euro.*
Le prix est de 27 euros.	Un timbre à 50 centimes, une pièce de 2 euros.

3. Emplois particuliers

Di ... in		**Da ... a**	
di *città* **in** *città*	de ville en ville	**da** *Parigi* **a** *Londra*	de Paris à Londres
di *giorno* **in** *giorno*	de jour en jour	**dal** *lunedì* **al** *venerdì*	du lundi au vendredi
di *ora* **in** *ora*	d'heure en heure	**dalle** *due* **alle** *tre*	de 2 heures à 3 heures

À VOUS !

155. Traduisez :
a. Puis-je vous offrir une tasse de thé ? - b. Mon ami vient du sud de la France. - c. Cette fille est de Berlin. - d. Il sort maintenant de la gare. - e. Ils ont ri de plaisir à cette nouvelle. - f. Le déjeuner est servi de midi à trois heures. - g. Une équipe de football est formée de onze joueurs. - h. Il faut une pièce de 2 euros. - i. Il a crié de peur. - j. C'est une robe en soie aux couleurs pastel.

156. Complétez avec *di* ou *da* :
a. Usciranno ... prigione tra un anno. - b. È un lavoro ... uomo. - c. Questo appartamento è ... affittare o ... vendere? - d. Quest'acqua non è buona ... bere. - e. Sono ... Milano, vengo ... nord ... Italia. - f. Il lavoro ... oggi è ancora ... fare.

DIVISION EN SYLLABES

Règles de coupure des mots · 223

Tout mot est constitué d'une ou plusieurs syllabes. Pour couper un mot en fin de ligne, il faut respecter les règles de la division en syllabes.

1. Une consonne simple forme une syllabe avec la voyelle qui la suit :

sola → *so-la*   *piramide* → *pi-ra-mi-de*   *medico* → *me-di-co*

2. En cas de double consonne, la première appartient à la syllabe précédente, la seconde à la syllabe suivante :

colla → *col-la*   *cavallo* → *ca-val-lo*   *direttore* → *di-ret-to-re*

3. Un digramme (groupe de deux consonnes) ou un trigramme (groupe de trois consonnes) ne se divisent jamais quand ils constituent un groupe qui peut se trouver en début de mot :

costruire → *co-stru-i-re*   *casco* → *ca-sco*   *posta* → *po-sta*
En effet, *str-*, *sco-* et *sta-* peuvent être en début de mot *(strano, scopo, stazione)*.
Alors que :
comprare → *com-pra-re*
portare → *por-ta-re*
ritmico → *rit-mi-co*
acqua → *ac-qua*

puisque *mpr, rt-, tm-* et *-cq* sont impossibles en début de mot.

4. Deux sons vocaliques qui se suivent appartiennent toujours à des syllabes différentes :

paura → *pa-u-ra*
boato → *bo-a-to*
caotico → *ca-o-ti-co*

5. Quand une consonne est suivie d'une diphtongue*, cette dernière ne se divise pas :

pietra → *pie-tra*
duomo → *duo-mo*

> * On parle de « diphtongue » pour un couple de voyelles dont l'une doit être *i* ou *u* et dont la durée de prononciation est équivalente à celle d'une seule voyelle.
> L'accent tonique du mot porte généralement sur la diphtongue :
> *ieri, siamo, cuore*
> sauf dans certaines exceptions :
> *guadagno* → *gua-da-gno*   *cristianità* → *cri-stia-ni-tà*

6. Une consonne simple comprise entre deux voyelles ou deux diphtongues forme une syllabe avec la voyelle (ou la diphtongue) qui suit :

età → *e-tà*   *uovo* → *uo-vo*   *aria* → *a-ria*

7. On admet l'apostrophe en fin de ligne mais il est préférable de l'éviter, en faisant la coupure à la syllabe précédente :

nel- / *l'armadio*   préférable à   *nell'* / *armadio*

157. Divisez en syllabes les mots suivants :
a. chiave - b. pista - c. oceano - d. cassetta - e. chiromante - f. pesca - g. ascensore - h. cattedrale - i. coinvolto - j. pioggia - k. molto - l. ciascuno - m. lungo - n. aspetto - o. altissimo - p. straccio - q. entrare - r. ieri - s. costruzione - t. marinaio - u. odore - v. corpo - w. uguale - x. fuoco.

DONT

224   Traductions de « dont »

1. « Dont » complément de verbe = *di cui*

*La persona **di cui** ti ho parlato ha cambiato indirizzo.*
La personne dont je t'ai parlé a changé d'adresse.

Comme « dont », *di cui* est invariable, et s'utilise à la place des formes variables *del quale, della quale, dei quali, delle quali,* qui sont des tournures plus recherchées.
*I progetti **dei quali (di cui)** avevamo discusso insieme sono stati approvati.*
Les projets desquels (dont) nous avions discuté ensemble ont été approuvés.

Voir Pronoms relatifs 82

Voir Pronoms relatifs 82 ◀

2. « Dont » suivi d'un nom = *il cui, la cui, i cui, le cui*

L'article s'accorde avec le nom qui suit.
*Il nuovo direttore, **la** cui nomina è prevista per giugno, avrà la responsabilità del settore commerciale.*
Le nouveau directeur, **dont** la désignation est prévue pour le mois de juin, aura la responsabilité du secteur commercial.
Cette forme correspond à *la nomina del quale* (« la désignation duquel »), également acceptable mais bien plus rare.
Il s'agit en tout cas de formules plus utilisées dans la langue écrite que dans la langue parlée, où l'on préfère généralement une périphrase relative :
*Il nuovo direttore, **che sarà nominato** in giugno...*   Le nouveau directeur, qui sera désigné en juin...

3. Cas particuliers

« Dont » utilisé de façon partitive = *fra cui*

*Molti problemi, **fra cui** quello della disoccupazione giovanile, preoccupano l'opinione pubblica.*
Beaucoup de problèmes, dont (parmi lesquels) celui du chômage des jeunes, inquiètent l'opinion publique.

« Dont » exprimant l'origine, la provenance = *da cui*

*Non ho letto il romanzo **da cui** è stato tratto il film.*
Je n'ai pas lu le roman dont a été tiré ce film.

 ▸ **« Dont » complément d'un verbe construit avec la préposition *da* = *da cui*.**
Il s'agit de verbes comme *dipendere da* (dépendre de), *essere lontano da* (être éloigné de), etc.
I fattori da cui dipende la nostra decisione sono molteplici.
Les facteurs dont dépend notre décision sont multiples.

 ▸ **« Dont » exprimant la manière = *in cui***
Il modo in cui si esprime è chiaro e deciso   La façon dont il s'exprime est claire et nette.

 ▸ **« Ce dont » = *di che cosa / quello di cui***
Non so più di che cosa ha parlato.   Je ne sais plus ce dont il a parlé.
Ha fatto quello di cui aveva voglia.   Il a fait ce dont il avait envie.

À VOUS !

158. Traduisez :
a. Les clés dont je t'ai donné un jeu ouvrent la porte de l'immeuble. - b. C'est une chose dont j'aurais envie. - c. Beaucoup de villes, dont Milan et Rome, n'ont pas résolu le problème de la circulation. - d. *Il était une fois dans l'Ouest (C'era una volta il West),* dont la musique a été écrite par Ennio Morricone, est un classique du western italien. - e. Il faut écrire au ministère dont ce service dépend. - f. La manière dont il vit est très excentrique.

159. Traduisez :
a. Je ne connais pas le pays d'où (dont) il vient. - b. Lors de la décision, quatre personnes, dont moi, ont voté contre. - c. Tous les frais de voyage, dont l'essence et l'hôtel, sont à la charge de l'entreprise. - d. Dans ce magasin, tu trouveras tout ce dont tu as besoin. - e. Les poètes du « Dolce stil novo », dont Dante et Pétrarque sont les exemples les plus célèbres, écrivent leurs rimes en langue « vulgaire ». - f. L'habileté dont il fait preuve est étonnante.

ÉLISION

Mots devant s'élider   **225**

 ▸ **Les articles définis *lo* et *la*, simples ou contractés :**
L'imperatore   *l'altra*   *nell'ambito*   *sull'armadio*

L'élision ne se fait jamais avec le pluriel de ces articles :
Gli imperatori   *le ore*

 ▸ **L'article indéfini *una* :**
un'anima   *un'esperienza*   *un'inezia*   *un'opera*

 ▸ **Les pronoms c.o.d. *lo* et *la* suivis du verbe *avere* :**
L'avete comprato   *l'hai mangiata*

Mais l'élision ne s'effectue jamais avec le pluriel de ces pronoms :
Li abbiamo invitati   *le hanno viste*

 ▸ **Les adjectifs *quello, bello, santo* :**
Quell'ambito   *un bell'orto*   *Sant'Angelo*

Voir aussi Adjectif, formes particulières **168, 171** ◀

● **La préposition *di* :**

D'alluminio   d'autunno   d'acqua
Mais *di* ne s'élide pas lorsqu'il indique un rapport de possession :
È la moto di Anna.   C'est la moto d'Anna.

● **Certaines expressions fixes :**

è tutt'altra cosa   senz'altro   d'ora in poi...
c'est tout autre chose   sans faute   dorénavant

---

226   Mots ne pouvant pas s'élider

● **La préposition *da*** (qui se confondrait alors avec la préposition *di*) :

da Ancona   da oggi   da un anno
d'Ancône   depuis aujourd'hui   depuis un an

Da s'élide toutefois dans les expressions :
D'ora in poi   d'altra parte   d'altronde   fin d'ora...
dorénavant   d'autre part   d'ailleurs   dès maintenant

● **Le pronom *ci***

Ci amiamo molto.   *Ci andiamo domani.*
Nous nous aimons beaucoup.   Nous partons demain.
Sauf dans les formes *c'è, c'era, c'erano*.

● **Le pronom *ne***

Ne abbiamo due in vetrina.   Nous en avons deux en vitrine.
Sauf dans les formes pronominales groupées avec *ne* (*me ne, te ne, gliene...*) suivies
de *è, era, erano* :
Ce n'è ancora uno.   Se n'era già andato.   Me n'ero accorto.
Il y en a encore un.   Il s'en était déjà allé.   Je m'en étais rendu compte.

● **Tutto et senza :**

tutto aperto   tout ouvert   *senza acqua*   sans eau
Sauf dans les expressions :
tutt'altro   tutt'al più   a tutt'oggi   senz'altro
tout autre   tout au plus   jusqu'à ce jour sans faute

● **Come et dove :**

come a casa   comme à la maison   *dove abita?*   où habite-t-il ?
Sauf avec *è, era, erano* :
com'è   dov'è   com'erano.

◄▬▬▬ **À VOUS !** ▬▬▬►

160. Complétez avec la terminaison appropriée ou élidez par une apostrophe
selon le cas :
a. Ho avuto un... idea. - b. Ha un... aria triste. - c. Ti aspetto nell... hall. - d. L... hai
visto? - e. Quando l... avete incontrati? - f. È il libro d... Umberto. - g. Dammi un
bicchiere d... acqua. - h. L... ho invitata a venire d... estate.

161. Corrigez les éventuelles fautes d'élision :
a. Noi c'amiamo molto. - b. N'abbiamo ancora due. - c. Dov'erano, i miei occhiali? -
d. L'abbiamo accompagnata a casa. - e. È un'uomo ancora giovane. - f. Sono gl'amici
di Luigi. - g. È un orologio di oro. - h. Questo libro è di Andrea. - i. Ce ne è uno solo. -
j. Sono l'amiche di mia madre.

ENCLISE

L'enclise est l'association d'un élément atone (un pronom) à une forme verbale qui garde son accent, et avec laquelle le pronom ne forme qu'un seul mot.

Parlami!	*Portamelo!*	*Restaci!*
Parle-moi !	Porte-le-moi !	Reste ici !

Pronoms atones, voir **41, 42** ◀

1. Les pronoms enclitiques

L'enclise est un phénomène très fréquent en italien, puisqu'elle concerne tous les pronoms atones (ou faibles).

Pronoms simples :
mi - ti - lo, la, gli, le - ci - vi - li, le, gli - si - ne

Pronoms groupés :
me lo, me la, me li... te lo... glielo... ce lo... ve lo... se ne... mi ci... ci si...

Ces pronoms atones se placent en position enclitique après de nombreuses formes verbales.

> Exception : *loro* – leur, (à) eux, (à) elles – se place toujours après le verbe, en position isolée. Dans la langue parlée, *loro* est très souvent remplacé par *gli* qui, lui, est enclitique :
> *Sono venuto per **parlare loro**. / Sono venuto **per parlargli**.*
> Je suis venu pour leur parler.

2. Enclise et infinitif

L'enclise est obligatoire avec :

l'infinitif présent :
*Scrivo per **invitarli** tutti.*
J'écris pour tous les inviter.
*È necessario **svegliarsi** presto.*
Il est nécessaire de se réveiller tôt.

l'auxiliaire de l'infinitif passé :
*Mi dispiace di non **averglielo** proposto.*
Je regrette de ne pas le lui avoir proposé.

Noter que le pronom se rattache directement au radical des infinitifs, qui perdent leur voyelle finale.
*Bisogna **alzarsi** presto.*
Il faut se lever tôt.

Avec certains verbes serviles, les deux constructions sont possibles :
*Devo **farlo** = lo devo fare.*
Je dois le faire.
*Posso **aiutarti** = ti posso aiutare.*
Je peux t'aider.

Verbes serviles, voir **361** ◀

3. Enclise et gérondif

Cercandolo meglio, lo troverai.
En le cherchant mieux, tu le trouveras.
Avendolo già conosciuto ti posso dire che è un bravo ragazzo.
L'ayant déjà rencontré, je peux te dire que c'est un bon garçon.

Voir aussi Gérondif 148 ◀◀

4. Enclise et impératif

Per favore, accompagnaci alla stazione.
S'il te plaît, accompagne-nous à la gare.
Se vuole leggere questo libro, prestiamoglielo!
S'il veut lire ce livre, prêtons-le-lui !
La porta, chiudetela a chiave, quando uscirete.
La porte, fermez-la à clé, quand vous sortirez.

    L'enclise est obligatoire avec les formes de l'impératif (aux trois personnes *tu, noi, voi*), sauf à la personne de politesse :

Chiamala e diglielo!   *La chiami, signore!*
Appelle-la et raconte-le-lui !   Appelez-la, monsieur !

Voir aussi Impératif 130 ◀◀

    Avec les formes monosyllabiques de l'impératif de *dire, dare, stare, fare, andare* (*di', da', sta', fa', va'*) la consonne du pronom en position enclitique est redoublée :
vacci!   *vattene!*   *dimmi!*   *dammelo!*
vas-y !   va-t'en !   dis-moi !   donne-le-moi !

Sauf, naturellement, pour le pronom *gli* et ses composés, puisque le son *gl* ne peut être doublé.

5. Enclise et participe passé absolu

Vistolo una volta, non lo si dimentica più.
L'ayant vu une fois, on ne l'oublie plus.

Participe passé absolu, voir 150 ◀◀

6. L'enclise avec *ecco*

L'adverbe **ecco** provoque également la position enclitique des pronoms atones :
Eccomi!   *Eccola!*   *Eccoci!*
Me voici !   La voilà !   Nous voilà !

7. Formes particulières

Avec les verbes *affittare* (louer) et *vendere* (vendre) dans les transactions immobilières (panneaux, petites annonces...), le pronom réfléchi *si* de la tournure impersonnelle à la 3ᵉ personne (« on loue », « on vend ») se place en position enclitique :

Affittasi   à louer   = on loue ⟶ *si affitta*
Vendesi   à vendre = on vend ⟶ *si vende*

Cette forme peut avoir un pluriel lorsque le sujet est pluriel :
Affittansi camere ammobiliate. (= si affittano)
À louer chambres meublées.
Vendonsi miniappartamenti vista mare. (= si vendono)
À vendre studios, vue sur la mer.

162. Traduisez :
a. Je pensais l'appeler. - b. Il avait l'intention de nous inviter tous. - c. Il faut le faire, donc fais-le ! - d. En t'attendant, j'ai lu le journal. - e. L'ayant su trop tard, il n'a pas pu participer. - f. Voici le livre qui lui a été donné par son professeur. - g. Vous voici enfin ! h. S'étant aperçu de son erreur, il s'est excusé. - i. Pour les photos de Marco, écrivons-lui et envoyons-les-lui.

163. Transformez en plaçant les pronoms en position enclitique :
a. Non si possono vedere. - b. Vi devo parlare. - c. Glielo voglio regalare. - d. Ne possiamo fare due. - e. Non ci voglio andare. - f. Me lo deve chiedere. - g. Ci potete avvisare. - h. Se lo può ricordare. - i. Mi ci deve accompagnare. - j. Se ne vogliono andare.

ENTRER et SORTIR

Traductions de « entrer » et « sortir » transitifs   **228**

En français les verbes « entrer » *(entrare)* et « sortir » *(uscire)* ont un emploi transitif possible :
J'ai sorti un mouchoir de ma poche. J'ai entré un meuble par la fenêtre.

En italien, l'emploi transitif n'est pas admis.

1. Traductions du verbe « sortir »

On a recours, selon le contexte, à d'autres verbes accompagnés de l'adverbe *fuori* (dehors) :

*Ho **tirato fuori** un fazzoletto dalla tasca.*	J'ai sorti (tiré) un mouchoir de ma poche.
*Ho **portato fuori** il cane.*	J'ai sorti le chien.
***Buttatelo fuori** di qui!*	Sortez-le d'ici !
*Si è **tirato fuori** dai guai.*	Il s'est sorti du pétrin.

Autres emplois possibles :

Il sort la fumée de la chambre	→	***fa uscire** il fumo.*
L'éditeur sort un roman	→	***pubblica** un romanzo.*
Fiat sort un nouveau modèle	→	***lancia** un nuovo modello.*

2. Traductions du verbe « entrer »

Far entrare :
*Ho **fatto entrare** un mobile dalla finestra.*
J'ai fait entrer un meuble par la fenêtre.

Introdurre (inserire) :
*Ho **introdotto** i dati nel computer.*
J'ai entré les données dans l'ordinateur.

Mettere dentro :
*Ho **messo dentro** le piante.*
J'ai rentré les plantes.

164. Traduisez :

a. J'ai rentré la voiture. - b. J'ai sorti la voiture. - c. J'ai sorti mes enfants. - d. Je dois me sortir de cette situation. - e. Comme il pleuvait, j'ai rentré le linge. - f. Ils ont entré ces marchandises dans le pays en contrebande. - g. Il a sorti son pistolet. - h. Le magicien a sorti un lapin du chapeau. - i. Ils ont sorti une blague après l'autre. - j. Les éditions X viennent de sortir un nouveau roman. - k. Il pleut, bergère, rentre tes blancs moutons !

ESSERE et STARE

229 | Distinguer les emplois de *essere* et de *stare*

Ces deux verbes, qui traduisent des nuances du verbe être sont dans certains cas quasi-synonymes. De plus, ils partagent les mêmes formes verbales aux temps composés.

Il convient donc de distinguer leurs emplois et leurs valeurs respectives afin de les utiliser correctement.

1. Valeur absolue de *essere*

On emploie *essere* :

▷ pour indiquer la caractéristique intrinsèque de quelqu'un ou de quelque chose :

Marina è italiana. | *I bambini **sono** innocenti.*
Marina est italienne. | Les enfants sont innocents.

▷ avec la préposition *di* pour exprimer l'origine ou l'appartenance :

***Siamo di** Genova.* | *La macchina **è di** Paola.*
Nous sommes de Gênes. | La voiture est à Paola.

▷ pour exprimer l'identité de deux concepts :

Partire è un po' morire.   Partir, c'est mourir un peu.

Dans aucun de ces cas, l'emploi de *stare* n'est admis.

2. Différences d'emploi entre *essere* et *stare*

Essere est le verbe de l'état présent et *stare* le verbe de l'état durable (idée de permanence, de situation durable).

▷ Devant un complément de manière :

essere ▼		*stare* ▼	
état présent du sujet		**comportement du sujet**	
sono in piedi	je suis debout	*sto in piedi*	je me tiens debout
sono calmo	je suis calme	*sto calmo*	je garde mon calme
sono buono	je suis bon	*sto buono*	je me tiens sage
sono fermo	je suis immobile	*sto fermo*	je me tiens immobile

Devant un complément de lieu :

essere ▼		*stare* ▼	
lieu où se trouve le sujet		permanence du sujet dans un lieu	
sono a Roma	je suis à Rome	*sto a Roma* → j'y habite	
sono in casa	je suis à la maison	*sto in casa* → je ne sors pas	
sono in ufficio	je suis au bureau	*sto in ufficio* → j'y reste	

Il faut toutefois remarquer que, dans le sud de l'Italie, *stare* est fréquemment employé là où, la valeur durative n'étant pas présente, dans le nord de l'Italie on emploierait **essere** :

*Oggi **sto** di cattivo umore.*   À la place de :   *Oggi **sono** di cattivo umore.*
Aujourd'hui, je suis de mauvaise humeur.

***Sta** scritto sul giornale.*   À la place de :   *È scritto sul giornale.*
C'est écrit dans le journal.

3. *Essere* et *stare* aux temps composés

Essere et *stare* partagent les **mêmes formes verbales** composées, qui se construisent avec l'auxiliaire *essere* et le participe passé de *stare*.
Sono stato est en effet le passé composé de *essere* comme de *stare*.
Il en est de même pour les formes verbales suivantes :

ero stato	j'avais été
sarei stato	j'aurais été
sarò stato...	j'aurai été...

essere (être)	*stare* (rester)
***Sono stato** felice con lei.*	***Sono stato** in casa tutto il giorno.*
J'ai été heureux avec elle.	Je suis resté à la maison toute la journée.
Sono stata * *in Italia.*	***Sono stata** in Italia quindici giorni.*
J'ai été (je suis allée) en Italie.	*J'ai été (je suis restée) en Italie quinze jours.*

* Comme en français, le verbe *essere* peut remplacer au passé composé le verbe *andare* (aller).

(Conjugaison du verbe *essere* : voir « Annexes grammaticales »).

4. *Stare bene, stare male*

Pour donner une appréciation sur l'état de santé, la condition physique, ou la situation financière d'un sujet, on doit employer *stare* suivi de *bene* ou *male* :

*Come stai? Oggi non **sto** molto **bene**.*
Comment vas-tu ? Aujourd'hui je ne vais pas très bien.

***Sto bene** con te (= mi sento bene, felice).*
Je suis bien avec toi.

*Guadagna bene, ma **sta** anche molto **bene** di famiglia.*
Il gagne bien sa vie, mais il est aussi riche par sa famille.

Autres emplois, voir *Stare* 335 ◄◄◄

165. Traduisez

a. Sono molto contento di vederti. - b. Non mi piace stare da solo, preferisco stare in compagnia. - c. Anna e Franca stanno a due passi da casa mia, in un palazzo nuovo. - d. Di solito la sera stiamo in casa. - e. Mariangela e Lucio stanno bene insieme. - f. Leri sono stato male tutta la notte. - g. La settimana scorsa sono stati a Roma. - h. Stai calmo! Non è niente di grave. - i. Questi bambini non stanno mai fermi. - j. Adesso che siete più calmi, state attenti e ascoltatemi! - k. Sei mai stato a Venezia?

FAUX AMIS

230   Principaux faux amis italiens

On appelle « faux amis » les mots qui, dans une langue étrangère, présentent une forme proche de celle de mots français, tout en ayant un sens (ou l'un de leurs sens) souvent très différent. Méconnaître ces mots à l'apparence trompeuse peut donc donner lieu à des confusions et parfois même à de graves contresens.

Homonymes grammaticaux, voir 235 à 242 ◀

faux ami italien...	qui signifie...	et non pas...	qui se traduit...
accidenti!	zut !	accident	*incidente*
affissione	affichage	affliction	*afflizione*
albergo	hôtel	auberge	*locanda*
ammazzare	tuer	amasser	*ammassare*
assai	beaucoup, très	assez	*abbastanza*
atterrire	terroriser	atterrir	*atterrare*
benevolo	bienveillant	bénévole	*volontario*
bravo,a	doué,e	brave	*coraggioso*
brutto,a	laid,e	brute	*bruto*
bugia	mensonge	bougie	*candela*
calzoni (plur.)	pantalon	caleçon	*mutande* (plur.)
camera	chambre	caméra	*cinepresa*
cancro	cancer	cancre	*asino*
cantina	cave	cantine	*mensa aziendale*
discretamente	raisonnablement convenablement	discrètement	*con discrezione*
età	âge	état	*stato*
fantasia	imagination	fantaisie	*capriccio*
fermare	arrêter	fermer	*chiudere*
figliolo	fils	filleul	*figlioccio*
firma	signature	firme	*ditta*
forestiero	étranger	forestier	*forestale*
fortuna	chance, fortune	fortune	*ricchezza, fortuna*
fulminare	foudroyer	fulminer	*infuriarsi*
gara	épreuve, concours	gare	*stazione*

faux ami italien...	qui signifie...	et non pas...	qui se traduit...
gatto	chat	gâteau	*dolce, biscotto*
incubo	cauchemar	incubation	*incubazione*
lepre	lièvre	lèpre	*lebbra*
lontano	loin	longtemps	*a lungo*
lordo	brut	lourd	*pesante*
mai	jamais	mai	*maggio*
mancia	pourboire	manche	*manica*
marciapede	trottoir	marchepied	*scaleo*
morbido	doux, tendre	morbide	*morboso*
notizia	nouvelle, note	notice	*avvertenza, istruzioni per l'uso*
ombrello	parapluie	ombrelle	*ombrellino*
palazzo	immeuble, palais	palace	*albergo di lusso*
picchiare	frapper	piquer	*pungere*
pigliare	prendre	piller	*saccheggiare*
poltrone	paresseux	poltron	*vigliacco*
poltrona	fauteuil	"	"
presto	tôt	prêt	*pronto*
primavera	printemps	primevère	*primula*
quadro	tableau	cadre	*cornice* (fém.)
radice	racine	radis	*ravanello*
regalare	offrir	se régaler	*deliziarsi*
regalo	cadeau	régal	*leccornia*
riguardo	précaution, égard	regard	*sguardo*
roba	affaires	robe	*vestito*
salire	monter	salir	*sporcare*
salute	santé	salut	*salvezza*
sindaco	maire	syndicat	*sindacato, consorzio*
stazione	gare	station	*fermata, stazione*
stupendo	superbe	stupéfiant	*stupefacente*
subito	sur-le-champ	subitement	*improvvisamente*
tornare	retourner	tourner	*girare*
trarre	extraire	traire	*mungere*
truffa	escroquerie	truffe	*tartufo*
verdura	légumes	verdure	*verde, vegetazione*

À VOUS !

166. Traduisez :
a. Il a longtemps vécu en Italie. - b. Il a fermé brusquement les yeux. - c. Il est un vrai cancre en mathématiques. - d. Je mange tous les jours à la cantine du lycée. - e. Il travaille dans une firme italienne. - f. Quelle peau douce as-tu ! - g. Il a un rapport morbide avec l'argent ! - h. Elle a une très belle robe.

167. Traduisez :
a. La lepre assomiglia al coniglio. - b. Metti la tua roba in valigia! - c. Quell'attore è veramente bravo. - d. Ho salito le scale. - e. È una bella truffa! - f. Il palazzo dove abita Valeria è moderno. - g. Che fortuna averti incontrato! - h. Nel suo giardino ha piantato fiori di ogni tipo, ma anche molta verdura.

FÉMININ

1. Formation du féminin par suffixation

Pour certains animés, la formation du féminin se fait par l'ajout du suffixe *-ina* :

eroe →	*ero**ina***	*gallo* →	*gallina*	*re* →	*regina*	*zar* →	*zarina*
héros →	héroïne	coq →	poule	roi →	reine	tzar →	tzarina

À l'inverse, le suffixe augmentatif *-one* marque le masculin de certains noms comme :

capra →	*cap**rone***	*strega* →	*stregone*
chèvre →	bouc	sorcière →	sorcier

Suffixes, voir 345 ◀

2. Certains noms présentent deux formes différentes pour le masculin et le féminin

abate →	*badessa*	*doge* →	*dogaressa*	*fante* →	*fantesca*
abbé →	abbesse	doge →	dogaresse	valet →	bonne

3. Noms à double genre

Pour ces noms d'animés ayant une forme commune au masculin et au féminin, la distinction de genre se fait grâce à l'article ou l'éventuel adjectif :

Noms en -e :
(il / la) nipote, parente, custode, consorte...
(le / la) neveu / nièce, membre de la famille, gardien(ne), époux(se)...

Ainsi que les noms suivants, participes présents substantivés :
(il / l' / la) cantante, insegnante, agente, amante...
(le / la) chanteur(euse), enseignant(e), agent, amant...

Noms en *-ista* et *-cida* :
(il / l' / la) giornalista, pianista, finalista, artista, musicista, suicida, omicida
(le / la) journaliste, pianiste, finaliste, artiste, musicien(enne), suicidé(e), meurtrier(-ère)

Noms en *-a* dérivés du grec :
(il / l' / la) atleta, collega, pediatra, ipocrita, sosia ...
(le / la) athlète, collègue, pédiatre, hypocrite, sosie...

Formation régulière du féminin, voir 13 ◀

À VOUS !

168. Transformez au féminin :
a. L'abate era vecchio e grassoccio. - b. Il gallo è il re del pollaio. - c. È un bravo pediatra. - d. È l'amante del farmacista. - e. I colleghi di mio marito sono ipocriti e conformisti. - f. È il sosia di un famoso cantante italiano. - g. Puzza come un caprone. - h. Il nipote del mio insegnante d'italiano è un celebre pianista. - i. È un mio lontano parente.

FUORI

1. *FUORI* = DEHORS

Fuori nevica.
Dehors, il neige.

*Siamo andati a cena **fuori**.*
Nous sommes allés dîner dehors.

• *Di fuori* = à l'extérieur :
*(Di) **fuori** c'erano quattro gradi sotto zero.*
À l'extérieur, il faisait quatre degrés en dessous de zéro.

• *Il di fuori* = l'extérieur :
Ci guadarva dal di fuori.
Il nous regardait de l'extérieur.

2. *FUORI DI / DA* (+ article) = HORS DE

*Sono **fuori di** me.*
Je suis hors de moi.

*Sono rimasto **fuori di** casa.*
Je suis resté hors de chez moi.

*Buttalo **fuori dalla** finestra!*
Jette-le par la fenêtre !

3. *FUORI* + nom

Dans certaines expressions, *fuori* est directement suivi d'un nom, sans déterminant :

Abita fuori città.	Il habite en banlieue.
Dorme fuori casa.	Il ne dort pas chez lui.
È fuori pericolo.	Il est hors de danger.
La macchina è fuori uso.	La voiture est hors d'usage.
Un prodotto fuori serie.	Un produit hors série.
È fuori concorso.	Il est hors concours.
È fuori moda.	C'est démodé.
È fuori mano.	C'est éloigné, pas à portée de main.
Un fuorilegge (inv.)	Un hors-la-loi.

4. *FUORI* après un verbe de mouvement

Il sert à traduire le verbe « sortir » français lorsqu'il est transitif :
*Portare **fuori** il cane.*
Sortir le chien.
*Tirare **fuori** la chiave dalla tasca (di tasca).*
Sortir la clé de sa poche.

À VOUS !

169. Traduisez :
a. Il est resté toute la nuit dehors. - b. J'ai sorti mon mouchoir. - c. Cette robe est vraiment démodée. - d. Le blessé est désormais hors de danger. - e. Il nous a jetés dehors. - f. Il a sorti un pistolet de son sac. - g. Les gens attendaient dehors. - h. Extérieurement, il semblait un garçon très calme.

GENRE des NOMS

Différences de genre entre les deux langues

En règle générale, le genre des noms coïncide entre le français et l'italien.
Les différences ne sont toutefois pas rares et elles sont d'autant plus gênantes que les mots ont des formes parfois très proches.

1. Sont féminins en italien mais masculins en français

▶ **les noms se terminant par -a ayant une forme identique dans les deux langues (dont beaucoup de noms de fleurs) :**
l'opera, l'acacia, l'agenda, l'armonica, la coca-cola, la placenta, la quota, la sauna, la fucsia, la camelia, la begonia, la petunia, la mimosa, l'ortensia, la dalia, la gardenia...

▶ **certains noms d'animaux :**

la tigre	le tigre
la zebra	le zèbre
la puzzola	le putois
la lepre	le lièvre
la scimmia	le singe
l'aquila	l'aigle

▶ **beaucoup de noms de pays :**
La Danimarca, l'Angola, la Nigeria, la Groenlandia, la Cambogia...

▶ **tous les noms de villes (souvent masculins en français) :**

*Parigi è **bella**.*	Paris est beau.
*Il **Cairo** è bella.*	Le Caire est beau.
*La **vecchia** Milano.*	Le vieux Milan.

▶ **beaucoup d'autres mots comme :**

la cifra	le chiffre	*la pistola*	le pistolet
la compressa	le comprimé	*la poltrona*	le fauteuil
la coppia	le couple	*la primavera*	le printemps
la domenica	le dimanche	*la sabbia*	le sable
l'estate	l'été	*la sede*	le siège
la fronte	le front (du visage)	*la sfida*	le défi
la guardia	le garde	*la sfilata*	le défilé
la guida	le guide	*la sigla*	le sigle
la medicina	le médicament	*la sorte*	le sort
la nuvola	le nuage	*la tariffa*	le tarif
la percentuale	le pourcentage	*l'unghia*	l'ongle

...Pour ne citer que les plus fréquents.

2. Sont masculins en italien mais féminins en français

▶ **les noms de mers :**

il mar Baltico	*il mar Morto*
il mar Caspio	*il mar Nero*
il mar Egeo	*il mar Rosso*
il mar Ionio	*il mar Tirreno*
il mar Mediterraneo	*il mare Adriatico*

les noms en -ore (qui correspond au suffixe français « -eur ») :

l'ardore	l'ardeur	*il liquore*	la liqueur
il calore	la chaleur	*l'odore*	l'odeur
il colore	la couleur	*il sapore*	la saveur
l'errore	l'erreur	*lo splendore*	la splendeur
il favore	la faveur	*il tepore*	la tiédeur
il fiore	la fleur	*il terrore*	la terreur
il furore	la fureur		

les noms en -mento, correspondant au suffixe français féminin « -tion » :

*l'annulla**mento***	l'annulation	*l'inquinamento*	la pollution
il coordinamento	la coordination	*il proseguimento*	la continuation
il deterioramento	la détérioration	*il ricevimento*	la réception

mais aussi les mots suivants, toujours correspondant au « -tion » français :

l'affetto	l'affection	*l'invito*	l'invitation
l'alterco	l'altercation	*il lamento*	la lamentation
l'arresto	l'arrestation	*l'obbligo*	l'obligation
l'aumento	l'augmentation	*il reclamo*	la réclamation
il compenso	la compensation	*il recupero*	la récupération
il contributo	la contribution	*il restauro*	la restauration (d'œuvre)
l'intervento	l'intervention	*il significato*	la signification
l'intuito	l'intuition	*il trapianto*	la transplantation

et parmi les mots fréquents :

l'acquarello	l'aquarelle	*il gelato*	la glace (crème glacée)
l'affare	l'affaire	*il ghiaccio*	la glace (eau glacée)
l'aiuto	l'aide	*l'incarico*	la charge, la tâche
l'allarme	l'alarme (alerte)	*l'incontro*	la rencontre
l'annuncio	l'annonce	*l'indirizzo*	l'adresse
l'apostrofo	l'apostrophe	*l'insulto*	l'insulte
l'armadio	l'armoire	*il mandarino*	la mandarine
l'arrivo	l'arrivée	*il metodo*	la méthode
l'attacco	l'attaque	*il panico*	la panique
il dato	la donnée (stat.)	*il pedale*	la pédale
il debito	la dette	*il periodo*	la période
il dente	la dent	*il pianeta*	la planète
il dettato	la dictée	*il premio*	la prime
il fumo	la fumée	*il telecomando*	la télécommande

À VOUS !

170. Traduisez :

a. J'avais noté ton adresse dans mon agenda. - b. Tous les dimanches devant l'église une petite vieille vend des fleurs. - c. De quelle couleur est ton hortensia ? - d. Nous avons obtenu l'augmentation que nous avions demandée lors de la rencontre avec les syndicats. - e. C'était une période très calme à mon bureau, il n'y avait aucune réclamation. - f. Ils ont donné une réception pour l'arrivée du ministre chargé de la coordination des travaux. - g. La pollution a causé la détérioration des célèbres Maures de Venise. - h. La restauration des fresques et des aquarelles abîmées a été faite avec la contribution financière de l'État. - i. L'alerte a été donnée tout de suite par un garde. - j. Pendant l'incendie, l'intervention immédiate des pompiers a évité la panique parmi les présents.

HEURE

1. Interroger et répondre sur l'heure

Pour demander l'heure, on emploie aussi bien le singulier que le pluriel :
Che ora è? Che ore sono?   Quelle heure est-il ?

Mais on répond en employant le pluriel :
Sono le cinque.   Il est cinq heures.

Exceptions : *è l'una* (une heure), *è mezzogiorno* (midi), *è mezzanotte* (minuit).

2. Exprimer l'heure

En italien, il existe deux manières d'exprimer l'heure :
• l'une, officielle, basée sur la division de la journée en 24 heures ;
• l'autre, plus familière, basée sur la division de la journée en 12 heures, différenciées selon la plage temporelle (matin, après-midi, soir et nuit).
La forme officielle est utilisée pour annoncer l'heure à la radio ou à la télévision, pour les horaires de trains, d'avions, etc.
La seconde forme est la plus employée dans le langage courant, même pour la prise de rendez-vous d'affaires.

Heure	Forme familière	Forme officielle
1.00	*è l'una (di notte)*	*è l'una*
2.00	*sono le due (di notte)*	*sono le due*
3.00	*sono le tre (di notte)*	*sono le tre*
12.00	*è mezzogiorno sono le dodici*	
13.00	*è l'una sono le tredici*	
14.00	*sono le due (del pomeriggio)*	*sono le quattordici*
15.00	*sono le tre (del pomeriggio)*	*sono le quindici*
15.05	*sono le tre e cinque*	*sono le quindici e cinque*
15.15	*sono le tre e un quarto*	*sono le quindici e quindici*
15.30	*sono le tre e mezzo*	*sono le quindici e trenta*
15.35	*sono le tre e trentacinque*	*sono le quindici e trentacinque*
15.40	*sono le quattro meno venti*	*sono le quindici e quaranta*
15.45	*sono le quattro meno un quarto*	*sono le quindici e quarantacinque*
	sono le tre e tre quarti	
15.55	*sono le quattro meno cinque*	*sono le quindici e cinquantacinque*
24.00	*è mezzanotte*	*sono le ventiquattro*

L'heure est toujours précédée d'un article défini au féminin pluriel :
le tre, le otto…   trois heures, huit heures...
Excepté, bien sûr, dans le cas de « une heure » : *l'una.*
Par ailleurs, **mezzogiorno** (midi) et **mezzanotte** (minuit) n'ont pas d'article.

Dans le langage familier, pour éviter toute ambiguïté, on peut spécifier :
... du matin : *sono le tre **del mattino***
... de l'après-midi : *sono le quattro **del pomeriggio***
... du soir : *sono le sei **della sera***
... de la nuit : *sono le due **della notte**.*

On peut également dire **di** *mattina,* **di** *pomeriggio,* **di** *sera,* **di** *notte.*

▶ Les heures et les minutes s'expriment sans ajouter les mots *ore* et *minuti* :
Sono le tre e cinque. ⠀⠀ Il est trois heures cinq.
Excepté, bien sûr, dans le cas d'une annonce radio ou du réveil téléphonique :
Sono le ore cinque e quindici minuti. ⠀⠀ Il est cinq heures et quinze minutes.

▶ *Mezzo* et *mezza* (demi)
La forme *mezzo*, masculin invariable selon la règle, devient souvent *mezza* dans la langue courante, qui sous-entend le mot *ora* (« heure ») :
Sono le due e mezza. ⠀⠀ Il est deux heures et demie.

▶ L'expression de l'heure peut être nuancée :
*Sono **quasi** le cinque.* ⠀⠀ Il est presque cinq heures.
*Sono le cinque **in punto.*** ⠀⠀ Il est cinq heures pile (précises).
*Sono le cinque **passate.*** ⠀⠀ Il est cinq heures passées
*Sono **circa** le cinque.* ⠀⠀ Il est environ cinq heures.

On peut également nuancer l'horaire avec *verso* et *circa* :
Torna a casa verso le otto (alle otto circa).
Je rentre chez lui vers huit heures (à huit heures environ).

▶ Pour interroger sur l'horaire, on emploie la formule *a che ora?*
La préposition *a* se contracte avec l'article lorsqu'il est exprimé :
*A che ora arriva il treno? Arriva **alle** due.* ⠀⠀ À quelle heure arrive le train ? Il arrive à deux heures.

Voir Articles contractés 21 ◀

⸻ À VOUS ! ⸻

171. « *Che ora è?* » Répondez en donnant les deux formes (formelle et familière) :
a. 4.05 - b. 8.15 - c. 8.45 - d. 12.00 - e. 23.40 - f. 13.00 - g. 14.50 - h. 13.30 - i. 18.20.

172. « *A che ora?* » Répondez comme pour le précédent exercice :
a. 4.05 - b. 8.15 - c. 8.45 - d. 12.00 - e. 23.40 - f. 13.00 - g. 14.50 - h. 13.30 - i. 18.20.

HOMONYMES GRAMMATICAUX

Certaines formes grammaticales sont identiques mais ne prennent pas la même signification si le contexte change. Attention à ne pas les confondre.

Distinguer *lo* (article) de *lo* (pronom)⠀⠀**235**

*Lo zaino, **lo** porto io.* ⠀⠀ **Le** sac à dos, c'est moi qui **le** porte.

• *Lo* : article masculin singulier
Est toujours suivi d'un nom commençant par *z* ou *s* impur.

• *Lo* : pronom masculin singulier c.o.d.
Est toujours suivi d'un verbe.

Voir aussi Articles définis 8 ◀

236 Distinguer *la* (article) de *la* (pronom)

La macchina, non la uso mai. **La** voiture, je ne l'utilise jamais.

- *La* : **article féminin singulier**
Est toujours suivi d'un nom.

- *La* : **pronom féminin singulier c.o.d.**
Est toujours suivi d'un verbe.

237 Distinguer *le* (article) de *le* (pronom)

Le scarpe, le metto in una scatola. **Les** chaussures, je **les** mets dans une boîte.

- *Le* : **article féminin pluriel**
Est toujours suivi d'un nom.

- *Le* : **pronom féminin pluriel c.o.d.**
Est toujours suivi d'un verbe.

238 Distinguer *gli* (article) de *gli* (pronom)

Gli amici di Gloria hanno telefonato ieri e gli ho detto di venire stasera.
Les amis de Gloria ont téléphoné hier et je **leur** ai dit de venir ce soir.
Ho parlato con Mario e gli ho ricordato di portare gli scarponi.
J'ai parlé avec Mario et je **lui** ai rappelé d'emmener **les** chaussures de ski.

- *Gli* : **article masculin pluriel**
Est toujours suivi d'un nom commençant par une voyelle, *z* ou *s* impur.

- *Gli* : **pronom masculin (singulier ou pluriel) c.o.i.**
Signifie « à lui » ou « à eux, à elles » et est toujours suivi d'un verbe.

239 Distinguer *gli* (article) de *li* (pronom)

Gli amici, li invito a cena per il mio compleanno.
Les amis, je **les** invite à dîner pour mon anniversaire.

- *Gli* : **article masculin pluriel**

- *Li* : **pronom masculin pluriel c.o.d.**

Tout en n'étant pas parfaitement identiques, ils sont souvent confondus : le pronom *li* remplace tout nom masculin pluriel, même précédé par l'article *gli*.

240 Distinguer *gli* (pronom) de *li* (pronom)

Ho detto a Luigi che gli restituirò i libri appena li avrò letti.
J'ai dit à Luigi que je **lui** rendrai les livres dès que je **les** aurai lus.

- *Gli* : **pronom masculin singulier ou pluriel c.o.i.**
Signifie « à lui, à eux, à elles ».

• *Li* : **pronom masculin pluriel c.o.d.**
Signifie « les » (masculin pluriel).

Comme dans le précédent cas, *gli* et *li* sont souvent confondus, même s'ils ne sont pas parfaitement homonymes.

Distinguer les pronoms de politesse *La* et *Le* 241

Signor Rossi, **La** *ringrazio.* **Le** *telefonerò domani.*
Monsieur Rossi, je **vous** remercie. Je **vous** téléphonerai demain.

• *La* : **pronom c.o.d. de politesse**
Signifie « vous ». Dans cet exemple, il répond à la question : « Qui je remercie ? (Vous). »

• *Le* : **pronom c.o.i. de politesse**
Signifie « à vous ». Ici, il répond à la question : « À qui je téléphonerai ? (À vous). »

Il faut bien se familiariser avec ces deux formes qui, bien que différentes, sont souvent confondues ou mal comprises.

Voir aussi Politesse, 304 ◀◀

Distinguer *ci* (« y ») de *ci* (« nous ») 242

Alla festa, **ci** *andiamo tutti insieme e* **ci** *divertiremo da matti.*
À la fête, nous **(y)** allons tous ensemble et nous **nous** amuserons comme des fous.

Se **ci** *vieni anche tu* **ci** *divertiremo ancora di più.*
Si tu **y** vas aussi, nous **nous** amuserons encore plus.

• *Ci* : **pronom de lieu**
Signifie « y » et peut se placer devant n'importe quelle personne du verbe.

• *Ci* : **pronom personnel**
Signifie « nous » complément et peut se placer seulement devant un verbe à la première personne du pluriel.

À VOUS !

173. Complétez :
a. Telefono a Lucia e ... dico che ... passo a prendere in macchina. - b. Chiamiamo i nostri amici per dir... che ... aspettiamo alle otto. - c. ... spinaci non ... posso sopportare! - d. È ... studio di Carlo? Sì, è ... suo studio. ... vuoi visitare? - e. Avvocato, ... chiedo scusa se ... disturbo a quest'ora, ma è urgente. - f. Signorina, ... posso parlare un momento? Vorrei invitar... a cena.

174. Traduisez :
a. Je lui donne les lunettes de soleil pour conduire. - b. La mère d'Annamaria, je ne la vois jamais. - c. Les Anglais, je les connais bien. - d. Quand je lui ai demandé de m'épouser, Marie avait les larmes aux yeux. - e. Nous y penserons plus tard, quand nous nous serons reposés. - f. Je leur ai annoncé mon départ et je les ai remerciés de leur aide. - g. Les chansons de Paolo Conte, je les adore.

HYPOTHÈSE

(expression de l' ~)

Les phrases hypothétiques

On distingue trois types de phrases hypothétiques.

1. L'hypothèse dite « *della realtà* »

C'est l'hypothèse dont la condition est considérée comme réalisable par le locuteur.
Elle est introduite par *se* suivi de l'indicatif :
Se passo da Mantova, vengo a trovarti. Se passerò da Mantova, verrò a trovarti.
(= Il est très possible, en général ou dans une période précise dans le futur, que je passe par Mantoue, et dans ce cas, je passerai te voir.)

▸ À la différence du français, *se* peut être suivi d'un **futur**.

Dans ce cas, le verbe de la principale est également au futur :
*Se gli operai **finiranno** i lavori, la settimana prossima **potremo** traslocare.*
Si les ouvriers terminent les travaux, la semaine prochaine nous pourrons déménager.

▸ L'action exprimée par le verbe de la principale peut également être à l'**impératif** :
*Se passi da Mantova, **vieni** a trovarmi!*

▸ L'hypothèse **réalisée** dans le passé s'exprime à l'indicatif :
*Se sei passato da Mantova, **hai fatto bene** ad andare a trovarlo!*
(Vu que finalement tu es passé par Mantoue, tu as bien fait d'aller le voir.)
*Se **hai cominciato** stamattina, lo **potrai** finire domani.*
Si tu as commencé ce matin, tu pourras le terminer demain.

2. L'hypothèse dite « *della possibilità* »

C'est l'hypothèse dont la condition est considérée comme improbable par le locuteur. Elle peut être introduite par *se*, aussi bien que par *qualora, nel caso in cui, nell'eventualità che...*
*Se andassi in Italia, visiterei volentieri anche Mantova. (**Qualora, nel caso in cui...**)*
(= Il n'est pas sûr que j'aille en Italie, ce n'est qu'une éventualité que je formule. Dans ce cas, je visiterais aussi Mantoue.)

▸ Pour exprimer la **condition**, on emploie l'**imparfait du subjonctif**, qui souligne l'aspect « éventuel » de l'action (alors qu'en français on utilise l'imparfait de l'indicatif). Le verbe de la principale est au **conditionnel présent**.

▸ Lorsque la condition a une portée générale et que l'action de la principale se situe dans le passé, celle-ci est exprimée au **conditionnel passé** :
*Se **non fossi** così timido, **ieri avrei invitato** a cena quella ragazza.*
Si je n'étais pas aussi timide, hier j'aurais invité à dîner cette fille.

▸ Selon les contextes, l'action de la principale peut être exprimée par d'autres formes verbales :

• à l'impératif :
*Se **avesse** dei problemi, mi **telefoni** subito! (Nel caso in cui Lei avesse dei problemi…)*
Si vous aviez des problèmes, téléphonez-moi tout de suite ! (Dans le cas où vous auriez des problèmes…)

• à l'indicatif :

Se dovesse succedere qualcosa, La avverto subito. (Nel caso in cui succedesse qualcosa…)
S'il devait arriver quelque chose, je vous préviendrais aussitôt.

3. L'hypothèse dite « *dell'irrealtà* »

C'est l'hypothèse dont la condition est irréalisable car révolue dans le passé.

Se fossi passato da Mantova, sarei venuto a trovarti. (qualora, nel caso in cui…)
Si j'étais passé par Mantoue, je serais venu te voir. (= mais je ne suis pas passé par Mantoue, donc je ne suis pas venu te voir.)

La condition dans le passé est exprimée par le **plus-que parfait du subjonctif** (alors que le français utilise le plus-que-parfait de l'indicatif) et l'action de la principale est au **conditionnel passé**.
La conséquence d'une condition passée est exprimée par le conditionnel présent lorsqu'elle concerne le présent :

Se ti avessi dato ascolto, ora non mi troverei nei guai.
Si je t'avais écouté, je ne serais pas maintenant dans le pétrin. (= Mais je ne t'ai pas écouté, donc je suis maintenant dans le pétrin.)

Phrases comparatives hypothétiques · 244

La locution conjonctive ***come se*** introduit des subordonnées comparatives hypothétiques suivies du subjonctif imparfait ou plus-que-parfait :

*Si comporta **come se** fosse il padrone di casa. (= come il padrone di casa, ma non lo è.)*
Il se comporte comme s'il était le propriétaire. (= mais il ne l'est pas.)
*Si comportava **come se** fosse stato il padrone di casa.*
Il se comportait comme s'il avait été le propriétaire.

Dans un registre de langue assez recherché, ***quasi,*** souvent en apposition, peut prendre le même sens que *come se*.

*Si teneva stretta la borsa, **quasi** avesse paura di perderla.*
Il serrait son sac, comme s'il avait peur de le perdre.

Phrases hypothétiques sans *se* · 245

1. *Se* sous-entendu

La conjonction *se* peut être sous-entendue mais, à la différence du français, qui exige alors un conditionnel, cela ne modifie en rien la concordance des temps.

L'avessi saputo, te l'avrei detto.   Je l'**aurais** su, je te l'aurais dit.

> Dans un registre de langue très familier, l'hypothèse irréalisable dans le passé peut être exprimée par l'indicatif, dans une tournure où la condition aussi bien que la conséquence sont à l'imparfait :
>
> *Se lo **sapevo** te lo **dicevo**. (= Se l'avessi saputo, te l'avrei detto.)*   Si je l'avais su, je te l'aurais dit.

2. Condition exprimée par une tournure impersonnelle

La condition peut, dans certains cas, être exprimée par une tournure impersonnelle au gérondif, à l'infinitif ou au participe passé :

***Andandoci** in macchina, avresti risparmiato tempo. (= Se ci fossi andato…)*
En y allant en voiture, tu aurais gagné du temps.

A correre in questo modo, finirai per stancarti. (= Se correrai in questo modo...)
À courir ainsi, tu finiras par te fatiguer.
Detto in un altro modo, sarebbe più chiaro. (= Se fosse detto...)
Dit autrement, ce serait plus clair.

À VOUS !

175. Traduisez :
a. S'il fait beau, demain j'irai à la campagne. - b. Si tu veux, tu peux prendre ma voiture. - c. L'enfant n'aurait pas peur, si sa mère était là. - d. Vous m'auriez prévenu, je vous aurais préparé un bon dîner. - e. Si le Vésuve se réveillait, Naples connaîtrait le même sort que Pompéi. - f. Questionne tes amis, si tu ne me crois pas ! - g. Il me parlait comme s'il ne m'avait pas reconnu. - h. Si je l'avais su plus tôt, maintenant je ne me trouverais pas dans cette situation. - i. S'il était né en 1920, quel âge aurait-il aujourd'hui ? - j. S'il le pouvait, le ferait-il ?

IL FAUT

Traductions de « il faut »

« Il faut » (et ses variations « il fallait », « il faudrait », etc.) se traduit par des formes des verbes *bisognare, volerci, essere necessario* ou, dans un registre de langue plus recherché, *occorrere*.

1. BISOGNARE

Dans les temps simples
La forme conjuguée du verbe *bisognare* s'emploie à la troisième personne du singulier *(bisogna)* et est suivie de verbes. Cette forme est invariable.
Bisogna mostrarsi comprensivi.
Il faut se montrer compréhensif.
Bisognava pensarci prima.
Il fallait y penser avant.

Si *bisogna* est suivi d'une complétive avec *che*, il exige le subjonctif :
Per andare a Lipari, bisogna che tu prenda il traghetto.
Pour aller à Lipari, il faut que tu prennes le ferry.
Bisognava che lo facessero.   Il fallait qu'ils le fassent.

Dans les temps composés

La forme avec *bisognare* n'existe pas et est remplacée par **essere necessario** :
È stato necessario l'intervento della polizia.   Il a fallu l'intervention de la police.

2. VOLERCI

Ce verbe s'utilise avec les substantifs et s'accorde avec ceux-ci :
Per fare il tiramisù, ci vuole il mascarpone.   *Per questo lavoro, ci vogliono due operai.*
Pour faire le tiramisù, il faut du mascarpone.   Pour ce travail, il faut deux ouvriers.

Au passé, l'auxiliaire de *volerci* est toujours **essere**, ce qui implique l'**accord du participe passé** :

Per arrivare alla stazione, c'è voluta un'ora.
Pour arriver à la gare, il a fallu une heure.

Ci sono volute due persone per sollevare il pianoforte.
Il a fallu deux personnes pour soulever le piano.

3. OCCORRERE

Ce verbe s'utilise aussi bien avec les substantifs qu'avec les verbes, aussi bien aux temps simples que composés.
Sa signification est équivalente à celle de *ci vuole* ou *bisogna* :

Occorre agire con prudenza.   *È occorso agire con prudenza.*
Il faut agir avec prudence.   Il a fallu agir avec prudence.

Introduisant des substantifs, *occorrere* s'accorde avec ces derniers :

Occorrono le firme di tutti i soci.   *Sono occorse le firme di tutti i soci.*
Il faut les signatures de tous les associés.   Il a fallu les signatures de tous les associés.

Dans les phrases négatives, *non occorre* équivaut à *non è necessario* (« il n'est pas nécessaire ») alors que *non bisogna* équivaut à *non si deve* (« on ne doit pas »). Comparez :

Non occorre fermarsi.	*Non bisogna cadere nel tranello.*
Il ne faut pas s'arrêter.	Il ne faut pas tomber dans le piège.
▼	▼
Il n'est pas nécessaire de s'arrêter.	On ne doit pas tomber dans le piège.

4. Les formes personnelles du verbe falloir

« Il me faut » (« il te faut », etc.) suivi d'un nom.
Il se traduit par *ho bisogno di* ou *mi occorre / mi occorrono* :

Ho bisogno di soldi.   *Mi occorrono soldi.*
Il me faut de l'argent.

Ha bisogno d'aiuto.   *Gli occorre aiuto.*
Il lui faut de l'aide.

N.B. « Avoir besoin de quelque chose » est en revanche souvent rendu par la forme *mi serve / mi servono:*

Ti serve la macchina, oggi? No, non mi serve, prendila!
As-tu besoin de la voiture, aujourd'hui ? Non, je n'en ai pas besoin...

« Il me faut » (« il te faut », etc.) suivi d'un verbe
Lorsque cette construction sous-entend un sens d'obligation, de contrainte (= je dois, je suis obligé de), elle est rendue par la forme *mi tocca* :

Che cosa mi tocca fare! Mi è toccato aspettare per ore.
Qu'est-ce qu'il me faut faire ! Il m'a fallu attendre des heures.

À VOUS !

176. Traduisez en utilisant des formes de *bisognare* ou *volerci* selon le cas :
a. Il faut arriver à l'heure. - b. Il faudra du courage. - c. Il ne faut pas y croire. - d. Il faut un quart d'heure. - e. Il faut vingt-cinq minutes. - f. Il faudrait connaître la situation. - g. Il faut deux jours pour y aller.

177. Traduisez avec *volerci* ou *essere necessario* :
a. Il a fallu attendre. - b. Il a fallu des mois pour finir ce travail. - c. Il aurait fallu connaître le résultat. - d. Sais-tu ce qu'il a fallu faire ? - e. Il a fallu une semaine pour le retrouver. - f. Il avait fallu toute son expérience pour réussir l'épreuve. - g. Il avait fallu tout recommencer.

178. Transformez avec *servire* :
ex: *Di che cosa hai bisogno?* ⟶ **Che cosa ti serve?**
a. Avrebbe bisogno di una buona lezione. - b. Avevamo bisogno di una tenda per il campeggio. - c. Vi occorreranno attrezzi speciali. - d. Non ci vogliono molti soldi. - e. Se hai bisogno di qualcosa, dimmelo! - f. Ci volevano almeno tre uomini per il trasloco. - g. Ho bisogno del dizionario, me lo passi?

179. *Non occorre* ou *non bisogna*? Traduisez selon le sens (manque de nécessité ou interdiction) :
a. Il ne faut pas marcher sur l'herbe. - b. Il ne faut pas que tu me le dises, je le sais déjà. - c. Il ne faut pas fumer dans les bureaux. - d. Il ne faut pas le taper à la machine, ils acceptent ce document même manuscrit. - e. Il ne faut pas crier, je ne suis pas sourd ! - f. Nous avons compris, il ne faut pas le répéter ! - g. Il ne faut pas le croire, c'est un menteur ! - h. Il ne faut pas courir dans les couloirs.

IL Y A

247 Traductions de « il y a »

Il convient tout d'abord de distinguer les deux emplois de « il y a » :
1. La tournure présentative :
Dans le réfrigérateur, **il y a** trois pommes (il y a eu, il y avait...)
2. La locution introduisant un complément de temps :
Je l'ai vu **il y a** deux ans.   **Il y a** deux ans **que** je travaille.

1. « Il y a » présentatif

Il se traduit par c'è + singulier ou *ci sono* + pluriel :
Nel frigorifero c'è una mela.   *Nel frigorifero ci sono tre mele.*
C'è et *ci sono* signifient aussi bien « il y a » que « il y est / ils y sont » :
La mia valigia non c'è.   *I miei amici non ci sono.*
Ma valise n'y est pas (n'est pas là).   Mes amis n'y sont pas (ne sont pas là).
De même au téléphone :
C'è il signor Martini?   *No, non c'è, è in riunione...*
Est-ce que M. Martini est là ?   Non, il n'est pas là, il est en réunion.

La forme négative n'admet pas de partitif :
Non c'è pane. Il n'y a pas de pain.   *Non ci sono alberi.* Il n'y a pas d'arbres.

Aux autres temps, cette forme suit régulièrement la conjugaison du verbe être, avec l'accord du participe passé dans les temps composés :
C'è stato (c'era, ci sarà...) lo sciopero dei treni.
Il y a eu (il y avait, il y aura...) la grève des trains.
Ci sono state (c'erano, ci saranno...) molte domande di iscrizione.
Il y a eu (il y avait, il y aura...) beaucoup de demandes d'inscription.

2. « Il y a » introduisant un complément de temps

Il se traduit par **fa** (invariable) placé après le complément de temps :
L'ho visto due anni fa.   Je l'ai vu il y a deux ans.

La construction « il y a ... que » se traduit par **è** ... **che** ou **sono** ... **che** :
È un anno che studio l'italiano.   *Sono due anni che studio l'italiano.*
Il y a un an que j'étudie l'italien. (Cela fait un an...)   Il y a deux ans que j'étudie l'italien.

Attention à la forme négative, qui exige en français le verbe au passé alors qu'en italien on emploie toujours le présent :
È molto tempo che non vado al cinema.   Il y a longtemps que je ne suis pas allé au cinéma.

On peut également paraphraser « il y a ... que » par **da** :
Abito a Roma da due anni.   J'habite Rome depuis deux ans. (Il y a deux ans que j'habite Rome.)

◁◁◁◁ À VOUS! ▷▷▷▷

180. Traduisez :
a. Dans la chambre, il y a trois lits. - b. Il y a quelqu'un ? Non, il n'y a personne. - c. Il n'y a pas de raisons de changer. - d. Il y a eu une réunion du Parlement européen. - e. Je regrette, le Directeur n'est pas là ! - f. Il y a eu des tremblements de terre. - g. Il n'y a pas d'excuses.

181. Traduisez :
a. Je l'ai vu il y a deux minutes ! - b. Il y a une semaine que je n'ai pas lu le journal. - c. Il y a longtemps que je n'ai pas regardé la télé. - d. Il y a un an, il était encore à Rome. - e. Il y a des millénaires, la terre était peuplée de dinosaures.

182. Traduisez :
a. Il y aurait ce formulaire à remplir. - b. Il y avait des années que je ne l'avais pas vu ! - c. Il y aura de nouvelles négociations entre les syndicats. - d. En cas d'incendie, il y aurait sûrement eu des blessés. - e. Avant son départ, il y avait eu une violente altercation entre eux.

IMPARFAIT de l'INDICATIF

Emplois particuliers de l'imparfait   `248`

1. L'imparfait à valeur de conditionnel

Dans la langue parlée, on emploie souvent l'imparfait à la place d'un conditionnel :
Buongiorno, volevo un'informazione... (= vorrei...)   *Ci dovevi pensare prima.*
Bonjour, je voulais un renseignement... (= je voudrais...)   Tu aurais dû y penser avant.

2. Pour exprimer une hypothèse au passé

Dans la langue parlée, on rencontre parfois une forme, peu appréciée par les puristes, dite de « double imparfait » :
*Se lo **sapevo**, non **venivo**.*   Si j'avais su, je ne serais pas venu.

Emplois de l'imparfait 104, Formes de l'imparfait 105 ◀◀◀

IMPÉRATIF

Formes et emplois particuliers

1. La forme de politesse au pluriel

La forme de politesse *Lei* a un pluriel, *Loro*, qui est peu employé dans la langue parlée, où il est remplacé par *Voi*.
Il subsiste dans un registre de langue plus recherché et dans certaines formules, notamment au restaurant, dans les magasins ou à l'hôtel.

Verbes en -*are*	Verbes en -*ere*	Verbes en -*ire*
entrino!	*prendano!*	*partano!*
entrez !	prenez !	partez !

Comme la forme du singulier, la forme du pluriel coïncide avec celle du subjonctif présent.

2. La place des pronoms

Tous les pronoms (réfléchis, directs et indirects, doubles, *ci* et *ne*) se placent après le verbe en position enclitique, sauf à la forme de politesse, où ils précèdent le verbe :

alzati!	lève-toi !	**si** *alzi!*	levez-vous, monsieur !
alziamoci!	levons-nous !	*alzatevi!*	levez-vous !
aprilo!	ouvre-le !	***lo** apra!*	ouvrez-le, monsieur !
apriamolo!	ouvrons-le !	*apritelo!*	ouvrez-le !
rispondigli!	réponds-lui !	***gli** risponda!*	répondez-lui, monsieur !
rispondiamogli!	répondons-lui !	*rispondetegli!*	répondez-lui !
raccontaglielo!	raconte-le-lui !	***glielo** racconti!*	racontez-le-lui, monsieur !
raccontiamoglielo!	racontons-le-lui !	*raccontateglielo!*	racontez-le-lui !
prendetene due!	prenez-en deux !	***ne** prenda due!*	prenez-en deux, monsieur !

Enclise, voir 227 ◀

3. Particularités de la forme négative avec les pronoms

À la forme négative de l'impératif, le pronom complément peut aussi bien être placé en position enclitique qu'entre la négation et le verbe :

non prenderlo! = *non **lo** prendere!*	ne le prends pas !
non prendiamolo! = *non **lo** prendiamo!*	ne le prenons pas !
non prendetelo! = *non **lo** prendete!*	ne le prenez pas !

4. Formes particulières à la 2ᵉ personne

Certains verbes du premier groupe, monosyllabiques à l'impératif, peuvent avoir **deux formes** :

andare: va'! vai!   *dare: da'! dai!*   *stare: sta'! stai!*   *fare: fa'! fai!*

Les deux formes sont également employées, mais **seule la première peut s'accoler aux pronoms**. Dans ce cas, la consonne est **redoublée** :

Dammi il tuo indirizzo!   Donne-moi ton adresse !   Fallo subito!   Fais-le tout de suite !

Le verbe ***dire*** présente une seule forme : ***di'**!*
Avec les pronoms, elle se comporte de la même manière que les verbes précédents :

Dimmi a che cosa pensi!   Dis-moi à quoi tu penses !

La consonne redouble avec tous les pronoms sauf avec *gli* (= à lui, à eux)
Digli di essere puntuale all'appuntamento!   *Daglielo quando potrai!*
Dis-lui d'être à l'heure au rendez-vous !   Donne-le-lui quand tu pourras !

À VOUS

183. Traduisez :
a. Réponds-moi ! - b. Penses-y ! - c. Dis-le-nous !. - d. Envoyez-lui une rose ! - e. Vas-y tout de suite ! - f. N'y va pas ! - g. Laissons-le ! h. Levons-nous ! - i. Ne me la donne pas ! - j. Achète-m'en deux ! - k. Dis-moi ! - l. Dis-le-lui ! - m. Va-t'en ! - n. Allez-vous-en, monsieur ! - o. Demandez-le-leur !

IMPERSONNELS

(forme et verbes ~)

Les verbes impersonnels   **250**

Ce sont les verbes qui ne s'emploient qu'à la troisième personne du singulier, avec le sujet « apparent » il.
Font partie de cette catégorie :

1. Les verbes exprimant des phénomènes météorologiques

fare bello	faire beau	*nevicare*	neiger
fare caldo / freddo	faire chaud / froid	*piovere*	pleuvoir
gelare	geler	*tirare vento*	venter
grandinare	grêler	*tuonare*	tonner
lampeggiare	faire des éclairs		

Utilisés dans leur sens propre et non figuré, ces verbes sont défectifs, ne se conjuguant qu'aux modes impersonnels (infinitif, participe, gérondif) et qu'à la 3e personne du singulier des autres modes :
Nevicava.   *Sta piovendo.*   *Dovrebbe piovere.*
Il neigeait.   Il pleut.   Il devrait pleuvoir.

Intransitifs, ces verbes se conjuguent avec **essere** dans les temps composés, sauf le verbe *fare* :
È gelato stanotte.   Il a gelé cette nuit.   **Ha** *fatto bello.*   Il a fait beau.

Dans la langue parlée, on trouve parfois également l'auxiliaire *avere* :
Ha nevicato.   Il a neigé.

2. *Piacere* (aimer), *dispiacere* (regretter), *rincrescere* (être désolé)

Le pronom personnel complément exprime l'agent.
Mi dispiace molto.   **Je** regrette beaucoup.
Mi rincresce di dover rifiutare il suo invito.   **Je** suis désolé de devoir refuser son invitation.

Avec *piacere*, lorsque le sujet réel est exprimé, le verbe s'accorde avec celui-ci, qui est toujours de la troisième personne (mais singulier ou pluriel) :

I funghi non mi piacciono molto.   Je n'aime pas beaucoup les champignons.

Aux temps composés, l'auxiliaire de *piacere* étant *essere*, l'accord du participe passé avec le sujet est requis :

La fine del film mi è piaciuta molto.   J'ai beaucoup aimé la fin du film (= elle m'a plu, je l'ai aimée).

Voir aussi Aimer 175 ◀◀◀

3. *Succedere* (arriver), *accadere* (se passer), *capitare* (se produire)

Che cosa succede? Che cosa ti è capitato?   *Mi capita di sbagliare.*
Que se passe-t-il ? Que t'est-il arrivé ?   Il m'arrive de me tromper.

Voir aussi Arriver 183 ◀◀◀

4. Le verbe *bisognare* (falloir)

Il est également défectif car, à la différence du français, il n'existe qu'aux temps simples :

bisognava	*bisogna*	*bisognerà*	*bisognerebbe*
il fallait	il faut	il faudra	il faudrait

Bisogna ne peut être suivi que d'un verbe :
Il faut du courage. ⟶ *Bisogna **aver** coraggio.*

Voir aussi Il faut 246 ◀◀◀

5. Les verbes *occorrere* et *volerci* (falloir)

Ils sont employés aussi bien à la troisième personne du singulier que du pluriel, selon le nom auquel ils se rapportent.

***Occorre** allenarsi per il campionato.*	***Occorrono** scarpe adatte.*
Il faut s'entraîner pour le championnat.	=
***Ci vuole** molto allenamento.*	***Ci vogliono** scarpe adatte.*
Il faut beaucoup d'entraînement.	Il faut des chaussures adaptées.

Voir aussi Il faut 246 ◀◀◀

251   La forme impersonnelle

La forme impersonnelle est une construction syntaxique qui introduit un sujet neutre dans l'énoncé.

1. Certains verbes comme ***sembrare*** (sembler), ***parere*** (paraître), ***bastare*** (suffire), ***convenire*** (avoir intérêt, valoir mieux), ***importare*** (importer, falloir), etc. peuvent parfois être utilisés à la forme impersonnelle, c'est-à-dire à la troisième personne du singulier.

Comparez :

emploi avec un sujet défini	emploi impersonnel
▼	▼
***Sembrano** aver capito la tua allusione.*	***Sembra** che abbiano capito la tua allusione.*
Ils semblent avoir compris ton allusion.	Il semble qu'ils aient compris ton allusion.

 Ces verbes impersonnels peuvent être suivis d'un infinitif ou de *che* + subjonctif :
Basta <u>essere</u> puntuali.
Il suffit d'être à l'heure.
Pare che <u>siano</u> i primi arrivati.
Il semble qu'ils soient les premiers arrivés.

 Aux formes composées, ces verbes se conjuguent avec l'auxiliaire *essere* :
Mi è parso di sentire un rumore.
Il m'a semblé entendre un bruit.

 Le participe passé s'accorde avec le sujet :
Mi è parsa bellissima.   Elle m'a paru très belle.

2. Autre construction impersonnelle :

essere + adjectif + infinitif
ou
essere + adjectif + *che* + subjonctif

È utile farlo sapere a tutti.	*È utile che tutti lo sappiano.*
Il est utile de le faire savoir à tous.	Il est utile que tous le sachent.
È importante fargli capire il problema.	*È importante che capisca il problema.*
Il est important de lui faire comprendre le problème.	Il est important qu'il comprenne le problème.

Essere peut être remplacé par tout autre verbe d'état :
è certo, è evidente, è opportuno, è chiaro...
sembra importante, pare facile, diventa necessario...

Cette construction existe également avec les adverbes *bene* et *meglio*. Elle prend alors le sens de « il vaut mieux » :

È meglio ritrovarci alla stazione.	*È meglio che ci ritroviamo alla stazione.*
Il vaut mieux nous retrouver à la gare.	Il vaut mieux que l'on se retrouve à la gare.
È bene farlo subito.	*È bene che lo facciano subito.*
Il vaut mieux le faire tout de suite.	Il vaut mieux qu'ils le fassent tout de suite.

Noter l'absence de préposition devant l'infinitif. L'infinitif est en effet le sujet réel de la phrase, en position inversée :
È inutile complicare le cose. = Compliquer les choses est inutile.

3. Ce que l'on appelle en italien *la forma impersonale* est une tournure réfléchie qui correspond en fait à notre sujet personnel indéfini « on » :

Si può trovare di tutto al mercato delle pulci.   On peut tout trouver au marché aux puces.

Voir aussi Tournure impersonnelle avec *si* 159, Passif 158 ◀◀

⬤ À VOUS ! ⬤

184. Traduisez :
a. Il a plu toute la nuit. - b. Aujourd'hui il fait beau mais il fait frais pour la saison. - c. Ce sont des choses qui arrivent. - d. Ces tagliatelles au saumon, je les ai beaucoup aimées. - e. J'ai regretté de ne pas avoir pu participer à votre soirée. - f. Il lui a suffi une heure pour arriver à Pise. - g. Il vaut mieux faire un effort. - h. Il m'a paru fatigué. - i. Que s'est-il passé ? - j. Il est primordial qu'il comprenne la situation.

IN

(préposition)

Traductions de *in*

Prépositions simples, voir 77 ◀

1. En général, *in* correspond aux prépositions « dans » ou « en »

In questa situazione…   Dans cette situation…   *In generale…*   En général…

2. Quand *in* introduit un complément de lieu

in est sans article si le complément est exprimé par un nom isolé :
in tasca   dans la poche   *in mano*   dans la main

in est avec article si le complément est exprimé par un nom spécifié par un complément ou un adjectif :
nella tasca della giacca   *nella mano destra*
dans la poche de la veste   dans la main droite

in reste sans article si le complément est suivi d'un possessif :
in camera sua   *in vita mia*
dans sa chambre   dans ma vie
Si le possessif précède le complément, *in* se contracte avec l'article :
nella sua camera   *nella mia vita*

3. Pour exprimer les années avec les millésimes, on utilise la préposition avec l'article

Nel 1861 è stata realizzata l'unità d'Italia.   **Nel '68 c'è stata un'ondata di scioperi.*
En 1861 a été réalisée l'unité de l'Italie.   En 68 il y a eu une vague de grèves.

* L'apostrophe devant l'année indique que le siècle est sous-entendu.

Voir aussi Années 214, Siècles 215 ◀

4. *In* traduit par « à » en français

avec des expressions de lieu :
in casa   à la maison   *in banca*   à la banque
in montagna   à la montagne   *in ufficio*   au bureau
in campagna   à la campagne   *in Perù / in Giappone*   au Pérou / au Japon
in piscina   à la piscine   *in TV*   à la télé

Attention : aux États-Unis : *negli Stati Uniti.*

avec des expressions indiquant le moyen :
in bicicletta   à vélo

avec des expressions de temps :
in primavera   au printemps   *in autunno*   à l'automne

avec les noms de commerces se terminant en italien par *-ia* :
in farmacia   à la pharmacie   *in panetteria*   à la boulangerie…

5. *In* traduit par « sur » en français

*avere il cappello **in** testa*   avoir son chapeau sur la tête
*camminare **in** punta di piedi*   marcher sur la pointe des pieds
*mettere le carte **in** tavola*   mettre les cartes sur table
*mangiare **in** terrazzo*   déjeuner sur le balcon

6. *In* non traduit en français

***in** quel giorno* / ***in** quell'anno*   ce jour-là / cette année-là
***nei** giorni precedenti*   les jours précédents
*abita **in** via Matteotti*   il habite rue Matteotti
***in** piazza Cavour*   place Cavour

Devant les titres de livres, films, journaux, etc. on préfère séparer la préposition de l'article en gardant la forme *ne* à la place de *in* :
Manzoni ha scritto questo ne « I promessi sposi ».   Manzoni a écrit cela dans « Les Fiancés ».

À VOUS !

185. Traduisez :
a. Quand il se lève il va dans la salle de bain, puis à la cuisine pour prendre son petit déjeuner. - b. Il arrive au bureau vers neuf heures et il va tout de suite dans le bureau du directeur. - c. Christophe Colomb a découvert l'Amérique en 1492. - d. Pendant leurs vacances à la montagne ou à la campagne ils vont souvent à la piscine. - e. Je ne suis pas restée toute la matinée à la maison, je suis allée à la boucherie et à la boulangerie. - f. Nous avons vu à la télévision un documentaire sur un voyage au Pérou. - g. Il a beaucoup voyagé en Afrique, en Inde et aux États-Unis.

INFINITIF

(emplois particuliers)

L'infinitif sujet d'une tournure impersonnelle   `253`

Dans les tournures impersonnelles, l'infinitif n'est pas accompagné d'une préposition comme en français. En effet, il est le sujet réel du verbe.
*È possibile ø **prenotare** (= prenotare è possibile).*   Il est possible de réserver.
*Sarebbe necessario ø **iscriversi** subito.*   Il serait nécessaire de s'inscrire tout de suite.
*È stato inutile ø **provarci**.*   Il a été inutile d'essayer.

L'infinitif substantivé   `254`

L'infinitif peut être précédé d'un article :
Tra il dire e il fare, c'è di mezzo il mare.
Entre parole et action, il y a un abîme.

Précédé d'un article contracté, l'infinitif se traduit par :

● un substantif dérivé ou une expression équivalente

Sul finire della stagione i prezzi calano.   En fin de saison, les prix baissent.
Col passare del tempo si rassegnò.   Au fil des années, il se résigna.
Al suonare delle campane i contadini accorsero.   Au son des cloches, les paysans accoururent.

Article contracté, voir 11 ◀◀

● un gérondif

Nel versare (= versando) il vino ha macchiato la tovaglia.
En versant le vin, il a taché la nappe.
Col lavorare sodo (= lavorando sodo) è riuscito a mettere insieme una piccola fortuna.
En travaillant dur il est arrivé à accumuler une petite fortune.

255 La proposition infinitive

1. L'infinitif précédé de la préposition *a*

Il prend une valeur hypothétique :

A bere così, ti rovinerai la salute.   En buvant ainsi (= si tu bois ainsi), tu t'abîmeras la santé.
A dar retta a te, sembra tutto facile.   À t'écouter (= si je t'écoute), tout semble facile.
A pensarci bene, hai ragione tu.   En y pensant bien (= si j'y pense bien), c'est toi qui as raison.

2. L'infinitif complément d'un verbe de déclaration, d'intention, d'opinion...

Lorsque le sujet des deux propositions est identique, l'infinitif est introduit par la préposition *di* :

Penso di poterti aiutare.   Je pense pouvoir t'aider. / Je pense que je peux t'aider.
Spero di riuscirci da solo.   J'espère y arriver tout seul.
Credeva di farmi una sorpresa.   Il croyait me faire une surprise.

256 L'infinitif négatif à valeur d'impératif

Précédé de *non*, l'infinitif correspond à l'impératif négatif de la 2ᵉ personne :

Non uscire adesso!   *Non andarci (non ci andare)!*
Ne sors pas maintenant !   N'y va pas !

Place des pronoms, voir Enclise 227 ◀◀

◼◼◼ À VOUS ! ◼◼◼

186. Traduisez :
a. En entendant ma voix, il s'est précipité vers moi. - b. En travaillant à ce rythme, il finira par tomber malade. - c. J'espère le voir demain. - d. N'y va pas, ne joue pas avec le feu! - e. Si tu parles trop, tu risques de faire une gaffe. - f. Il est urgent de le prévenir. - g. Les voyages forment la jeunesse. - h. Elle espère ne pas trouver de circulation en allant à l'aéroport.

INSIEME

Emplois de l'adverbe *insieme* | 257

Insieme correspond au français « ensemble » :

Lavoriamo insieme da anni.   Nous travaillons ensemble depuis des années.

Il peut avoir un synonyme : ***assieme***.

Insieme a un emploi particulier en italien, avec le rôle d'une locution prépositive signifiant « avec, en compagnie de » : ***insieme con, insieme a.***

*È uscito **insieme con noi.*** Il est sorti avec nous.

*Ha messo su una società **insieme al fratello.*** Il a monté une société avec son frère.

Dans certains cas, ***insieme*** peut signifier « en même temps » :

*Parlano tutti **insieme.*** Era contento e **insieme** insoddisfatto.

Ils parlent tous en même temps. Il était content et insatisfait à la fois.

L'expression ***mettere insieme*** signifie « cumuler, rassembler, amasser » :

*Ha **messo insieme** un bel patrimonio.* Il a amassé une fortune.

À VOUS !

187. Traduisez :

a. Hanno vissuto insieme dieci anni. - b. Le vostre cartoline sono arrivate insieme alla mia. - c. Gli affari vanno benissimo! In pochi giorni abbiamo messo insieme una bella cifra. - d. Insieme a te non ho paura di nulla. - e. Era stanco e insieme non aveva voglia di dormire.

INTERJECTIONS

Interjections et exclamations | 258

Les interjections sont des mots isolés ou des groupes de mots qui, dans la langue orale, manifestent une émotion, une réaction spontanée (de joie, de surprise, de désapprobation...) ou un ordre bref.

Une exclamation peut souvent se réduire à une simple interjection. Cela peut être un nom *(coraggio!)*, un adverbe *(piano!)*, un verbe *(dai!)*, un adjectif *(pronto!)*, etc.

La plupart d'entre elles sont invariables mais **certaines varient en genre et / ou en nombre** avec la personne à laquelle elles s'adressent.

1. Encourager quelqu'un

su!	allons !	*Su, su, non fare quella faccia!*	Allons, allons, ne fais pas cette tête !
dai!	allez !	*Dai! Esci con me e non pensarci più.*	Allez ! Sors avec moi et n'y pense plus.

forza!	allez !	*Preparati, forza!*	Prépare-toi, allez !
coraggio!	du courage !	*Coraggio, andiamo!*	Courage, allons-y !
avanti!	en avant, vas-y !	*Avanti, non fare storie!*	Vas-y, (ne fais) pas d'histoire !

Varie en genre et nombre : *bravo!* (bravo !)

Brava, così!   Bien, comme ça ! (destinataire féminine)

2. Donner un ordre

alt!	*fuori!*	*dentro!*	*in piedi!*	*basta!*
stop !	dehors !	rentrez !	debout !	ça suffit !

Varient en genre et nombre :

zitto!	silence !	*Ferma e zitta!*	Ne bouge pas et tais-toi !
fermo!	ne bouge pas !		
attento!	attention !	*Attenti al cane!*	Attention au chien !

Se conjugue à toutes les personnes de l'impératif : *smettila!* (arrête !)

smettila di fare rumore!   arrête de faire du bruit !
smettiamola con questa storia!   arrêtons avec cette histoire !
smettete di parlare!   arrêtez de parler !

3. Exprimer la surprise

perbacco!   parbleu !
caspita! diamine!   ça alors !
mamma mia! Dio mio!   mon Dieu !

4. Exprimer le regret

peccato!	dommage !	*purtroppo!*	malheureusement !
accidenti!	zut !	*pazienza!*	tant pis !

À VOUS !

188. Traduisez :
a. Mon dieu ! quelle aventure ! - b. Attention au camion ! - c. Silence, les enfants ! - d. Vite ! De l'eau ! - e. À l'aide ! - f. Zut ! J'ai perdu mes clés ! - g. Bravo ! (à plusieurs femmes) - h. Quel dommage ! - i. Encore un petit effort ! Allez ! - j. Debout ! C'est heure de se lever !

INVARIABLES

259	Noms et adjectifs invariables

On trouve différents cas de mots invariables, c'est-à-dire qui gardent la même forme au singulier et au pluriel. Le repérage du nombre se fait alors grâce au déterminant et aux éventuels verbes et adjectifs accompagnant ces mots.

1. Les noms se terminant par une voyelle accentuée *(parole tronche)*

La città —→ *le città*   *il caffè* —→ *i caffè*   *la virtù* —→ *le virtù*
La ville   les villes   le café   les cafés   la vertu   les vertus

2. Les noms se terminant par une consonne

Il s'agit d'anciens mots étrangers intégrés dans la langue :
Il film —→ *i film*   *il bar* —→ *i bar*   *l'autobus* —→ *gli autobus*
Le film   les films   le bar   les bars   l'autobus   les autobus

3. Les noms se terminant par *-i*

la crisi —→ *le crisi*   *l'analisi* —→ *le analisi*   *la tesi* —→ *le tesi*
La crise   les crises   l'analyse   les analyses   la thèse   les thèses

À remarquer que les noms en *-i* sont féminins, sauf *il brindisi* (le toast), *l'alibi* et *lo sci* (le ski), invariables également.

4. Les noms se terminant par *-ie*

la serie —→ *le serie*   *la specie* —→ *le specie*
la série   les séries   l'espèce   les espèces

{ Exceptions : *moglie* (épouse), *superficie* (surface) et *effigie* (effigie) font *mogli*, *superfici* et *effigi*.

5. Les monosyllabes

Il re —→ *i re*   *la gru* —→ *le gru*
le roi   les rois   la grue   les grues

6. Les noms étrangers

il garage —→ *i garage*   *la brioche* —→ *le brioche*
le garage   les garages   la brioche   les brioches

7. Les noms abrégés

il cinema(tografo) —→ *i cinema*   le(s) cinéma(s)
l'auto(mobile) —→ *le auto*   l'auto / les autos
la foto(grafia) —→ *le foto*   la photo / les photos
la moto(cicletta) —→ *le moto*   la moto / les motos

8. Certains noms en *-a*

il gorilla —→ *i gorilla*   *il vaglia* —→ *i vaglia*   *il boa* —→ *i boa*
le(s) gorille(s)   le(s) mandat(s)   le(s) boa(s)

Voir aussi noms en *-A* 165 ◄◄

9. Les adjectifs de couleur

rosa, *viola* et *blu* sont invariables :
Due camicie blu.   Deux chemises bleu marine.

 toutes les couleurs sont invariables si elles sont suivies d'un adjectif du type *scuro* (foncé) ou *chiaro* (clair) :

due cravatte rosso scuro   deux cravates rouge foncé

 et toutes les nuances référant à un élément végétal, minéral ou animal existant :

(color) senape, smeraldo, ocra, verde acqua, giallo canarino...

(couleur) moutarde, émeraude, ocre, vert eau, jaune canari...

Voir aussi Couleur 209 ◄

À VOUS !

189. Traduisez :

a. J'ai envoyé deux mandats. - b. Dans tous les bars italiens, on peut boire du cappuccino. - c. Une collision entre deux camions a fortement ralenti la circulation sur l'autoroute Milan-Gênes. - d. Il y a deux hypothèses possibles. - e. Nous avons trois séries de modèles. - f. Toutes les nationalités étaient représentées. - g. Dans les grandes villes, la pollution crée de nouvelles nécessités.

IO et *ME*

260   Emplois de *io* et *me*

1. *Io* pronom personnel sujet exprimé

Io (je) est généralement sous-entendu car la terminaison de la forme verbale suffit à indiquer la personne qui accomplit l'action :

*Stasera **vado** a cena da amici.*   Ce soir je vais dîner chez des amis.

Io, comme tous les autres pronoms personnels sujets, est exprimé dans les cas suivants :

 pour marquer un contraste ou une opposition :

*Lui è francese, ma **io** sono italiana.*   Lui, il est français, mais moi, je suis italienne.

Dans ce cas, le sujet exprimé peut correspondre à la forme française « moi, je... ».

 dans une succession d'actions accomplies par des sujets différents :

*La sera Marco fa i compiti, Martina va a letto presto e **io** leggo un po'.*

Le soir Marco fait ses devoirs, Martina se couche tôt et moi je lis un peu.

 si une même action est accomplie par plusieurs sujets, dont « je » :

Io peut précéder l'autre sujet :

Io e Giacomo non veniamo al cinema.

ou le suivre :

*Giacomo ed **io** non veniamo al cinema.*   Giacomo et moi ne venons pas au cinéma.

Dans ce dernier cas, la conjonction prend souvent un « d » euphonique devant *io*.

D euphonique, voir 210 ◄

 avec *anche* (aussi) et *neanche* (non plus), qui s'élident devant *io* :

→ *anch'io / neanch'io*

*Vorrei venire **anch'io** al cinema con voi.*   Je voudrais moi aussi aller au cinéma avec vous.

⬤ chaque fois que la forme verbale peut créer une ambiguïté, notamment au subjonctif :

Non è necessario che io sia presente al processo.
Il n'est pas nécessaire que je sois présent au procès.

⬤ lorsque le verbe est sous-entendu :

Lui non ci crede, ma io sì (ci credo).　　　*Ehi, tu! – Chi? Io?*
Il n'y croit pas mais moi oui (j'y crois).　　　Eh, toi ! – Qui ? Moi ?

⬤ lorsque *io* introduit une phrase relative :

Io che vi ascolto in questo momento...　　Moi qui vous écoute en ce moment...

⬤ Lorsque l'on met en relief le sujet par sa postposition (c'est moi qui...)

Se non puoi andare a prendere i bambini a scuola, ci vado io.
Si tu ne peux pas aller chercher les enfants à l'école, j'y vais moi (c'est moi qui y vais).

Pronto, sono io!
Allô, c'est moi !

Postposition du sujet, voir **309** ◀◀

2. *Me* = « c'est moi que... »

Le pronom personnel c.o.d. forme forte *me* se place toujours après le verbe :
Alla fine hanno scelto me, e non lui.　　Finalement, c'est moi qu'ils ont choisi, et pas lui.

3. *Me* = « moi » pronom personnel

précédé d'une préposition
Venite da me stasera?　　Vous venez chez moi, ce soir ?
Secondo me non è vero.　　À mon avis (selon moi) cela n'est pas vrai.

dans une comparaison :
Lui ama più te di me.　　Il t'aime plus, toi, qu'il ne m'aime moi.
Lui ama meno me di lei.　　Il m'aime moins, moi, qu'il ne l'aime, elle.
È giovane come me (quanto me).　　Il est aussi jeune que moi.

4. *Me* = « de moi »

Dans les exclamations comme :
Povero me!　　Pauvre de moi !
Me misero! Me tapino! (littéraire)　　Que je suis malheureux !

5. *Me*, suivi des pronoms atones *lo, la, li, le, ne*

Ti presto questo libro, me lo restituirai quando potrai.
Je te prête ce livre, tu me le rendras quand tu pourras.

Me forme un ensemble enclitique avec ces pronoms *(-melo, -mela, -meli, -mele, -mene)* dans les cas suivants :

après un infinitif :
Avresti dovuto dirmelo prima.　　Tu aurais dû me le dire avant.

après un gérondif :
Regalandomela, mi hai reso felice!　　En me l'offrant, tu m'as rendu heureux.

après un impératif (aux 2ᵉ personnes)
Compramelo!　　　　*Compratemelo!*
Achète-le-moi !　　　Achetez-le-moi !

Enclise, voir **227** ◀◀

190. Traduisez :

a. C'est moi qu'elle a invité, pas lui. - b. C'est moi qui commande, ici ! - c. Il est plus vieux que moi. - d. Ouvre! c'est moi. - e. Moi, je ne te comprends pas ! - f. Moi aussi je t'aime. - g. Je m'en souviens encore. - h. Qui a cassé mon verre ? C'est moi qui l'ai cassé, excuse-moi ! - i. Entre toi et moi, il n'y a pas une grande différence d'âge. - j. Il veut sortir, mais pas moi.

-IO

(noms et adjectifs en ~)

261 Pluriel des mots en *-io*

Les mots qui se terminent par *-io* (dont l'accent tonique est sur le *-i*) ont un pluriel en *-ii* :

l'addio ⟶ *gli addii*
l'adieu   les adieux

Dans les autres cas ils ont un pluriel en *-i* :

l'ufficio ⟶ *gli uffici*
le bureau   les bureaux

Certains mots en *-io* ont un pluriel irrégulier en *-a* et changent de genre :

il paio   ⟶ *le paia*   les paires
il centinaio   ⟶ *le centinaia* les centaines
il migliaio   ⟶ *le migliaia*   les milliers
il miglio   ⟶ *le miglia*   les milles

il braccio **(le bras),** *il ginocchio* **(le genou),** ont deux formes de pluriel mais leur signification varie :

i bracci di un fiume / *le braccia di un uomo*
les bras d'un fleuve   les bras d'un homme
i ginocchi dei pantaloni / *le ginocchia di un uomo*
les genoux d'un pantalon   les genoux d'un homme

il dio **(le dieu),** *il tempio* **(le temple),** font au pluriel *gli dei, i templi.*

Voir aussi Accentuation 5
Pluriels irréguliers 303 ◀

191. Mettez au pluriel :

a. L'orologio. - b. Il negozio. - c. L'addio. - d. Il brusio. - e. Il vizio. - f. Lo zio. - g. Il paio. - h. L'esercizio. - i. Il tabaccaio. - j. Il condominio. - k. il convoglio ferroviario. - l. Il vassoio. - m. L'occhio grigio. - n. Il foglio. - o. Lo scrittoio. - p. Il brontolio.

-ISTA

(noms et adjectifs en ~)

1. Les noms et adjectifs en *-ista* sont invariables au singulier

il dentista　　**la** dentista　　　　　　*il* deputato *socialista*
le dentiste　　la dentiste　　　　　　le député socialiste

2. Formes du pluriel

Les noms ou adjectifs masculins ont un pluriel en *-i*.
il giornalista —→ *i giornalisti*　　　　*un amico altruista* —→ *degli amici altruisti*
le journaliste　　les journalistes　　　un ami altruiste　　　des amis altruistes

Les noms ou adjectifs féminins ont un pluriel en -e.
la giornalista —→ ***le giornaliste***　　*un'amica egoista* —→ *delle amiche egoiste*
la journaliste　　les journalistes　　　une amie égoïste　　　des amies égoïstes

À VOUS !

192. Selon le genre indiqué entre parenthèses, ajoutez un article défini aux mots suivants, puis transformez au pluriel :
a. camionista (m) - b. automobilista (f) - c. farmacista (m) - d. autista (m) - e. specialista (m) - f. garagista (m) - g. comunista (f) - h. arrivista (f) - i. attivista (m) - j. pianista (f) - k. musicista (f) - l. macchinista (m) - m. collezionista (m) - n. conformista (m) - o. ottimista (f) - p. pessimista (m).

JOUER

L'italien distingue :
1. Jouer à un jeu, s'amuser
2. Jouer d'un instrument de musique
3. Jouer, incarner un rôle au théâtre ou dans un film
4. Se jouer, passer (en parlant d'un film ou d'une pièce)

1. *GIOCARE A*

Jouer à un jeu ou pratiquer un sport :
giocare a nascondino　　jouer à cache-cache

giocare a carte	jouer aux cartes
giocare a scacchi	jouer aux échecs
giocare a tennis	jouer au tennis

2. SUONARE

Extraire un son d'un instrument de musique :

suonare la chitarra	jouer de la guitare
suonare il pianoforte	jouer du piano
suonare il violino	jouer du violon

3. RECITARE

Incarner un rôle au théâtre ou au cinéma :
*Nanni Moretti **recita** in tutti i suoi film.*
Nanni Moretti joue dans tous ses films.

« Jouer » peut également se traduire par le verbe ***interpretare*** lorsqu'un complément direct est exprimé :
***Interpreta** molto bene la sua parte.*
Il joue très bien son rôle.
***Interpreta** Donna Elvira in Don Giovanni.*
Elle joue Donna Elvira dans *Don Juan*.

{ Attention : l'expression au figuré « jouer un rôle » se traduit par ***avere un ruolo.***
***Ha avuto un ruolo** importante nella soluzione del conflitto.*
Il a joué un rôle important dans la solution du conflit.

4. DARE

Programmer, passer un film, une pièce de théâtre, un opéra... :
*Questa sera all'Opera **danno** La Traviata.*
Ce soir à l'Opéra on joue *La Traviata*.

5. Quelques expressions figurées

- Jouer au héros   → ***Fare** l'eroe.*
- Jouer l'indifférence → ***Fingere** indifferenza (feindre l'indifférence).*
- Jouer sur les mots → ***Giocare** sulle parole.*
- Jouer avec le feu → ***Scherzare** con il fuoco.*

À VOUS !

193. Complétez avec la traduction correcte de « jouer » :
a. Marco ... benissimo la chitarra. - b. Abbiamo passato la serata a ... a bridge. - c. In quel film, Depardieu ... Cyrano - d. Che cosa ... in questo momento alla Scala di Milano? - e. Ha ... alla roulette e ha perso tutto. - f. È un attore che ... molto bene. - g. Il mediatore ha ... un ruolo decisivo. - h. C'era un bambino che ... il tamburo con entusiasmo. - i. L'orchestra ha ... la nona di Beethoven. - j. È molto concentrato quando ... a scacchi.

JUSQUE, JUSQU'À CE QUE

1. *FINO A*

Jusque (jusqu'à, jusqu'en)

fino a domani	jusqu'à demain	*fino a Milano*	jusqu'à Milan
fino a marzo	jusqu'en mars	*fino al capolinea*	jusqu'au terminus
fino al 2020	jusqu'en 2020	*fino al bordo*	jusqu'au bord
fino alle due	jusqu'à deux heures	*fino ad oggi*	jusqu'à ce jour

Sino a, variante de *fino a,* s'emploie pour éviter des répétitions cacophoniques du son [f]:

sino alla fine   *sino a Firenze*
jusqu'à la fin   jusqu'à Florence

fino et *sino* s'abrègent dans certaines expressions en perdant la préposition *a* :

fin dove? (Sin dove?)   *Ne ho fin sopra i capelli.*
Jusqu'où ?   J'en ai par-dessus la tête.

2. *FINCHÉ NON*

Jusqu'à ce que (+ subjonctif) + indicatif ou subjonctif
Restate con lui finché non avrà finito (non abbia finito).
Restez avec lui jusqu'à ce qu'il ait terminé.

3. *PERFINO (PERSINO)*

Tout... jusqu'à...
Si è giocato tutto alla roulette, perfino la fede.   Il a tout perdu à la roulette, jusqu'à son alliance.

À VOUS !

194. Traduisez :
a. Il a fait beau jusqu'à hier. - b. Je t'attendrai jusqu'à huit heures. - c. Mon passeport est valable jusqu'en 2010. - d. Je resterai là jusqu'à ce qu'il s'en aille. - e. J'insisterai jusqu'à ce que j'obtienne une réponse. - f. Il était resté jusque-là silencieux. - g. Jusqu'à l'âge de trente ans il a habité chez ses parents.

MA et *PERÒ*

Ma et *però* sont des conjonctions adversatives, c'est-à-dire qu'elles relient deux termes ou deux propositions s'opposant. Elles sont synonymes – *però* ayant cependant légèrement plus d'intensité. À l'écrit, il est déconseillé de commencer une nouvelle phrase par **ma**. On préfère relier les deux propositions par une virgule.

*È un film molto bello, **ma** lungo.*
C'est un film très beau mais long.

*È intelligente, **però** è pigro.*
Il est intelligent mais il est paresseux.

Ma est toujours placé devant le mot ou la proposition qu'il coordonne :
*Vorrei uscire, **ma** sono troppo stanca.*
Je voudrais sortir, mais je suis trop fatiguée.

Però, en revanche, ne se place pas obligatoirement en position initiale :
*Vorrei uscire, **però** sono troppo stanca.*
*Vorrei uscire. Sono **però** troppo stanca.* ⎫ Je voudrais sortir mais je suis trop fatiguée.
*Vorrei uscire. Sono troppo stanca, **però**.* ⎭

MAGARI

Sens et emplois de *magari*

1. *Magari*, interjection

Surtout employé dans la langue parlée, en interjection isolée, *magari* exprime un vif désir considéré comme impossible à réaliser.

*Sei dimagrita ultimamente? Eh, **magari**!*
As-tu perdu du poids ces derniers temps ? Eh, **je voudrais bien !**

Magari peut également être suivi d'un verbe au **subjonctif imparfait** :
***Magari** fosse vero!*   Si seulement c'était vrai !

Magari suivi du subjonctif imparfait peut aussi, plus rarement et dans un registre de langue familier, signifier *anche se* :
*L'aspetterò alzata, **magari** <u>dovessi</u> non dormire tutta la notte (= anche se dovessi non dormire).*
Je l'attendrai debout, même si je devais ne pas dormir de la nuit.

2. *Magari*, adverbe

En tant qu'adverbe, *magari* peut également exprimer un doute.
Il est alors suivi d'un verbe à l'indicatif et est synonyme de **forse** (peut être) :
*Non risponde al telefono. **Magari** è uscito.*
Il ne répond pas au téléphone. Il est peut-être sorti.

À VOUS !

195. Traduisez en utilisant *magari* suivi de l'indicatif ou du subjonctif, selon le cas : a. Si seulement je gagnais au loto ! - b. Maintenant il fait beau mais peut-être qu'il pleuvra tout à l'heure. - c. Connais-tu cette belle fille ? J'aimerais bien ! - d. Je voudrais lui offrir cette cravate mais peut-être qu'elle ne lui plairait pas. - e. Il fait tant d'histoires et ce n'est peut-être même pas vrai.

MAJUSCULES

Emplois de la majuscule 267

1. La majuscule de début de phrase

après un point :
Esco domani con Danila. Credo che andremo al cinema.
Je sors demain avec Danila. Je crois que nous irons au cinéma.

après un point d'exclamation, d'interrogation ou des points de suspension s'ils ont la même valeur que le point final :
Dove sei stato? – Al cinema.   Où es-tu allé ? – Au cinéma.

dans le discours direct, précédée de guillemets :
Mi chiese: « Dove sei stato? »   Il me demanda : « Où es-tu allé ? »
Mais on emploie la minuscule pour continuer une phrase interrompue :
Mi chiese: « Dove sei stato? » con aria preoccupata.

2. La majuscule de nom propre

Selon la règle, tout nom propre doit s'écrire avec la majuscule.
On distingue les noms propres suivants :

• personnes ou choses	*Paolo Conte, la Scala*
• noms géographiques	*Roma, Italia, Europa, il Monte Bianco*
• rues et places	*Via Veneto, Piazza Navona*
• fêtes	*Natale, Pasqua, Ascensione*
• peuples*	*Etruschi, Romani, Greci, Americani, Italiani*
• périodes historiques et siècles	*il Rinascimento, il Seicento*
• titres	*« la Strada », il « Corriere della Sera »*
• personnifications et allégories	*la Libertà, la Giustizia*
• institutions et sociétés	*il Senato, Alitalia*
• titres, dignités	*il Papa, il Capo dello Stato, il Presidente*

* Mais il est fréquent de voir écrits les noms de peuples modernes en minuscules.

3. La majuscule des noms propres composés de plusieurs éléments

On écrit de préférence en majuscules tous les éléments (sauf les articles et les prépositions) si ces éléments font partie intégrante du nom propre.

Società per Azioni (S.p.A)	Société anonyme (S.A.)
Il Corriere della Sera	(journal quotidien)
Il Capo dello Stato	Le chef de l'État
La Repubblica Francese	La République française
Piazza della Vittoria	Place de la Victoire
La Divina Commedia	La Divine Comédie

On écrit en minuscules les éléments qui peuvent être supprimés sans altérer le nom propre.
Comparez :

Il fiume Adige	*La Pianura Padana*
le fleuve Adige	La Plaine du Pô
▼	▼
On peut dire l'*Adige*.	On ne peut pas dire *la Padana* toute seule.

4. La majuscule de politesse

Les pronoms de la personne de politesse prennent la majuscule, même à l'intérieur d'un mot, excepté la forme *glielo* :

*Credo che **Lei** abbia ragione.*	Je crois que vous avez raison.
*Adesso **La** devo salutare.*	Maintenant je dois vous quitter.
*Il **Suo** taxi è arrivato.*	Votre taxi est arrivé.
*Domani **Le** telefono.*	Demain je vous appelle.
*Arriveder**La**.*	Au revoir.
Domani glielo porto.	Demain je vous l'apporte.

Forme de politesse, voir 304 ◄

À VOUS !

196. Corrigez les fautes de majuscule :

a. Roma è la Capitale d'Italia. vicino a Roma, a fiumicino, c'è l'Aeroporto Leonardo da vinci. Torino, invece, è in piemonte. è la città della fiat, la grande fabbrica di automobili Italiana. Attraversata dal Fiume po, torino è vicina alle alpi e alla Frontiera Francese.

b. Mi ha risposto: « non è Inglese, è Americana », e con tono sicuro ha aggiunto: « si sente dall'accento ».

MICA

268 Sens et emplois de *mica*

L'adverbe *mica* appartient au langage familier et exprime des nuances particulières.

1. *MICA* = DU TOUT

Généralement, *mica* renforce une négation qui exclut toute hypothèse contraire :
***Non** è **mica** stupido, che cosa credi?*
Il n'est pas du tout stupide, qu'est-ce que tu crois ?
***Non** lo sapevo **mica**.*
Je ne le savais pas du tout.

2. *MICA* = PAS

Dans une phrase exclamative, employé sans verbe, *mica* exprime une appréciation favorable :
***Mica** male!*   Pas mal !

3. *MICA* = PAR HASARD, AU MOINS

***Non** ti sarai **mica** offeso?*
Tu n'es pas vexé, au moins ? / Tu ne serais pas vexé, par hasard ?

197. Traduisez en utilisant la négation *mica* :
a. Tu ne l'as pas vu, par hasard ? - b. Pas mauvais, ce vin ! - c. Ce n'est pas drôle du tout, crois-moi ! - d. Vous ne lui avez pas répondu, au moins ? - e. Tu n'as pas trouvé mes clés, par hasard ? - f. Pas vilain, ce tableau ! - g. Ce n'est pas du tout moi qui l'ai fait. - h. Tu ne serais pas timide, par hasard ? - i. Il l'a dit mais moi je n'y crois pas du tout. - j. Tu te trompes, il n'est pas vieux du tout ! - k. Pas idiot, ce garçon-là !

MOLTO

Emplois de *molto*   `269`

Molto peut être adjectif ou pronom indéfini, ou encore adverbe.
Dans le premier cas, il s'accorde en genre et nombre avec le nom qu'il détermine ; dans le deuxième cas, il est invariable.

1. *MOLTO* = BEAUCOUP DE...

En tant qu'adjectif indéfini, il exprime la quantité et s'accorde toujours en genre et nombre avec le nom qui suit :

Molto lavoro.   Beaucoup de travail.   *Molti amici.*   Beaucoup d'amis.
Molta fantasia.   Beaucoup d'imagination.   *Molte amiche.*   Beaucoup d'amies.

§ Attention aux expressions suivantes, où *molto* se traduit par « très » :

Ho molta fame.   J'ai très faim.   *Ho molto sonno.*   J'ai très sommeil.
Ho molta sete.   J'ai très soif.   *Ho molta voglia.*   J'ai très envie.

2. *MOLTO* = TRÈS

En tant qu'adverbe accompagnant un adjectif, *molto* exprime une qualité et est invariable :

*Un ragazzo **molto** simpatico.*   Un garçon très sympathique.
*Una ragazza **molto** simpatica.*   Une fille très sympathique.
*Ragazzi **molto** simpatici.*   Des garçons très sympathiques.
*Ragazze **molto** simpatiche.*   Des filles très sympathiques.

Quand *molto* (adverbe) détermine un verbe, à la différence du français, il se place toujours après celui-ci :
*Ho riso **molto**.*   J'ai beaucoup ri.
Dans ce cas, comme *molto* indique une quantité, il se traduit par « beaucoup ».

3. *MOLTO* = BEAUCOUP

Molto pronom indéfini s'accorde en genre et en nombre avec son référent :
Quanti film italiani hai visto? – Ne ho visti molti.
Combien de films italiens as-tu vus ? – J'en ai vu beaucoup.
Quante città italiane hai visitato? – Ne ho visitate molte.
Combien de villes italiennes as-tu visitées ? – J'en ai visité beaucoup.

Molti non sono d'accordo con la decisione del governo.
Beaucoup ne sont pas d'accord avec la décision du gouvernement.

Accord du participe passé avec *ne*, voir 290 ◄

4. *MOLTO (DI)* = BEAUCOUP DE MES, DE TES

Accompagné d'un adjectif possessif, *molto* désigne une quantité parmi une possession globale :
Molti miei *amici.* / **Molti dei miei** *amici.*
Beaucoup de / Beaucoup parmi mes amis.
Molte mie *amiche* / **Molte delle mie** *amiche.*
Beaucoup de / Beaucoup parmi mes amies.

Molto s'accorde dans les deux cas avec le nom qu'il détermine.
Quand *molto* précède directement le possessif, celui-ci n'a pas d'article.

Au singulier, on préfère la forme avec *di* :
Molta della sua *arroganza era sparita.*
Beaucoup de son arrogance avait disparu.

5. *MOLTI/E DI NOI, VOI...* = BEAUCOUP D'ENTRE NOUS, VOUS...

Molti di voi non lo sanno ancora.
Beaucoup d'entre vous ne le savent pas encore.

6. *I MOLTI* / *LE MOLTE* = LES NOMBREUX(SES)

*Gondole e vaporetti solcano **i molti** canali di Venezia.*
Des gondoles et des vaporettos sillonnent les nombreux canaux de Venise.

7. *MOLTO (TEMPO)* / *MOLTO (DENARO)* = LONGTEMPS, CHER

Dans cet emploi, *molto* est invariable.
*Aspetti da **molto**?*
Est-ce que tu attends depuis longtemps ?
*Ti è costato **molto**?*
Cela t'a coûté cher ?

À VOUS !

198. Traduisez :
a. Nous avons très envie de visiter les nombreux musées de Florence. - b. Beaucoup pensent qu'il est très difficile de bien parler beaucoup de langues étrangères. - c. Cela fait longtemps que j'y pense. - d. C'est une situation très dangereuse qui exige beaucoup d'attention. - e. Il a beaucoup voyagé dans de nombreux pays du monde.

199. Traduisez :
a. Ce sont des filles très dynamiques, qui travaillent avec beaucoup de sérieux. - b. Hier soir, à la fête, nous avons beaucoup dansé et nous nous sommes beaucoup amusés. - c. Elle n'était pas très satisfaite de ses résultats : beaucoup de ses notes étaient médiocres. - d. Nous avions très soif et très faim après quatre heures de marche à pied.

MONTER et DESCENDRE

En français, « monter » et « descendre » ont un emploi transitif possible :

J'ai monté la valise.   J'ai descendu la valise.

En italien, l'emploi transitif de *salire* et *scendere* est beaucoup plus limité. On admet :

salire (scendere) le scale, una strada ripida…

monter (descendre) l'escalier, une côte…

mais ces verbes ne peuvent pas s'employer comme synonymes de « déplacer » (vers le haut ou vers le bas). Dans ce cas, on a recours à d'autres verbes, accompagnés selon le contexte, des adverbes *su* et *giù*.

*Ho **messo su** la valigia.*	*Ho **tirato giù** la valigia.*
J'ai monté la valise.	J'ai descendu la valise.

*Ho **portato giù** la spazzatura.*	J'ai descendu les ordures.
*Ho **portato** la spazzatura **giù** in strada.*	J'ai descendu les ordures dans la rue.
*Ho **portato** la posta **su** in casa.*	J'ai monté le courrier à la maison.

Autres emplois :

alzare il volume	monter le son
montare la guardia	monter la garde
montare a cavallo	monter à cheval
scaricare dei mobili da un camion	descendre des meubles d'un camion

À VOUS !

200. Traduisez :

a. Il a descendu les bouteilles à la cave. - b. Le concierge m'a monté la lettre recommandée. - c. J'ai descendu le store. - d. Tous les hivers, je descends mes vêtements chauds du haut du placard et je monte les affaires d'été. - e. Je monte la plante au premier étage. - f. Nous avons descendu les bagages avec l'ascenseur. - g. Aujourd'hui on ne peut pas descendre les ordures car il y a la grève des éboueurs.

NÉGATION

1. La négation absolue s'exprime avec *no*

no = « non »

*Vuoi un caffè? – **No**, grazie.*	*Chi lo farà? – Io **no**.*
Veux-tu un café ? – Non, merci.	Qui va le faire ? – Pas moi.
*È arrivato Giulio? – Credo di **no**.*	
Est-ce que Giulio est arrivé ? – Je crois que non.	

Noter la construction *credere di* pour « croire que ».

2. La forme négative des verbes s'exprime avec *non*

non = ne... pas

*Vuoi un caffè? – No, grazie, **non** lo voglio.*
Veux-tu un café ? – Non, merci, je n'en veux pas.

3. Autres locutions négatives

Pour renforcer *non* :

*Non mi piace **affatto** (per niente, per nulla).*	Je n'aime pas du tout.
*Non è **niente** male.*	Ce n'est pas mal du tout.
*Non è **mica** vero.* (familier)	Ce n'est pas vrai du tout.
*Non c'è **nessun** (alcun) dubbio.*	Il n'y a aucun doute.

Voir aussi *Niente 273, Mica 268, Nessun 272* ◀

Pour nuancer *non* :

*Non lo faccio **mai**.*	Je ne le fais jamais.
*Non l'ho **ancora** fatto.*	Je ne l'ai pas encore fait.
*Non l'ho **più** visto.*	Je ne l'ai plus vu.
*Non lo voglio **nemmeno** (neppure, neanche) vedere.*	Je ne veux même pas le voir.
*Non lo voglio **né** vedere **né** sentire.*	Je ne veux ni le voir ni l'entendre.

Locutions négatives doublées :

*Non voglio vederti **mai più**.*   Je **ne** veux **plus jamais** te voir.

{ Noter l'ordre des éléments *mai più* (plus jamais).
{ *Accetteresti? – **Niente affatto**.*   Accepterais-tu ? – Pas du tout.

Traduction de « pas de... » :

La construction avec *niente* sous-entend un verbe.
Niente scherzi, per favore!   Pas de blagues, s'il te plaît ! (Ne me fais pas de blagues !)
Niente caffè per te?   Pas de café pour toi ? (Tu ne veux pas de café ?)

4. La construction restrictive « ne... que »

À la construction négative *non ... che*, l'italien préfère la forme affirmative avec *solo*
ou *solamente*, *soltanto* (seulement) :
*C'è **solo** una possibilità.* = ***Non** c'è **che** una possibilità.*   Il n'y a qu'une possibilité.
Excepté dans le cas d'une action répétée :
*Non **fa** (altro) **che** dormire.*   Il ne fait que dormir.

5. Place de *non* dans la double négation

Non est omis lorsque *niente (nulla)*, *nessuno*, *neanche* et *né ... né* sont placés en
début de phrase :
Niente ø gli farà cambiare idea.
Rien ne lui fera changer d'avis.
Neanch'io ø lo conosco.
Moi non plus je ne le connais pas.
Né Carla né Sandro ø sono venuti al mio compleanno.
Ni Carla ni Sandro ne sont venus à mon anniversaire.

Non est obligatoire lorsque ces mêmes adverbes sont placés après le verbe :
Non faccio niente di particolare.   Je ne fais rien de particulier.
Non ho visto neanche loro.   Je ne les ai pas vus non plus.
*La cipolla **non** mi piace né cruda né cotta.*   L'oignon ne me plaît ni cru ni cuit.

201. Traduisez :

a. Ils n'ont qu'un enfant. - b. Pas de panique ! La situation est sous contrôle. - c. Je n'ai vu ni Marco ni sa sœur au théâtre. - d. Je ne pourrai plus jamais le regarder en face. - e. Il ne m'a même pas adressé la parole. - f. La décision a été prise ? Non, je pense que non. Pas encore. - g. Ce n'est pas du tout une plaisanterie. - h. Il n'y a aucune raison de s'inquiéter. - i. Est-ce que tout le monde a un ticket ? Non, pas lui, et elle non plus. - j. Durant la réunion, il n'intervient jamais, il ne fait que fumer.

NESSUNO

Fonctions et emplois de *nessuno* — 272

1. *Nessuno* pronom indéfini

En tant que pronom indéfini, *nessuno* peut signifier :

• « personne » :
*Non ho visto **nessuno**.*   Je n'ai vu personne.
Dans ce cas, *nessuno* est **invariable**.

• « aucun, aucune (de) » :
Nessuna di loro sa parlare il greco.
Aucune d'entre elles ne sait parler le grec.
Dans ce cas, *nessuno* **varie en genre** avec le nom auquel il se réfère.

• « quelqu'un » :
dans les phrases interrogatives, *nessuno* peut remplacer *qualcuno*.
*Ha telefonato **nessuno**?*   Est-ce que quelqu'un a téléphoné ?
Dans ce cas on ne met pas la double négation.

Place de *nessuno* :
En tant que sujet, *nessuno* peut être placé avant ou après le verbe.
Placé avant le verbe, à la différence du français, il n'exige pas de négation supplémentaire.
Placé après le verbe, il demande la double négation (avec *non*) comme en français.
Nessuno può entrare.   Non può entrare nessuno.   Personne ne peut entrer.
C'est donc la position de *nessuno* qui détermine la présence ou l'absence de la double négation (voir paragraphe 3) :
*Non ho visto **nessuna** di loro.*
Je n'ai vu aucune d'entre elles.

2. *Nessuno* adjectif indéfini

Il est toujours singulier et signifie « **aucun, aucune, nul, nulle** ».
*Non aprire per **nessun** motivo.   Non vado da **nessuna** parte.*
N'ouvre sous aucun prétexte.   Je ne vais nulle part.

Nessuno se comporte comme l'article indéfini *uno* :

Nessun libro	*nessun americano*	*nessuno studente*	*nessuna parola*
aucun livre	aucun américain	aucun étudiant	aucun mot

3. Emploi de la double négation avec *nessuno* adjectif et pronom

Pas de double négation	Double négation avec *non* obligatoire
• *nessuno* en début de phrase : ***Nessuno** è arrivato.* Personne n'est arrivé. ***Nessuna** difficoltà può fermarlo.* Aucune difficulté ne peut l'arrêter. • *nessuno* dans une interrogative avec le sens de « quelqu'un » : *C'è **nessuno?*** Il y a quelqu'un ?	• *nessuno* après le verbe : *Non parlo a **nessuno**.* Je ne parle à personne. *Non ci andrei per **nessuna** ragione.* Je n'irais là-bas pour rien au monde.

Voir aussi Indéfinis 35 ◀

À VOUS !

202. Traduisez :
a. Personne ne dit le contraire. - b. Son départ n'a étonné personne. - c. Aucun d'entre nous ne connaît la réponse. - d. Il n'y avait aucun message sur le répondeur. - e. Tu n'as aucune excuse. - f. Ne le dis à personne ! - g. Aucun sport ne l'intéresse. - h. Je n'ai aucune reproche à lui faire. - i. Personne n'a vu mes clés ? - j. Aucune autre voiture n'est aussi confortable. - k. Il y a quelqu'un ?

NIENTE et *NULLA*

273   Emplois de *niente* et de *nulla*

Niente, tout comme son synonyme *nulla*, est un pronom indéfini invariable signifiant « rien ». Tous deux sont les formes négatives de *qualcosa*.

Indéfinis, voir 34 ◀

1. Emplois de la double négation

Lorsque *niente* ou *nulla* précèdent le verbe, ils ne nécessitent pas d'autre négation *(non)*, contrairement au français :
***Niente (nulla)** può convincerlo.*   Rien ne peut le convaincre.

En revanche, la négation *non* est obligatoire lorsque *niente* ou *nulla* suivent le verbe :
***Non** faccio **nulla (niente)** di male.*   Je ne fais rien de mal.

2. Place de *niente* et *nulla* dans les temps composés

Dans les temps composés, ils se placent après le participe passé :
***Non** ha detto **niente**.*   Il n'a *rien* dit.

3. Emplois de *niente* et *nulla* dans les interrogatives

Ils remplacent souvent *qualche cosa* (ou *qualcosa*) :
*Hai visto **niente**?*   As-tu vu quelque chose ?
*Ti ha detto **nulla** del suo progetto?*   Est-ce qu'il t'a dit quelque chose à propos de son projet ?
Dans cet emploi, on n'utilise pas de double négation.

4. *Niente* + nom = « pas de »

Dans cette construction particulière, l'italien n'emploie pas de partitif :
***Niente** zucchero!*   Pas de sucre !   ***Niente** paura!*   Pas de peur !

5. Expressions particulières

Per niente!	absolument pas, pas du tout !	*Di niente!*	de rien !
Niente affatto!	pas du tout !	*Il nulla*	le néant

À VOUS !

203. Traduisez :
a. Je n'ai rien fait de mal. - b. Il n'a rien compris. - c. Il n'y a plus rien à faire. - d. Ce n'est rien ! Ne t'inquiète pas. - e. Pas de questions, s'il vous plaît : je ne peux pas répondre. - f. Tu n'es absolument pas drôle ! - g. Je te dérange ? Pas du tout. - h. Rien ne l'arrêtera, s'il est vraiment décidé. - i. Pas d'histoires, Charles : il faut se laver les dents ! - j. Nous n'avons rien changé après leur départ.

NOMS COLLECTIFS

Forme et sens des noms collectifs   274

1. Les noms collectifs désignent une pluralité mais sous une forme grammaticale au singulier

Comparez :

singulier	pluriel	singulier collectif
il legno le bois (matière)	*i legni* les différents bois	***la legna*** le bois à brûler (penser au fagot de bois)
il frutto le fruit	*i frutti* les différents fruits	***la frutta*** les fruits à manger (penser à la corbeille)
la cosa la chose	*le cose* les choses	***la roba*** les choses personnelles (les affaires)
la persona la personne	*le persone* les personnes	***la gente*** les gens

*Metto **la legna** nel fuoco.*	*Questo mobile è fatto di* legni *pregiati.*
Je mets du bois dans le feu.	Ce meuble est fait de bois précieux.
*Metto **la frutta** in tavola.*	*Ecco i* frutti *del mio lavoro.*
Je mets les fruits sur la table.	Voilà les fruits de mon travail.
*Metto **la mia roba** in valigia.*	*Mi piacciono le cose belle.*
Je mets mes affaires dans la valise.	J'aime les belles choses.
***La gente** ne parla molto bene.*	*C'erano diverse* persone *prima di me.*
Les gens en disent beaucoup de bien.	Il y avait plusieurs personnes avant moi.

2. Un nom collectif particulier : *la pasta*

La pasta est un nom collectif traduit en français par « les pâtes », mais le pluriel *le paste*, qui existe, n'a aucun rapport avec *la pastasciutta*, il désigne... les petits fours !

*Sulla tavola degli italiani **la pasta** non manca mai.*
Sur la table des Italiens, les pâtes ne manquent jamais.
*La domenica, mangiamo sempre **le paste**.*
Le dimanche, nous mangeons toujours des pâtisseries.

> Certains noms collectifs français ne le sont pas en italien !
> la monnaie ⟶ *gli spiccioli*   la vaisselle ⟶ *le stoviglie/i piatti*

À VOUS !

204. Traduisez :
a. Les fruits du poirier ne sont pas mûrs, je suis obligée d'acheter les fruits au marché. - b. Il n'y avait pas beaucoup de gens, peut-être dix personnes. - c. Il a pris ses affaires et toutes les choses dont il avait besoin avant de partir. - d. J'ai acheté un sac de bois à brûler. - e. J'ai assaisonné les pâtes avec la sauce tomate. - f. Je n'ai que de la petite monnaie dans mon portefeuille. - g. Pour l'occasion elle a utilisé sa belle vaisselle de Limoges.

NOMS et ADJECTIFS COMPOSÉS

275 | Forme et genre des noms composés

1. En général, les noms composés forment un seul mot :

il passamontagna	le passe-montagne	*l'antifurto*	l'antivol
il temperamatite	le taille-crayon	*il caposquadra*	le chef d'équipe
il cavatappi	le tire-bouchon	*la mezzaluna*	la demi-lune
il dormiveglia	le demi-sommeil		

2. Certains noms composés sont séparés par un trait d'union :

il vagone-letto   le wagon-lit
Dans ce cas, seule la première partie du nom prend la marque du pluriel :
il vagoni-letto   les wagons-lits

3. Les noms composés sont féminins quand :

ils sous-entendent un nom féminin :
la lavastoviglie = *la (macchina) lavastoviglie*   le lave-vaisselle
la portaerei = *la (nave) portaerei*   le porte-avions

le mot est formé sur un nom féminin :
la **radio**sveglia   le radio-réveil   *la* **cartavetro**   le papier de verre
Dans les autres cas, ils sont de genre masculin.

4. Pluriel des noms composés

Les noms composés sont pour la plupart invariables

il passamontagna	*i passamontagna*	(verbe + nom fém. sing)
il temperamatite	*i temperamatite*	(verbe + nom fém. pl.)
il cavatappi	*i cavatappi*	(verbe + nom masc. pl.)
il dormiveglia	*i dormiveglia*	(verbe + verbe)
l'antifurto	*gli antifurto*	(prép. + nom)

Ont un pluriel régulier :
• les noms formés d'un verbe et d'un nom masculin singulier :
il passaporto ⟶ *i passaporti*   le(s) passeport(s)

❨ Exception : *il prendisole* (invariable), le bain de soleil.

• les noms formés de **deux noms** ou **deux adjectifs** :

il cavolfiore	⟶ *i cavolfiori*	le(s) chou(x)-fleur(s)
la banconota	⟶ *le banconote*	le(s) billet(s) de banque
il sordomuto	⟶ *i sordomuti*	le(s) sourd(s)-muet(s)
il pianoforte	⟶ *i pianoforti*	le(s) piano(s)

Lorsqu'ils sont composés d'un nom et d'un adjectif, chaque élément se met au pluriel :

la cassaforte	⟶ *le casseforti*	le(s) coffre(s)-fort(s)
l'acquaforte	⟶ *le acqueforti*	l'(les) eau(x)-forte(s)

5. Cas particuliers : *capo-* et *mezzo-*

Les noms composés avec *capo* (chef)
• lorsque *capo-* indique une personne ayant une autorité sur un secteur donné, le pluriel est *capi*.
il caporeparto ⟶ *i capireparto*   le(s) chef(s) de rayon
Mais *capo* reste invariable au féminin :
la caporeparto ⟶ *le* **caporeparto**

• lorsque *capo-* indique début, prééminence ou excellence, en général c'est le mot dans son ensemble qui prend le pluriel.

il capoluogo	⟶ *i capoluoghi*	le(s) chef(s)-lieu
il capolavoro	⟶ *i capolavori*	le(s) chef(s)-d'œuvre
il capodanno	⟶ *i capodanni*	le(s) jour(s) de l'an
il capoverso	⟶ *i capoversi*	l'(es) alinéa(s)

Les noms composés avec *mezzo-* (demi)
Mezzo s'accorde en genre et en nombre avec le nom qui suit :

la mezzaluna	⟶ *le mezzelune*	la (les) demi-lune(s)
il mezzobusto	⟶ *i mezzibusti*	le(s) buste(s)
la mezzanotte	⟶ *le mezzenotti*	le(s) minuit(s)

❨ Exception : *il mezzogiorno* (le midi) ⟶ *i mezzogiorni.*

Adjectifs composés

Les adjectifs composés de deux adjectifs accolés, dont le premier est abrégé, s'écrivent en un seul mot, qui s'accorde avec le nom auquel il se réfère.

la situazione socioeconomica	la situation socio-économique
il partito democristiano	le parti démocrate-chrétien
l'alleanza francotedesca	l'alliance franco-allemande
i discorsi politicoculturali	les discours politico-culturels

À VOUS !

205. Mettez au pluriel les noms et adjectifs ci-dessous :
a. Il paralume - b. il capoclasse - c. l'apribottiglie - d. il saliscendi - e. la cassapanca - f. agrodolce - g. la banconota - h. la caposala - i. il capostazione - j. grigioverde - k. il senzatetto - l. la cassaforte - m. il taglialegna - n. il doposcuola - o. chiaroscuro.

NOMS PROPRES

Les catégories de noms propres

Les noms propres identifient un être particulier parmi tous les autres *(Boccaccio)* ou une chose particulière parmi toutes les autres *(Roma)*.

Prénoms, noms de famille, petits noms et surnoms
Nomi, cognomi, nomignoli e soprannomi:
Giovanni   la Signora **Verdi**   **Pinuccia**   *Federico il* **Barbarossa**

Titres et dignités désignant la personne même
Titoli e dignità:
il **Papa**   *il* **Presidente**   *il* **Dottor** *Verdi*   *l'* **Ingegner** *Marzotto*

Habitants d'un pays, d'une région ou d'une ville
Abitanti di un paese, di una regione o di una città:
gli **Italiani**   *i* **Piemontesi**   *i* **Napoletani**

Peuples anciens
Popoli antichi:
I Romani   *Gli Etruschi*

Noms géographiques
Toponimi:
Torino   *l'Italia*   *il* **Po**   *il* **Monte Bianco**   *Via Garibaldi*   *Piazza Navona*

Titres de livres, œuvres d'art et journaux
Libri, opere d'arte e giornali:
La Divina Commedia   *La Cappella Sistina*   *La Stampa*

Organismes, sociétés et associations
Enti, società e associazioni:
La Corte di Cassazione   *la* **Fiat**   *la* **Rai**   *il* **Touring Club Italiano**

Abstractions personnifiées
Astrazioni personificate:
La **Fortuna**   il **Caso**

Symboles sacrés
Simboli sacri:
Dio   la **Vergine**

Corps célestes
Corpi celesti:
la **Terra**   la **Luna**

Périodes historiques
Periodi storici:
il **Rinascimento**   il **Seicento**   il **Sessantotto**

Fêtes et célébrations
Feste e ricorrenze:
il **Natale**   la **Liberazione**

La majuscule de nom propre   278

Tout nom propre doit être écrit avec une majuscule.

Les entorses à la règle sont nombreuses ; par exemple la plupart des Italiens écrivent *gli inglesi* ou *i napoletani* avec une minuscule et, malgré l'apparente simplicité de la règle, les incertitudes restent nombreuses : écrira-t-on *via Roma* ou *Via Roma* ? *monte Bianco* ou *Monte Bianco* ? *Repubblica francese* ou *Repubblica Francese* ? Les opinions des grammairiens sont partagées. À défaut d'une solution univoque, l'attitude qu'il nous semble préférable d'adopter est celle d'employer la majuscule là où les éléments du nom propre forment un tout *(Via Roma, Monte Bianco, Repubblica Francese)* alors qu'il semble plus logique d'écrire *il fiume Po, il lago di Garda,* puisque l'on peut dire *il Po, il Garda.*

Voir aussi Majuscules 267 ◄

NUMÉRAUX

(formes particulières)

Numéraux multiplicatifs   279

1. Noms et adjectifs se référant à une quantité

doppio	double (deux fois supérieur)
triplo	triple
quadruplo	quadruple
quintuplo	quintuple
decuplo	décuple
centuplo	centuple

*Ho guadagnato **il doppio** del mese scorso.*   J'ai gagné le double de ce que j'ai gagné le mois dernier.
*Quella ragazza ha la **doppia nazionalità:** italiana e francese.*
Cette fille a la double nationalité : italienne et française.

2. Adjectifs indiquant des composantes multiples d'une même chose

duplice   double (composé de deux parties)
triplice   triple (composé de trois parties)
quadruplice quadruple (composé de quatre parties)

La **Triplice** *Alleanza.* La Triple Alliance.

---

280   Numéraux collectifs

On appelle numéraux collectifs des noms exprimant un ensemble ou une quantité numérique approximative.

1. Noms de quantités approximatives

un paio	une paire	*una trentina*	une trentaine
una decina	une dizaine	*una quarantina*	une quarantaine
una dozzina	une douzaine	*una cinquantina*	une cinquantaine
una quindicina	une quinzaine	*un centinaio*	une centaine
una ventina	une vingtaine	*un migliaio*	un millier

Ces noms peuvent ou non être suivis d'un complément. Le verbe s'accorde avec le numéral ou avec le nom quantifié.

Ho letto un centinaio di pagine.
J'ai lu une centaine de pages.
C'era una decina di ragazzi davanti al cinema. / C'erano una decina di ragazzi...
Il y avait une dizaine de garçons devant le cinéma.

{ Au pluriel, *paio*, **centinaio** et **migliaio** deviennent féminins, avec une forme irrégulière :
il paio ⟶ *le paia* *il centinaio* ⟶ *le centinaia* *il migliaio* ⟶ *le migliaia*

2. *Entrambi* et *ambedue*

Ces mots, qui signifient « tous les deux », appartiennent à un registre littéraire. Dans la langue courante, on emploie les expressions *tutti e due* pour le masculin et *tutte e due* pour le féminin.

Entrambi (féminin *entrambe*) et *ambedue* (invariable) peuvent être adjectifs ou pronoms. Ils se placent avant le nom (et son article) auquel ils se réfèrent :

Entrambe le sorelle portano gli occhiali.
Les deux sœurs portent des lunettes.
I suoi figli sono ambedue medici.
Ses enfants sont tous les deux médecins.

3. Noms et adjectifs de signification numérale

Pour exprimer le chiffre « deux »

un paio (di)	*una coppia (di)*
▼	▼
• Deux parties inséparables :	• Lien intime entre deux personnes :
Un paio di scarpe, di occhiali, di forbici...	*Una coppia molto unita.*
Une paire de chaussures, de lunettes, de ciseaux...	Un couple très uni.

un paio (di)	*una coppia (di)*
▼	▼

* « Environ deux, quelques » :
Un paio di giorni.
À peu près deux jours.
Un paio d'anni.
Environ deux ans.

• Lien de collaboration étroite :
Lavorano in coppia.
Ils travaillent en tandem.

• Identité de deux objets :
Una coppia di vasi cinesi.
Une paire de vases chinois.

Attention : *un paio di pantaloni* = un pantalon.

Pour indiquer des groupes instrumentaux ou des formations musicales :

Il duo	le duo	*un duo di chitarristi*
Il trio	le trio	*un trio strumentale*
Il quartetto	le quatuor / le quartette	*un quartetto d'archi*
Il quintetto	le quintette	*un quintetto di jazz*
Il sestetto	le sextuor	*un sestetto vocale o strumentale*

Il duetto désigne un morceau lyrique chanté à deux voix, *il terzetto* à trois voix.

3. Périodes de temps

en mois :

bimestre	bimestre	*bimestrale*	bimestriel
		bimensile	bimensuel
trimestre	trimestre	*trimestrale*	trimestriel
quadrimestre	quadrimestre	*quadrimestrale*	trimestriel
semestre	semestre	*semestrale*	semestriel

en années :

biennio	de 2 ans	*biennale*	biennal
triennio	de 3 ans, triennat	*triennale*	triennal
quadriennio	de 4 ans	*quadriennale*	quadriennal
quinquennio	quinquennat	*quinquennale*	quinquennal
settennio	septennat	*settennale*	septennal
decennio	décennie	*decennale*	décennal
ventennio	de 20 ans	*ventennale*	vicennal
centennio	de 100 ans	*centennale*	centenaire
millennio	millénaire	*millenario*	millénaire

Noter également *settimanale* (hebdomadaire) et *bisettimanale* (bi-hebdomadaire).

4. Adjectifs en -*enne*, indiquant l'âge

En français on n'emploie ce genre d'adjectifs qu'à partir de quarante ans, tandis qu'en italien, on commence à dix :

decenne	ayant dix ans	*quarantenne*	quadragénaire
undicenne	ayant onze ans	*ottantenne / ottuagenario*	octogénaire
dodicenne	ayant douze ans	*novantenne*	nonagénaire
ventenne	ayant vingt ans	*centenne / centenario*	centenaire
trentenne	ayant trente ans		

Voir aussi Âge **174** ◄◄

5. Termes de métrique, en poésie

pour les vers :

verso	*quinario*	de cinq syllabes
verso	*senario*	sénaire
verso	*settenario*	septénaire
verso	*ottonario*	octosyllabe
verso	*novenario*	de neuf syllabes
verso	*decasillabo*	décasyllabe
verso	*endecasillabo*	hendécasyllabe (11 syllabes)

pour les strophes *(le strofe)* :

la terzina	le tercet	*la sestina*	le sizain
la quartina	le quatrain	*l'ottava****	l'octave (le huitain)

* aussi bien pour la musique.

Autres numéraux particuliers : ceux du jeu de loto.
Très connu sur tout le territoire italien sous sa forme de jeu familial, notamment pour la traditionnelle *tombola* de Noël, mais aussi de jeu d'État *(il Lotto)*, la *Tombola familiale* est un tirage au sort de numéros qui forment sur le carton différentes combinaisons appelées :

ambo	deux numéros sur la même ligne
terno	trois numéros sur la même ligne
quaterna	quatre numéros sur la même ligne
cinquina	cinq numéros sur la même ligne
tombola	tous les numéros.

À VOUS !

206. Traduisez :

a. Les résultats de la deuxième année sont décevants. - b. Louise, 30 ans, habitant à Paris, voudrait connaître Homme (maximum 40 ans) pour former le plus beau couple du monde. - c. Je vais à la biennale de Venise mais je ne pourrai rester que deux jours environ. - d. Je voudrais une double portion de dessert. - e. Les deux premières années du lycée classique sont appelées également « *ginnasio* ».

207. Traduisez :

a. La rencontre est jugée importante par les deux syndicats. - b. Pendant les vingt ans du fascisme en Italie, beaucoup d'intellectuels ont quitté le pays. - c. *La Divine Comédie* est un poème en tercets d'hendécasyllabes. - d. Ils travaillent en tandem depuis environ deux ans. - e. Comptable de 40 ans, 20 ans d'expérience, cherche emploi. - f. Dans le monde, des centaines de milliers d'hommes et de femmes vivent au-dessous du seuil de pauvreté.

OBLIGATION

281   Expression de l'obligation

1. Formes personnelles

Dovere + infinitif

Devi scrivere ai tuoi amici.   Tu dois écrire à tes amis.

Avere da + infinitif

Ho da fare.

J'ai à faire.

Non **ho avuto** molto **da** aspettare.

Je n'ai pas eu à attendre longtemps.

2. Tournures impersonnelles

Si deve + infinitif

Si deve scrivere una lettera.

On doit écrire une lettre.

Bisogna (occorre) + infinitif

Le verbe *bisognare* n'existe qu'à la forme impersonnelle et s'utilise exclusivement aux temps simples.

Bisogna scrivere una lettera.

Il faut écrire une lettre.

Aux temps composés, *bisognare* est remplacé par les formes de ***essere necessario***.

Voir aussi Il faut 246

È necessario + infinitif

È necessario scrivere una lettera.

Il est nécessaire d'écrire une lettre.

À remarquer l'absence de préposition après è *necessario*.

Bisognare, occorrere et **essere necessario** introduisant une subordonnée avec **che** exigent le subjonctif, dont le temps dépend de la concordance :

Bisogna che tu **risponda** alla lettera.

Il faut que tu répondes à la lettre.

Era necessario che lo **facesse**.

Il était nécessaire qu'il le fasse.

Essere da + infinitif

Questo film **è da vedere**!

Ce film est à voir !

Queste lettere **sono da scrivere**.

Ces lettres sont à écrire.

Dover essere + participe passé / andare + participe passé

Questa lettera **deve essere scritta (va scritta)** a mano.

Cette lettre doit être écrite à la main.

Queste lettere **devono essere scritte (vanno scritte)**.

Ces lettres doivent être écrites à la main.

Voir aussi Impersonnels 250

À VOUS !

208. Transformez ces phrases en exprimant l'obligation de toutes les façons possibles :

a. Le tasse vanno pagate entro il 15 settembre. - b. Era necessario modificare il programma. - c. Penso che la situazione attuale sia da analizzare seriamente. - d. Bisognerebbe prendere provvedimenti urgenti. - e. Alla fine del corso occorrerà fare un test di controllo. - f. Non sapevo che la domanda andasse presentata oggi stesso.

OGNI

Ogni est un adjectif indéfini invariable, qui ne s'emploie qu'au singulier.

1. OGNI = CHAQUE

*Prendo l'autobus **ogni mattina** per accompagnare i bambini a scuola.*
Je prends le bus chaque matin pour accompagner les enfants à l'école.
***Ogni volta** che torno, trovo il mio paese molto cambiato.*
Chaque fois que je reviens, je trouve mon pays très différent.

2. OGNI = TOUT(E), N'IMPORTE QUEL(LE)

Il prend ici un sens indéfini :
*Sa comportarsi bene **in ogni situazione**.*
Il sait bien se comporter en toute situation.
Non posso chiamarlo ora, e in ogni caso forse non c'è.
Je ne peux pas l'appeler maintenant, et en tout cas il n'est peut-être pas là.

Remarquez les expressions suivantes :

In ogni tempo, in ogni luogo, da ogni parte.	De tout temps, en tout lieu, de toute part.
Ad ogni costo, in ogni modo.	À tout prix, de toute façon.
Ogni tanto.	De temps en temps.

3. OGNI = TOUS LES...

Pour déterminer des intervalles de temps, une périodicité :
*La pendola suona **ogni ora**.*   La pendule sonne toutes les heures.

Lorsque la périodicité est spécifiée par un numéral, et **dans ce seul cas**, *ogni* **est suivi d'un nom pluriel** :
*Vedo lo specialista **ogni** due mesi.*   Je vois le spécialiste tous les deux mois.

4. OGNI = CHACUN(E) DE MES..., TOUS (TOUTES) MES...

Devant un possessif :

***Ogni** tuo desiderio è un ordine per me.*	*Sapremo soddisfare **ogni** vostra esigenza.*
Chacun de tes désirs est un ordre pour moi.	Nous saurons satisfaire toutes vos exigences.

À VOUS !

209. Traduisez :
a. Il se trompe à chaque fois. - b. Chaque fois que je le peux, je vais au théâtre. - c. En tout cas, il est inutile de l'appeler maintenant. - d. Tout problème a une solution. - e. Il a remis chaque chose à sa place. - f. Mon cours de guitare a lieu toutes les deux semaines. - g. Il sait répondre a chacune de ses questions. - h. Ce festival a lieu tous les deux ans. - i. Toute lettre de candidature aura une réponse. - j. J'y vais chaque année en vacances.

OGNUNO et CIASCUNO

Ognuno et *ciascuno* sont des pronoms indéfinis.
Ils correspondent à l'adjectif indéfini *ogni*.

1. *Ognuno* et *ciascuno* sont synonymes

Tous deux signifient « chacun ».
Ils ont un féminin *(ognuna et ciascuna)* mais s'utilisent exclusivement au singulier.
Ognuno di noi ha i propri difetti.
Chacun de nous a ses propres défauts.
*Ho dato a **ciascuno** una piantina di Firenze.*
J'ai donné à chacun un plan de Florence.
*Le bambine si sono avvicinate alla soprano e **ognuna** di loro le ha offerto un fiore.*
Les petites filles se sont approchées du soprano et chacune d'elles lui a offert une fleur.

2. *Ciascuno* peut être adjectif ou pronom

Ognuno, lui, est seulement pronom.
Comme adjectif, *ciascuno* varie comme l'article indéfini *un, uno, una* :
ciascun   ciascuno   ciascuna
Ciascuna <u>richiesta</u> *verrà studiata attentamente.*   Chaque demande sera étudiée attentivement.

Il est donc ici un synonyme de *ogni* mais reste d'un emploi bien plus rare.

Voir aussi *Ogni* 282, Indéfinis 35 ◀◀

À VOUS !

210. Traduisez :
a. L'inspecteur avait appelé les suspects l'un après l'autre et posé à chacun la même question. - b. Ses filles ont hérité chacune d'un collier de perles. - c. Chacun doit être libre de suivre la voie qu'il s'est choisie. - d. Le professeur avait distribué à chacun de ses élèves un petit texte à traduire. - e. Chacun de vous décidera selon sa conscience. - f. Chacune d'elles avait eu un cadeau. - g. Chacun des participants peut gagner. - h. Chacune de vos idées sera prise en considération.

ON

En français « on » peut signifier « nous », ou avoir la valeur d'un pronom indéfini :
Hier **on** est allés au cinéma.   → ON est équivalent de « nous ».
En 1492 **on** a découvert l'Amérique. → ON est un sujet indéfini.

> **Lorsque « on » a le sens de « nous »**

Lorsque le locuteur s'implique, qu'il se considère comme faisant partie du groupe représenté par le sujet, « on » se traduit par *noi.*

On y va ?	→ *Andiamo?*
Hier soir on est sortis avec nos amis.	→ *Ieri sera siamo usciti con i nostri amici.*
On a vu le dernier film de Moretti.	→ *Abbiamo visto l'ultimo film di Moretti.*

> **Lorsque « on » a le rôle d'un sujet indéfini**

L'italien présente de nombreuses possibilités :

La forme réfléchie du verbe	voir 285
La 3ᵉ personne du pluriel du verbe	voir 286
La forme passive (au passé)	voir 287
La forme indéfinie introduite par *uno*	voir 288 ◀

---

285 « On » traduit par la forme réfléchie

1. C'est la tournure la plus fréquente dans les temps simples

In quel ristorante si mangia bene.   Dans ce restaurant, on mange bien.
Un tempo si viaggiava meno che al giorno d'oggi.   Autrefois, on voyageait moins que de nos jours.

> **La forme réfléchie est peu utilisée au passé**

L'auxiliaire en est toujours *essere.*
Si è lavorato.   On **a** travaillé.
Le participe passé s'accorde au masculin pluriel quand le verbe se construit avec *essere.*
Si è andati al mare.   On est allé(s) à la mer.

2. Accords

> **Le verbe s'accorde avec le sujet s'il est exprimé**

Quando si prende l'aereo, generalmente si comprano i biglietti in anticipo.
Quand on prend l'avion, on achète généralement les billets à l'avance.

Noter que le complément français devient le sujet du verbe réfléchi en italien.

> **L'attribut s'accorde au masculin pluriel, le verbe restant au singulier**

Si è giovani una volta sola.   On est jeune une seule fois.
Quando si è stanchi, si è nervosi.   Quand on est fatigué, on est nerveux.

3. Place des pronoms

> **Le pronom *ci* (« y ») et la négation *non* précèdent *si***

Qui, non si fuma.   Ici, on ne fume pas.
Non ci si riflette mai abbastanza.   On n'y réfléchit jamais assez.

> **Avec les verbes réfléchis, la tournure « on se » se traduit par *ci si***

Quando ci si diverte, non ci si stanca.   Quand on s'amuse, on ne se fatigue pas.

> **Avec le pronom « en », la tournure « on en » se traduit par *se ne***

Se ne parla ancora adesso.   *Se ne vedono di tutti i colori.*
On en parle encore maintenant.   On en voit de toutes les couleurs.

> **Les autres pronoms précèdent *si* et le verbe reste au singulier :**

Li si fa.   *Gli si dice.*
On les fait.   On lui dit.

211. Traduisez :

a. Au Brésil, on parle portugais. - b. À l'école, on étudie trop peu l'italien. - c. Avec un peu de bonne volonté, on résout tous les problèmes. - d. On ne rit pas des malheurs des autres. - e. Du refuge, on ne voyait pas le sommet du mont Blanc. - f. Pour calculer la somme nette, on déduit les frais. - g. Avec ce programme informatisé, on contrôle l'orthographe d'un texte. - h. En Italie, on parle beaucoup de dialectes différents. - i. Avec cette méthode, on préserve la couche d'ozone. - j. Le voyant s'allume quand on branche l'alarme.

212. Traduisez :

a. Au service militaire, on se réveillait à l'aube. - b. Quand on s'amuse, on ne voit pas passer le temps. - c. On s'abîme la santé en fumant comme tu le fais. - d. On ne se repose pas bien dans une couchette de train. - e. On se prépare à l'examen en suivant des cours par correspondance.

213. Traduisez :

a. On le dit quand on n'en peut plus. - b. Ce tunnel me fait peur car on n'en voit pas le bout. - c. Je n'ai pas envie de voir ce film, même si l'on en dit des merveilles. - d. Avant d'acheter quelque chose, on en demande le prix ! - e. Je connais le problème, on en parle aussi chez moi.

214. Traduisez :

a. Quand on est fatigué on dort bien. - b. Si l'on est malade il faut bien se soigner. - c. Faire ces exercices est facile... quand on est italien. - d. Quand on est français, on a peut-être plus de problèmes pour bien les faire ! - e. Mais quand on est arrivé au bout sans fautes, on est bon !

« On » traduit par la 3ᵉ personne du pluriel   **286**

« On » peut se traduire par un verbe à la 3ᵉ personne du pluriel lorsqu'il sous-entend le sujet du verbe :

Oggi votano in parlamento / (= i deputati votano).   Aujourd'hui on vote au Parlement.
C'est la tournure la plus fréquente dans les temps composés.
Mi hanno detto di tornare a casa.   On m'a dit de rentrer à la maison.
Mi hanno chiamato.   On m'a appelé.

« On » traduit par la forme passive   **287**

« On » introduisant un verbe au passé peut se traduire par la forme passive.
Cette tournure est plutôt utilisée à l'écrit :
Mi è stato detto.   On m'a dit (il m'a été dit).
Sono stato chiamato.   On m'a appelé (j'ai été appelé).

« On » traduit par le pronom indéfini *uno*   **288**

Cette forme, très fréquente à tous les temps surtout dans la langue parlée, s'emploie exclusivement quand « on » peut signifier « quelqu'un ».

*Quando **uno** vuole, può.*   Quand on veut, on peut.
*Quando **uno** ha lavorato tutto il giorno, ha voglia di riposarsi.*
Quand on a travaillé toute la journée, on a envie de se reposer.

À VOUS !

215. Traduisez :
a. On m'a dit que tu es très occupé. - b. À l'hôtel, on leur a demandé une pièce d'identité. - c. On nous a parlé de ce film. - d. Est-ce que l'on vous a donné les billets ? - e. On m'avait prévenu. - f. On m'a tout expliqué. - g. On m'a aidé à décharger la voiture.

216. Transformez ces phrases de la forme réfléchie à la forme indéfinie avec *uno* :
a. Quando si è stanchi non si lavora bene. - b. Se ci si diverte non si andrebbe mai a dormire. - c. Quando si parte per un viaggio lungo si preparano le valigie con cura. - d. Ci si rovina la salute fumando. - e. Quando si beve troppo in genere ci si sente male. - f. Se si è freddolosi ci si deve coprire bene. - g. Quando si ha un figlio, si hanno anche molte nuove responsabilità.

OÙ

Traductions de « où »

1. Dans un sens spatial, « où » se traduit par :

l'adverbe *dove*

*Resta **dove** sei!*
Reste où tu es !

__Dove__ sei andato?
Où es-tu allé ?

Devant le e du verbe essere, ***dove*** s'élide :

__Dov'è__?   Où est-il ?

__Dov'__erano?   Où étaient-ils ?

les pronoms relatifs *dove* ou *in cui*

*La casa **dove** abita. = La casa **in cui** abita. (= **nella quale**)*
La maison où il habite. (Dans laquelle il habite.)

Voir *Cui* 82 ◄

« Où que » se traduit par *dovunque / ovunque* (+ subjonctif comme en français) :
__Dovunque__ vada, lo troverò!   Où qu'il aille, je le trouverai !

« D'où » peut avoir deux traductions
• *di dove* pour exprimer l'origine :
__Di dove__ sei? Sono di Milano.   D'où es-tu ? Je suis de Milan.
• *da dove* pour exprimer la provenance ou le point de départ d'une action :
__Da dove__ vieni? Vengo da Milano.   D'où viens-tu ? Je viens de Milan.
__Da dove__ parti? Parto da Parigi.   D'où pars-tu ? Je pars de Paris.

2. Dans un sens temporel, « où » se traduit exclusivement par *in cui*

*Il giorno **in cui** ci siamo conosciuti.*
Le jour où nous nous sommes connus.

217. Traduisez :

a. À l'heure où il arrivera, il ne trouvera personne au bureau. - b. C'était l'année où nous sommes allés en Irlande. - c. « Va où le cœur te porte » a été un best-seller de Susanna Tamaro. - d. Le jour où Valeria est née, il y avait la grève générale des transports. - e. Où as-tu garé la voiture ? - f. Où que tu sois, pense à moi. - g. D'où sont-ils ? - h. Je ne sais pas d'où part son train.

PARTICIPE PASSÉ

(accords particuliers)

Le participe passé suit généralement les mêmes règles d'accord qu'en français, avec toutefois les quelques exceptions suivantes.

Règles générales de l'accord du participe passé, voir **153** ◀

Accord obligatoire du participe passé | 290

1. Avec le sujet des verbes pronominaux

Carla si è fatta male.   Carla s'est fait mal.
Ci siamo chiesti perché.   Nous nous sommes demandé pourquoi.

2. Avec le pronom complément d'objet direct du semi-auxiliaire *fare*

Questi vestiti, li ho fatti fare dal sarto.   Ces vêtements, je les ai fait faire par le tailleur.

3. Avec le sujet des verbes serviles *(potere, volere, dovere)* suivis d'un verbe demandant l'auxiliaire *essere*

Carla e Anna non sono potute uscire, perché hanno dovuto lavorare.
Carla et Anna n'ont pas pu sortir, car elles ont dû travailler.

4. Avec *ne*

Le participe passé s'accorde en genre avec le complément d'objet direct exprimé par *ne* et en nombre avec la quantité indiquée :
Ne ho visti due, dei suoi film.   J'en ai vu deux, de ses films.

5. Le participe passé « absolu »

Équivalant aux tournures françaises « une fois + participe passé » ou « après avoir + participe passé », il s'accorde toujours avec le nom qui le suit :
Partita Carla, l'appartamento sembrò vuoto.
(Une fois) Carla partie, l'appartement parut vide.
Spenta la luce, Roberto si addormentò immediatamente.
Après avoir éteint la lumière, Robert s'endormit de suite.

Invariabilité du participe passé

1. Avec les pronoms relatifs

Ecco le fotografie che ho fatto durante le vacanze.
Voilà les photos que j'ai prises pendant les vacances.

2. Dans les phrases introduites par *quanto,* quand le participe est précédé de *avere*

Quante fotografie hai fatto?   Combien de photos as-tu prises ?
Sauf si le pronom complément *ne* précède le participe passé :
*Quante **ne** hai fatte?*   Combien en as-tu pris ?

3. Avec les pronoms c.o.d. *mi, ti, ci, vi,* l'accord est facultatif

Ci ha salutato.   Il nous a salué(e)s.
ou : *Ci ha salutati.*   Il nous a salués.
ou : *Ci ha salutate.*   Il nous a saluées.

À VOUS !

218. Traduisez :
a. Ma mère s'est fait faire un tailleur bleu marine. - b. Elle s'est dit que c'était inutile. - c. Ils se sont demandé pourquoi elle n'arrivait pas. - d. J'étais occupée et je n'ai pas pu arriver à l'heure. - e. Une fois arrivée à la gare, elle a dû attendre longtemps. - f. Ils se sont fait apporter le menu. - g. Nous nous sommes tout dit.

PARTICIPES PASSÉS IRRÉGULIERS

Formes irrégulières du participe passé

De nombreux verbes ont un participe passé irrégulier.
Toutefois, il est souvent possible de déduire ces formes particulières de la forme infinitive du verbe.

1. Désinences irrégulières

Tous les verbes en :

-porre	→ *-posto*	*proporre* (proposer)	→ *proposto*
-durre	→ *-dotto*	*tradurre* (traduire)	→ *tradotto*
-trarre	→ *-tratto*	*distrarre* (distraire)	→ *distratto*
-gliere	→ *-lto*	*togliere* (enlever)	→ *tolto*

-primere → *-presso*	*esprimere* (exprimer)	→	*espresso*
-istere → *-istito*	*esistere* (exister)	→	*esistito*

Tous les verbes dérivés de :

venire → *venuto*	*intervenire* (intervenir)	→	*intervenuto*
mettere → *messo*	*ammettere* (admettre)	→	*ammesso*
vincere → *vinto*	*convincere* (convaincre)	→	*convinto*
correre → *corso*	*soccorrere* (secourir)	→	*soccorso*
fondere → *fuso*	*confondere* (confondu)	→	*confuso*

Tous les verbes en :

-endere → *-eso*	*prendere* (prendre)	→	*preso*

Mais *vendere* (vendre) est régulier : → *venduto*.

Les verbes en :

-dere → *-so*	*chiudere* (fermer)	→	*chiuso*
	decidere (décider)	→	*deciso*
	dividere (diviser)	→	*diviso*
	(sor)ridere sou(rire)	→	*(sor)riso*

2. Changement de racine des verbes en -*gere*

La plupart des verbes en :

-(g)gere → *-(t)to*	*spingere* (pousser)	→	*spinto*
	leggere (lire)	→	*letto*

Mais beaucoup changent dans leur racine :

stringere (serrer) → *stretto*	*erigere* (ériger) → *eretto*
dirigere (diriger) → *diretto*	*redigere* (rédiger) → *redatto*

3. Verbes en -*argere* / -*ergere*

-argere → *-arso*	*cospargere* (parsemer, saupoudrer) → *cosparso*
-ergere → *-erso*	*emergere* (émerger)	→	*emerso*

4. Verbes en -*ire* correspondant aux verbes français en -*ir*

Les verbes italiens correspondant à un verbe français en -*ir* ayant un participe passé en -*ert* forment leur participe passé en -*erto* :

ouvrir → ouvert → *aprire* → *aperto*
offrir → offert → *offrire* → *offerto*

5. Chez certains verbes, le participe passé a une racine commune avec le substantif dérivé

cuocere (cuire)	→ *la cottura* (la cuisson)	→ *cotto*
dire (dire)	→ *il detto* (le dicton)	→ *detto*
discutere (discuter)	→ *la discussione* (la discussion)	→ *discusso*

essere (être)	→ *lo stato* (l'état)	→ ***stato***
fare (faire)	→ *il fatto* (le fait)	→ ***fatto***
mordere (mordre)	→ *il morso* (la morsure)	→ ***morso***
morire (mourir)	→ *il morto* (le mort)	→ ***morto***
muovere (bouger)	→ *la mossa* (le mouvement)	→ ***mosso***
nascere (naître)	→ *il neonato* (le nouveau-né)	→ ***nato***
riassumere (résumer)	→ *il riassunto* (le résumé)	→ ***riassunto***
(ri)chiedere (demander)	→ *la richiesta* (la demande)	→ ***richiesto***
rispondere (répondre)	→ *la risposta* (la réponse)	→ ***risposto***
rompere (casser)	→ *la rottura* (la cassure)	→ ***rotto***
scrivere (écrire)	→ *la scritta* (l'écriteau)	→ ***scritto***
scuotere (secouer)	→ *la scossa* (la secousse)	→ ***scosso***
vivere (vivre)	→ *il sopravvissuto* (le survivant)	→ ***vissuto***

Mais beaucoup d'autres verbes relèvent de la mémoire et de la pratique, comme ces quelques-uns :

risolvere (résoudre)	→ *risolto*		*succedere* (se passer)	→ *successo*
rivolgere (adresser)	→ *rivolto*		*apparire* (apparaître)	→ *apparso*
nascondere (cacher)	→ *nascosto*		*valere* (valoir)	→ *valso*

6. Verbes à double forme de participe passé

Certains verbes ont deux formes, sans changement de sens :
vedere (voir) → *visto, veduto*
perdere (perdre) → *perso, perduto*

Le verbe *riflettere* a deux formes de participe passé selon le sens du verbe :
riflettere (réfléchir) → ***riflettuto***   *riflettere* (refléter) → ***riflesso***

À VOUS !

219. Formez le participe passé des verbes irréguliers suivants :
a. spendere - introdurre - imporre - sottrarre - insistere - scegliere - piangere - esprimere - percorrere.
b. smettere - leggere - assistere - accendere - svenire - offrire - corrispondere - vivere - sospendere.

220. Même exercice :
a. commuovere - disperdere - confondere - supporre - sciogliere - tradurre - esporre - assistere - tingere.
b. dirigere - raccogliere - scendere - diffondere - trascorrere - discutere - scoprire - ridere - comprimere.

221. Traduisez :
a. Les avocats ont introduit des nouvelles clauses au contrat. - b. La réunion a été suspendue pendant une heure. - c. L'entreprise qu'il a dirigé pendant des années a vécu une période de crise. - d. J'ai cassé le vase chinois que j'avais gagné à la loterie. - e. Qu'est-il arrivé hier ? – Rien, je n'ai pas bougé de la maison. - f. Il a exposé dans une galerie les tableaux qu'il avait peints. - g. Il a choisi une veste dans la vitrine et il l'a mise tout de suite, après avoir retiré la sienne. - h. La police a dispersé les manifestants. - i. Ce qui a tué la victime est le poison que l'assassin avait dissous dans le café. - j. Nous n'avons pas encore résolu le problème dont nous avons discuté hier.

PARTICIPE PRÉSENT

Formes et emplois du participe présent ⬛ **293**

1. Formes régulières

Verbes en -*are* ⟶ **-ante**   Verbes en -*ere* et -*ire* ⟶ **-ente**

Le participe présent a presque disparu en tant que forme grammaticale.
Il en persiste néanmoins dans la langue sous la forme d'adjectifs et de substantifs.
• **Adjectifs :**

*riguard**ante***	*segu**ente***	*brill**ante***	*commov**ente**...*
concernant	suivant	brillant	émouvant...

• **Substantifs :**

*il doc**ente***	*il mor**ente***	*il dorm**iente***	*il viv**ente***	*il dirig**ente***	*il cred**ente**...*
le professeur	le mourant	le dormeur	le vivant	le dirigeant	le croyant...

2. Lorsque le participe présent subsiste, il s'accorde en nombre avec le sujet

Dans ce cas, il équivaut à une subordonnée relative :
*I redditi **derivanti** da attività commerciali sono imponibili secondo tassi diversi. (I redditi **che derivano** da...)*
Les revenus dérivant (qui dérivent) d'activités commerciales sont imposables selon des taux différents.

3. Dans l'usage courant, le participe présent est remplacé par une périphrase relative

*Il titolo del quadro è « Donna **che legge** ».*
Le titre du tableau est « Femme lisant ».
Cette relative est souvent au subjonctif :
*Cerco una segretaria **che sappia** usare il computer.*
Je cherche une secrétaire sachant se servir d'un ordinateur (qui sache).

4. Le participe présent italien correspond uniquement au participe présent français exprimant une relative

Dans tous les autres cas, le participe présent français est traduit par un gérondif :
***Avendo** diritto alla riduzione, l'ha chiesta.*
Ayant droit à la réduction, il l'a demandée.
      *Parlava **fumando** sigaretta su sigaretta.*
Il parlait en fumant cigarette sur cigarette.

Gérondif, voir 149 ◀

⬭ À VOUS ! ⬬

222. Traduisez en utilisant un participe présent :
a. Les documents concernant son divorce sont dans ce dossier. - b. Les difficultés résultant de son état de santé ont été prises en compte. - c. La lettre contenant son chèque n'est jamais arrivée. - d. Voici les noms des personnes participant au concours. - e. Les factures précédant le 1er août 1995 étaient au taux de 18,60 % de TVA.

a. Les personnes se présentant au nom du journal auront une ristourne de 10 %. -
b. Ils ont besoin d'un commercial parlant parfaitement italien. - c. Elle a reçu une
publicité proposant des voyages à des prix très intéressants. - d. La route allant de
Bolgheri à San Guido est bordée de cyprès. - e. Cette formule à domicile est étudiée
pour les personnes disposant de peu de temps, ou ne pouvant pas se déplacer.

PARTITIF

294   Traductions du partitif

L'article partitif est exprimé par la contraction de la préposition *di* et de l'article défini.

Article partitif, voir 10 ◀

1. L'emploi du partitif est facultatif

on peut employer le partitif :	mais on peut également dire :
*Vuoi **del** vino o preferisci **della** birra?*	*Vuoi ø vino o preferisci ø birra?*
Veux-tu du vin ou préfères-tu de la bière ?	
*Per il mio compleanno vorrei **dei** cioccolatini e **delle** rose.*	*Vorrei ø cioccolatini e ø rose.*
Pour mon anniversaire, je voudrais des chocolats et des roses.	

2. L'emploi du partitif est impossible lorsqu'il a la forme *de* ou *d'*

• **dans les phrases négatives :**
Je ne bois jamais de vin à cette heure-ci. ⟶ *Non bevo mai ø vino a quest'ora.*

• **avec *molto, poco, troppo* :**
Il boit peu de vin. ⟶ *Beve poco ø vino.*

3. Emplois particuliers du partitif

Lorsque le verbe introduit un objet au singulier
En règle générale, l'italien préfère remplacer le partitif par l'article défini :
*Ho comprato **il** latte e **il** pane.*   J'ai acheté du lait et du pain.

Lorsque le partitif sert de pluriel à l'article indéfini
Il est préférable de l'omettre, surtout après une préposition :
Ho invitato ø amici a cena.   J'ai invité des amis à dîner.
Ha spiegato la situazione con ø parole semplici.   Il a expliqué la situation avec des mots simples.

Lorsqu'il est nécessaire de renforcer l'idée de quantité
On peut remplacer le partitif par ***un po' di*, *alcuni* ou *qualche* :**
*Prendi **un po' di** caffè?*   Prends-tu du café (un peu de café) ?
*Ha scritto **alcune** lettere (**qualche** lettera).*   Il a écrit des lettres (quelques lettres).

Voir aussi *Qualche* 323 ◀

224. Traduisez :

a. Il n'a pas fait de fautes dans sa dictée. - b. Nous avons acheté de la viande et du vin. - c. Il a des contacts avec des personnes influentes. - d. Elle ne porte pas de lunettes. - e. Il a versé de l'eau dans un verre. - f. Il aime écouter des musiques et des chants populaires. - g. Au petit déjeuner nous mangeons du pain et de la confiture.

225. Traduisez :

a. Suite à l'explosion il y a eu des morts et des blessés parmi les ouvriers du chantier. - b. Pendant que le professeur parlait elle prenait des notes. - c. Ce soir pour dîner j'ai fait du risotto au safran. - d. Il l'a aidé avec des conseils et des encouragements. - e. Ce docteur ne reçoit pas de patients sans rendez-vous. - f. Préférez-vous du vin rouge ou du vin blanc, madame ? - g. Cet homme a subi de graves injustices.

PASSÉ PROCHE

Formes et emplois du passé proche `295`

1. Formation du passé proche

Le « passé proche » italien se forme à partir du passé composé.
Le passé composé exprime une action accomplie dans le passé :
Ho finito di mangiare.   J'ai terminé de manger.
Mais ce temps ne nous renseigne pas sur le moment précis où cette action s'est déroulée.
L'adverbe *appena* placé entre l'auxiliaire et le participe passé introduit la notion de court délai entre l'accomplissement de l'action et le moment où le locuteur en parle :
*Ho **appena** finito di mangiare.*   Je viens de terminer de manger.

Appena se place entre l'auxiliaire et le participe passé :
*Era **appena** arrivato.*
Il venait d'arriver.
*Penso che abbia **appena** telefonato.*
Je pense qu'il vient d'appeler.
*Saranno **appena** partiti da Londra, a quest'ora.*
Ils viennent probablement de partir de Londres, à cette heure-ci.

2. *Or ora, allora allora*

Or ora et *allora allora* sont tous deux équivalents de *appena*, avec les différences d'emploi suivantes :

Or ora s'emploie (toujours après le participe passé) lorsque le locuteur se situe dans le présent :
*L'ho visto **or ora** per le scale.*   Je viens de le voir dans l'escalier.

Allora allora est employé (après le participe passé) lorsque le locuteur se situe dans le passé :
*L'avevo visto **allora allora** per le scale.*   Je venais de le voir dans l'escalier.

226. Traduisez en employant *appena* :
a. Un café ? Non, merci, je viens d'en boire un. - b. Ils venaient de se connaître. - c. Il venait de naître. - d. Elle vient de s'inscrire à un séjour linguistique en Italie. - e. Le paquet qu'il attendait, il vient de le recevoir. - f. Ils viennent de se marier.

227. Même consigne :
a. Ils viennent d'avoir un enfant. - b. Ils venaient d'ouvrir un restaurant. - c. Je regrette, le directeur vient de sortir. - d. Je viens de rentrer. - e. Je venais de fermer la porte quand j'ai entendu le téléphone sonner.

PASSIF

Les constructions passives

1. *Essere*, auxiliaire du passif

La forme passive se construit à l'aide de l'auxiliaire *essere* suivi du participe passé :
Il calcio è seguito da milioni di persone in Italia.
Le football est suivi par des millions de personnes en Italie.
L'agent est introduit par la préposition *da*.

Voir aussi Voix passive 158 ◀
Toutefois, d'autres verbes (ou d'autres constructions verbales) peuvent jouer le rôle d'auxiliaires du passif, avec parfois quelques nuances de sens.

2. *Venire*

Dans un registre de langue recherché, *essere* peut être remplacé, dans les temps simples, par le verbe *venire* :
*Il calcio **viene** seguito da milioni di persone in Italia.*
Le football est suivi par des millions de personnes en Italie.
La construction avec *venire* met l'accent sur l'action quand *essere* peut être interprété en valeur absolue :

La porta è aperta.	*La porta **viene** aperta.*
La porte est ouverte.	La porte est ouverte (par quelqu'un).

3. *Rimanere*

Dans les temps simples comme dans les temps composés, *essere* peut également être remplacé par le verbe *rimanere* :
*Nell'incidente, il ragazzo è **rimasto** ferito (= è **stato** ferito).*
Durant l'accident, le garçon a été blessé.
La forme avec *rimanere* met l'accent sur l'état du sujet (le garçon est blessé), alors que la forme passive avec *essere* souligne l'action (quelqu'un l'a blessé) :

*Luisa è **rimasta** delusa.*	*Luisa è **stata** delusa.*
▼	▼
Luisa a ressenti de la déception.	Quelqu'un a déçu Luisa.

4. *Dover essere* et *andare*

Dans les temps simples, pour exprimer l'idée d'obligation, on utilise souvent le verbe *andare* à la place du passif *dover essere* :

*Le tasse **devono essere** pagate entro il 15 marzo.*
*Le tasse **vanno** pagate entro il 15 marzo.*
Les impôts doivent être payés avant le 15 mars.

Avec les verbes *perdere, disperdere* et *smarrire* (égarer) le verbe *andare* peut remplacer l'auxiliaire *essere* :

*Alcune lettere **sono andate** smarrite. (= **sono state** smarrite).*
Quelques lettres ont été égarées.

5. La forme réfléchie

Elle remplace parfois la forme passive :

*Marina non **si è vista***   au lieu de :   *Marina non **è stata vista***
On n'a pas vu Marina.   Marina n'a pas été vue.

228. Transformez les tournures passives en italique en employant d'autres constructions équivalentes, chaque fois que le contexte le permet :
a. Questi documenti *devono essere* presentati entro la fine del mese. - b. I presenti sono *stati* sorpresi dal tono del suo discorso. - c. Le lettere *saranno* spedite per via aerea. - d. Tutti i libri della biblioteca di Alessandria sono *stati* distrutti nell'incendio. - e. Per condannare l'imputato la sua colpevolezza *dovrebbe essere* provata. - f. Non è *stato* capito il perché della sua partenza. - g. In Grecia la dea Artemide *era* chiamata Diana. - h. La lettera *dovrà essere* scritta a macchina. - i. I letti *sono* rifatti tutte le mattine. - j. La ragazza è *stata* offesa dalle sue parole. - k. I clienti *sono* ricevuti nella hall dell'albergo. - l. Il campanello della porta non è *stato* sentito.

PER

(préposition)

La préposition *per* traduit la plupart du temps la préposition française « pour ». Certains emplois diffèrent toutefois en français et en italien.

Emplois des prépositions simples, voir 77 ◀

1. *Per* introduisant un complément de temps

PER = PENDANT

*Sono andato a sciare **per** una settimana.*   Je suis allé au ski pendant une semaine.
De même qu'en français, dans ce contexte on peut sous-entendre la préposition :
*Sono andato a sciare **ø** una settimana.*   Je suis allé au ski ø une semaine.

2. *Per* introduisant un complément de moyen ou de manière

PER = PAR

per via aerea	par avion	*per fortuna*	par chance (= heureusement)
per caso	par hasard	*per carità*	par pitié
per mano	par la main	*per colpa mia*	par ma faute

3. *Per* introduisant un complément de lieu

PER = DANS

*L'ho visto **per** strada* / ***per** le vie di Roma.*   Je l'ai vu dans la rue / dans les rues de Rome.

4. *Per* introduisant un complément de cause

PER = DE

*Piange **per** la paura.*   Il pleure de peur.

5. *Per* avec le verbe *partire*

Pour indiquer le but, la destination, ce verbe admet uniquement la préposition *per* :
*I miei amici sono partiti **per** il Marocco.*   Mes amis sont partis au Maroc.
*Di solito parto **per** le vacanze in agosto.*   D'habitude je pars en vacances en août.

Partire est exclusivement utilisé pour marquer le départ en voyage. Dans la plupart des cas, le verbe « partir » se traduit par *andare*.

6. *Per* avec le verbe *stare*

STARE PER + INFINITIF = ÊTRE SUR LE POINT DE...
*Sta **per** uscire.*   Il est sur le point de sortir (il va sortir).

À VOUS !

229. Traduisez :
a. Il m'a parlé pendant des heures et des heures. - b. Il était sur le point d'avouer son crime. - c. Nous avons envoyé la traduction par la poste. - d. Les enfants couraient dans l'escalier. - e. Je l'ai rencontré par hasard. - f. Il est parti à Rome où il devrait rester pendant deux semaines. - g. Il nous a commmuniqué les résultats par téléphone et par chance ils étaient bons. - h. Il tenait l'enfant par la main - i. Ils se promenaient dans la ville. - j. Ils sont partis à la campagne en voiture.

PHRASES SIMPLES

298   La phrase déclarative

En français, une phrase déclarative simple est constituée obligatoirement de deux constituants à ordre rigide : le groupe nominal + le groupe verbal.

Dans la phrase déclarative simple italienne, en revanche, le groupe nominal peut être sous-entendu : **l'énoncé du sujet est facultatif,** la terminaison du verbe suffisant généralement à indiquer le sujet grammatical :

Siamo pronti.   Nous sommes prêts.

L'ordre sujet-verbe peut être inversé sans que le sens ne soit modifié. Toutefois, cette inversion marque une nuance de sens.

Comparez :

Mia madre ha telefonato.	*Ha telefonato mia madre.*
(GN) + GV	GV + GN
Ma mère a téléphoné.	(C'est) ma mère (qui) a téléphoné.
▼	▼
on insiste sur l'action	on insiste sur le sujet de l'action

La postposition du sujet entraîne la mise en relief de celui-ci.

De même, dans :

Chi ha preso il mio giornale? L'ho preso io.   Qui a pris mon journal ? C'est moi qui l'ai pris.

*Lo fai **tu**? Fallo **tu**!*   C'est toi qui le fais ? C'est à toi de le faire ! / Fais-le toi-même !

Postposition du sujet, voir 309 ◀

On distingue deux types de phrases déclaratives : les affirmatives et les négatives.

Voir Négation 271 ◀

La phrase interrogative   **299**

1. Les types de phrases interrogatives

L'interrogative totale

Elle appelle une réponse par oui ou par non *(sì, no)*.

Elle est marquée à l'écrit par un point d'interrogation, placé à la fin de la phrase, et à l'oral par une intonation ascendante.

En effet, l'intonation suffit pour changer une phrase déclarative en phrase interrogative :

Si sono divertiti.   → *Si sono divertiti?*
Arrivate con il treno.   → *Arrivate con il treno?*
Tuo fratello frequenta il liceo. → *Tuo fratello frequenta il liceo?*

L'intonation ascendante marque le dernier mot.

Si la phrase ne comporte pas de pronom interrogatif, l'intonation est déterminante pour en saisir le sens.

Comparez :

Hanno mangiato i conigli?   *Hanno mangiato, i conigli?*
Ils ont mangé les lapins ?   Les lapins ont mangé ?

(Dans le second cas, on souhaite savoir si les lapins ont mangé : l'intonation ascendante est sur le verbe et non sur le sujet postposé.)

Les interrogatives partielles

Elles appellent une réponse plus complète et sont introduites par un interrogatif – pronom, adjectif ou adverbe. Elles sont également marquées par une intonation ascendante sur le dernier mot :

Quanto costa?   *Perché dici così?*
Quante volte alla settimana ci vai?

Voir aussi Interrogatifs 30 ◀

2. Place du sujet dans les interrogatives

Si le sujet est exprimé dans la proposition interrogative, il se place le plus souvent après le verbe :

Quanto costa questa gonna?
Combien coûte cette jupe ?
Come suona la chitarra, Marco?
Comment joue-t-il de la guitare, Marco ?

Mais le sujet peut également être placé en début de phrase, en apposition :
Questa gonna, quanto costa?
Cette jupe, combien coûte-t-elle ?
L'intonation ascendante est sur le verbe.

3. Les réponses affirmatives

Une réponse affirmative est toujours introduite par l'affirmation *sì* (ou l'un de ses équivalents : **certo, certamente, naturalmente...**).
À noter que *sì* s'écrit avec un accent grave sur le i.
Hai telefonato a Giulio? – Sì, gli ho telefonato un'ora fa.
As-tu téléphoné à Giulio ? – **Oui**, je lui ai téléphoné il y a une heure.

Voir Adverbes d'affirmation 69 ◄◄◄

4. Les réponses négatives

Une réponse négative est toujours introduite par la négation *no*, qui est le contraire de *sì*. Si la réponse contient un verbe, il doit être précédé de la négation *non* (= ne ... pas).
Hai telefonato a Giulio? – No, non gli ho ancora telefonato.
As-tu téléphoné à Giulio? – **Non**, je **ne** lui ai **pas** encore téléphoné.

Voir Adverbes de négation 70 ◄◄◄

---

300 | La phrase exclamative

À la différence de la phrase déclarative, qui énonce et informe, la phrase exclamative permet d'exprimer une réaction – d'étonnement, de joie, de mécontentement – à propos du fait énoncé.

La phrase exclamative se présente souvent sous la forme d'une phrase incomplète :
Sapessi!　Si tu savais !
Che spettacolo!　Quel spectacle !

Différents éléments peuvent introduire l'exclamation, comme :
• des interjections :
Peccato *che non venga!*　Dommage qu'il ne vienne pas !
Magari *lo conoscessi!*　Si seulement je le connaissais !

• des adjectifs, des pronoms et des adverbes exclamatifs (qui présentent les mêmes formes que les interrogatifs) :
Com'è carino!　Comme c'est mignon !
Quanta gente!　Que monde !

La phrase exclamative se distingue de l'interrogative à l'oral par une intonation descendante et à l'écrit par le point d'exclamation.

Voir Exclamatifs 32 ◄◄◄

La phrase impérative

1. L'ordre peut être exprimé par l'impératif

Chiudete la finestra!   Fermez la fenêtre !
Inversement, une interdiction sera exprimée par un impératif négatif :
Non chiudete la finestra!   Ne fermez pas la fenêtre !

Impératif négatif, voir 125 ◀◀

2. L'ordre peut être exprimé par l'infinitif

C'est le cas lorsqu'il ne s'adresse pas à une personne déterminée :
Chiudere la finestra!   Fermer la fenêtre !

3. Emploi du subjonctif

Il sera utilisé pour exprimer davantage un souhait, une volonté, un désir :
Vorrei che chiudeste la finestra.   Je voudrais que vous fermiez la fenêtre.

Voir Subjonctif 340, Concordance des temps 162 ◀◀

À VOUS !

230. Répondez par une affirmation ou par une négation :
ex : Hai fame? (non molta) ⟶ **No, non** ho molta fame

a. Parla sempre di politica? (mai) - b. Studia ancora? (non più) - c. Maria è già partita? (non ancora) - d. Hai già mangiato? (non ancora) - e. Sei contento di partire? (molto) - f. Quel ristorante è caro? (non molto) - g. È un ragazzo timido? (abbastanza).

PIÙ di, PIÙ che

Distinguer *più (meno) di* de *più (meno) che*

1. Emplois dans le comparatif

Tandis qu'en français « plus » ou « moins » sont toujours suivis de « que », en italien deux cas de figure sont possibles :

On emploie *di* dans les comparaisons entre deux noms ou pronoms :
Roma è più turistica di Milano.   Rome est plus touristique que Milan.
Lui è meno alto di lei.   Il est moins grand qu'elle.

On emploie *che* dans les comparaisons entre deux adjectifs, deux verbes, deux adverbes, deux quantités ou deux noms précédés d'une préposition :
Roma è più turistica che industriale.   Rome est plus touristique qu'industrielle.
Scrive più velocemente che bene.   Il écrit plus vite que bien.
È meglio perderlo che trovarlo.   Il vaut mieux le perdre que le trouver.

Un uomo potente ha più nemici che amici.   Un homme puissant a plus d'ennemis que d'amis.
Siamo più vicini a Roma che a Firenze.   Nous sommes plus près de Rome que de Florence.

◗ Lorsque *più* signifie « davantage » et *meno* est son contraire, on emploie *di* :
Lui parla più di Giulio ma meno di lei.   Il parle plus (davantage) que Giulio mais moins qu'elle.
Più di ieri, meno di domani.   Plus (davantage) qu'hier, moins que demain.
Più di prima, meno di oggi.   Plus (davantage) qu'avant, moins qu'aujourd'hui.

Voir Comparatif 72 ◄◄◄

◗ On trouve *di* dans les comparaisons dont le deuxième terme est *quanto* + verbe (qui demande le subjonctif et est souvent précédé d'une négation explétive, comme en français) :
Era più complicato di quanto non immaginassi.
C'était plus compliqué que je ne l'imaginais.

Voir aussi *Quanto* 328 ◄◄◄

◗◗ **2. Lorsque *più* ou *meno* sont suivis d'un numéral, on emploie *di***

Ha vissuto a Londra più di tre anni.   Il a vécu à Londres plus de trois ans.
Resteremo meno di una settimana.   Nous resterons moins d'une semaine.
Pesa più di due chili.   Cela pèse plus de deux kilos.

◗◗ **3. On emploie *che* lorsque *più* renforce un adjectif ou un adverbe**

Sono più che felice di rendermi utile.   Je suis plus qu'heureuse de me rendre utile.
Più che mai, meno che mai.   Plus que jamais, moins que jamais.
Mi sembra più che normale per la sua età.   Cela me semble plus que normal pour son âge.
Parla più che lentamente.   Il parle plus que lentement.

⬛⬛⬛ À VOUS ! ⬛⬛⬛

231. Traduisez :
a. Nous avons mérité plus qu'eux nos vacances. - b. Elle a travaillé plus que l'année dernière. - c. Je suis plus que persuadée de l'importance de cette initiative. - d. Il gagne moins que moi mais il est plus jeune. - e. Il est plus que jamais en forme. - f. Ils étaient plus qu'enthousiastes de ce projet. - g. Il est parti depuis plus d'une demi-heure. - h. Il gagne moins qu'il ne dépense. - i. En général elle est moins disponible que nous. - j. Il a moins de problèmes qu'avant.

PLURIELS IRRÉGULIERS

303 | Pluriels irréguliers des noms

◗ **1. Certains noms masculins en -*o* deviennent féminins au pluriel, avec une terminaison irrégulière en -*a***

il braccio ⟶ *le braccia*
le bras   les bras

Ils désignent pour la plupart des parties du corps humain :

il dito	*il labbro*	*il ginocchio*	
le doigt	la lèvre	le genou	
il membro	*l'osso*	*il ciglio*	*il sopracciglio*
le membre	l'os	le cil	le sourcil

D'autres noms ont la même particularité :

l'uovo ⟶ *le uova*
l'œuf   les œufs

Ainsi que :

il centinaio	la centaine	*le centinaia*		*il miglio*	le mille	*le miglia*
il grido	le cri	*le grida*		*il paio*	la paire	*le paia*
il lenzuolo	le drap	*le lenzuola*		*il riso*	le rire	*le risa*
il migliaio	le millier	*le migliaia*		*mille*	mille	*mila*

Dans certains cas, le pluriel régulier en *-i* existe aussi, mais avec une autre signification :

il braccio	*i bracci di un fiume*	*le braccia umane*
le bras	les bras d'un fleuve	les bras humains
il ciglio	*i cigli di una strada*	*le ciglia umane*
le cil / le bord	les bords d'une route	les cils humains
il corno	*i corni (strumenti)*	*le corna di un animale*
le cor	les cors (instruments)	les cornes d'un animal
il filo	*i fili del telefono*	*le fila del ragionamento*
le fil	les fils du téléphone	les fils du raisonnement
il fondamento	*i fondamenti di un'idea*	*le fondamenta di una casa*
le fondement	les fondements d'une idée	les fondations d'une maison
il labbro	*i labbri di una ferita*	*le labbra di una persona*
la lèvre	les lèvres d'une blessure	les lèvres d'une personne
il lenzuolo	*i lenzuoli (singoli)*	*le lenzuola (la parure)*
le drap	les draps (isolément)	les draps (la parure)
il membro	*i membri di una società*	*le membra umane*
le membre	les membres d'une société	les membres humains
il muro	*i muri di una casa*	*le mura di una città*
le mur	les murs d'une maison	l'enceinte d'une ville
l'osso	*gli ossi di un animale*	*le ossa umane*
l'os	les os d'un animal	les os humains

2. Certains noms féminins en *-a* ont un pluriel en *-i*, tout en restant féminins par leur genre

L'arma ⟶ *le armi*		*L'ala* ⟶ *le ali*	
l'arme	les armes	L'aile	les ailes

À noter également : *la mano* (seul nom féminin non abrégé terminant par o) ⟶ *le mani* (les mains).

3. Certains mots ont un pluriel tout à fait différent

uomo /uomini	*dio / dei*	*bue / buoi*	*tempio / templi*
homme / hommes	dieu / dieux	bœuf / bœufs	temple / temple

4. Les noms se terminant par *-io* ont les deux formes

• Ont un pluriel en *-ii* les noms se terminant en -<u>i</u>o :

z<u>i</u>o / z<u>i</u>i   oncle / oncles

• Ont un pluriel en *-i* les noms se terminant en *-io* non accentué :

nego<u>z</u>io / nego<u>z</u>i   magasin / magasins

Voir aussi noms en *-lo* 261 ◀━━

5. Les mots se terminant par *-cia* ou *-gia* peuvent avoir deux formes

• *-ce* ou *-ge* quand ils sont précédés d'une consonne :

bilancia ⟶ *bilance*   *frangia* ⟶ *frange*

• *-cie* ou *-gie* quand ils sont précédés d'une voyelle et quand le *i* est tonique :

cami<u>c</u>ia ⟶ *cami<u>c</u>ie*   *cilie<u>g</u>ia* ⟶ *cilie<u>g</u>ie*   *farma<u>c</u>ia* ⟶ *farma<u>c</u>ie*   *bu<u>g</u>ia* ⟶ *bu<u>g</u>ie*

À VOUS !

232. Mettez au pluriel :
a. Il dio greco - b. Il dito della mano - c. L'uomo preistorico - d. il paio di scarpe -
e. Il centinaio di persone - f. Il braccio rotto - g. Il lenzuolo del letto - h. L'osso umano -
i. il membro di una setta - j. L'uovo sodo - k. L'arma automatica - l. Il labbro sottile.

233. Traduisez :
a. Elle a de très belles mains, avec des doigts longs et fuselés. - b. Mick Jagger, le chanteur des Rolling Stones, était célèbre à cause de ses lèvres charnues. - c. Après l'intervention de la police, les bandits avaient dû jeter les armes. - d. Les derniers soldats avaient levé les bras pour se rendre. - e. Les ailes de l'albatros ont inspiré à Baudelaire un célèbre poème. - f. Des milliers de personnes ont assisté au concert. - g. Elle a mis des draps propres dans le lit.

POLITESSE

304 | La forme de politesse

1. La personne de politesse

S'adressant à une seule personne, on emploie la **troisième personne** du singulier du verbe avec le pronom sujet *Lei*, que l'on s'adresse à un homme ou à une femme. C'est ce que l'on appelle *dare del Lei* (vouvoyer) par opposition à *dare del tu* (tutoyer). Comme les autres pronoms sujets, *Lei* est souvent sous-entendu.

Lei a un pluriel, *Loro*, employé lorsqu'on s'adresse à plusieurs personnes que l'on vouvoie mais il est de plus en plus rare et réservé à un registre de langue très formel. Dans l'usage courant, on préfère à *Loro* la forme *Voi*.

Tous les pronoms de politesse s'écrivent avec une majuscule.

2. Accord du verbe

Lorsque le sujet (vous) est *Lei* (exprimé ou non), le verbe est à la troisième personne du singulier :

*Come **sta**, signor Martini? – Bene, grazie, e **Lei**?*
Comment allez-vous, Monsieur Martini ? – Bien, merci, et vous ?

Au pluriel, *Loro* et *Voi* exigent l'accord du verbe au pluriel :
*I signori **desiderano**?*   Ces messieurs désirent ?
*Sulla sinistra, **potete** vedere la famosa cupola di Michelangelo.*
Sur votre gauche, vous pouvez voir la célèbre coupole de Michel-Ange.

L'impératif, à la forme de politesse, est exprimé par le subjonctif à la troisième personne du singulier :
*Ingegnere, **entri** pure e **mi dica**.*   Monsieur l'ingénieur, entrez donc et dites-moi.

Impératif de politesse, voir 126 ◀◀

3. Accord de l'adjectif

L'adjectif et le participe passé employés avec les personnes de politesse s'accordent en genre et en nombre avec la ou les personnes désignées :
Lei è italiano?   Êtes-vous italien ?   *Lei è italiana?*   Êtes-vous italienne ?
*È davvero **deciso** a fare causa, Avvocato?*
Vous êtes vraiment décidé à porter plainte, Maître ?

4. Les possessifs à la forme de politesse

votre, vos ⟶ *Suo, Sua - Suoi, Sue*

Possessifs, voir 27 ◀◀

À l'écrit, la majuscule marque la personne de politesse :
*Come sta **Sua** moglie? Come stanno i **Suoi** figli?*
Comment va votre femme ? Comment vont vos enfants ?

Quand on s'adresse à plusieurs personnes, la forme du possessif est *(i/le) Loro* :
*Signori, mi diano i **Loro** bagagli.*   Messieurs, donnez-moi vos bagages.

Mais on emploie beaucoup plus souvent les formes du *voi* : *vostri, vostre*.

5. Les pronoms personnels compléments

Au singulier, le pronom utilisé est féminin, quel que soit le destinataire.

Vous (pronom c.o.d.) ⟶ *La*
La richiamo domani, Signor Mari.   Je vous rappelle demain, monsieur Mari.

• *La* **peut s'élider devant une voyelle ou devant le verbe** *avere* :
Prego, Signora, L'ascolto.   Je vous en prie, madame. Je vous écoute.

• **Au passé composé, le participe passé s'accorde au féminin :**
*L'ho **vista** ieri, L'ho anche **salutata**, ma **Lei** non mi ha visto.*
Je vous ai vu hier, je vous ai même salué, mais vous ne m'avez pas vu.

• **Le pronom** *La*, **en position enclitique après l'infinitif, garde sa majuscule :**
*Sono venuto a ringraziar**La** della Sua gentilezza.*
Je suis venu vous remercier pour votre gentillesse.

Vous (pronom c.o.i.) ⟶ *Le*
• *Le* **ne s'élide jamais ni ne s'accorde au passé :**
Le telefono domani mattina, Avvocato Neri.
Je vous téléphone demain matin, Maître Neri.
Le ho telefonato ieri, avvocato, ma Lei non c'era più.
Je vous ai appelé hier, maître, mais vous n'étiez plus là.

• **Le pronom** *Le*, **en position enclitique après l'infinitif, garde sa majuscule :**
*Sono venuto a chieder**Le** un'informazione.*
Je suis venu vous demander un renseignement.

Vous (pronom réfléchi) → *si*

Si ricorda di me?   Est-ce que vous vous souvenez de moi ?

Si sieda pure!   Asseyez-vous, je vous en prie !

6. Emplois de la forme de politesse *Voi*

On rencontre la forme *Voi* à la place de *Lei* dans la langue populaire, en particulier dans le sud de l'Italie, ainsi que dans la langue du théâtre et de la bande dessinée.

On emploie le *Voi* de politesse (avec une majuscule) dans la correspondance commerciale et administrative, lorsque l'on s'adresse collectivement à l'« entreprise » ou à l'« institution » et non à une personne en particulier.

Spett.le ditta X	Entreprise X
Roma, 4/03/..	Rome, 4/03/…

In risposta alla Vostra del 2/02/.., Vi alleghiamo il catalogo della nostra produzione. Siamo a Vostra disposizione per eventuali informazioni complementari.	En réponse à votre courrier du 2/02/…, nous vous adressons le catalogue de notre production. Nous sommes à votre disposition pour d'éventuelles informations complémentaires.

7. Expressions particulières

Les titres de civilité

« Monsieur, Madame, Monsieur le directeur… » se traduisent par *Signore (Signor X)*, *Signora, Signor Direttore*, sans article.

Signor Direttore, il Suo taxi è arrivato.   Monsieur le directeur, votre taxi est arrivé.

« Au revoir »

Il se traduit par *ArrivederLa* quand on s'adresse à une personne en la vouvoyant et *Arrivederci* quand on s'adresse à plusieurs personnes.

On peut également utiliser la forme *arrivederci,* moins formelle, avec une seule personne que l'on vouvoie, dans le sens de « nous revoir », sans pour autant tomber dans le tutoiement.

*ArrivederLa, Avvocato! Signore e signori, **arrivederci** a domani!*

Au revoir, Maître ! Mesdames et Messieurs, au revoir à demain.

À VOUS !

234. Traduisez :

a. Comment allez-vous, Docteur ? - b. Êtes-vous certain de cela, Maître ? - c. Votre proposition nous a convaincus. - d. Madame la directrice, votre taxi est arrivé. - e. Est-ce que ma secrétaire vous a envoyé votre dossier ? - f. J'ai l'intention de vous inviter à dîner, si vous acceptez. - g. Avec ce sirop vous vous endormirez sans aucun problème.

235. Transformez les phrases suivantes en passant du tutoiement au vouvoiement :

a. Ti ringrazio molto dei tuoi saggi consigli. - b. Non posso dirti ora se partirò con te o no. - c. Ti posso offrire qualcosa da bere? - d. Ti passo a prendere alle cinque? - e. Ti ho visto in centro con tua moglie. - f. Ti ricorderai di telefonare all'avvocato? - g. Mi hai dato il tuo numero di telefono? - h. Sono già arrivati i tuoi genitori? - i. Ti ho aspettato mezz'ora, poi tua moglie mi ha avvertito che avevi avuto un contrattempo. - j. Ti lascio qui i dati e ti richiamo domani per avere i risultati.

PONCTUATION

Les différents signes de ponctuation *(la punteggiatura)* s'accolent généralement au mot qui les précède. Comme en français, l'italien emploie les signes suivants :

1. *Il punto* : le point

Indique la fin d'une phrase.
Vorrei uscire.   Je voudrais sortir.

> En italien, lorsque les nombres sont écrits en chiffres arabes, les tranches de trois chiffres sont séparées par un point : 1.578, 2.000.000, etc.

2. *La virgola* : la virgule

Elle marque la pause la plus courte pour séparer des mots ou des propositions à l'intérieur d'une phrase.
Vorrei uscire, ma non posso.   Je voudrais sortir mais je ne peux pas.

3. *Il punto e virgola* : le point-virgule

Il marque une pause plus importante que la virgule, mais moins importante que le point.
Sono troppo stanca per uscire; tu esci?   Je suis trop fatiguée pour sortir ; est-ce que tu sors, toi ?

4. *I due punti* : les deux points

Ils introduisent une explication, un discours direct entre guillemets ou une citation.
Vista di Genova: il porto.   Vue de Gênes : le port.

5. *Il punto interrogativo* : le point d'interrogation

Il signale la fin d'une phrase interrogative.
Chi è venuto?   Qui est venu ?

6. *Il punto esclamativo* : le point d'exclamation

Il signale la fin d'une phrase exclamative.
Perbacco!   Parbleu !

7. *I puntini di sospensione* : les points de suspension

Au nombre de trois, ils indiquent une interruption de la phrase, dont la fin reste donc sous-entendue.
A buon intenditor... (poche parole!)   À qui sait entendre... (il suffit peu de mots !)

8. *Le virgolette* : les guillemets

Ces signes encadrent, délimitent un discours direct ou une citation mais peuvent également mettre en valeur un mot ou une expression ou signaler leur emploi dans un sens inhabituel. Le guillemet ouvrant s'accole au nom qu'il précède et le guillemet fermant au mot qu'il suit (après la ponctuation).

Ha risposto: « Fatti suoi! »   Il a répondu : « Cela le regarde ! »

9. *Le parentesi* : les parenthèses, les crochets

On distingue les *tonde* et les *quadre*.

• **Tonde** : ce sont des parenthèses qui servent à isoler un mot ou une phrase, ou encore encadrent une explication ou un commentaire.

• **Quadre** : ce sont des crochets qui sont utilisés surtout en mathématiques. Dans un texte, ils peuvent contenir une phrase comportant déjà des parenthèses. Encadrant des points de suspension, les crochets indiquent qu'une partie du texte a été supprimée. Le premier crochet s'accole au nom qu'il précède, le deuxième au mot qu'il suit.

Giuseppe Garibaldi (1807 - 1882)
La regione di Napoli [...] ha incomparabili bellezze.
La région de Naples [...] a d'incomparables beautés.

10. *Le lineette* : les tirets

Toujours au nombre de deux, ces signes ont la même valeur que les parenthèses ou les guillemets mais ne s'accolent ni au mot précédent ni au mot suivant :

Sono proprio io – rispose l'uomo – la persona che cercate.
C'est justement moi – répondit l'homme – la personne que vous cherchez.

11. *Il trattino* : le trait d'union

Il indique la césure du mot en fin de ligne et, dans ce cas, s'accole à la partie de mot qu'il suit.

Voir aussi Division des mots 223 ◀

Il sert également à relier les éléments d'un mot composé ; dans ce cas, le trait d'union s'accole aux deux mots qu'il relie :

L'autostrada Milano-Genova.   L'autoroute Milan-Gênes.

POSSESSIFS

(emplois particuliers)

Emplois généraux des possessifs, voir 28
Appartenance, voir 181 ◀

306 | Emplois particuliers de l'adjectif possessif

1. Emploi des déterminants avec l'adjectif possessif

Généralement précédé d'un article défini, l'adjectif possessif peut être également, selon le contexte :

précédé d'un article indéfini :

*Ne ho parlato con **un nostro** collaboratore.*   J'en ai parlé avec l'un de nos collaborateurs.

précédé d'un adjectif indéfini :
*Prestami **qualche tuo** libro! (**alcuni tuoi** libri).*   Prête-moi quelques-uns de tes livres !
*Certe **tue** idee mi sembrano buone.*   Certaines de tes idées me semblent bonnes.

précédé d'un démonstratif :
*Mi presenti **quel tuo** amico americano?*
Est-ce que tu me présentes ø ton ami américain ?

précédé d'un numéral :
*Ho scritto a **due miei** colleghi.*   J'ai écrit à deux de mes collègues.

2. Dans certains cas, le possessif n'est accompagné d'aucun article

avec les noms des membres de la famille au singulier :
***sua** sorella*   sa sœur   ***mio** cugino*   mon cousin

dans certaines expressions idiomatiques :
*a **mia** insaputa*   à mon insu   *a **vostra** disposizione*   à votre disposition

lorsqu'il est en apposition :
*È **mio** dovere, è **mio** diritto.*   C'est de mon devoir, c'est de mon droit.
*Ho visto Cristina, **mia** amica da anni.*   J'ai vu Cristina, mon amie depuis des années.

lorsqu'il est postposé :
*casa **mia***   chez moi (ma maison)

dans les exclamations avec *mio caro* :
***Miei cari** ragazzi!*   Mes chers enfants !   ***Mia cara** Luisa!*   Ma chère Luisa !

avec les titres honorifiques :
***Sua** Eccellenza l'Ambasciatore d'Italia.*   Son Excellence l'Ambassadeur d'Italie.

3. Dans les phrases indéfinies, on utilise *il proprio*

*Nessuno rinuncia volentieri **ai propri** privilegi.*
Personne ne renonce volontiers à ses propres privilèges.
*Ognuno segue **la propria** strada.*   Chacun suit sa (propre) voie.

4. Un adjectif possessif particulier : *altrui*

Il indique un possesseur indéfini et signifie *di un altro*.
Il est **invariable** et se place après le nom.
*È giusto rispettare le idee **altrui**.*   Il est juste de respecter les idées d'autrui.
Il est particulier à un registre de langue poétique ou ancien :
*« ... come sa di sale lo pane **altrui**. » (Dante)*   « ... comme le pain d'autrui est amer. »
On peut le trouver également placé devant le nom :
*Desiderare l'**altrui** felicità*   Désirer le bonheur d'autrui

Place de l'adjectif possessif   **307**

L'adjectif possessif précède généralement le nom qu'il détermine mais il peut aussi
suivre le nom qu'il accompagne.
Placé après le nom, le possessif s'emploie sans article :

sans changement de signification :
(emplois régionaux)
il mio amico - l'amico mio   *un mio amico - un amico mio...*

pour accentuer l'idée de possession :
(expressions toutes faites)

*a casa **mia***	chez moi	*di tasca **sua***	de sa poche
*è colpa **tua***	c'est de ta faute	*a spese **loro***	à leurs frais
*per colpa **tua***	à cause de toi	*per merito **tuo***	grâce à toi

dans les exclamations et les phrases vocatives :

amore mio!	mon amour !	*figli miei!*	mes enfants !
Dio mio!	mon Dieu !		
Padre nostro che sei nei cieli...	Notre Père qui êtes aux cieux…		

---

308   Emplois particuliers du pronom possessif

1. Le pronom possessif peut être employé avec la valeur d'un nom

Pour désigner les parents (ou les membres de la famille en général) :
*Vado in vacanza in Italia dai **miei**.*   Je vais en vacances en Italie chez ma famille.
*Abiti con **i tuoi**?*   Est-que tu habites chez tes parents ?

Pour désigner son groupe d'appartenance
*Arrivano **i nostri**!*   Voici les nôtres qui arrivent !

2. Le pronom possessif, isolé et en tête de phrase, peut servir à renforcer un énoncé

*La **tua** scusa non è valida.* → *La **tua**, non è una scusa valida.*
Ton excuse n'est pas valable.   Elle n'est pas valable, ton excuse.

À VOUS !

236. Traduisez :
a. Il a repris une de mes idées. - b. L'éditeur a accepté quelques-uns de mes manuscrits. - c. À cette fête, j'ai rencontré beaucoup de mes amis. - d. À mon avis, il est rentré chez lui. - e. Ne pleure pas, mon enfant ! - f. Chacun doit avoir le courage de ses opinions. - g. C'est de ta faute, pas de la mienne. - h. Le point de vue d'autrui est parfois important. - i. Marco, c'est absurde, enfin, ton raisonnement ! - j. À cause de toi, je suis arrivée en retard au rendez-vous.

POSTPOSITION DU SUJET

309   Postposition du sujet

L'ordre sujet-verbe représente, en français comme en italien, l'ordre communicatif neutre : il renseigne, à partir d'un sujet donné, sur l'action que ce sujet entreprend.
*Il **giornalista** parla.*   Le journaliste parle.
     S   V

Cet ordre, rigide en français, ne l'est pas en italien, où la postposition du sujet est possible dans plusieurs cas.

1. Postposition du sujet = mise en relief du sujet

*Parla il **giornalista**.*   C'est le journaliste qui parle.

Cet ordre met l'accent sur la personne qui accomplit l'action, et non sur l'action en elle-même. Il est rendu en français (où il est inacceptable) par la construction c'est moi (toi, lui, etc.) qui…

Comparez :

Marina paga.	*Paga Marina.*
Marina paye.	C'est Marina qui paye.
Pago.	*Pago io.*
Je paye.	C'est moi qui paye.
*Lo fai **tu**?* Est-ce que c'est toi qui le fais ?	
*Fallo **tu**!* Fais-le ! (c'est toi qui dois le faire !)	

Voir aussi C'est **195** ◀━━

2. Postposition du sujet avec les verbes de mouvement

Avec les verbes de mouvement l'ordre verbe-sujet semble plus fréquent (sans connotations particulières) que l'ordre sujet-verbe :

*È arrivato **il treno**.*   Le train est arrivé.
*È caduta **la neve**.*   La neige est tombée
*È scesa **la notte**.*   La nuit est tombée.
*Sta arrivando **il tuo amico**.*   Ton ami est en train d'arriver.

3. Postposition du sujet comme marque de style

Non obligatoire, cette inversion répond à des exigences de style et non de communication : elle n'implique aucune modification dans la signification de la phrase et se rend en français par l'ordre sujet-verbe.

*Pongono gravi problemi anche **altri fattori** che non abbiamo citato, ma non per questo meno importanti.*

D'autres facteurs que nous n'avons pas cités, mais non moins importants, posent de graves problèmes.

4. Postposition emphatique du sujet

Cette inversion est admise en français également, mais le sujet déplacé est remplacé par le pronom personnel correspondant :

*Si stanno divertendo, **i bambini**!*   Ils s'amusent, les enfants !

Cette phrase est marquée à l'oral par une intonation particulière et par une pause après le verbe, rendue à l'écrit par une virgule.

À VOUS !

237. Traduisez :

a. Sono cambiati i tempi. - b. Sono arrivati i nostri amici! - c. Improvvisamente è calata la nebbia. - d. Sono stati eletti ieri i membri del consiglio di amministrazione. - e. L'hanno inventato gli egiziani. - f. Se tu non puoi, ci vado io. - g. Non si preoccupano di niente, loro! - h. A un certo punto è arrivato l'autobus e sono saliti tutti. - i. Hanno subito gravi danni soprattutto i quartieri del centro, ma sono state colpite anche le zone periferiche.

POURCENTAGES

(et expressions arithmétiques)

---

310 | Expression des pourcentages

il 20 % (per cento)   l'8 %   lo 0,5 %

L'article est obligatoire devant le pourcentage *(la percentuale)* : *il, l'* devant un chiffre commençant par un son voyelle ou *lo* devant *zero*.

Le verbe s'accorde donc au masculin singulier.

Secondo un'inchiesta ISTAT **il** *14,7% (quattordici virgola sette per cento) dei nuclei familiari* **è** **costituito** *da una persona sola.*

Selon une enquête ISTAT 14,7 % des foyers sont constitués d'une seule personne.

Précédé d'une préposition, l'article se contracte :

I prezzi sono aumentati **dello** *0,2 % rispetto al mese scorso.*

Les prix ont augmenté de 0,2 % par rapport au mois dernier.

---

311 | Expression des numéraux fractionnaires

1/2	*un mezzo*	*1/4*	*un quarto*	*1/8*	*un ottavo*	*3/4*	*tre quarti*
1/3	*un terzo*	*1/5*	*un quinto*	*2/3*	*due terzi*	*4/5*	*quattro quinti*

---

312 | Expression des opérations

Addizione: *1 + (più) 1 = (uguale) 2*
Sottrazione: *5 – (meno) 2 = (uguale) 3*
Moltiplicazione: *2 x (per) 2 = (uguale) 4*
Divisione: *10 : (diviso) 2 = (uguale) 5*
Quanto fa 4 per 4? – Fa 16.   Combien cela fait, 4 multiplié par 4 ? – Cela fait 16.

À VOUS !

238. Écrivez en toutes lettres, en ajoutant l'article approprié aux pourcentages et aux fractions :
a. 12 % - 18,60 % - 19,20 % - 8,5 % - 51 % - 100 % - 74 % - 80 % - 99,2 %.
b. 1/3 - 1/4 - 3/5 - 7/8 - 9/10 - 1/100 - 1/6.

239. Traduisez :
a. J'ai eu une ristourne de 10 %. - b. 90 % des personnes interrogées ont répondu oui. - c. La T.V.A. était passée de 18,60 % à 20,60 % en 1995. - d. Cette somme représente 50 % du total brut. - e. Le sondage a montré que 60 % des jeunes interrogés étaient contraires à la réforme. - f. La production a augmenté de 2 %. - g. L'indice boursier a baissé de 0,8 %.

240. Écrivez en toutes lettres les opérations suivantes :
a. 2 + 2 = 4 - b. 3 x 3 = 9 - c. 100 : 10 = 10 - d. 18 - 7 = 11.

PRÉFIXES

Forme et fonction des préfixes `313`

◗ Les préfixes sont des éléments qui, placés devant un mot, en modifient le sens sans que la catégorie du mot ne change : un nom reste un nom, un adjectif un adjectif et un verbe, un verbe...

avviso	→ *preavviso*	*felice*	→ *infelice*	*fare*	→ *rifare*
avis	→ préavis	heureux	→ malheureux	faire	→ refaire

◗ Se présentant généralement sous la forme d'éléments clitiques, les préfixes peuvent toutefois être des mots autonomes, comme par exemple les prépositions *sotto, contro, con, sopra*... :

sottoporre	soumettre	*controproducente*	à effet contraire
convivere	vivre en concubinage	*sopraggiungere*	survenir

Sopra peut prendre la forme *sovra* :

sovrapporre   superposer

◗ Un même préfixe peut recouvrir des sens différents. Ainsi, le préfixe *in-* peut signifier :
• « rendre » : *indurire, indebolire, incurvare* (durcir, affaiblir, incurver)...
• « contraire de » : *incompetente, inaccessibile, inanimato* (incompétent, inaccessible, inanimé)... Un même préfixe peut également se présenter sous des formes différentes, selon le mot auquel il est accolé, par exemple le préfixe *in-* devenant *im-* devant *b, p,* ou *m*.

Valeur des principaux préfixes `314`

Forme	Valeur
in-, dis-, s	**négation** (= qui n'est pas, qui fait le contraire de)
infelice	malheureux
disordinato	désordonné
disfare	défaire
scontento	mécontent
svestire	déshabiller

In- devient *im-* devant *b, p, m,* et devient *ir-, il-* devant *r* et *l* :

impossibile	*imbattibile*	*irresponsabile*	*illogico*
impossible	imbattable	irresponsable	illogique

Forme	Valeur
ri- (*re-* devant *i*)	**répétition** (= à nouveau)
ricominciare	recommencer
rifare	refaire
reinserire	insérer de nouveau
anti-	**opposition** (= contre)
antidemocratico	antidémocratique

anticlericale	anticlérical
antidepressivo	antidépressif

a-	**privation** (= sans)

apolitico	apolitique
anormale	anormal
atipico	atipique

---

315   Autres préfixes courants

ARCI-	*arcinoto, arcimiliardario*	archiconnu, archimilliardaire
AUTO-	*autobiografico, autocritico*	autobiographique, autocritique
EXTRA-	*extracomunitario, extraterrestre*	extracommunautaire, extraterrestre
INTER-	*internazionale, intergovernativo*	international, intergouvernemental
PARA-	*paranormale, parastatale*	paranormal, semi-public
POST-	*postbellico, postdatare*	d'après guerre, postdater
RETRO-	*retroattivo, retrobottega*	rétroactif, arrière-boutique
SEMI-	*semicrudo, semiaperto*	à moitié cru, entrouvert
STRA-	*straricco, stracotto*	richissime, trop cuit
SUB-	*subalterno, subacqueo*	subalterne, soumarin
SUPER-	*superstrada, superalcolico*	voie express, alcool fort
ULTRA-	*ultravioletto, ultramoderno*	ultraviolet, ultramoderne
VICE-	*vicecapo, viceprefetto*	sous-chef, sous-préfet

À VOUS !

241. En vous aidant du dictionnaire, trouvez le contraire de ces mots en utilisant le préfixe approprié :
a. simpatico. - b. onesto. - c. reale. - d. maturo. - e. probabile. - f. bevibile. - g. fedele. - h. corretto. - i. adatto. - j. responsabile. - k. leso. - l. legare. - m. preciso. - n. sicuro. - o. regolare. - p. gustoso. - q. piacevole. - r. dipendente. - s. attivo. - t. obbedire. - u. favorire. - v. lecito. - w. comodo. - x. cortese. - y. illusione.

PRÈS DE

316   Traductions de « près de »

La locution prépositive « près de » peut se traduire :

1. *Vicino a / accanto a*

*Il ponte dei sospiri è **vicino a** piazza San Marco.*   Le pont des Soupirs est près de la place Saint-Marc.
*Vieni a sederti **accanto a** me.*   Viens t'asseoir près de moi.
Ces prépositions sont, comme les autres, invariables.

2. *Nei pressi di* ou *presso* lorsque « près » signifie « dans les environs »

*Abitava in un paesino **nei pressi di** Padova (**presso** Padova).*
Il habitait dans un village près de Padoue.

3. *Quasi* ou *circa* lorsque « près de » signifie « presque » ou « environ »

*Erano **quasi** le undici.*
Il était près de onze heures.
*Ha esposto i suoi quadri e ne ha venduti **circa** la metà.*
Il a exposé ses tableaux et en a vendu près de la moitié.

4. *Stare per* + infinitif lorsque « près de » signifie « sur le point de »

Stava per partire.
Il était près de partir.

Voir aussi Stare per 336 ◄

À VOUS !

242. Traduisez :
a. Il était resté près d'elle pour l'encourager. - b. Je voudrais placer ce meuble près de la fenêtre. - c. Il était près de minuit quand ils sont rentrés. - d. Nous habitons dans une petite ville près de Paris. - e. Ils ont loué une maison près de la mer. - f. Ils ont augmenté leurs ventes de près de 10 %. - g. Il était près de la solution de l'énigme, mais quelque chose lui échappait encore.

PRONOMINAUX

(verbes ~)

Différences entre l'italien et le français

Les verbes pronominaux français ne sont pas toujours pronominaux en italien et inversement.

1. Verbes pronominaux en français, non pronominaux en italien

s'améliorer	*migliorare*	se méfier	*diffidare*
s'échapper	*scappare*	se moquer de	*prendere in giro*
s'enfuir	*fuggire, scappare*	se noyer	*annegare*
s'évader	*evadere*	se passer	*succedere, capitare*
s'évanouir	*svenire*	se promener	*passeggiare*
s'exclamer	*esclamare*	se replier	*ripiegare*
se disputer	*litigare*	se taire	*tacere, stare zitto*
se faner	*appassire*	se terminer	*finire*

2. Verbes pronominaux en italien, non pronominaux en français

ammalarsi	tomber malade	*mettersi*	mettre (un habit)
augurarsi	souhaiter	*muoversi*	bouger
congratularsi con	féliciter quelqu'un	*sciogliersi*	fondre
degnarsi di	daigner	*togliersi*	enlever (un habit)
dimenticarsi	oublier	*vergognarsi*	avoir honte

3. Verbes ayant les deux formes en italien

Ces verbes s'emploient sous les deux formes, sans changement de sens.
dimenticare - dimenticarsi oublier *sbagliare - sbagliarsi* se tromper
ricordare - ricordarsi se souvenir *sedere - sedersi* s'asseoir
Mi sono dimenticato (= ho dimenticato) le regole del gioco. J'ai oublié la règle du jeu.
Mi sono dimenticato di te. Je t'ai oublié(e).

318 Conjugaisons particulières

Les formes verbales idiomatiques suivantes se construisent avec le pronom réfléchi *se* (= *si*) et des pronoms compléments.

andarsene s'en aller
présent : *me ne vado, te ne vai, se ne va...*
passé composé : *me ne sono andato, te ne sei andato...*
impératif : *vattene! andiamocene! andatevene!*

cavarsela s'en sortir, se débrouiller
présent : *me la cavo, te la cavi, se la cava...*
passé composé : *me la sono cavata, te la sei cavata...*
impératif : *cavatela! caviamocela! cavatevela!*

farcela réussir
présent : *ce la faccio, ce la fai, ce le fa...*
passé composé : *ce l'ho fatta, ce l'hai fatta...*

fregarsene s'en moquer
présent : *me ne frego, te ne freghi, se ne frega...*
passé composé : *me ne sono fregato, te ne sei fregato...*
impératif : *fregatene! freghiamocene! fregatevene!*

metterci mettre (du temps)
présent : *ci metto due ore, ci metti..., ci mette...*
passé composé : *ci ho messo mezz'ora, ci hai messo...*
impératif : *mettici poco tempo! mettiamoci...! metteteci...!*

prendersela se vexer, se fâcher
présent : *me la prendo, te la prendi, se la prende...*
passé composé : *me la sono presa, te la sei presa...*
impératif : *prendetela! prendiamocela! prendetevela!*

sentirsela avoir envie de, être en mesure de
présent : *me la sento, te la senti, se la sente...*
passé composé : *me la sono sentita, te la sei sentita...*
impératif : *sentitela! sentiamocela! sentitevela!*

Si et *se*, voir 333
Pronoms groupés, voir 322
Verbes idiomatiques, voir 360 ◀

319

Emplois particuliers de la forme pronominale

Il est toujours possible d'employer la construction pronominale sur un verbe actif.

• Pour mettre l'accent sur l'implication personnelle du sujet dans l'action, avec une notion de plaisir :

Mi sono mangiato (= ho mangiato) tutti i biscotti.   J'ai mangé tous les gâteaux.

• Pour remplacer un possessif :

Si è rotto una gamba.   Il s'est cassé la jambe.   *Si prende la macchina.*   Il prend **sa** voiture.

notamment pour parler d'habillement :

Togliti la giacca!   Enlève **ta** veste !

Voir aussi Tournure réfléchie impersonnelle 159
Tournure pronominale passive 158 ◀◀◀

À VOUS !

243. Traduisez :

a. Elle ne se sentait pas bien et en effet elle est tombée malade. - b. La neige a fondu au soleil. - c. Il n'avait pas bougé. - d. Ils n'ont pas daigné se présenter. - e. Je te félicite pour le succès de ton projet. - f. J'ai mis mon tablier pour faire la vaisselle. - g. Les choses se sont remarquablement améliorées. - h. Les bandits se sont évadés de la prison de Palerme. - i. Que s'est-il passé ? Elle s'est évanouie. - j. Pendant que nous nous promenions, nous nous sommes disputés.

PRONOMS GROUPÉS

On appelle ainsi la combinaison de deux pronoms personnels compléments :

Dammelo!   Donne-le-moi !

Voir Formes des pronoms groupés 51 ◀◀◀

Les pronoms personnels c.o.d. et c.o.i. peuvent se grouper également avec les pronoms adverbiaux *ci* et *ne* et le pronom indéfini *si*.

320

Pronoms c.o.d. groupés avec le pronom de lieu *ci*

1. Formes

mi ci porta	il m'y conduit	*ci* - porta*	il nous y conduit
ti ci porta	il t'y conduit	*vi ci porta*	il vous y conduit
ce lo porta	il l'y conduit (m)	*ce li porta*	il les y conduit (m)
ce la porta	il l'y conduit (f)	*ce le porta*	il les y conduit (f)

* Comme on ne peut répéter *ci*, lorsque l'indication de lieu est nécessaire, elle doit être exprimée par *qui / qua* ou *lì / là*, placés après le verbe :

Vedi quella discoteca? Ci porta lì ogni sabato.

Vois-tu cette discothèque ? Il nous y conduit chaque samedi.

2. Accord du participe passé

L'accord est **facultatif** avec *mi ci, ti ci, ci, vi ci.*
L'accord est **obligatoire** avec *ce lo, ce la, ce li, ce le.*
Vi ci ha portato/i.   Il vous y a conduits.
Ce li ha portati.   Il les y a conduits.

---

321   Pronoms groupés avec le pronom *ne* (= « en »)

1. Formes

pronoms réfléchis + *ne* (andarsene) s'en aller	pronoms c.o.i. + *ne*
me ne vado je m'en vais	*me ne dà due* il m'en donne deux
te ne vai tu t'en vas	*te ne dà due* il t'en donne deux
se ne va il s'en va	*gliene dà due* il lui en donne deux
se ne va (politesse) vous vous en allez	*gliene dò due* je vous en donne deux
ce ne andiamo	*ce ne dà due*
ve ne andate	*ve ne dà due*
se ne vanno	*gliene dà due* / *ne dà loro due*

2. Accord du participe passé

Il s'accorde :

comme en français ▼	à la différence du français ▼
avec le sujet : *se ne sono andati* ils s'en sont allés	• **avec la chose quantifiée** *me ne ha data una (mela)* il m'en a donné une • **ou avec la quantité exprimée par un nom :** *(di mele) me ne ha dato un chilo* ou *me ne ha date un chilo* (des pommes) il m'en a donné un kilo.

---

322   Pronoms groupés avec le pronom indéfini *si* (« on »)

1. Formes avec un complément d'objet direct

Aux temps simples :

c.o.d. + *si*		c.o.d. sous-entendu
lo si mangia	on le mange	*si mangia*
la si mangia	on la mange	*si mangia*
li si mangia	on les mange	*si mangiano*
le si mangia	on les mange	*si mangiano*

Le pronom complément d'objet direct est le plus souvent sous-entendu.
Secondo me il pollo è migliore se si mangia freddo.
Selon moi le poulet est meilleur si on le mange froid.

Aux temps composés :

c.o.d. + *si*	c.o.d. sous-entendu	
lo si *è mangiato*	**si** *è mangiato*	on l'a mangé
la si *è mangiata*	**si** *è mangiata*	on l'a mangée
li si *è mangiati*	**si** *sono mangiati*	on les a mangés
le si *è mangiate*	**si** *sono mangiate*	on les a mangées

L'auxiliaire est **essere**, toujours à la troisième personne du singulier quand le pronom c.o.d. et exprimé.
Le participe passé s'accorde avec le complément.
Tout comme la précédente forme, cette construction est rare.

2. Formes avec un complément d'objet indirect

mi si *parla*	on me parle
ti si *parla*	on te parle
gli / le si *parla*	on lui parle (à lui / à elle)
Le si **parla**	on vous parle (monsieur !)
ci si *parla*	on nous parle
vi si *parla*	on vous parle
gli si *parla* / *si parla* **loro**	on leur parle

L'auxiliaire utilisé est toujours **essere**.
Le participe passé reste invariable.
Mi si è parlato.   On m'a parlé.

Cette forme est rarement utilisée. On lui préfère d'autres formes équivalentes.

Voir **159**

3. *Si* (indéfini) + *ne* ⟶ *se ne* (« on en »)

*Se **ne** mangia una.*	*Se **ne** mangiano due.*
On en mange une.	On en mange deux.

L'auxiliaire utilisé est toujours **essere** à la troisième personne du singulier ou du pluriel.
Le participe passé s'accorde avec la chose quantifiée.
*(Di mele) se **ne** **sono mangiate due.***
(Des pommes) on en a mangé deux.

A VOUS !

244. Traduisez :
a. Si tu veux aller à la plage, je t'y accompagne en voiture. - b. Il ne s'en souvient plus, pourtant je lui en ai parlé plusieurs fois. - c. Qui a conduit les enfants à l'école ? C'est moi qui les y ai conduits. - d. Combien de roses t'a-t-il envoyées ? Il m'en a envoyé un beau bouquet. - e. Quand on lui parle de politique, il s'en va. - f. Viens dans ce bar : nous nous y retrouvons tous les soirs. - g. Je vais leur en parler, de cette histoire, et je vais exiger qu'ils s'en occupent. - h. Tout le monde sait qu'en Italie les pâtes, on les mange « al dente ». - i. Vous vous en êtes aperçus seulement aujourd'hui, alors que cela fait des mois que j'essaye de vous le faire comprendre. - j. Madame, mon cas était épineux, mais vous vous en êtes très bien occupée et je vous en suis reconnaissant.

QUALCHE et ALCUNI

Les adjectifs indéfinis *qualche* et *alcuni*

1. Différences d'emploi

Les adjectifs indéfinis *qualche* et *alcuni (alcune)* se traduisent par « quelque(s) ».
Ces deux synonymes ne diffèrent que par leur forme grammaticale.
Comparez :

Qualche amico	*Alcuni* amici	Quelques amis
Qualche persona	*Alcune* persone	Quelques personnes

Leur emploi est identique mais *qualche* est plus fréquent :
*Mi hanno rivolto **alcune domande**.*   (registre soutenu)   On m'a posé quelques questions.
*Mi hanno fatto **qualche domanda**.*   (conversation courante)

Voir aussi Indéfinis 34 ◄

2. *Qualche* ne s'emploie qu'au singulier

Qualche, invariable, ne s'emploie qu'au singulier, tout en indiquant une quantité
plurielle. Le verbe qui en dépend s'accorde au singulier :
Qualche pagina di questo libro è strappata.
Quelques pages de ce livre sont déchirées.

3. *Alcuni (alcune)* exige le pluriel

Le verbe qui en dépend s'accorde au pluriel :
*Alcuni rappresentanti dei paesi industrializzati **hanno** parlato in presenza di numerosi giornalisti.*
Quelques représentants des pays industrialisés ont parlé devant de nombreux journalistes.

4. Valeur partitive de *qualche* et *alcuni*

Qualche (+ singulier) et *alcuni/e* (+ pluriel) remplacent souvent, dans la langue écrite,
le partitif :
*Ha spedito **alcuni** documenti via fax (**qualche** documento).*
Il a envoyé des documents par fax.

Article partitif, voir 10 ◄

Le pronom *alcuno/a, alcuni/e*

1. *Alcuno/a = nessun(a) = aucun(e)*

La forme au singulier *alcuno/a* remplace parfois *nessun/a* (plus fréquent) dans les
phrases négatives :
*Senza **alcun** dubbio dici la verità. (= senza **nessun** dubbio)*
Sans aucun doute tu dis la vérité.
*Non aveva più **alcuna** speranza di salvezza. (= **nessuna** speranza)*
Il n'avait plus aucun espoir de salut.

Voir aussi *Nessuno* 272 ◄

2. *Alcuni/e* = quelques-un(e)s

Alcuni/e peut également être pronom.
Dans ce cas, il se traduit par « quelques-un(e)s », « certain(e)s ».
***Alcuni** parlavano, altri ridevano.*
Quelques-uns parlaient, d'autres riaient.

À VOUS !

245. Remplacez *qualche* par *alcuni* ou *alcune*, en tenant compte de l'accord éventuel du verbe :
a. Da Roma ho spedito qualche cartolina ai miei amici. - b. Qualche macchia è rimasta, malgrado il lavaggio. - c. Qualche critico ha trovato il film ottimo, qualche altro ha emesso forti riserve. - d. Ho comprato qualche giornale inglese. - e. Hanno traslocato qualche mese fa. - f. Avrei qualche obiezione da fare. - g. Battisti ha concluso il concerto cantando qualche sua vecchia canzone. - h. Ha dato al cameriere qualche moneta di mancia. - i. Hanno avuto qualche problema con il riscaldamento. - j. Qualche convoglio umanitario è riuscito a passare, ma gli altri hanno dovuto rinunciare.

QUALCUNO

Valeurs et emplois de *qualcuno*   **325**

Le pronom indéfini *qualcuno* peut désigner :
1. Une personne indéterminée, indéfinie → **quelqu'un.**
2. Un petit nombre, une quantité partielle → **quelques-uns, certains.**

1. *QUALCUNO* = QUELQU'UN

• Il est invariable.
***Qualcuno** conosce la risposta?*   Quelqu'un connaît la réponse ?

• Devant *altro*, *qualcuno* perd sa voyelle finale :
*Dallo a **qualcun altro**.*   Donne-le à quelqu'un d'autre.

1. QUALCUNO/A = QUELQUES-UN(E)S, CERTAIN(E)S

Même lorsqu'il adopte ce sens collectif, *qualcuno* n'a jamais de pluriel et s'emploie toujours avec un verbe à la troisième personne du singulier :
***Qualcuno** di noi non ha saputo rispondere.*
Quelques-uns (certains) d'entre nous n'ont pas su répondre.
***Qualcuna** delle mie amiche è già arrivata.*
Quelques-unes (certaines) de mes amies sont déjà arrivées.
***Qualcuno** dei suoi quadri è stato venduto.*
Quelques-uns (certains) de ses tableaux ont été vendus.
*Non mangiate tutte le paste, lasciatemene **qualcuna**!*
Ne mangez pas toutes les pâtisseries, laissez-m'en quelques-unes !

246. Traduisez :

a. Quelqu'un a cru reconnaître en lui le voleur signalé par la police. - b. Après quelques minutes, elle s'est rendue compte que son interlocuteur la prenait pour quelqu'un d'autre. - c. Je suis encore en contact avec quelques-uns de mes camarades de lycée. - d. Je connais quelqu'un qui travaille au tribunal. - e. Il m'a proposé des timbres anciens et j'en ai trouvé quelques-uns qui m'intéressaient. - f. J'aimerais connaître quelques-unes de tes copines. - g. Parmi les manteaux que j'ai vus, il y en avait quelques-uns qui me plaisaient mais je n'ai pas su me décider.

QUALSIASI et *QUALUNQUE*

326 — Sens et emplois de *qualsiasi* et *qualunque*

Qualsiasi et *qualunque* sont parfaitement synonymes.
Ce sont des adjectifs indéfinis invariables qui ne s'emploient qu'au singulier.
Leur traduction en français varie selon leur position par rapport au nom auquel ils se rapportent.

1. Placés devant le nom

▸ Ils peuvent signifier « **n'importe quel(le)** », « **tout(e), tous** » :
*Telefona a **qualsiasi** ora, in un **qualunque** momento della giornata.*
Téléphone à n'importe quelle heure, à n'importe quel moment de la journée.
*Ci riuscirò a **qualunque** costo.*
J'y arriverai à tout prix (à n'importe quel prix).
*Ha usato **qualsiasi** mezzo per riuscirci.*
Il a employé tous les moyens pour y arriver.
*In **qualsiasi** altra circostanza vi avrei invitato ad entrare.*
En toute autre circonstance, je vous aurais invités à entrer.

▸ Ils peuvent également signifier « **quoi que** » (+ subjonctif) ou « **n'importe quoi** » :
***Qualunque** cosa tu dica, ho già la mia opinione in proposito.*
Quoi que tu dises, j'ai déjà mon avis sur la question.
*Per loro, farei **qualsiasi** cosa.*
Pour eux, je ferais n'importe quoi.

2. Placés après le nom

Ils peuvent avoir deux valeurs différentes :

▸ « **Quelconque** »
Dans le sens de « ordinaire, commun, sans qualités particulières », avec une nuance péjorative.
*È una persona **qualunque** (**qualsiasi**), senza niente di speciale.*
C'est une personne quelconque, sans rien de spécial.
*È una stoffa **qualsiasi**.*
C'est un tissu quelconque.

« **Au hasard** », « **n'importe lequel** »
Dans le sens de « un parmi d'autres » :
*Prendi un libro **qualsiasi** nella libreria.*
Prends un livre au hasard dans la bibliothèque.

À VOUS !

247. Traduisez :
a. Il est à son aise en toute situation. - b. Elle n'accepterait pas n'importe quelle condition pour avoir ce poste. - c. Cet homme avait été privé de tout droit sur ses enfants. - d. Pour faire défiler la liste sur l'écran, appuyez sur une touche quelconque du clavier. - e. Nous pourrions fixer un rendez-vous n'importe quel lundi du mois prochain et à n'importe quel moment de la journée. - f. Quoi que vous fassiez, vous n'arriverez pas à le convaincre. - g. Quoi qu'il arrive, je serais là pour vous aider. - h. On peut acheter ce médicament sans ordonnance dans n'importe quelle pharmacie de la ville. - i. Prends une carte au hasard dans le jeu.

QUANTITÉ

Expression de la quantité   327

1. Interroger sur la quantité

Dans les questions, la notion de quantité est introduite par :

l'adverbe invariable *quanto* ? (combien ?) :
__Quanto__ hai pagato la macchina?
Combien as-tu payé ta voiture ?

l'adjectif interrogatif *quanto/a, quanti/e* (combien de...?) :
__Quanti__ quadri ha venduto alla mostra?
Combien de tableaux a-t-il vendus à son exposition ?

2. Exprimer une quantité définie

Une quantité définie s'exprime par un numéral cardinal (adjectif ou pronom) :
*Ha prenotato **due** camere.*
Il a réservé deux chambres.
*Ne ha prenotata **una**. / Ne ha prenotate **due**.*
Il en a réservé une. / Il en a réservé deux.

Numéraux, voir **36** ◀

Ce nombre est éventuellement suivi d'un nom représentant une unité de mesure :
*Ho comprato **un chilo** di mele.*   J'ai acheté un kilo de pommes.
→ *Ne ho comprato/e* un chilo.*   J'en ai acheté un kilo.
*Prenderei **2 vasetti** di acciughe sott'olio.*   Je prendrais deux bocaux d'anchois à l'huile.
→ *Ne ho preso/i/e* due vasetti.*   J'en ai pris deux bocaux.
* Le participe passé peut dans cet emploi rester inchangé ou s'accorder aussi bien avec la quantité exprimée qu'avec l'objet quantifié.

3. Exprimer une quantité indéfinie

Une quantité indéfinie peut être exprimée par :

▶ Les pronoms, adjectifs et adverbes suivants, qui s'accordent en genre et en nombre avec les noms qu'ils déterminent : *molto* (très, beaucoup), *tanto* (beaucoup, très, tant), *poco* (peu), *alquanto* (plutôt), *parecchio* (pas mal), *troppo* (trop, beaucoup trop) et *quanto* (combien [de] dans les phrases exclamatives).

*Ho visto **molti** spettacoli in lingua straniera.*
J'ai vu beaucoup de spectacles en langue étrangère.

*Ha **pochi** libri in italiano.*
Il a peu de livres en italien.

*Abbiamo **tante** cose da fare.*
Nous avons tant de choses à faire.

*Ha **parecchie** seccature in questo momento.*
Il a pas mal d'ennuis en ce moment.

*Ha avuto **alquante** soddisfazioni ultimamente.*
Il a eu pas mal de satisfactions dernièrement.

*Non ha avuto **troppa** fortuna al gioco ieri sera.*
Il n'a pas eu trop de chance au jeu hier soir.

Même lorsque le nom est sous-entendu :
Quanti libri hai letto?   Combien de livres as-tu lu ?
Molti! Pochi! Parecchi! Tanti! Troppi!   Beaucoup ! Peu ! Plusieurs ! Beaucoup (tellement) ! Trop !

Adverbes de quantité, voir 66 ◀

▶ Les pronoms et adjectifs *alcuni, certi, vari, diversi* (quelques / certains / différents / plusieurs), qui expriment une quantité indéfinie seulement au pluriel (leur signification au singulier étant différente) :

*Ho **alcune** proposte da farti.*
J'ai quelques propositions à te faire.

*In **certi** casi, è meglio tacere.*
Dans certains cas, il vaut mieux se taire.

*Esistono **vari** modi di cucinare la pasta.*
Il y a différentes façons de cuisiner les pâtes.

*L'ho visto **diverse** volte per strada.*
Je l'ai vu plusieurs fois dans la rue.

Alcuno, voir 323 ◀

▶ L'adjectif invariable *qualche* (quelques), toujours suivi d'un nom au singulier :
***Qualche** settimana potrebbe bastare per portare a termine il progetto.*
Quelques semaines pourraient suffire pour terminer le projet.
Le verbe qui s'y réfère est également au singulier.

Voir aussi *Qualche* 323 ◀

▶ Les numéraux indéfinis collectifs *un paio, una decina (ventina...), una dozzina, una quindicina, un centinaio, un migliaio*... :
*Al concerto, ci sarà stato **un migliaio** di persone.*
Au concert, il devait y avoir un millier de personnes.
Ces numéraux sont toujours suivis de la préposition *di*.

Le verbe peut s'accorder au singulier ou au pluriel :
*Al concerto **ci saranno state** un migliaio di persone.*

▶ **Certaines expressions indéfinies** formées par *un* ou *sul* + un numéral cardinal avec un verbe au pluriel :
*Ci saranno state **un mille** persone. (= circa mille persone)*
*Ci saranno state **sulle** mille persone.*

248. Traduisez :

a. Il y avait beaucoup d'enfants. - b. Combien de chambres as-tu réservées ? - c. À la dernière minute quelques difficultés ont surgi. - d. Plusieurs personnes ont téléphoné. - e. Il a peu de chances de réussite. - f. Il a trop d'occupations pour un seul homme. - g. Ils ont reçu différentes propositions de voyage.

249. Traduisez :

a. Certains employés ont fait grève. - b. Des situations comme celle-ci, j'en ai vu une seule. - c. Combien de vin a-t-il acheté ? Il en a acheté deux bouteilles. - d. Cette entreprise doit avoir dans les trente employés. - e. Un millier d'étudiants ont participé au meeting pour la paix. - f. Je voudrais dépenser pour le loyer dans les 800 euros maximum. - g. Quelques collaborateurs nous ont fait remarquer que nous avons beaucoup trop de frais, pour différentes raisons.

QUANTO

Valeurs et emplois de *quanto* 328

1. *Quanto* exprimant une quantité

Quanto adverbe
Il correspond à « combien » et est invariable :

Quanto costa?
Combien cela coûte ?

Quanto fa?
Combien cela fait ?

Voir aussi Combien 201 ◀

Quanto adjectif interrogatif
Il correspond à « combien de... » et s'accorde avec le nom :

Quanti figli hai?
Combien d'enfants as-tu ?

Quante sigarette hai fumato?
Combien de cigarettes as-tu fumées ?

Notez dans ce dernier exemple qu'à l'inverse du français *quanto* n'implique pas l'accord du participe passé avec l'auxiliaire « avoir ».

Voir aussi 291 ◀

Remarquez l'expression : *Quanti anni hai?* Quel âge as-tu ?

Expression de l'âge, voir 174 ◀

Quanto adjectif exclamatif
Il correspond à « que de » et s'accorde avec le nom :

Quanta gente!
Que de monde !

Quanti turisti!
Que de touristes !

2. *Quanto* comparatif

Dans les comparaisons, *quanto* accompagné de *tanto* correspond à « aussi ... que... » ou « autant (de) ... que (de) ... » :

È tanto bella quanto intelligente.
Elle est aussi belle qu'intelligente.

Non è (tanto) furbo quanto suo fratello.
Il n'est pas aussi malin que son frère.
Ho tanti fratelli quante sorelle.
J'ai autant de frères que de sœurs.

3. *Quanto* pronom relatif

Il correspond à « tout ce qui / tout ce que » :

Raccontami quanto è accaduto.
Raconte-moi tout ce qui est arrivé.

Ha avuto quanto si meritava.
Il a eu tout ce qu'il méritait.

4. Expressions comportant *quanto*

⊳ *Più (meno) di quanto* suivi d'un subjonctif :
Il correspond à « plus (moins) qu'on ne » suivi de l'indicatif.
È più furbo di quanto tu (non) <u>creda</u>.
Il est plus malin que tu ne le crois.

⊳ *Per quanto* suivi d'un subjonctif :
Il correspond à « quoi que, bien que, pour autant que » :
Per quanto tu faccia...
Quoi que tu fasses...
Per quanto voglia...
Bien qu'il veuille...
Per quanto ne sappia...
Pour autant que je sache...

⊳ *Da quanto*
Il correspond à « d'après ce qui / que » :
Da quanto mi hanno detto, vivrebbe all'estero.
D'après ce que l'on m'a dit, il vivrait à l'étranger.

⊳ *In quanto*
Il correspond à « parce que » :
Non sono potuto venire in quanto nevicava forte.
Je n'ai pas pu venir parce qu'il neigeait beaucoup.

Ou « en qualité de, étant, en tant que » :
In quanto direttore, ha precise responsabilità.
En qualité de directeur, il a des responsabilités précises.

⊳ *Quanto a*
Il correspond à « en ce qui concerne, quant à » :
Quanto a me, non mi lamento.
Quant à moi, je ne me plains pas.

À VOUS !

250. Traduisez :
a. Combien de temps vas-tu rester à Bologne ? - b. Combien je vous dois, madame ? -
c. Combien de dollars avez-vous changés à la banque ? - d. Que de confusion ! -
e. Je lui ai rapporté tout ce qu'il m'avait demandé. - f. Elle est plus généreuse que tu
ne le penses. - g. Pour autant que je sache, il a changé d'adresse. - h. Bien qu'elle ait
fait de son mieux, elle n'a pas été sélectionnée. - i. Il a un caractère aussi gai
qu'enthousiaste. - j. Que d'histoires pour si peu !

QUEL

1. « Quel » adjectif exclamatif

Il se traduit par *che* qui est invariable.
Che fortuna!   Quelle chance !
Che begli occhi!   Quels beaux yeux !
Che brutto carattere!   Quel mauvais caractère !

2. « Quel » adjectif interrogatif

Il se traduit également par *che*.
Che ora è?
Quelle heure est-il ?
Che giornale stai leggendo?
Quel journal es-tu en train de lire ?

Dans cet emploi, il est synonyme de *quale, quali* :
Di quale film stai parlando? = Di che film stai parlando?
De quel film parles-tu ?

3. « Quel » pronom interrogatif

Il se traduit par *quale / quali* qui ne s'accorde qu'en nombre.
Quali sono i rischi di questa strategia?
Quels sont les risques de cette stratégie ?

Quale, voir 81 ◄

Devant le verbe *essere* à la 3ᵉ personne du singulier, *quale* perd la voyelle finale :
Qual è il cambio del dollaro?   Quel est le change du dollar ?

4. « Quel que soit »

Cette tournure se traduit par *qualunque sia.*
Le verbe se conjugue selon la personne mais *qualunque* reste invariable.
Qualunque siano i motivi che lo hanno spinto, ha avuto torto ad agire così.
Quelles que soient les raisons qui l'ont poussé, il a eu tort d'agir ainsi.

Qualunque, voir 326 ◄

5. « Tel quel »

Cette expression se traduit par *tale e quale* :
L'ha ricopiato tale e quale.
Il l'a recopié tel quel.
Non ha modificato i documenti: li ha lasciati tali e quali.
Il n'a pas modifié les documents, il les a laissés tels quels.

§ Attention : *tale quale,* sans « e » entre les deux mots, signifie « tel que » :

Questo paese è proprio tale quale me l'avevano descritto.
Ce village est vraiment tel qu'on me l'avait décrit.

À VOUS !

251. Traduisez :

a. Quelle horreur ! - b. Quelles manières ! - c. Quel train prends-tu ? - d. Quels sont les avantages de cette méthode ? - e. Quelle que soit sa décision, il faut l'accepter. - f. Cet enfant est tel que je l'avais imaginé. - g. Quelle est sa véritable identité ? - h. Quel désordre ! - i. Quel dommage qu'elle ne soit pas venue ! - j. Je ne peux pas laisser ces textes tels quels.

QUI

330 Traductions de « qui »

1. QUI = CHI

Pronom interrogatif :

Dans une phrase interrogative directe ou indirecte :

Chi vuole prendere la parola?

Qui veut prendre la parole ?

Dimmi con chi sei uscito!

Dis-moi avec qui tu es sorti !

« Celui qui, celle qui », ou « quiconque » :

Ride bene chi ride ultimo.

Rira bien (celui) qui rira le dernier.

Chi vuole iscriversi, deve compilare il modulo.

Qui (= quiconque) veut s'inscrire, doit remplir le formulaire (ceux qui veulent...).

Dans cet emploi, l'accord du verbe se fait toujours à la 3e personne du singulier.

2. QUI = CHE

Pronom relatif sujet :

Eccoli che arrivano!

Les voilà qui arrivent !

Sono ragazzi che lavorano sodo.

Ce sont des garçons qui travaillent dur.

Ora ti racconto quello che mi è successo ieri.

Je vais te raconter ce qui m'est arrivé hier.

3. QUI = CUI

« Lequel / laquelle » :

La persona con cui ho parlato (con la quale...).

La personne avec qui j'ai parlé (avec laquelle...).

Gli amici da cui vado a cena (dai quali...).

Les amis chez qui je vais dîner (chez lesquels...).

Voir aussi *Cui* 82 ◄

À VOUS !

252. Traduisez :

a. Chez qui es-tu allé dîner ? - b. C'est un acteur qui me plaît beaucoup. - c. La fille à qui j'ai prêté ma voiture est ma belle-sœur. - d. Dis-moi ce qui s'est passé. - e. Avec qui viens-tu ? - f. Ce sont des amis avec qui je passe souvent mes vacances. - g. Je ne sais pas avec qui il sort tous les soirs. - h. C'est un enfant difficile, qui a besoin d'être aidé. - i. Qui vivra, verra. - j. Je n'aime pas ceux qui croient toujours tout savoir.

REDOUBLEMENT de L'INITIALE

Le redoublement phonétique | 331

Dans certaines prononciations régionales, selon le mot qui les précède à l'oral, la consonne initiale de certains mots est parfois prononcée avec plus d'intensité, comme une consonne doublée :

che bello! ⟶ « *chebbello!* »   *chi sa...* ⟶ « *chissa...* »

a casa, a Roma ⟶ « *accasa* », « *aRRoma* »

Ce phénomène de redoublement phonétique *(il raddoppiamento)* se produit à la jonction de certains mots se terminant par une voyelle et de mots commençant par une consonne (non suivie d'une autre consonne). Il n'est pas systématique, ni étendu à toutes les régions d'Italie.

À l'écrit, le redoublement phonétique a été fixé dans l'orthographe de nombreux mots qui se sont accolés pour ne former qu'un seul terme :

addio	= a Dio	**nemmeno**	= ne meno
appena	= a pena	**oppure, eppure**	= o pure, e pure
davvero	= da vero	**soprattutto**	= sopra tutto

De la même manière, les pronoms atones (sauf *gli*) se trouvant en position enclitique avec les verbes *andare, dare, dire, fare, stare,* redoublent leur consonne initiale :

Da' il tuo numero di telefono!	**Dammelo!**	Donne-le-moi !
Di' la verità!	**Dimmi** la verità!	Dis-moi la vérité !
Fa' un caffè!	**Fammi** un caffè! **Fallo!**	Fais-moi un café ! Fais-le !
Sta' a sentire!	**Stammi** a sentire!	Écoute-moi !
Va' con calma!	**Vacci** con calma!	Vas-y calmement !

RELATIFS

Emplois particuliers des pronoms relatifs | 332

1. *IL CHE*

Composé d'un article et d'un relatif, *il che* permet de reprendre toute une proposition et signifie « ce qui, ce que » :

*È rimasta senza parole, **il che** è raro!*   Elle est restée sans paroles, ce qui est rare !

2. CHE - CHI

Che et chi peuvent être suivis du subjonctif dans les cas suivants

• **Introduisant des propositions « restrictives »** (c'est-à-dire réduisant le nombre des personnes ou des choses dont on parle) :

*Accettiamo esclusivamente i candidati **che** abbiano fatto domanda nei termini stabiliti.*
Nous acceptons exclusivement les candidats qui ont fait leur demande dans les termes fixés.
*Assumiamo esclusivamente **chi** non superi 35 anni d'età.*
Nous embauchons exclusivement ceux qui ont moins de 35 ans.

• **Exprimant une idée de possibilité :**

*Ho una segretaria **che** parla il russo. Cerco una segretaria **che** parli anche tedesco.*
J'ai une secrétaire qui parle russe. Je cherche une secrétaire qui parle aussi allemand.
*Ho **chi** mi tiene i bambini lunedì. Cerco **chi** me li tenga anche il mercoledì.*
J'ai (quelqu'un) qui me garde les enfants le lundi. Je cherche (quelqu'un) qui me les garderait aussi le mercredi.

• **Dans les phrases négatives :**

*Non conosco nessuno **che** parli bene tedesco.*   Je ne connais personne qui parle bien l'allemand.
*Non so **chi** possa occuparsene.*   Je ne sais pas qui peut s'en occuper.

Che peut être suivi du subjonctif également dans les cas suivants

• **Précédé de *unico, solo, primo* et *ultimo* :**
*È l'unico **che** ci sia riuscito.*   Il est le seul qui y est arrivé.

• **Suivi d'un superlatif relatif :**
*È la più bella ragazza **che** abbia mai visto.*   C'est la plus belle fille que j'ai jamais vu.

3. CUI

Cui a un emploi particulier, dit « de possession », lorsqu'il est placé entre le nom et son article :

*Il ragazzo, **il cui libro** è sul banco, è appena uscito. **(il libro del quale)***
Le garçon, dont le livre est sur la table, vient de sortir.

IL CUI, LA CUI, I CUI, LE CUI + nom = « DONT » + NOM

*Umberto Eco, **il cui romanzo** Il Nome della rosa aveva avuto all'epoca un enorme successo, ha pubblicato anche numerosi saggi.*
Umberto Eco, dont le roman *Le Nom de la rose* avait eu à l'époque un très grand succès, a publié aussi de nombreux essais.

Plus rarement, et toujours dans la langue écrite, le cui de possession peut être précédé d'une préposition :

*Il trattato, **alla cui firma (alla firma del quale)** tutti erano presenti, è stato ratificato.*
Le traité, à la signature duquel tous étaient présents, a été ratifié.
*Moravia, **dal cui romanzo (dal romanzo del quale)** è stato tratto il famoso film* La Ciociara, *è morto qualche anno fa.*
Moravia, d'après le roman duquel a été tourné le célèbre film *La Ciociara*, est mort il y a quelques années.

4. QUANTO

Au singulier, il signifie *tutto quello che, tutto ciò che* :
*Ho **quanto** mi serve. = Ho tutto quello che mi serve.*   J'ai tout ce qu'il me faut.

Au pluriel, il signifie *tutti quelli che, tutti coloro che* :
*L'attestato sarà rilasciato a **quanti** ne faranno richiesta.*
L'attestation sera délivrée à tous ceux qui en feront la demande.

253. Complétez avec la forme *cui* de possession, éventuellement introduite par une préposition :
a. Abito in una villa ... ... finestre danno sul giardino. - b. La ragazza, ... occhi azzurri ti hanno tanto colpito si chiama Claudia. - c. Carla, ... macchina è rimasta senza benzina in autostrada, ha dovuto chiamare il carro attrezzi. - d. Il direttore, ... consenso dipendeva la decisione, si è pronunciato a favore. - e. Quel film, ... successo ha contribuito una massiccia campagna pubblicitaria, ha battuto il record degli incassi.

254. Traduisez :
a. Dante Alighieri, dont l'œuvre majeure est « La Divina Commedia », est né à Florence en 1265. - b. Cet article, dont le prix est écrit sur l'étiquette, existe en plusieurs coloris. - c. « I Promessi Sposi », dont la première version s'appelait « Fermo e Lucia », est un roman historique de A. Manzoni. - d. La célèbre banque dont la faillite a provoqué un scandale a enfin changé de gestion. - e. Les cigarettes, dont le prix a encore augmenté, représentent désormais un produit de luxe. - f. Il n'est pas encore arrivé, ce qui m'étonne, car il est très ponctuel d'habitude. - g. Ceci est tout ce que j'ai de plus précieux.

SI et *SE*

Emplois des pronoms réfléchis *si* et *se*   333

1. *Si* représente le pronom de troisième personne

des verbes pronominaux :
alzarsi (se lever) ⟶ *si alza / si alzano*

Verbes pronominaux, voir 318 ◄

Il peut également correspondre au pronom réfléchi de politesse :
Come si chiama, signorina?   Comment vous appelez-vous, mademoiselle ?
Non si preoccupi, Ragioniere!   Ne vous inquiétez pas, Monsieur (le comptable) !

de la tournure réfléchie impersonnelle :

Si parla italiano.	*Si affittano appartamenti.*
On parle italien.	On loue des appartements.

Voir Tournure réfléchie impersonnelle 159 ◄

2. *Si* se transforme en *se* devant les pronoms *lo, la, li, le, ne*

Si	⟶ *Se* + pronoms
Si domanda perché.	⟶ *Se lo domanda.*
Il se demande pourquoi.	Il se le demande.
Si ricorda tutto.	⟶ *Se ne ricorda.*
Il se souvient de tout.	Il s'en souvient.

{ Certains verbes sont pronominaux en italien mais pas en français :
Si mette il cappello. Se lo mette.   Il met son chapeau. Il le met.

Ce sont des verbes qui concernent l'habillement :

mettersi, togliersi — *infilarsi, sfilarsi*
mettre, enlever — enfiler, retirer
allacciarsi, slacciarsi — *abbottonarsi, sbottonarsi...*
attacher, détacher — boutonner, déboutonner...

De même, tous les verbes transitifs dont on veut particulièrement marquer l'implication du sujet dans l'action :
Si è letto tutto il giornale. Se l'è letto.
Il a lu tout son journal. Il l'a lu.

Voir aussi Appartenance 181 et Pronominaux 317 ◄◄

3. On trouve la forme *se* dans les verbes idiomatiques avec *la*

Cavar**sela** = se débrouiller, s'en sortir
Se la cava abbastanza bene con il nuovo lavoro.
Il se débrouille assez bien avec son nouveau travail.

Sentir**sela** = avoir le courage, l'envie
Non se la sente di prendere questa responsabilità.
Il n'a aucune envie de prendre cette responsabilité.

Prender**sela** (con qualcuno) = s'en faire, se fâcher, s'en prendre à quelqu'un
Non se la prenda!   Ne vous en faites pas !

Verbes idiomatiques, voir 360 ◄◄

4. *Se* hypothétique

Attention de distinguer « si » et « se » français de *si* et *se* italiens :

italien		français
SE	=	SI
Se posso, vengo.		Si je peux, je viens.
SI	=	SE
Si alza presto.		Il se lève tôt.

À VOUS !

255. Complétez par *si* ou *se* selon le cas :
a. Non ... fanno le cose bene quando ... ha fretta. - b. Non ... ne dimentica mai. - c. ... la cava abbastanza bene con l'italiano. - d. Ogni sera ... addormenta davanti alla televisione. - e. Non ... faccia illusioni, caro signore! - f. ... ne ricorda benissimo. - g. Non ... la sente di guidare con questa nebbia. - h. Il dottore … è tolto i guanti e ... li è messi in tasca. - i. Giovanna, arrivata a casa, ... è lavata i capelli e ... li è asciugati col fon. - j. ... ricorda a che ora è la riunione o ... l'è già dimenticato, dottore?

256. Traduisez :
a. Il s'en souvient encore. - b. Comment vous sentez-vous maintenant, madame ? - c. Si tu vas à la pharmacie, achète-moi de l'aspirine. - d. Si elle se trouve en difficulté, elle peut m'appeler. - e. Ils s'en vont toujours à huit heures. - f. Il met ses lunettes pour conduire. - g. Il s'en prend toujours à lui.

SOPRA et *SOTTO*

1. Les prépositions *sopra* et *sotto* peuvent correspondre à :

« sur, sous »
sopra il letto (= sul letto)   sur le lit   *sotto il letto*   sous le lit

« au-dessus, au-dessous »
sopra il livello del mare / sotto il livello del mare   au-dessus / au-dessous du niveau de la mer
Le persone sopra i sessant' anni.   Les personnes au-dessus de (de plus de) soixante ans.

« plus haut, plus bas »
vedi sopra   voir plus haut
come sopra   comme plus haut
di cui sopra   déjà mentionné plus haut

2. Introduisant des pronoms personnels, *sopra* et *sotto* sont suivis de la préposition *di*

Sopra di me c'era solo il cielo, sotto di me solo il mare.
Au-dessus de moi il n'y avait que le ciel, au-dessous il n'y avait que la mer.

3. Les locutions *di sopra* et *di sotto*

Elles correspondent à « du dessus » et « du dessous » :
il piano di sopra   l'étage du dessus   *il piano di sotto*   l'étage du dessous

À VOUS !

257. Traduisez :
a. L'énorme lustre pendait au-dessus de la table. - b. Cet homme était au-dessus de tout soupçon. - c. Il avait mis la clé sous le tapis. - d. Les voisins du dessus font trop de bruit. - e. Au-dessous de nous s'ouvrait un impressionnant précipice. - f. Leur projet n'est pas arrivé à bon port. Ils ont maintenant fait une croix dessus - g. Le village est à sept cents mètres au-dessus du niveau de la mer. - h. Cette année, la mode impose des jupes au-dessus du genou. - i. Le film *Sous le soleil de Satan* a été primé.

STARE

À la différence de *essere*, *stare* n'exprime pas les caractères des êtres et des choses, ni leur identité. En revanche, *essere* et *stare* sont quasi synonymes lorsqu'ils expriment un état. Mais *stare* exprime un état « durable » et *essere* un état « présent ».

Essere	Stare
Sono *in piedi.*	**Sto** *in piedi.*
Je suis debout.	Je suis (et reste) debout.
Sono *a casa.*	**Sto** *a casa.*
Je suis à la maison.	Je suis (et je reste) à la maison.

Voir aussi *Essere* ou *stare* 229 ◀◀

---

336   Formes périphrastiques avec *stare*

1. L'expression du futur proche

Stare per + infinitif = *essere sul punto di*
                 être sur le point de... aller...
Stavo per uscire, quando è suonato il telefono.
J'allais sortir (j'étais sur le point de sortir) quand le téléphone a sonné.

Dans la langue parlée familière, on emploie souvent l'expression **essere lì lì per** avec la même valeur, mais introduisant une nuance d'indécision :
Ero lì lì per farlo, ma poi ho cambiato idea.   J'étais sur le point de le faire, mais j'ai changé d'avis.

2. La forme progressive

Stare + gérondif = être en train de ...
Stavo mangiando, quando è suonato il telefono.
J'étais en train de manger, quand le téléphone a sonné.

---

337   Emplois particuliers de *stare*

1. *Stare bene, stare male*

Stare suivi de **bene** ou **male** exprime la condition physique ou financière du sujet :
*Come **stanno** i bambini, Signora? – **Stanno** tutti **bene**, grazie.*
Comment vont les enfants, madame ? – Ils vont tous bien, merci.
***Stanno bene** insieme (= si sentono bene, felici).*
Ils se sentent bien ensemble.
*Questi colori **stanno bene** insieme (= formano un insieme armonioso).*
Ces couleurs vont bien ensemble (= forment un ensemble harmonieux).
*I Marolla **stanno molto bene**, hanno un'azienda floridissima.*
Les Marolla sont très aisés, ils ont une entreprise très prospère.

2. *Stare a*

Cette construction est synonyme des verbes suivants :

▸ **abitare a** (habiter)
*Luigi **sta** a Roma.*   Luigi habite Rome.

▸ **attenersi** (se conformer, suivre)
***Stare** ai patti.*   Observer ses engagements.
***Stare** al gioco.*   Jouer le jeu (suivre les règles).

▸ **spettare** (revenir à, relever de)
*Non **sta** a me decidere.*   Ce n'est pas à moi de décider.

3. *Stando a* + nom (ou pronom) = d'après (quelqu'un ou quelque chose)

Stando a lui, non ci dovrebbero essere difficoltà.
D'après lui, il ne devrait pas y avoir de difficultés.

4. *Stare in* = *consistere in, risiedere in*

Il bello di questo gioco sta nell'ostacolare l'avversario.
L'intérêt du jeu est de faire obstacle à l'adversaire.

5. *Starci* équivaut à

accettare un accordo, essere d'accordo
A queste condizioni io non ci sto. À ces conditions-ci, je n'accepte pas.

entrarci (de quantité)
Quanti elefanti stanno in una Cinquecento Fiat? Ce ne stanno quattro, due davanti e due di dietro.
Combien d'éléphants entrent dans une Fiat 500 ? Il en entre quatre, deux devant et deux derrière.

À VOUS !

258. Traduisez :
a. Non ci siamo tutti, non c'è abbastanza spazio! - b. Gli hanno già proposto un accordo ma lui non c'è stato. - c. Non sta a me a dirti quello che devi fare. - d. Finalmente, sei arrivato! Stavo per andarmene! - e. Stando alle previsioni, dovrebbe fare bel tempo. - f. Bisogna stare al gioco e continuare. - g. Spero che stiate tutti bene. - h. La soluzione sta nell' aggirare l'ostacolo.

259. Traduisez :
a. Je suis en train de parler avec Marco. - b. D'après les sondages, la droite serait en train de gagner les élections. - c. Viens dans la voiture avec nous : une personne peut encore y entrer (= il y a encore la place pour une personne). - d. La difficulté consiste à surmonter les premières épreuves. - e. C'est au gouvernement de proposer une loi adaptée. - f. Quand je suis rentré à la maison mes parents étaient déjà en train de dîner. - g. Ils allaient gagner le match, quand à la dernière minute l'arbitre a sifflé un penalty.

STESSO

Emplois de *stesso* — 338

1. *Stesso* démonstratif signifie « même »

Adjectif ou pronom, *stesso* exprime l'identité entre des choses ou des personnes :
*Mette sempre **lo stesso** vestito.*
Il met toujours le même habit.
*La casa che affittiamo è **la stessa** dell'anno scorso.*
La maison que nous louons est la même que l'année dernière.

2. *Stesso* avec un possessif signifie « le même que moi / toi... »

*Sono **nel tuo stesso** caso.*
Je suis dans le même cas que toi.

*Hanno **i miei stessi** desideri.*
Ils ont les mêmes désirs que moi.

3. *Stesso* peut avoir plusieurs fonctions

substantif neutre :
*Per me fa **lo stesso**.*   Pour moi, c'est pareil (cela m'est égal).

adverbe équivalent de *ugualmente* (également, quand même) :
*Lui non vorrebbe ma io ci andrò **lo stesso**.*   Lui ne voudrait pas mais moi j'irai quand même.

pour renforcer le nom ou le pronom qui le précède :
*Arriva oggi **stesso**.*   Il arrive aujourd'hui même.
*Lei **stessa** me l'ha detto.*   Elle-même (en personne) me l'a dit.
*Devo anche pensare a **me stessa**.*   Je dois aussi penser à moi.

4. *Stesso = medesimo*

Medesimo est un synonyme de *stesso* très peu employé sauf pour renforcer *stesso* :
*È la **stessa e medesima** persona.*   C'est la même et identique personne.
Identico est plus fréquent, en apposition et sans la conjonction :
*È la **stessa identica** persona.*

À VOUS !

260. Traduisez :
a. Nous n'avons pas les mêmes idées politiques. - b. Nous avons le même âge que toi. - c. Ils travaillent au même endroit. - d. Il m'a prévenu le jour même qu'il annulait son rendez-vous. - e. C'est toujours la même histoire. - f. C'est le même problème. - g. Isabella n'a pas gagné mais ça lui est égal.

261. Traduisez :
a. Per loro, faceva lo stesso. - b. Ci rinunci o la fai lo stesso? - c. Sei proprio nella mia stessa situazione! - d. Ti rendi conto tu stesso che non è possibile. - e. Non abbiamo parlato con la stessa persona. - f. Sono della tua stessa opinione. - g. Nel momento stesso in cui arrivavo, lui andava via.

SU

(préposition)

339   Emplois de la préposition *su*

1. *Su* (sur) est suivi de *di* pour introduire des pronoms personnels

su di me, su di te, su di lui, su di lei,
sur moi, sur toi, sur lui sur elle

su di noi, su di voi, su di loro.
sur nous, sur vous sur eux (elles)

*Puoi contare **su di me**.*   Tu peux compter sur moi.

2. *Su* et *sopra*

Su peut être remplacé par *sopra* pour un effet d'insistance, ou de contraste avec *sotto* (« sous »).

*La valigia è **sull'**armadio.*   *La valigia è **sopra** l'armadio.*
La valise est sur l'armoire.   La valise est <u>là-haut sur</u> l'armoire (= au-dessus de).

3. *Su* traduit par « dans »

Si en général la préposition *su* correspond à « sur », dans de nombreux cas **elle se traduit par « dans » pour parler des :**

moyens de transport :
*Salgo **sul** treno.*
Je monte dans le train.
***Sull'**autobus c'era molta gente.*
Dans le bus, il y avait beaucoup de monde.

sièges :
*Sedersi **su** una sedia, **su** una poltrona, **su** un divano.*
S'asseoir sur une chaise, dans un fauteuil, sur un divan.

journaux ou revues :
*L'ho letto **sul** giornale.*
Je l'ai lu dans le journal.
***Su** «Panorama» c'era un articolo molto interessante.*
Dans « Panorama » il y avait un article très intéressant.
*L'ho visto **su** una fotografia.*
Je l'ai vu dans une photo.

N.B. Avec les titres d'œuvres ou de journaux commençant par un article, la préposition reste de préférence non contractée :
*L'ho letto **su** « La Stampa ».*
Je l'ai lu dans « La Stampa ».

4. Expression de l'âge, du poids ou du prix

Dans cet emploi, *su* exprime l'approximation et signifie « environ », « dans les » :
*Un uomo **sui** 50 anni.*   Un homme dans les 50 ans (d'environ 50 ans).
*Peserà **sui** 20 chili.*   Cela doit peser dans les 20 kilos (environ 20 kilos).
*Costerà **sui** 200 euro.*   Cela doit coûter dans les 200 euros (200 euros environ).

5. L'adverbe *su* signifie « en haut »

Son contraire est *giù*.
*Il palloncino gli sfuggì di mano e ben presto scomparve **su** nel cielo.*
Le ballon lui échappa des mains et bientôt disparut en haut dans le ciel.

Voir aussi Monter et descendre 270 ◀

6. Quelques expressions avec *su*

Suppergiù (= più o meno).   Plus ou moins.
*Prendere **sul** serio.*   Prendre au sérieux.
*Parlare (fare) **sul** serio.*   Parler sérieusement, ne pas plaisanter.
*Stare **sulle** spine.*   Être sur des charbons ardents.
*Fare qualcosa **su** due piedi.*   Faire quelque chose sur-le-champ.

262. Traduisez :

a. C'est un homme dans les trente ans. - b. Il est monté dans l'avion. - c. Cette nouvelle est apparue dans le journal du soir. - d. Il se base trop sur toi et sur ses collaborateurs. - e. Ce tableau doit valoir dans les 10 000 euros. - f. La voiture dans laquelle j'ai voyagé n'était pas du tout confortable. - g. Il s'est allongé sur le divan pour faire la sieste.

SUBJONCTIF

340   Emplois obligatoires du subjonctif

Le subjonctif est un mode beaucoup plus largement utilisé en italien qu'en français, notamment le subjonctif imparfait, commandé par les règles de concordance des temps.

Mode de la subjectivité et du virtuel, du souhait, du jugement personnel, du doute, du probable ou de l'irréel, le subjonctif est commandé par de nombreux verbes et des constructions rendant son emploi obligatoire.

Il est ainsi requis dans toutes les propositions subordonnées introduites par les verbes et constructions qui suivent.

1. Verbes d'opinion

pensare, credere, immaginare, sembrare, supporrre, parere, ritenere, trovare...
Penso che abbia ragione lui.
Je pense que c'est lui qui a raison.
Crediamo che sia arrivato il momento di agire.
Nous croyons que le moment d'agir est arrivé.
Non immaginavo che fosse così importante per lui.
Je n'imaginais pas que c'était aussi important pour lui.
Mi sembrava che non fosse il caso di insistere.
Il me semblait qu'il n'y avait pas lieu d'insister.
Suppongo che abbia preso il treno alle otto.
Je suppose qu'il a pris le train à huit heures.
Mi pare che valga la pena di provare.
Il me semble que cela vaut la peine d'essayer.
Ritenevo che fosse giusto dare la mia opinione.
Je considérais qu'il était juste de donner mon avis.

2. Verbes de volonté, de désir, d'ordre

volere, preferire, desiderare, augurarsi, pretendere, esigere...

Vuole che suo figlio vada all'università.	Il veut que son fils aille à l'université.
Preferivo che venissero anche loro.	Je préférais qu'ils viennent eux aussi.
Mi auguravo che andasse tutto bene.	J'espérais que tout allait bien.
Desidero che partecipino tutti alla riunione.	Je souhaite que tous participent à la réunion.
Pretendevano che stessimo zitti.	Ils exigeaient que nous nous taisions.

3. Verbes d'espoir, d'attente et de doute

sperare, aspettare, dubitare, non essere sicuro...

***Speravo** che mi **telefonasse**.*
J'espérais qu'il me téléphonerait.

***Aspettavamo** che **ritornassero**.*
Nous attendions qu'ils reviennent.

***Dubitiamo** che **riescano** a ottenere qualcosa da lui.*
Nous doutons qu'ils réussissent à obtenir quelque chose de lui.

***Non sono sicuro** che lo **sappiamo** fare.*
Je ne suis pas sûr que nous sachions le faire.

4. Verbes de sentiment

dispiacere, essere contento (felice...), stupirsi, piacere, temere, avere paura...

***Mi dispiace** che tu non **sia** potuto venire.*
Je regrette que tu n'aies pas pu venir.

***Sono contenta** che tu **abbia** superato l'esame.*
Je suis contente que tu aies réussi l'examen.

***Mi stupivo** che **foste** ancora in ufficio a quell'ora.*
J'étais étonné que vous soyez encore au bureau à cette heure-là.

*Non **mi piace** che tu ti **permetta** di giudicarmi così.*
Je n'aime pas que tu te permettes de me juger ainsi.

***Temevo** che non ci **riuscissero**.*
Je craignais qu'ils ne réussissent pas.

***Avevamo paura** che la situazione **peggiorasse**.*
Nous avions peur que la situation ne s'aggrave.

5. Constructions impersonnelles

• *bisognare*
***Bisognava** che **aspettassero** il momento giusto.*
Il fallait qu'ils attendent le bon moment.

• *essere + adjectif - essere + adverbe*
*È **necessario** che lo **sappiano** anche loro.*
Il est nécessaire qu'ils le sachent eux aussi.

• *parere, sembrare*
***Pare** che **siano riusciti** tutti e due a smettere di fumare.*
Il paraît que tous les deux ont réussi à arrêter de fumer.

• *si dice / dicono*
***Si dice** che **abbia fatto** fortuna in America.*
On dit qu'il a fait fortune en Amérique.

***Dicono** che quel paese **sia** molto cambiato.*
On dit que ce pays a beaucoup changé.

6. Verbes de la principale au conditionnel

***Vorrei** che **capiste** bene il mio punto di vista.*
Je voudrais que vous compreniez bien mon point de vue.

***Mi piacerebbe** che **trovassero** una soluzione.*
J'aimerais bien qu'ils trouvent une solution.

***Sarebbe necessario** che **venissi** anche tu.*
Il serait nécessaire que tu viennes, toi aussi.

7. Comparatif et superlatif

È più interessante di quanto credessi.   C'est plus intéressant que ce que j'aurais cru.
È la notizia più bella che io abbia mai ricevuto.   C'est la meilleure nouvelle que j'aie jamais apprise.

8. Conjonctions

perché, affinché

Faceva di tutto perché (affinché) lei lo notasse.   Il faisait tout pour qu'elle le remarque.

benché, sebbene, nonostante, malgrado

Lavorava ancora benché (sebbene, nonostante…) avesse già l'età per andare in pensione.
Il travaillait encore, bien qu'il fût déjà en âge de prendre sa retraite.

a patto che, purché

Accetteranno la proposta, a patto che (purché) tutti siano d'accordo.
Ils accepteront la proposition, à condition que tout le monde soit d'accord.

a meno che

Dovrebbe arrivare, a meno che non abbia avuto un contrattempo.
Il devrait arriver, à moins qu'il n'ait eu un empêchement.

prima che

Lo avvertirò prima che esca di casa.
Je le préviendrai avant qu'il ne sorte de chez lui.

magari

Magari piovesse!   Si seulement il pleuvait !

come se

Si comporta come se il problema non lo riguardasse.
Il se comporte comme si le problème ne le regardait pas.

senza che

Era uscito senza che nessuno se ne accorgesse.
Il était sorti sans que personne ne s'en rende compte.

se, qualora, nel caso in cui

Se (qualora, nel caso in cui) non potessi venire, avvertimi!
Préviens-moi, si tu ne peux pas venir !

9. Indéfinis

qualsiasi, qualunque

Qualsiasi (qualunque) cosa ti dica, tu non rispondere!
Quoi qu'il te dise, ne réponds pas !

ovunque

Ovunque tu vada, ti ritroverò.
Où que tu ailles, je te retrouverai.

chiunque

Faceva dire che non c'era a chiunque volesse parlargli.
Il faisait dire qu'il n'était pas là à tous ceux qui voulaient lui parler.

10. Phrase relative avec valeur restrictive

Cerco una persona che si occupi dei miei bambini.
Je cherche une personne qui s'occupe de mes enfants.
Voglio una macchina che non consumi troppo.
Je cherche une voiture qui ne consomme pas trop.

Emplois facultatifs du subjonctif

Dans certains cas, l'indicatif et le subjonctif sont également admis, bien que l'emploi de l'indicatif soit propre à la langue parlée tandis que l'emploi du subjonctif reste l'apanage de la langue soutenue et écrite.

1. Dans les phrases interrogatives indirectes

*Mi chiedo dove **sia andato**.* / *Mi chiedo dov'è andato.*
Je me demande où il est allé.
*Non so se **sia** già arrivato.* / *Non so se è già arrivato.*
Je ne sais pas s'il est déjà arrivé.

2. Avec *unico* et *solo* dans les phrases relatives

*È l'unico uomo che **abbia amato**.* / *È l'unico uomo che ho amato.*
C'est le seul homme que j'aie jamais aimé.
*È la sola persona che mi **capisca**.* / *È la sola persona che mi capisce.*
C'est la seule personne qui me comprenne.

À VOUS !

263. Mettez les verbes entre parenthèses à une forme appropriée du subjonctif :
a. Preferiamo che (tu - andare) in macchina con loro. - b. Nel caso in cui (loro - non avere) tempo, ce lo direbbero. - c. Vorrei che (voi - prenotare) un tavolo per stasera. - d. Speriamo che (loro - non arrivare) troppo tardi. - e. Temiamo che (non esserci) più niente da fare. - f. Era contenta che ieri (lui - accettare) l'invito. - g. Dicono che (loro - separarsi) due mesi fa. - h. Credevano che l'altra sera (io - vincere) al gioco una forte somma. - i. Penso che (lui - uscire) tra dieci minuti. - j. Non riesce a dormire benchè (lui - cascare) dal sonno.

264. Traduisez :
a. Je croyais qu'il était rentré chez lui. - b. Il paraît qu'ils veulent acheter une maison. - c. Je suppose qu'elle s'est mariée et qu'elle a eu des enfants. - d. J'espère que tu fera bon voyage. - e. J'estime que vous avez le droit de répondre. - f. Je trouvais que c'était une situation impossible. - g. C'était le seul ami que j'avais.

SUBJONCTIF IMPARFAIT

Différences d'emploi entre les deux langues

La concordance des temps est rigoureusement respectée en italien, ce qui entraîne un emploi très répandu du subjonctif imparfait. Ce n'est pas le cas en français, où le subjonctif imparfait a pratiquement disparu.
Les différences entre les deux langues sont donc nombreuses.

Voir aussi Subjonctif 139
Concordance des temps 162 ◄

1. Subjonctif présent en français / subjonctif imparfait en italien

Dans les subordonnées dépendant d'un verbe au conditionnel, présent ou passé :

congiuntivo imperfetto	subjonctif présent en français
*Vorrei che tu **facessi** questo lavoro entro domani.*	Je voudrais que tu fasses ce travail avant demain.
*Mi piacerebbe che loro **partecipassero**.*	J'aimerais qu'ils participent.
*Avrei preferito che **veniste** anche voi.*	J'aurais préféré que vous veniez aussi.

Remarquez toutefois l'emploi du subjonctif présent après un verbe déclaratif ou d'opinion au conditionnel (en français, on utiliserait plutôt l'indicatif) :
*Direi che **abbia** ragione.*   Je dirais qu'il a raison.

Dans les subordonnées au subjonctif dépendant d'une principale au passé :

congiuntivo imperfetto	subjonctif présent
*Aspettavo che **arrivasse** la sua lettera.*	J'attendais que sa lettre arrive.
*Lo stimavano molto, benché **avesse fatto** molti errori in passato.*	Ils avaient beaucoup d'estime pour lui, bien qu'il ait commis bien des erreurs par le passé.

Dans les subordonnées d'une principale au passé dépendant de *chiunque* (quel qu'il soit), *qualsiasi cosa* (quoi que), *ovunque* (où que) et *comunque* (de n'importe quelle façon) :

congiuntivo imperfetto	subjonctif présent
*Aveva deciso di seguirlo **dovunque andasse** e **qualsiasi cosa facesse**.*	Il avait décidé de le suivre où qu'il aille et quoi qu'il fasse.

2. Subjonctif imparfait en italien / indicatif imparfait en français

Dans l'expression de l'hypothèse possible ou irréalisable avec *se* :

congiuntivo imperfetto	indicatif imparfait
*Se tu **volessi**, potresti fare molto di più.*	Si tu voulais, tu pourrais faire beaucoup plus.
*Se **avessi voluto**, avresti potuto fare molto di più.*	Si tu avais voulu, tu aurais pu faire beaucoup plus.

Hypothèse, 243, Concordance des temps, 163 ◀

Dans les expressions optatives introduites par *magari* (même sous-entendu) :

congiuntivo imperfetto	indicatif imparfait
*Magari **parlassi** perfettamente tre lingue!*	Si seulement je parlais parfaitement trois langues !
Avessi vent'anni di meno!	Si j'avais vingt ans de moins !

Voir aussi *Magari* 266 ◀

Dans les subordonnées introduites par *come se* :

congiuntivo imperfetto	indicatif imparfait
*Si comporta come se **fosse** il padrone di casa.*	Il se conduit comme s'il était le maître de maison.

Dans les subordonnées dépendant d'une principale à la forme interrogative indirecte au passé :

congiuntivo imperfetto	indicatif imparfait
*Si è chiesto se **fosse** giusto condannarla per questo.*	Il s'est demandé s'il était juste de la condamner pour cela.

Dans les subordonnées comparatives introduites par *di quanto (non)* :

congiuntivo imperfetto	indicatif imparfait
*È più disponibile di quanto **pensassi**.*	Il est plus disponible que je ne pensais.

Dans les subordonnées dépendant d'une principale au passé introduites par un superlatif relatif :

congiuntivo imperfetto	indicatif imparfait
*Era la segretaria **più efficiente** che io **conoscessi**.*	C'était la secrétaire la plus efficace que je connaissais.

3. Conditionnel en français / imparfait du subjonctif en italien

Dans l'hypothèse où *se* est sous-entendu :

congiuntivo imperfetto	conditionnel
***Mi avesse parlato** di questo problema un po' prima, L'avrei aiutata!*	Vous m'auriez parlé de ce problème plus tôt, je vous aurais aidé.

En italien, la concordance des temps n'en est pas modifiée.

À VOUS !

265. Traduisez :
a. J'aimerais que tu me répondes vite. - b. Il croyait que tu allais à Venise. - c. Il nous a regardés comme s'il ne nous avait jamais vus. - d. Si seulement je pouvais réaliser mon rêve ! - e. Je ne savais pas si ce qu'on disait était vrai. - f. Si tu prenais l'avion, tu perdrais moins de temps. - g. Quoi qu'il dise, elle le regardait avec admiration. - h. Il se demandait comment cela avait pu arriver. - i. Je te l'aurais dit, tu ne m'aurais pas crue. - j. Ils auraient préféré que la réunion soit reportée. - k. C'était le seul qui pouvait m'aider. - l. J'attendais qu'il me téléphone.

SUFFIXES

Fonction des suffixes `343`

Certains suffixes s'ajoutent à un mot pour en modifier légèrement la signification, en traduisant un jugement subjectif du locuteur. Ils introduisent des appréciations telles que « petit », « grand », « joli », « mauvais », etc. tout comme des suffixes français (livret, maisonnette, rougeâtre...) mais leur emploi est beaucoup plus fréquent dans la langue italienne.

Les suffixes italiens, d'une grande variété, ne peuvent être toutefois appliqués systématiquement à tout type de mot. Seules l'oreille et la pratique peuvent favoriser la maîtrise de leur emploi.

Les suffixes les plus courants sont les augmentatifs, les diminutifs et les péjoratifs. Ils créent des formes dérivées à partir du radical d'un nom, d'un adjectif, d'un verbe ou d'un adverbe.

344 — Les suffixes diminutifs

1. Les suffixes *-ino* et *-etto* sont les plus couramment employés

Ils traduisent la notion de « petitesse » et s'ajoutent au nom qui perd sa dernière voyelle :

il *tavolo* →	il *tavolino*	la *casa* →	la *casetta*
la table →	la tablette	la maison →	la maisonnette

Les mots se terminant en *-one* ont un diminutif en *-cino*:

leone	leoncino	lionceau
bottone	bottoncino	petit bouton
portone	portoncino	petite porte d'immeuble
balcone	balconcino	balconnet
bastone	bastoncino	bâtonnet

Certains suffixes peuvent se cumuler.
Par exemple, *-etto* et *-ino*:

libro	libretto	librettino	petit livret
casa	casetta	casettina	maisonnette
borsa	borsetta	borsettina	petit sac
taglio	taglietto	tagliettino...	petite coupure

Toutes les combinaisons ne sont toutefois pas possibles.

2. Autres suffixes diminutifs

-ello, -icino, -icello
Ces suffixes sont moins courants que les précédents.

-ello : indique une nuance de grâce et de fragilité :

	un *alberello*	un arbrisseau
-icino :	un *cuoricino*	un petit cœur
	un *corpicino*	un petit corps
-icello :	un *campicello*	un petit champ

Les suffixes *-icino* et *-icello* s'ajoutent aux mots ne pouvant être suffixés en *-ino* ou *-ello*.
Ainsi, le mot **posto** a pour diminutif **posticino** (le mot *postino* désignant le facteur).

-olo, -iciolo, -olino
Ces suffixes sont liés à des mots particuliers :

una *famigliola*	une petite famille		una *stradicciola*	une ruelle
una *notiziola*	une petite nouvelle		una *poesiola*	un petit poème
una *montagnola*	un monticule		un *topolino*	une petite souris
un *porticciolo*	un petit port		un *pesciolino*	un petit poisson
un *figliolo*	un enfant		un *cagnolino*	un petit chien

-iciattolo, -uccio

Selon le mot auquel ils s'ajoutent, ces suffixes peuvent introduire une nuance péjorative mais également une nuance affective :

un fiumic**iattolo**	un ruisselet	una cos**uccia**	une petite chose (de rien)
debol**uccio**	faiblard	un tesor**uccio**	un petit trésor
un mostric**iattolo**	un petit monstre	una bocc**uccia**	une petite bouche
un caval**luccio**	un petit cheval		

Les suffixes diminutifs sont souvent utilisés en tant que «*vezzeggiativi*», c'est-à-dire qu'ils impliquent une notion d'affection ou de sympathie :

zi**etta**	tantine	pied**ini**	petits pieds
nonn**ina**	mamie chérie	occh**ietti**	petits yeux
mamm**ina**	petite maman	panc**ino**	petit ventre
man**ina**	menotte	cul**etto**, seder**ino**	petites fesses

Le suffixe augmentatif *-one* 345

Ce suffixe traduit l'idée de « grand » ou « gros ».

un libro ⟶ un libr**one**	un dente ⟶ un dent**one**
un livre ⟶ un grand livre	une dent ⟶ une grosse dent

Attention : *-one* transforme la plupart des mots féminins en mots masculins :

una donna ⟶ **un** donn**one**	una finestra ⟶ **un** finestr**one**
une femme ⟶ une grande femme	une fenêtre ⟶ une grande fenêtre

Les suffixes de couleur *-ino* et *-one* 346

Le suffixe *-ino* indique les nuances de couleur claires :

verd**ino**	azzurr**ino**	giall**ino**	marronc**ino**	grig**ino**
vert pâle	bleu pâle	jaune pâle	marron clair	gris pâle

Le suffixe *-one* indique la nuance foncée du vert :

verd**one**   vert foncé

Les suffixes péjoratifs 347

1. Le suffixe *-accio*

Il modifie le mot auquel il s'ajoute en lui donnant un sens négatif de « mauvais », « vilain » :

una giornat**accia**	un lavor**accio**	una vit**accia**
une mauvaise journée	un mauvais travail	une vie de chien

2. Autres suffixes « *spregiativi* » (dépréciatifs)

-astro	: rossastro	rougeâtre
	un poetastro	un mauvais poète
-ucolo	: un paesucolo	un trou perdu
-uncolo	: un ladruncolo	un petit voleur
-ognolo	: verdognolo	verdâtre
-occio	: belloccio	bellâtre

348 — La suffixation d'adverbes

Le sens de certains adverbes peut être renforcé ou modifié par l'ajout d'un suffixe :

bene ⟶ *benino*   *benone*
       bien, assez bien   très bien

male ⟶ *malino, maluccio*
       mal, pas très bien

piano ⟶ *pianino*
       tout doucement, lentement

poco ⟶ *pochino, pochetto*
       peu, petit peu

presto ⟶ *prestino*
       tôt, un peu tôt

tardi ⟶ *tardino*
       tard, un peu tard

349 — La suffixation de noms propres

Les prénoms font souvent l'objet de suffixes, dans l'usage familier :
Carlo ⟶ *Carlino* / *Carletto (piccolo Carlo)*, *Carlone (grosso Carlo)*
Paola ⟶ *Paolina* / *Paoletta (piccola Paola)*, *Paolona (grossa Paola)*

Ils peuvent également prendre une forme abrégée ou diminutive :
Luigi ⟶ *Luigino, Gino, Ginetto, Gigi, Gigino...*
Maria ⟶ *Mariella, Marietta, Mariuccia...*

350 — La suffixation de verbes

Certains suffixes peuvent s'ajouter au radical d'un verbe, donnant à l'action exprimée une valeur diminutive, péjorative, ou encore fréquentative, c'est-à-dire marquant la fréquence ou la répétition de l'action.

-acchiare :

ridacchiare	ricaner
rubacchiare	chaparder
studiacchiare	étudier sans entrain
vivacchiare	vivoter
scribacchiare...	griffonner...

-icchiare :

canticchiare	chantonner
dormicchiare	sommeiller
lavoricchiare	travailler un peu

-(er)ellare :

giocherellare	jouer, s'amuser
girellare	flâner
saltellare (salterellare)	sautiller

-ettare :

fischiettare	siffloter
scoppiettare	crépiter, pétiller
sgambettare	gigoter, trottiner

-ucchiare:
mangiucchiare	grignoter
sbaciucchiare	bécoter
leggiucchiare	lire un peu

-ucolare:
| *piagnucolare* | pleurnicher |

-ottare:
| *parlottare* | parler à voix basse |

266. Transformez les noms au moyen du suffixe diminutif approprié :
ex : una casa piccola ⟶ una casetta
a. Un bicchiere piccolo. - b. Un piatto piccolo. - c. Una forchetta piccola. - d. Un bottone piccolo. - e. Un leone cucciolo. - f. Un camion piccolo. - g. Un gatto cucciolo. - h. Una scarpa piccola. - i. Un paio di calzoni piccoli. - j. Una macchina piccola.

267. Transformez les noms suivants en utilisant un suffixe augmentatif :
a. Degli occhi grandi. - b. Un ragazzo grande e grosso. - c. Un bicchiere pieno di Cocacola. - d. Un piatto pieno di spaghetti. - e. Una grossa pentola. - f. Una vasta capanna. - g. Una seggiola alta. - h. Una camicia larga e lunga. - i. Una giacca spessa e pesante. - j. Una sala molto vasta.

268. Transformez les noms suivants en employant un suffixe péjoratif :
a. Una brutta parola. - b. Una brutta risposta. - c. Un ragazzo cattivo e maleducato. - d. Una donna moralmente riprovevole. - e. Un cattivo voto. - f. Una cattiva lingua. - g. Un brutto periodo. - h. Un brutto colpo. - i. Un gatto cattivo. - j. Un fatto strano e orribile.

269. Traduisez en transformant les éléments soulignés aux formes pourvues de suffixe correspondantes :
a. Je les connais : ce sont des mauvais garçons, des petits voleurs qui vivotent en chapardant dans les supermarchés. - b. Le nouveau-né gigotait pendant que sa mère le changeait en chantonnant. - c. Il griffonne toute la journée ses petits poèmes : il est vraiment un mauvais poète. - d. Le feu rougeâtre crépitait dans la cheminée. - e. Il passait ses journées à flâner dans le parc en sifflotant.

SUPERLATIF

(particularités)

Formes particulières du superlatif absolu　351

Le superlatif absolu **des adjectifs en -co, -go, -io** se forme sur le pluriel :
antico	⟶ antichi	⟶ **antichissimo**	très ancien
simpatico	⟶ simpatici	⟶ **simpaticissimo**	très sympathique
lungo	⟶ lunghi	⟶ **lunghissimo**	très long
vecchio	⟶ vecchi	⟶ **vecchissimo**	très vieux

Pluriel des noms en -co et -go 199, Superlatifs irréguliers 203 ◄

352 Constructions équivalentes du superlatif

Le superlatif absolu peut être exprimé par d'autres moyens que par le suffixe *-issimo* :

1. La répétition de l'adjectif

*Camminava **piano piano**.*	Il marchait tout doucement.
*Una casa **grande grande**.*	Une maison très grande.
*Un uomo **piccolo piccolo**.*	Un homme tout petit.
*Una strada **lunga lunga**.*	Une route très longue.

2. Les préfixes *-stra, -arci, -ultra, -super, sovra-, -iper*

***stra**ricco*	archi-riche	***ultra**moderno*	ultramoderne
***super**veloce*	super-rapide	***iper**sensibile*	hypersensible
***arci**noto*	archi-connu	***sovra**ccarico*	surchargé

Ils peuvent être utilisés en fonction superlative avec les verbes ou les noms :

*Non bisogna **stra**fare.*	*La nozione di **super**uomo di Nietzsche.*
Il ne faut pas en faire trop.	Le concept du surhomme de Nietzsche.

3. Les expressions idiomatiques composées de deux adjectifs

stanco morto	très fatigué, mort de fatigue
ubriaco fradicio	ivre mort
bagnato fradicio	très mouillé, trempé
ricco sfondato	très riche
pieno zeppo	plein à craquer
sporco lurido	très sale

À VOUS !

270. Traduisez :
a. C'est un monument très ancien de l'époque romaine. - b. Son nom est archi-connu dans notre pays. - c. Le bus était plein à craquer pendant l'heure de pointe. - d. Son mari était rentré mort de fatigue après une journée surchargée de travail. - e. Il a voulu en faire trop, et il a été déçu. - f. Son bleu de travail *(tuta)* était littéralement crasseux. - g. Il était une fois une toute petite maison dans un tout petit village, avec un tout petit jardin.

TALE

353 Emplois de *tale*

Adjectif ou pronom indéfini, *tale* traduit la plupart des emplois de « tel ».

1. *Tale* adjectif variable en genre et nombre

Il s'accorde en genre et en nombre avec le nom qu'il détermine.

Tale peut avoir la valeur d'un démonstratif (ce, cette...)
*Dopo aver detto **tali parole**, se ne andò.*   Après avoir dit ces mots, il s'en alla.

Au singulier, *tale* peut perdre son -e final mais sans jamais prendre d'apostrophe :
*In **tal** caso, me ne vado.*   Dans ce cas, je m'en vais.

Tale peut exprimer l'intensité
Il est synonyme de *simile* :
*Non ho mai avuto una **tale** / **simile** paura.*   Je n'ai jamais eu une telle peur.

Tale peut introduire une consécutive
Tale da + infinitif = de telle façon que...
tale che + verbe conjugué = tel... que, si grand que ...
*Si è comportato in modo **tale** <u>da irritare</u> tutti.*
Il s'est comporté de telle façon qu'il a irrité tout le monde.
*Ho una **tale** fame che mi mangerei un bue.*
J'ai une telle faim que je mangerais un bœuf.

Tale peut exprimer la ressemblance, l'égalité
Tale quale = tel quel
Tale ... tale = tel... tel...
*La bambina è **tale quale** suo padre.*
La petite fille est son père tout craché (= tout le portrait de son père).
*Tale il padre, **tale** il figlio.*
Tel père, tel fils.

> Pour exprimer une comparaison, « tel (que) » suivi d'un nom ou d'un pronom se traduit par *come* :
> *Un ragazzo come lui si farà molti amici.*
> Un garçon tel que lui se fera beaucoup d'amis.

{ Attention de ne pas confondre *tale e quale* et *tale quale* (sans la conjonction e entre les deux mots).

Comparez :

Tale e quale = tel quel	*tale quale* = tel que
*Ha lasciato le cose **tali e quali**.*	*I suoi genitori sono proprio **tali quali** me lo figuravo.*
Il a laissé les choses telles quelles.	Ses parents sont exactement tels que je me les imaginais.

2. *Tale* précédé d'un article

Il tale = Untel
Il désigne une personne connue que l'on ne peut ou veut définir précisément :
*Digli che ti manda **il tale**.*   Dis-lui que c'est Untel qui t'envoie.

Remarquer les expressions suivantes :
il Signor Tal dei Tali.   Monsieur Untel.
la Signora Tal dei Tali.   Madame Unetelle.
*Ha telefonato la Signora **Tal dei Tali** per te.*   Madame Unetelle t'a appelé.

Un tale = une personne quelconque
Ce pronom désigne une personne inconnue, que l'on ne peut ou ne veut définir précisément :
*L'ho chiesto a **un tale** per strada.*   Je l'ai demandé à un type dans la rue.
Devant un nom, *un tale* signifie « un certain » :
*Ti ha cercato **un tale** Signor Sgarbi.*   Un certain monsieur Sgarbi t'a cherché.

3. *Quel tale* = celui, la personne

Il désigne, sans la nommer, une personne déjà connue ou dont on a déjà parlé.

*È venuto a cercarti **quel tale** che ha telefonato ieri.*
Le type qui a téléphoné hier est venu te chercher.

4. In quanto tale, come tale = en tant que tel, comme tel

*È il responsabile dell'associazione e, **in quanto tale**, deve partecipare all'assemblea.*
Il est le responsable de l'association et, en tant que tel, il doit participer à l'assemblée.
*Sono nostri ospiti e **come tali** vanno trattati con ogni riguardo.*
Ils sont nos invités et comme tels il faut les traiter avec tous les égards.

À VOUS !

271. Traduisez en employant la forme *tale* chaque fois que possible :
a. Dans de telles circonstances, il est préférable de négocier. - b. J'ai eu une telle peur que je ne pouvais même pas bouger. - c. Le petit Stéphane est tout le portrait de son grand-père. - d. Rappelle-toi que tu dois téléphoner au quidam de l'assurance avant midi ! - e. Vous pouvez toujours dire que vous avez été empêchés d'aller au rendez-vous par l'arrivée inopportune de Madame Unetelle. - f. Elle s'attendait à une réponse négative : dans ce cas, elle avait décidé de partir pour toujours.

TRA et FRA

(prépositions)

354 | Sens et emplois de *tra* et *fra*

Les prépositions **tra** et **fra** sont synonymes et interchangeables. Leurs principaux emplois sont : l'expression du lieu, du partitif, ou encore l'expression d'une période temporelle.

Emplois des prépositions simples, voir 77 ◀

1. La localisation

Tra ou *fra* se traduisent par « entre » ou « parmi » :
*L'Emilia-Romagna si trova **tra** la Lombardia e la Toscana.*
L'Émilie-Romagne se trouve entre la Lombardie et la Toscane.
*Si è fatto un sondaggio di opinioni **fra** i giovani.*
Il a été fait un sondage d'opinion parmi les jeunes.

Tra et *fra* peuvent être suivies de la préposition *di* lorsqu'elles introduisent les pronoms personnels pluriels *noi, voi, loro* :
*Parlavano **fra (di)** loro.*   Ils parlaient entre eux.

Noter l'expression **tra me e me** (tra sé) signifiant « tout seul » :
*Parlavo **tra me e me**.*   Je parlais tout seul.

2. *Tra* ou *fra* à la place du partitif après un superlatif relatif

Généralement exprimé par *di,* le partitif peut être rendu par *fra / tra* après un super-latif relatif :

*Chiara è la più seria **fra** le sorelle di Marco.*   Chiara est la plus sérieuse des sœurs de Marco.

3. Expression d'une période temporelle

Tra et *fra* introduisent un complément de temps au futur :

***Tra (fra)** un anno, andrò in Australia.*   Dans un an, j'irai en Australie.

272. Traduisez :

a. J'ai trouvé une fleur entre deux pages de ce livre. - b. Il a été choisi parmi une dizaine de candidats. - c. Dans un an, il aura terminé l'université. - d. Il est arrivé parmi les premiers.- e. Entre Rome et Florence, il y a environ quatre heures de train. - f. Je serais prête dans un instant. - g. Y a-t-il parmi vous quelqu'un qui puisse m'aider ?

TUTTO

Fonctions et emplois de *tutto*   **355**

1. *Tutto* pronom et adjectif = « tout »

En règle générale, *tutto* traduit « tout », qu'il s'agisse du pronom ou de l'adjectif :

*Fate **tutto** quello che volete.*
Faites tout ce que vous voulez.

*Ho incontrato **tutti** i vecchi amici del liceo.*
J'ai rencontré tous mes vieux copains de lycée.

*Ho lavorato **tutta** la notte.*
J'ai travaillé toute la nuit.

*Ho passato **tutte** le vacanze in Italia.*
J'ai passé toutes mes vacances en Italie.

2. Place du pronom *tutto*

Lorsqu'il est pronom, *tutto (tutta, tutti, tutte)* se place, aux temps composés, **après** le participe passé :

*Ho fatto **tutto**.*
J'ai <u>tout</u> fait.

*Li ho mangiati **tutti**.*
Je les ai <u>tous</u> mangés.

3. *Tutti* = « tout le monde »

Tutti peut se traduire par « tout le monde », lorsqu'il désigne l'ensemble des gens.
*Lo dicono **tutti**.*   Tout le monde le dit. / Tous le disent.

Dans une phrase négative, la négation doit se placer **devant** *tutti*, pour éviter de créer une ambiguïté ou un faux-sens :
*Non **tutti** possono capirlo (= solo qualcuno).*
Tout le monde ne peut pas le comprendre (= quelques-uns seulement).

❨ Attention ! *Tutto il mondo* signifie « le monde entier ».

4. *Tutti (tutte) e due, e tre...* = « tous (toutes) les deux, les trois... »

Lorsque *tutti (tutte)* introduit un numéral, il s'accompagne de la conjonction *e* (et).
Tutte e due portavano un cappello.   Toutes les deux portaient un chapeau.
Tutti e cinque gli uomini erano armati.   Les cinq hommes étaient tous armés.

Ne pas confondre cet emploi avec « tous les trois jours », où « tout » a une valeur distributive indiquant une périodicité. La traduction en est *ogni tre giorni.*

5. *Tutto* adverbe = « tout » (entièrement, complètement)

L'adverbe *tutto* varie en genre et nombre avec le mot auquel il se rapporte.
*Sono tornati dalle vacanze **tutti** abbronzati.*
Ils sont revenus des vacances tout bronzés.

6. *Tutto quanto* = « tout entier »

▸ *Quanto* sert à renforcer l'idée de totalité :
*Le ha dedicato **tutta quanta** la vita.*   Il lui a consacré toute sa vie (sa vie tout entière).
*Ha speso **tutti quanti** i soldi.*   Il a dépensé tout son argent.

Contrairement à une idée reçue, *tutti quanti* n'est pas synonyme de *e così via* (« et ainsi de suite »).

▸ S'il est vrai que *tutto* renforce un adjectif, il n'a cependant pas la valeur de superlatif absolu exprimée par « tout » en français :
Ils sont tout jeunes. ⟶ *Sono giovanissimi.*

273. Traduisez :
a. J'ai tout terminé avant cinq heures. - b. L'enfant est rentré à la maison tout sale. - c. Il n'est pas nécessaire de le dire à tout le monde. - d. Michelangelo Buonarroti est connu dans le monde entier. - e. Dante et Petrarque étaient tous les deux de Florence. - f. Tout le monde n'a pas compris ses raisons. - g. Il a travaillé toute la nuit. - h. Je le rencontre tous les jours. - i. Elle est toute fière de son nouveau chapeau. - j. Tous les chats ne sont pas gris. - k. Je ne savais pas laquelle des deux voitures choisir : les deux me plaisaient.

UNO

356   Natures et fonctions de *uno*

1. Uno *(féminin una)* : nom, pronom et adjectif numéral

L'uno è il mio numero portafortuna.   Le un est mon chiffre porte-bonheur.
È l'una.   Il est une heure.

Uno due tre, via!	Un, deux, trois, partez !
Le mille e una notte.	Les mille et une nuits.

Voir aussi Numéraux 36 ◀◀◀

2. *Uno* : article indéfini masculin singulier

Il s'emploie devant les mots commençant par :

s + consonne	*uno* s*tudente, uno* s*pagnolo*	un étudiant, un espagnol
z	*uno zero, uno zio*	un zéro, un oncle
ps	*uno psicologo*	un psychologue
gn	*uno gnomo*	un gnome
x	*uno xilofono*	un xylophone
y	*uno yogurt*	un yaourt
i + voyelle	*uno iato*	un hiatus

Dans les autres cas, l'article masculin est *un*, l'article féminin étant *una*.

Voir Articles 9 ◀◀◀

3. *Uno* : pronom indéfini

uno, una = quelqu'un
Il peut désigner une personne indéterminée, homme ou femme :

*Ho incontrato **uno** (una) che ti conosce.*	*Me l'ha detto **uno** (una).*
J'ai rencontré quelqu'un qui te connaît.	Quelqu'un me l'a dit.

uno (invariable) = on
Il peut introduire une phrase indéfinie :
*Quando **uno** parla, deve essere chiaro.*
Quand on parle, on doit être clair.

uno, una di... = l'un, l'une de...
*È **uno** degli autori che preferisco.*
C'est l'un des auteurs que je préfère.
*È **una** delle ragioni per cui ho traslocato.*
C'est l'une des raisons pour lesquelles j'ai déménagé.

Remarquez l'absence de l'article défini, à la différence du français.

l'uno, l'una = chacun, chacune
Précédé de l'article défini, *uno* signifie « chacun, chacune » lorsqu'il se réfère à des choses :
*Ho pagato queste cravatte 60 euro **l'una**.*   J'ai payé ces cravates 60 euros chacune.

Mais s'il se réfère à des animés, *uno* est précédé de la préposition *per* :
*Gli ho comprato un regalo **per uno**.*   Je leur ai acheté un cadeau (pour) chacun.

4. *Uno* en corrélation avec *altro*

En corrélation avec *altro*, *uno* est précédé obligatoirement de l'article défini.
Il a aussi bien une forme féminine *(una)* qu'une forme plurielle *(uni, une)* :

l'uno(a) e l'altro(a)	l'un(e) et l'autre
gli uni e gli altri	les uns et les autres
le une e le altre	les unes et les autres
l'un l'altro/a (l'uno/a con l'altro/a)	l'un l'autre, réciproquement
***L'uno** o l'altro, per me fa lo stesso.*	L'un ou l'autre, cela m'est égal.
*Procedevano **gli uni** dietro gli altri.*	Ils avançaient les uns derrière les autres.
*Si aiutano **l'un l'altra**.*	Elles s'entraident.

Remarquez les expressions :
*Sono entrati **ad uno ad uno**.*   Ils sont entrés un par un.
*Ha contato le monete **una per una**.*   Il a compté les pièces une par une.

274. Traduisez :
a. Paolo Conte est l'un des chanteurs italiens que je préfère.- b. Les uns et les autres étaient d'accord pour continuer la discussion jusqu'au soir. - c. Ils sont descendus du car un par un. - d. A Pérouse, un étudiant français a acheté une grande quantité de livres à 10 euros chacun. - e. Mes deux enfants voudraient avoir une chambre chacun. - f. Le cinéma est excellent quand on a envie de se distraire. - g. J'ai demandé l'heure à quelqu'un qui passait. - h. Il a deux sœurs, l'une est blonde et l'autre châtain mais l'une et l'autre sont très grandes. - i. Ces caisses ont été contrôlées une par une à la douane.

VENIR de

Traductions de « venir de »

1. Pour exprimer la provenance, on emploie *venire da*

Da dove vengono? Da una città del Nord.
D'où viennent-ils ? D'une ville du Nord.

2. Le passé proche

Il se traduit par l'adverbe *appena* placé entre l'auxiliaire et le participe d'un passé composé.
*Ho **appena** telefonato alla polizia.*
Je viens d'appeler la police.

Si l'action exprimée par le passé proche est antérieure à une autre action dans le passé, on emploiera *appena* avec le plus-que-parfait :
*Gli ho scritto ma aveva **appena** cambiato casa.*
Je lui ai écrit mais il venait de déménager.

275. Traduisez :
a. Ils viennent de se marier. - b. Il vient de Rome. - c. Sur cette photo, Maria venait de naître. - d. Nous venons d'adresser notre curriculum vitae à la direction du personnel de cette entreprise. - e. Je viens d'arriver ! - f. Ces étudiants viennent d'une autre région de France. - g. Le nouveau président vient d'être élu.

VENIRE

1. Marquant la provenance, *venire* est suivi de *da*

Au sens propre, le verbe *venire* (venir) s'utilise comme en français, mais suivi de la préposition *da* lorsque la provenance est indiquée :
*Vengo **da** Roma.*   Je viens de Rome.

Prépositions simples, voir 77 ◄

2. Tout comme le verbe *andare*, *venire* adopte des sens variés selon l'adverbe qui l'accompagne

*venire **avanti**, venire **dentro** = entrare*	avancer, entrer
*venire **su** / **giù** = salire / scendere*	monter, descendre
*venire **fuori** / venire **via** = uscire*	sortir
*venire **prima** / **dopo** = precedere, seguire*	précéder, suivre
*venire **dietro** = seguire (corteggiare)*	suivre (courtiser)
*venire **meno** = svenire, scomparire*	s'évanouir, disparaître

Andare, voir 177 ◄

3. *Venire*, auxiliaire du passif

Le verbe *venire* peut remplacer, dans les phrases passives, l'auxiliaire *essere* aux temps simples :
*Le scarpe italiane **vengono** (= **sono**) esportate in tutto il mondo.*
Les chaussures italiennes sont exportées dans le monde entier.

Passif, voir 296 ◄

4. Emplois particuliers

Le verbe *venire* peut remplacer, dans la langue parlée et aux temps simples, le verbe *costare* :
*Quanto **vengono** (= **costano**) le fragole?*
Combien coûtent les fraises ?

À remarquer les expressions :

*Mi **viene** da ridere / da piangere.*	*Mi **viene** il nervoso.*
J'ai envie de rire / de pleurer.	Je m'énerve.

À VOUS !

276. Remplacez les expressions en italique par les formes appropriées du verbe *venire* :
a. Quanto *costa* questa cravatta? - b. Il gioco del criquet è praticato soprattutto in Inghilterra. - c. Tutte le speranze sono *svanite*. - d. Signorina, *entri pure!* - e. *Ho voglia di* piangere. - f. I biglietti del concerto annullato *saranno* rimborsati. - g. La refurtiva *era* rivenduta all'estero.

VERBES en *-durre, -porre, -trarre*

Ces verbes, aux terminaisons infinitives particulières, sont irréguliers.

▸ Se conjuguent sur le modèle de ***tradurre*** (traduire) :

condurre	conduire, accompagner	*indurre*	induire	*produrre*	produire
dedurre	déduire, tirer	*introdurre*	introduire	*sedurre*	séduire

▸ Se conjuguent sur le modèle de ***proporre*** (proposer) tous les composés du verbe ***porre*** (poser) :

appore	apposer	*fraporre*	interposer	*scomporre*	décomposer
comporre	composer	*imporre*	imposer	*sottoporre*	soumettre
deporre	déposer	*opporre*	opposer	*sovrapporre*	superposer
disporre	disposer	*riporre*	mettre (de côté)	*supporre*	supposer
esporre	exposer				

▸ Se conjuguent sur le modèle de ***estrarre*** (extraire) :

contrarre	contracter	*distrarre*	distraire	*ritrarre*	illustrer, faire le portrait
detrarre	déduire, retirer	*protrarre*	prolonger	*sottrarre*	soustraire

▸ **1. Présent de l'indicatif**

Tradurre traduire	***Proporre*** proposer	***Estrarre*** extraire
traduco	*propongo*	*estraggo*
traduci	*proponi*	*estrai*
traduce	*propone*	*estrae*
traduciamo	*proponiamo*	*estraiamo*
traducete	*proponete*	*estraete*
traducono	*propongono*	*estraggono*

▸ **2. Présent du subjonctif**

traduca	*proponga*	*estragga*
traduca	*proponga*	*estragga*
traduca	*proponga*	*estragga*
traduciamo	*proponiamo*	*estraiamo*
traduciate	*proponiate*	*estraete*
traducano	*propongano*	*estraggano*

▸ **3. Participe passé**

ho tradotto	*ho proposto*	*ho estratto*

▸ **4. Indicatif imparfait, subjonctif imparfait et gérondif**

indicatif imparfait	subjonctif imparfait	gérondif
(io) traducevo	*(io) traducessi*	*traducendo*
(io) proponevo	*(io) proponessi*	*proponendo*
(io) estraevo	*(io) estraessi*	*estraendo*

5. Futur et conditionnel présent

futur		conditionnel présent	
tradurrò	tradurremo	tradurrei	tradurremmo
tradurrai	tradurrete	tradurresti	tradurreste
tradurrà	tradurranno	tradurrebbe	tradurrebbero
proporrò	proporremo	proporrei	proporremmo
porporrai	proporrete	proporresti	proporreste
proporrà	proporranno	proporrebbe	proporrebbero
estrarrò	estrarremo	estrarrei	estrarremmo
estrarrai	estrarrrete	estrarresti	estrarreste
estrarrà	estrarranno	estrarrebbe	estrarrebbero

6. Passé simple

tradussi	proposi	estrassi
traducesti	proponesti	estraesti
tradusse	propose	estrasse
traducemmo	proponemmo	estraemmo
traduceste	proponeste	estraeste
tradussero	proposero	estrassero

À VOUS !

277. Traduisez :
a. J'ai proposé une solution. - b. Cette société produisait des moteurs. - c. En déduisant les frais, vous disposez encore d'une bonne marge. - d. Je suppose qu'elle l'a traduit hier. - e. J'en déduis qu'il n'a pas soumis son projet à l'approbation du conseil d'administration. - f. Il en a tiré de nombreux avantages. - g. Comme la réunion se prolongeait trop, j'ai proposé une pause pour le déjeuner. - h. Ce film raconte l'histoire d'une fille séduite et abandonnée. - i. En disposant de plus de temps, je le ferais.

VERBES IDIOMATIQUES

Verbes idiomatiques formés avec le pronom *la*	360

Certains verbes, surtout réfléchis, prennent une signification différente quand ils s'accolent avec le pronom *la*, qui est invariable et aux temps composés demande l'accord du participe passé au féminin singulier.

Avercela con qualcuno = « en vouloir à quelqu'un » :
Ce l'hai con me?   Est-ce que tu m'en veux ?

Aversela a male = « se vexer » :
Marco se l'è avuta a male per quello che gli ho detto.
Marco s'est vexé à cause de ce que je lui ai dit.

Cavarsela
• S'en tirer » :
Il ladruncolo se l'è cavata con due mesi con la condizionale.
Le petit voleur s'en est tiré avec deux mois de sursis.
• « Se débrouiller » :
Nel suo lavoro se la cava molto bene.
Dans son travail il se débrouille très bien.
• « S'en sortir » :
Sono sicuro che se la caverà.
Je suis sûr qu'il va s'en sortir.

Farcela a fare qualcosa = « y arriver (à faire quelque chose) » :
Non ce l'ho fatta ad arrivare in tempo.
Je n'ai pas pu arriver à l'heure.

Finirla / Smetterla / Piantarla (di fare qualcosa) = « arrêter (de…) » :

Smettila! Piantala! Finiscila!	Arrête !
Smettila di ridere!	Arrête de rire !
Piantala di darmi fastidio!	Arrête de me déranger !
Finiscila con questa storia!	Arrête avec cette histoire !

Mettercela tutta = « se donner à fond, faire de son mieux » :
Ce l'ha messa tutta per battere il record ma non ce l'ha fatta.
Il s'est donné à fond pour battre le record mais il n'y est pas arrivé.

Prendersela
• « Se fâcher » :
Se l'è presa perché non è stato invitato.
Il s'est fâché parce qu'il n'a pas été invité.
• « S'en faire » :
Non prendertela! Non importa…
Ne t'en fais pas ! Ce n'est pas important…
• (con qualcuno) = « S'en prendre (à quelqu'un) » :
Se la prende sempre con me.
Il s'en prend toujours à moi.

Sentirsela (di fare qualcosa) = « avoir le courage » :
Non me la sento di prendere la macchina, con questo caldo.
Je n'ai pas le courage de prendre la voiture, par cette chaleur.

Spassarsela = « se payer du bon temps » :
Se la spassa dalla mattina alla sera.
Il se paye du bon temps du matin au soir.

Vedersela brutta = « passer un mauvais quart d'heure » :
Nell' incidente non mi sono fatto niente, ma me la sono vista davvero brutta!
Lors de l'accident je n'ai rien eu, mais j'ai eu vraiment chaud !

À VOUS !

278. Traduisez :
a. Tu t'es payé du bon temps, n'est-ce pas ? - b. J'aimerais savoir pourquoi tu m'en veux. - c. Elles s'en sont sorties avec une grosse peur. - d. Arrêtez de faire du bruit ! - e. Je voudrais courir aussi vite que toi mais à mon âge je n'y arrive plus. - f. Elles se sont données à fond pour être sélectionnées. - g. Je n'ai pas le courage de le lui dire. - h. Il s'en fait trop.

VERBES SERVILES

Les semi-auxiliaires **potere, dovere, volere** et **sapere** (pouvoir, devoir, vouloir et savoir) sont aussi appelés verbes « serviles » parce qu'ils régissent souvent un autre verbe à l'infinitif.

Emplois généraux des verbes serviles, voir 89

Choix de l'auxiliaire avec les verbes serviles — **361**

Employés comme verbes à part entière, les verbes serviles se conjuguent avec l'auxiliaire *avere* dans les temps composés.

*I bambini **hanno voluto** un gelato per merenda.*   Les enfants ont voulu une glace pour le goûter.
*Non **ho saputo** che cosa dire.*   Je n'ai pas su quoi dire.

En tant que verbes serviles, *volere, dovere* et *potere* adoptent **l'auxiliaire requis par le verbe qui les suit :**

***Ha** dovuto prendere l'aereo stamattina.*   ***È** dovuto partire per Milano stamattina.*
Il a dû prendre l'avion ce matin.   Il a dû partir à Milan ce matin.

Sauf avec le verbe être :
*Non **hanno** potuto essere puntuali.*   Ils n'ont pas pu être à l'heure.

Les verbes serviles suivis d'un **verbe pronominal** peuvent, dans les temps composés, prendre l'un ou l'autre auxiliaire, **selon la position du pronom.**

• Lorsque le pronom suit l'infinitif, ils se conjuguent avec ***avere*** :
***Ho** voluto alzarmi presto.*   J'ai voulu me lever tôt.

• Lorsque le pronom précède l'auxiliaire, ils se conjuguent avec ***essere*** :
*Mi **sono** voluto alzare presto.*   J'ai voulu me lever tôt.

Les deux formes sont équivalentes et également utilisées.

L'auxiliaire *essere* entraîne toujours l'accord du participe passé avec le sujet :

*La ragazza **si è** dovuta decidere.*   *(si è decisa)*
*Gli studenti **si sono** potuti iscrivere.*   *(si **sono** iscritti)*

À VOUS !

279. Traduisez, en utilisant les deux formes possibles :
a. Ils ont dû se séparer. - b. Nous avons dû nous adapter à la situation. - c. Elle n'a pas voulu s'habiller en blanc. - d. Je n'aurais pas dû me fier à eux. - e. Ils n'ont pas pu se rencontrer. - f. Il a dû se préparer à toute vitesse. - g. Tu aurais pu te tromper. - h. Elle n'a pas su se décider. - i. Elle aurait voulu s'amuser toute la nuit. - j. Ils ont dû se voir en cachette.

280. Traduisez, en faisant attention à l'auxiliaire requis :
a. Nous avons voulu fêter son départ. - b. Ils n'ont pas pu sortir avant. - c. Elle avait dû revenir le lendemain. - d. Tu aurais pu tomber ! - e. Je voulais intervenir mais je n'ai pas pu. - f. Elle n'a pas voulu aller en voiture avec eux. - g. Ils auraient dû dîner avant de partir. - h. Vous auriez pu être plus patients !

Y

(pronom adverbial)

1. Les pronoms *ci* et *vi*

« Y », adverbe ou pronom, se traduit par *ci*.
Ci ritorno domani.   Ci credo.
J'y retourne demain.   J'y crois.

« Y » peut également se traduire par *vi*, dans un registre de langue plus recherché.
Vi sono esposti quadri dell'Ottocento.   Vi ha contribuito in modo sostanziale.
Des tableaux du XIXᵉ siècle y sont exposés.   Cela y a contribué de façon essentielle.

2. Verbes construits avec *ci*

Avec le pronom *ci* sont construits des verbes tels que :

tenerci = y tenir
Ci tiene molto, alla sua libertà.
Il y tient beaucoup, à sa liberté.

riuscirci = y arriver
Non ci riesco.   Je n'y arrive pas.

metterci = mettre (du temps)
Per tornare a casa, ci metto due ore.
Pour rentrer, je mets deux heures.

3. *Ci* et la tournure impersonnelle

« On y » se traduit par *ci si* (ou *vi si*) :
Ci si trova di tutto.   On y trouve de tout.

Tournure réfléchie impersonnelle 159
Traductions de On 285 ◀

4. Cas où « y » ne se traduit pas

Dans certains cas, l'italien ne traduit pas le « y » :

S'y connaître = *Intendersene*
Si intende di vini.   Il s'y connaît, en vins.

Y aller = *Andare*
Andiamo!   Allons-y !

5. Place du pronom *ci*

Le pronom *ci* se place :

devant les pronoms *lo, la, li, le, ne*
Dans ce cas, il devient *ce*.
Ce lo accompagna.   Il l'y accompagne.

■ **après les pronoms _mi, ti, vi_**
Mi ci accompagni? Sì, ti ci accompagno volentieri.
Tu m'y accompagnes ? Oui, je t'y accompagne volontiers.

Remarquez qu'à la forme « nous y », _ci_ ne se répète pas. Il est éventuellement remplacé par _lì, là_ ou _qui, qua_ :
Ci accompagna al cinema? No, non ci accompagna.
Il nous accompagne au cinéma ? Non, il ne nous y accompagne pas.
Ci lascia davanti alla scuola? Sì, **ci** lascia **lì davanti**.
Il nous laisse devant l'école ? Oui, il nous y laisse devant.

■ **devant les verbes**
Ci penseremo dopo.   Nous y penserons après.
excepté :
avec l'infinitif
È indispensabile andar**ci** presto.   Il est indispensable d'y aller tôt.
avec le gérondif
Andando**ci** subito, faremo in tempo.
En y allant tout de suite, nous arriverons à temps.
avec l'impératif

_tu:_	_ritorna**ci**!_	retournes-y !
noi:	_ritorniamo**ci**!_	retournons-y !
voi:	_ritorna**te**ci!_	retournez-y !

Remarque :
A l'impératif négatif de ces formes, _ci_ se place soit après la négation _non_, soit après la forme verbale :
Non **ci** ritornate / non ritorna**teci**
Avec les impératifs monosyllabiques de 2ᵉ personne _tu_, _ci_ redouble sa consonne initiale :
Vac**ci** subito!   Vas-y tout de suite !

À VOUS !

281. Traduisez :
a. Je n'y ai pas réfléchi ! - b. J'y reviens tous les ans en vacances. - c. On y rencontre pas mal de gens. - d. Il nous accompagne chez Mamie et il nous y laisse pendant la matinée. - e. Je suis certaine que tu y arriveras. - f. Attention à ma voiture ! J'y tiens énormément. - g. Il veut faire croire qu'il s'y connaît mais ce n'est pas vrai. - h. Il ne faut plus y penser ! - i. Prenez ces enveloppes et collez-y les timbres. - j. N'y va pas mardi, les musées sont fermés.

ANNEXES

ALPHABET PHONÉTIQUE
ET VALEUR DES SIGNES

Alphabet italien	Alphabet phonétique	Orthographe italienne	Orthographe phonétique
Voyelles :			
a	[a]	caro	['karo]
é	[e]	mela	['mela]
è	[ɛ]	festa	['fɛsta]
i	[i]	vino	['vino]
ó	[o]	ponte	['ponte]
ò	[ɔ]	porta	['pɔrta]
u	[u]	uno	['uno]
Semi-consonnes :			
i	[j]	piano	['pjano]
u	[w]	tuono	['twɔno]
Consonnes :			
p	[p]	ponte	['ponte]
b	[b]	barca	['barka]
m	[m]	madre	['madre]
t	[t]	tela	['tela]
d	[d]	dado	['dado]
n	[n]	nave	['nave]
gn	[ɲ]	gnocco, signora	['ɲɔkko], [si 'ɲora]
ch	[k]	chiave, che	['kjave], [ke]
c	[k]	cane	['kane]
q	[k]	quale	['kwale]
c	[tʃ]	cena, cibo	['tʃena], ['tʃibo]
g	[g]	gallo, ghiro	['gallo], [giro]
	[dʒ]	geloso, gioco	[dʒe'loso], ['dʒiɔko]
f	[f]	farfalla	[far'falla]
v	[v]	vela	['vela]
r	[r]	rana	['rana]
l	[l]	lavoro	[la'voro]
gli	[ʎ]	gli, figlio	[ʎi, fiʎ'ʎo]
s	[s]	sole	['sole]
	[z]	rosa, sleale	['rɔza], [zle'ale]
sc	[ʃ]	scelta, sciopero	['ʃelta], ['ʃɔpero]
z	[ts]	oziare	[ot'tsjare]
	[dz]	zona	['dzɔna]

Verbe être
ESSERE

INDICATIF

Présent	Imparfait	Passé composé	Plus-que-parfait
io **sono**	io **ero**	io **sono stato**	io **ero stato**
tu **sei**	tu **eri**	tu **sei stato**	tu **eri stato**
lui **è**	lui **era**	lui **è stato**	lui **era stato**
noi **siamo**	noi **eravamo**	noi **siamo stati**	noi **eravamo stati**
voi **siete**	voi **eravate**	voi **siete stati**	voi **eravate stati**
loro **sono**	loro **erano**	loro **sono stati**	loro **erano stati**

Passé simple	Futur simple	Passé antérieur	Futur antérieur
io **fui**	io **sarò**	io **fui stato**	io **sarò stato**
tu **fosti**	tu **sarai**	tu **fosti stato**	tu **sarai stato**
lui **fu**	lui **sarà**	lui **fu stato**	lui **sarà stato**
noi **fummo**	noi **saremo**	noi **fummo stati**	noi **saremo stati**
voi **foste**	voi **sarete**	voi **foste stati**	voi **sarete stati**
loro **fùrono**	loro **saranno**	loro **furono stati**	loro **saranno stati**

SUBJONCTIF

Présent	Imparfait	Passé	Plus-que-parfait
che io **sia**	che io **fossi**	che io **sia stato**	che io **fossi stato**
che tu **sia**	che tu **fossi**	che tu **sia stato**	che tu **fossi stato**
che lui **sia**	che lui **fosse**	che lui **sia stato**	che lui **fosse stato**
che noi **siamo**	che noi **fossimo**	che noi **siamo stati**	che noi **fossimo stati**
che voi **siate**	che voi **foste**	che voi **siate stati**	che voi **foste stati**
che loro **sìano**	che loro **fossero**	che loro **siano stati**	che loro **fossero stati**

CONDITIONNEL

Présent	Passé
io **sarei**	io **sarei stato**
tu **saresti**	tu **saresti stato**
lui **sarebbe**	lui **sarebbe stato**
noi **saremmo**	noi **saremmo stati**
voi **sareste**	voi **sareste stati**
loro **sarebbero**	loro **sarebbero stati**

IMPÉRATIF

Présent	
–	
sii	tu
sia	lui
siamo	noi
siate	voi
siano	loro

INFINITIF

Présent	Passé
essere	essere stato

PARTICIPE

Présent	Passé
(essente)	stato

GÉRONDIF

Présent	Passé
essendo	essendo stato

Verbe avoir
AVERE

INDICATIF

Présent	Imparfait	Passé composé	Plus-que-parfait
io **ho**	io **avevo**	io **ho avuto**	io **avevo avuto**
tu **hai**	tu **avevi**	tu **hai avuto**	tu **avevi avuto**
lui **ha**	lui **aveva**	lui **ha avuto**	lui **aveva avuto**
noi **abbiamo**	noi **avevamo**	noi **abbiamo avuto**	noi **avevamo avuto**
voi **avete**	voi **avevate**	voi **avete avuto**	voi **avevate avuto**
loro **hanno**	loro **avévano**	loro **hanno avuto**	loro **avevano avuto**

Passé simple	Futur simple	Passé antérieur	Futur antérieur
io **ebbi**	io **avrò**	io **ebbi avuto**	io **avrò avuto**
tu **avesti**	tu **avrai**	tu **avesti avuto**	tu **avrai avuto**
lui **ebbe**	lui **avrà**	lui **ebbe avuto**	lui **avrà avuto**
noi **avemmo**	noi **avremo**	noi **avemmo avuto**	noi **avremo avuto**
voi **aveste**	voi **avrete**	voi **aveste avuto**	voi **avrete avuto**
loro **ebbero**	loro **avranno**	loro **ebbero avuto**	loro **avranno avuto**

SUBJONCTIF

Présent	Imparfait	Passé	Plus-que-parfait
che io **abbia**	che io **avessi**	che io **abbia avuto**	che io **avessi avuto**
che tu **abbia**	che tu **avessi**	che tu **abbia avuto**	che tu **avessi avuto**
che lui **abbia**	che lui **avesse**	che lui **abbia avuto**	che lui **avesse avuto**
che noi **abbiamo**	che noi **avessimo**	che noi **abbiamo avuto**	che noi **avessimo avuto**
che voi **abbiate**	che voi **aveste**	che voi **abbiate avuto**	che voi **aveste avuto**
che loro **abbiano**	che loro **avessero**	che loro **abbiano avuto**	che loro **avessero avuto**

CONDITIONNEL

Présent	Passé
io **avrei**	io **avrei avuto**
tu **avresti**	tu **avresti avuto**
lui **avrebbe**	lui **avrebbe avuto**
noi **avremmo**	noi **avremmo avuto**
voi **avreste**	voi **avreste avuto**
loro **avrebbero**	loro **avrebbero avuto**

IMPÉRATIF

Présent	
–	
abbi	tu
abbia	lui
abbiamo	noi
abbiate	voi
abbiano	loro

INFINITIF

Présent	Passé
avere	avere avuto

PARTICIPE

Présent	Passé
avente	avuto

GÉRONDIF

Présent	Passé
avendo	avendo avuto

Verbes en -*are*
AMARE

INDICATIF

Présent	Imparfait	Passé composé	Plus-que-parfait
io am-**o**	io am-**avo**	io ho amato	io avevo amato
tu am-**i**	tu am-**avi**	tu hai amato	tu avevi amato
lui am-**a**	lui am-**ava**	lui ha amato	lui aveva amato
noi am-**iamo**	noi am-**avamo**	noi abbiamo amato	noi avevamo amato
voi am-**ate**	voi am-**avate**	voi avete amato	voi avevate amato
loro am-**ano**	loro am-**avano**	loro hanno amato	loro avevano amato

Passé simple	Futur simple	Passé antérieur	Futur antérieur
io am-**ai**	io am-**erò**	io ebbi amato	io avrò amato
tu am-**asti**	tu am-**erai**	tu avesti amato	tu avrai amato
lui am-**ò**	lui am-**erà**	lui ebbe amato	lui avrà amato
noi am-**ammo**	noi am-**eremo**	noi avemmo amato	noi avremo amato
voi am-**aste**	voi am-**erete**	voi aveste amato	voi avrete amato
loro am-**arono**	loro am-**eranno**	loro ebbero amato	loro avranno amato

SUBJONCTIF

Présent	Imparfait	Passé	Plus-que-parfait
che io am-**i**	che io am-**assi**	che io abbia amato	che io avessi amato
che tu am-**i**	che tu am-**assi**	che tu abbia amato	che tu avessi amato
che lui am-**i**	che lui am-**asse**	che lui abbia amato	che lui avesse amato
che noi am-**iamo**	che noi am-**assimo**	che noi abbiamo amato	che noi avessimo amato
che voi am-**iate**	che voi am-**aste**	che voi abbiate amato	che voi aveste amato
che loro am-**ino**	che loro am-**assero**	che loro abbiano amato	che loro avessero amato

CONDITIONNEL

Présent	Passé
io am-**erei**	io avrei amato
tu am-**eresti**	tu avresti amato
lui am-**erebbe**	lui avrebbe amato
noi am-**eremmo**	noi avremmo amato
voi am-**ereste**	voi avreste amato
loro am-**arebbero**	loro avrebbero amato

IMPÉRATIF

Présent	
–	
am-**a**	tu
am-**i**	lui
am-**iamo**	noi
am-**ate**	voi
am-**ino**	loro

INFINITIF

Présent	Passé
am-**are**	avere amato

PARTICIPE

Présent	Passé
am-**ante**	am-**ato**

GÉRONDIF

Présent	Passé
am-**ando**	avendo amato

Verbes en -*ere*
TEMERE

▰▰▰▰▰▰▰ INDICATIF ▰▰▰▰▰▰▰

Présent	Imparfait	Passé composé	Plus-que-parfait
io tem-**o**	io tem-**evo**	io ho temuto	io avevo temuto
tu tem-**i**	tu tem-**evi**	tu hai temuto	tu avevi temuto
lui tem-**e**	lui tem-**eva**	lui ha temuto	lui aveva temuto
noi tem-**iamo**	noi tem-**evamo**	noi abbiamo temuto	noi avevamo temuto
voi tem-**ete**	voi tem-**evate**	voi avete temuto	voi avevate temuto
loro tem-**ono**	loro tem-**evano**	loro hanno temuto	loro avevano temuto

Passé simple	Futur simple	Passé antérieur	Futur antérieur
io tem-**ei** (temetti)	io tem-**erò**	io ebbi temuto	io avrò temuto
tu tem-**esti**	tu tem-**erai**	tu avesti temuto	tu avrai temuto
lui tem-**é** (temette)	lui tem-**erà**	lui ebbe temuto	lui avrà temuto
noi tem-**emmo**	noi tem-**eremo**	noi avemmo temuto	noi avremo temuto
voi tem-**este**	voi tem-**erete**	voi aveste temuto	voi avrete temuto
loro tem-**eronno**	loro tem-**eranno**	loro ebbero temuto	loro avranno temuto
(temettero)			

▰▰▰▰▰▰▰ SUBJONCTIF ▰▰▰▰▰▰▰

Présent	Imparfait	Passé	Plus-que-parfait
che io tem-**a**	che io tem-**essi**	che io abbia temuto	che io avessi temuto
che tu tem-**a**	che tu tem-**essi**	che tu abbia temuto	che tu avessi temuto
che lui tem-**a**	che lui tem-**esse**	che lui abbia temuto	che lui avesse temuto
che noi tem-**iamo**	che noi tem-**essimo**	che noi abbiamo temuto	che noi avessimo temuto
che voi tem-**iate**	che voi tem-**este**	che voi abbiate temuto	che voi aveste temuto
che loro tem-**ano**	che loro tem-**essero**	che loro abbiano temuto	che loro avessero temuto

▰▰▰▰ CONDITIONNEL ▰▰▰▰   ▰▰▰▰ IMPÉRATIF ▰▰▰▰

Présent	Passé	Présent
io tem-**erei**	io avrei temuto	–
tu tem-**eresti**	tu avresti temuto	tem-**i** tu
lui tem-**erebbe**	lui avrebbe temuto	tem-**a** lui
noi tem-**eremmo**	noi avremmo temuto	tem-**iamo** noi
voi tem-**ereste**	voi avreste temuto	tem-**ete** voi
loro tem-**erebbero**	loro avrebbo temuto	tem-**ano** loro

▰▰▰ INFINITIF ▰▰▰   ▰▰▰ PARTICIPE ▰▰▰   ▰▰▰ GÉRONDIF ▰▰▰

Présent	Passé	Présent	Passé	Présent	Passé
tem-**ere**	avere temuto	tem-**ente**	tem-**uto**	tem-**endo**	avendo temuto

Verbes en -ire
DORMIRE

INDICATIF

Présent	Imparfait	Passé composé	Plus-que-parfait
io dorm-**o**	io dorm-**ivo**	io ho dormito	io avevo dormito
tu dorm-**i**	tu dorm-**ivi**	tu hai dormito	tu avevi dormito
lui dorm-**e**	lui dorm-**iva**	lui ha dormito	lui aveva dormito
noi dorm-**iamo**	noi dorm-**ivamo**	noi abbiamo dormito	noi avevamo dormito
voi dorm-**ite**	voi dorm-**ivate**	voi avete dormito	voi avevate dormito
loro dorm-**ono**	loro dorm-**ìvano**	loro hanno dormito	loro avevano dormito

Passé simple	Futur simple	Passé antérieur	Futur antérieur
io dorm-**ii**	io dorm-**irò**	io ebbi dormito	io avrò dormito
tu dorm-**isti**	tu dorm-**irai**	tu avesti dormito	tu avrai dormito
lui dorm-**ì**	lui dorm-**irà**	lui ebbe dormito	lui avrà dormito
noi dorm-**immo**	noi dorm-**iremo**	noi avemmo dormito	noi avremo dormito
voi dorm-**iste**	voi dorm-**irete**	voi aveste dormito	voi avrete dormito
loro dorm-**irono**	loro dorm-**iranno**	loro ebbero dormito	loro avranno dormito

SUBJONCTIF

Présent	Imparfait	Passé	Plus-que-parfait
che io dorm-**a**	che io dorm-**issi**	che io abbia dormito	che io avessi dormito
che tu dorm-**a**	che tu dorm-**issi**	che tu abbia dormito	che tu avessi dormito
che lui dorm-**a**	che lui dorm-**isse**	che lui abbia dormito	che lui avesse dormito
che noi dorm-**iamo**	che noi dorm-**issimo**	che noi abbiamo dormito	che noi avessimo dormito
che voi dorm-**iate**	che voi dorm-**iste**	che voi abbiate dormito	che voi aveste dormito
che loro dorm-**ano**	che loro dorm-**issero**	che loro abbiano dormito	che loro avessero dormito

CONDITIONNEL

Présent	Passé
io dorm-**irei**	io avrei dormito
tu dorm-**iresti**	tu avresti dormito
lui dorm-**irebbe**	lui avrebbe dormito
noi dorm-**iremmo**	noi avremmo dormito
voi dorm-**ireste**	voi avreste dormito
loro dorm-**irebbero**	loro avrebbero dormito

IMPÉRATIF

Présent	
–	
dorm-**i**	tu
dorm-**a**	lui
dorm-**iamo**	noi
dorm-**ite**	voi
dorm-**ano**	loro

INFINITIF

Présent	Passé
dorm-**ire**	avere dormito

PARTICIPE

Présent	Passé
dorm-**ente**	dorm-**ito**

GÉRONDIF

Présent	Passé
dorm-**endo**	avendo dormito

Principaux verbes irréguliers

Accendere (avere) *allumer*
Passé simple : accesi, accendesti, accese, accendemmo, accendeste, accesero.
Part. passé : acceso.

Accludere (avere) *inclure*
Passé simple : acclusi, accludesti, accluse, accludemmo, accludeste, acclusero.
Part. passé : accluso.

Accorgersi (essere) *s'apercevoir*
Passé simple : mi accorsi, ti accorgesti, si accorse, ci accorgemmo, vi accorgeste, si accorsero.
Part. passé : accortosi.

Addirsi (défectif) *convenir*
Indic. présent: si addice, si addicono.
Indic. imparfait : si addiceva, si addicevano.
Subj. présent : si addica, si addicano.
Subj. imparfait : si addicesse, si addicessero.

Affliggere (avere) *affliger*
Passé simple : afflissi, affliggesti, afflisse, affliggemmo, affliggeste, afflisero.
Part. passé : afflitto.

Alludere (avere) *faire allusion*
Passé simple : allusi, alludesti, alluse, alludemmo, alludeste, allusero.
Part. passé : alluso.

Andare (essere) *aller*
Indic. présent : vado, vai, va, andiamo, andate, vanno.
Futur : andrò, andrai, andrà, andremo, andrete, andranno.
Subj. présent : vada, vada, vada, andiamo, andiate, vadano.
Cond. présent : andrei, andresti, andrebbe, andremo, andreste, andrebbero.
Impératif : va' (vai), vada, andiamo, andate, vadano.

Annettere (avere) *annexer*
Passé simple : annessi (annettei), annettesti, annesse (annette), annettemmo, annetteste, annessero (annetterono).
Part. passé : annesso.

Apparire (essere) *apparaître*
Indic. présent : appaio, appari, appare, appariamo, apparite, appaiono.
Passé simple : apparvi, apparisti, apparve, apparimmo, appariste, apparirono.
Subj. présent : appaia, appaia, appaia, appariamo, appariate, appaiono.
Impératif : appari, appaia, appariamo, apparite, appaiano.
Part. présent : apparente.
Part. passé : apparso.

Appendere (avere) *suspendre*
Passé simple : appesi, appendesti, appese, appendemmo, appendeste, appesero.
Part. passé : appeso.

Aprire (avere) *ouvrir*
Passé simple : apersi (aprii), apristi, aperse (apri), apprimmo, apriste, apersero (aprirono).
Part. passé : aperto.

Ardere (avere / essere) *brûler*
Passé simple : arsi, ardesti, arse, ardemmo, ardeste, arsero.
Part. passé : arso.

Assolvere (avere) *acquitter*
Passé simple : assolsi, assolvesti, assolse, assolvemmo, assolveste, assolsero.
Part. passé : assolto.

Assumere (avere) *prendre*
Passé simple : assunsi, assumesti, assunse, assumemmo, assumeste, assunsero.
Part. passé : assunto.

Attingere (avere) *puiser*
Passé simple : attinsi, attingesti, attinse, attingemmo, attingeste, attinsero.
Part. passé : attinto.

Bere (avere) *boire*
Indic. présent : bevo, bevi, beve, beviamo, bevete, bevono.
Indic. imparfait : bevevo, bevevi, beveva, bevevamo, bevate, bevevano.
Passé simple : bevvi, bevesti, bevve, bevemmo, beveste, bevvero.
Futur : berrò, berrai, berrà, berremo, berrete, berranno.
Subj. présent : beva, beva, beva, beviamo, beviate, bevano.
Subj. imparfait : bevessi, bevessi, bevesse, bevessimo, beveste, bevessero.
Cond. présent : berrei, berresti, berrebbe, berremmo, berreste, berrebbero.
Impératif : bevi, beva, beviamo, bevete, bevano.
Part. présent : bevete.
Part. passé : bevuto.
Gérondif présent : bevendo.

Cadere (essere) *tomber*
Passé simple : caddi, cadesti, cadde, cademmo, cadeste, caddero.
Futur : cadrò, cadrai, cadrà, cadremo, cadrete, cadranno.
Cond. présent : cadrei, cadresti, cadrebbe, cadremmo, cadreste, cadrebbero.

Chiedere (avere) *demander*
Passé simple : chiesi, chiedesti, chiese, chiedemmo, chiedeste, chiesero.

Part. passé : chiesto.

Cingere (avere) *entourer*
Passé simple : cinsi, cingesti, cinse, cingemmo, cingeste, cinsero.
Part. passé : cinto.

Cogliere (avere) *cueillir*
Indic. présent : colgo, cogli, coglie, cogliamo, cogliete, colgono.
Passé simple : colsi, cogliesti, colse cogliemmo, coglieste, colsero.
Subj. présent : colga, colga, colga, cogliamo, cogliate, colgano.
Impératif : cogli, colga, cogliamo, cogliate, colgano.
Part. passé : colto.

Comprimere (avere) *comprimer*
Passé simple : compressi, comprimesti, compresse, comprimemmo, comprimeste, compressero.
Part. passé : compresso.

Concedere (avere) *concéder*
Passé simple : concessi, concedesti, concesse, concedemmo, concedeste, concessero.
Part. passé : concesso.

Condurre (avere) *conduire*
Indic. présent : conduco, conduci, conduce, conduciamo, conducete, conducono.
Indic. imparfait : conducevo, conducevi, conduceva, conducevamo, conducevate, conducevano.
Passé simple : condussi, conducesti, conduse, conducemmo, conduceste, condussero.
Futur : condurrò, condurrai, condurrà, condurremo, condurrete, condurranno.
Subj. présent : conduca, conduca, conduca, conduciamo, conduciate, conducano.
Subj. imparfait : conducessi, conducessi, conducesse, conducessimo, conduceste, conducessero.
Cond. présent : condurrei, condurresti, condurrebbe, condurremmo, condurreste, condurrebbero.
Impératif : conduci, conduca, conduciamo, conducete, conducano.
Part. présent : conducente.
Part. passé : condotto. *Gérondif présent :* conducendo.

Conoscere (avere) *connaître*
Passé simple : conobbi, conoscesti, conobbe, conoscemmo, conosceste, conobbero.
Part. passé : conosciuto.

Converge (essere) *converger*
Passé simple : conversi, convergesti, converse, convergemmo, convergeste, conversero.
Part. passé : converso.

Correre (avere / essere) *courir*
Passé simple : corsi, corresti, corse, corremmo, correste, corsero.
Part. passé : corso.

Crescere (essere) *croître, élever*
Passé simple : crebbi, crescesti, crebbe, crescemmo, cresceste, crebbero.

Part. passé : cresciuto.

Cuocere (avere) *cuire*
Passé simple : cossi, cuocesti, cosse, cuocemmo, cuoceste, cossero.
Part. présent : cocente.
Part. passé : cotto.

Dare (avere) *donner*
Indic. présent : do, dai, dà, diamo, date, danno.
Passé simple : diedi, desti, diede, demmo, deste, diedero (detti desti, dette, demmo, deste, dettero).
Subj. présent : dia, dia, dia, diamo, diate, diano.
Imparfait : dessi, dessi, desse, dessimo, deste, dessero.
Impératif : da' (dai), dia, diamo, date, diano.

Decidere (avere) *décider*
Passé simple : decisi, decidesti, decise, decidemmo, decideste, decisero.
Part. passé : deciso.

Difendere (avere) *défendre*
Passé simple : difesi, difendesti, difese, difendemmo, difendeste, difesero.
Part. passé : difeso.

Dipingere (avere) *peindre*
Passé simple : dipinsi, dipingesti, dipinse, dipingemmo, dipingeste, dipinsero.
Part. passé : dipinto.

Dire (avere) *dire*
Indic. présent : dico, dici, dice, diciamo, dite, dicono.
Indic. imparfait : dicevo, dicevi, diceva, dicevamo, dicevate, dicevano.
Passé simple : dissi, dicesti, disse, dicemmo, diceste, dissero.
Subj. présent : dica, dica, dica, diciamo, diciate, dicano.
Subj. imparfait : dicessi, dicessi, dicesse, dicessimo, diceste, dicessero.
Impératif : di' (di), dica, diciamo, dite, dicano.
Part. présent : dicente.
Part. passé : detto.
Gérondif présent : dicendo.

Dirigere (avere) *diriger*
Passé simple : diressi, dirigesti, diresse, dirigemmo, dirigeste, diressero.
Part. passé : diretto.

Discutere (avere) *discuter*
Passé simple : discussi, discutesti, discusse, discutemmo, discuteste, discussero.
Part. passé : discusso.

Distinguere (avere) *distinguer*
Passé simple : distinsi, distinguesti, distinse, distinguemmo, distingueste, distinsero.
Part. passé : distinto.

Dividere (avere) *diviser*
Passé simple : divisi, dividesti, divise, dividemmo, divideste, divisero.
Part. passé : diviso.

Dolere / Dolersi (essere) *avoir mal*
Indicatif présent : mi dolgo, ti duoli, si duole, ci doliamo, vi dolete, si dolgono.
Passé simple : mi dolsi, ti dolesti, si dolse, ci dolemmo, vi doleste, si dolsero.
Futur : mi dorrò, ti dorrai, si dorrà, ci dorremo, vi dorrete, si dorranno.
Subj. présent : mi dolga, ti dolga, si dolga, ci doliamo, vi doliate, si dolgano.
Impératif : duoliti, si dolga, doliamoci, doletevi, si dolgano.
Part. présent : dolentesi.
Part. passé : doluto (dolutosi).
Gérondif présent : dolendo (dolendosi).

Dovere (avere) *devoir*
Indic. présent : devo, devi, deve, dobbiamo, dovete, devono.
Passé simple : dovetti, dovesti, dovette, dobbiamo, dovete, deveno.
Futur : dovrò, dovrai, dovrà, dovremo, dovrete, dovranno.
Subj. présent : debba, debba, debba, dobbiamo, dobiate, debbano.
Cond. présent : dovrei, dovresti, dovrebbe, dovremmo, dovreste, dovrebbero.
Part. passé : dovuto.
Gérondif présent : dovendo.

Emergere (essere) *émerger*
Passé simple : emersi , emergesti, emerse, emergemmo, emmergeste, emersero.
Part. passé : emerso.

Espellere (avere) *expulser*
Passé simple : espulsi, espellesti, espulse, espellemmo, espelleste, espulsero.
Part. passé : espulso.

Fare (avere) *faire*
Indic. présent : faccio, fai, fa, facciamo, fate, fanno.
Indic. imparfait : facevo, facevi, faceva, facevamo, facevate, facevano.
Passé simple : feci, facesti, fece, facemmo, faceste, fecero.
Subj. présent : faccia, faccia, faccia, facciamo, facciate, facciano.
Subj. imparfait : facessi, facessi, facesse, facessimo, faceste, facessero.
Impératif : fa' (fai), faccia, facciamo, fate, facciano.
Part. présent : facente.
Part. passé : fatto.
Gérondif présent : facendo.

Fingere (avere) *feindre*
Passé simple : finsi, fingesti, finse, fingemmo, fingeste, finsero.
Part. passé : finto.

Flettere (avere) *fléchir*
Passé simple : flessi (flettei), flettesti, flesse (flette), flettemmo, fletteste, flessero (fletterono).
Part. passé : flesso.

Fondere (avere) *fondre*
Passé simple : fusi, fondesti, fuse, fondemmo, fondeste, fusero.
Part. passé : fuso.

Frangere (avere) *briser*
Passé simple : fransi, frangesti, franse, frangemmo, frangeste, fransero.
Part. passé : franto.

Friggere (avere) *frire*
Passé simple : frissi, friggesti, frisse, frigemmo, friggeste, frissero.
Part. passé : fritto.

Fungere (avere) *faire fonction de*
Passé simple : funsi, fungesti, funse, fungemmo, fungeste, funsero.
Part. passé : funto.

Giacere (avere) *être étendu*
Indic. présent : giaccio, giaci, giace, giacciamo (giaciamo), giacete, giacciono.
Passé simple : giacqui, giacesti, giacque, giacemmo, giaceste, giacquero.
Subj. présent : giaccia, giaccia, giaccia, giacciamo (giaciamo), giacciate (giaciate), giacciano.
Impératif : giaci, giaccia, giacciamo (giaciamo), giacete, giacciano.

Giungere (essere) *joindre*
Passé simple : giunsi, giungesti, giunse, giungemmo, giungeste, giunsero.
Part. passé : giunto.

Indulgere (avere) *être indulgent*
Passé simple : indulsi, indulgesti, indulse, indulgemmo, indulgeste, indulsero.
Part. passé : indulto *(rare)*.

Intridere (avere) *mouiller*
Passé simple : intrisi, intridesti, intrise, intridemmo, intrideste, intrisero.
Part. passé : intriso.

Invadere (avere) *envahir*
Passé simple : invasi, invadesti, invase, invademmo, invadeste, invasero.
Part. passé : invaso.

Ledere (avere) *léser*
Passé simple : lesi, ledesti, lese, ledemmo, ledeste, lesero.
Part. passé : leso.

Leggere (avec) *lire*
Passé simple : lessi, leggesti, lesse, leggemmo, leggeste, lessero.
Part. passé : letto.

Mettere (avere) *mettre*
Passé simple : misi, mettesti, mise, mettemmo, metteste, misero.
Part. passé : messo.

Mordere (avere) *mordre*
Passé simple : morsi, mordesti, morse, mordemmo, mordeste, morsero.
Part. passé : morso.

Morire (essere) *mourir*
Indic. présent : muoio, muori, muore, moriamo, morite, muoiono.
Futur : morrò, morrai, morrà, morremo, morrete, morranno (morirò, morirai...).
Subj. présent : muoia, muoia, muoia, moriamo, moriate, muoiano.
Cond. présent : morrei, morresti, morrebbe, morremmo, morreste, morrebbero (morirei, moriresti...).
Impératif : muori, muoia, moriamo, morite, muoiano.
Part. présent : morente.
Part. passé : morto.
Gérondif présent : morendo.

Mungere (avere) *traire*
Passé simple : munsi, mungesti, munse, mungemmo, mugeste, munsero.
Part. passé : munto.

Muovere (avere) *bouger*
Passé simple : mossi, muovesti, mosse, movemmo (muovemmo), moveste, mossero.
Part. passé : mosso.

Nascere (essere) *naître*
Passé simple : nacqui, nascesti, nacque, nascemmo, naceste, nacquero.
Part. passé : nato.

Nascondere (avere) *cacher*
Passé simple : nascosi, nascondesti, nascose, nascondemmo, nascondeste, nascosero.
Part. passé : nascosto.

Nuocere (avere) *nuire*
Indic. présent : noccio (nuoccio), nuoci, nuoce, nociamo, nocete, nocciono (nuocciono).
Indic. imparfait : nocevo, nocevi, noceva, nocevamo, nocevate, nocevano (nuocevo, nuocevi...).
Passé simple : nocqui, nocesti, nocque, nocemmo, noceste, nocquero.
Futur : nocerò, nocerai, nocerà, noceremo, nocerete, noceranno (nuocerò, nuocerai...).
Subj. présent : noccia, noccia, noccia, nociamo, nociate, nocciano (nuoccia, nuoccia...).
Subj. imparfait : nocessi, nocessi, nocesse, nocessimo, noceste, nocessero (nuocessi, nuocessi...).
Cond. présent : nocerei, noceresti, nocerebbe, noceremmo, nocereste, nocerebbero (nuocerei, nuoceresti...)
Impératif : nuoci, noccia, nociamo, nocete, (nuocete), nocciano.
Part. présent : nocente.
Part. passé : nociuto.
Gérondif présent : nocendo.

Offrire (avere) *offrir*
Passé simple : offersi (offrii), offristi, offerse, (offrì), offrimmo, offriste, offersero (offrirono).

Part. passé : offerto.

Parere (essere) *paraître*
Indic. présent : paio, pari, pare, paiamo, parete, paiono.
Passé simple : parvi, paresti, parve, paremmo, pareste, parvero.
Futur : parrò, parrai, parrà, parremo, parrete, parranno.
Subj. présent : paia, paia, paia, paiamo, paiate, paiano.
Cond. présent : parrei, parresti, parrebbe, parremmo, parreste, parrebbero.
Part. présent : parvente.
Part. passé : parso.
Gérondif présent : parendo.

Perdere (avere) *perdre*
Passé simple : persi, perdesti, perse, perdemmo, perdeste, persero.
Part. passé : perso (perduto).

Persuadere (avere) *persuader*
Passé simple : persuasi, persuadesti, persuase, persuademmo, persuadeste, persuasero.
Part. passé : persuaso.

Piacere (essere) *plaire*
Indic. présent : piaccio, piaci, piace, piacciamo (piaciamo), piacete, piacciono.
Passé simple : piacqui, piacesti, piacque, piacemmo, piaceste, piacquero.
Subj. présent : piaccia, piaccia, piaccia, piacciamo (piaciamo), piaciate, piacciano.
Impératif : piaci, piaccia, piacciamo, piacete, piacciano.

Piangere (avere) *pleurer*
Passé simple : piansi, piangesti, pianse, piangemmo, piangeste, piansero.
Part. passé : pianto.

Piovere (avere / essere) *pleuvoir*
Passé simple : piovvi, piovesti, piovve, piovemmo, pioveste, piovvero.
Part. passé : piovuto.

Porgere (avere) *tendre, donner*
Passé simple : porsi, porgesti, porse, porgemmo, porgeste, porsero.
Part. passé : porto.

Porre (avere) *poser*
Indic. présent : pongo, poni, pone, poniamo, ponete, pongono.
Indic. imparfait : ponevo, ponevi, poneva, ponevamo, ponevate, ponevano.
Passé simple : posi, ponesti, pose, ponemmo, poneste, posero.
Futur : porrò, porrai, porrà, porremo, porrete, porranno.
Subj. présent : ponga, ponga, ponga, poniamo, poniate, pongano.
Subj. imparfait : ponessi, ponessi, ponesse, ponessimo, poneste, ponessero.

Cond. présent : porrei, porresti, porrebbe, por-remmo, porreste, porrebbero.
Impératif : poni, ponga, poniamo, ponete, pongano.
Part. présent : ponente.
Part. passé : posto.
Gérondif présent : ponendo.

Potere (avere) *pouvoir*
Indic. présent : posso, puoi, può, possiamo, potete, possono.
Futur : potrò, potrai, potrà, potremo, potrete, potranno.
Subj. présent : possa, possa, possa, possiamo, possiate, possano.
Subj. imparfait : potessi, potessi, potesse, potessimo, poteste, potessero.
Cond. présent : potrei, potresti, potrebbe, potremmo, potreste, potrebbero.
Impératif : manca.

Prendere (avere) *prendre*
Passé simple : presi, prendesti, prese, prendemmo, prendeste, presero.
Part. passé : preso.

Proteggere (avere) *protéger*
Passé simple : protessi, proteggesti, protesse, proteggemmo, proteggeste, protessero.
Part. passé : protetto.

Pungere (avere) *piquer*
Passé simple : punsi, pungesti, punse, pungemmo, pungeste, punsero.
Part. passé : punto.

Radere (avere) raser
Passé simple : rasi, radesti, rase, rademmo, radeste, rasero.
Part. passé : raso.

Redigere (avere) *rédiger*
Passé simple : redassi, redigesti, redasse, redigemmo, redigeste, redassero.
Part. passé : redatto.

Redimere (avere) *racheter*
Passé simple : redensi, redimesti, redense, redimemmo, redimeste, redensero.
Part. passé : redento.

Reggere (avere) *régir*
Passé simple : ressi, reggesti, resse, reggemmo, reggeste, ressero.
Part. passé : retto.

Rendere (avere) rendre
Passé simple : resi, rendesti, rese, rendemmo, rendeste, resero.
Part. passé : reso.

Ridere (avere) *rire*
Passé simple : risi, ridesti, rise, ridemmo, rideste, risero.
Part. passé : riso.

Rifulgere (avere) *briller*
Passé simple : rifulsi, rifulgesti, rifulse, rifulgemmo, rigulgeste, rifulsero.
Part. passé : rifulso.

Rimanere (essere) *rester*
Indic. présent : rimango, rimani, rimane, rimaniamo, rimanete, rimangono.
Passé simple : rimasi, rimanesti, rimase, rimanemmo, rimaneste, rimasero.
Futur : rimarrò, rimarrai, rimarrà, rimarremo, rimarrete, rimarrano.
Subj. présent : rimanga, rimanga, rimanga, rimaniamo, rimaniate, rimangano.
Cond. présent : rimarrei, rimarresti, rimarrebbe, rimarremmo, rimarreste, rimarebbero.
Impératif : rimani, rimanga, rimaniamo, rimanete, rimangano.
Part. passé : rimasto.

Rodere (assere) *ronger*
Passé simple : rosi, rodesti, rose, rodemmo, rodeste, rosero.
Part. passé : roso.

Rompere (avere) *casser*
Passé simple : ruppi, rompesti, ruppe, rompemmo, rompeste, ruppero.
Part. passé : rotto.

Salire (essere / avere) monter
Indic. présent : salgo, sali, sale, saliamo, salite, salgono.
Subj. présent : salga, salga, salga, saliamo, saliate, salgano.
Impératif : sali, salga, saliamo, salite, salgano.

Sapere (avere) *savoir*
Indic. présent : so, sai, sa, sappiamo, sapete, sanno.
Passé simple : seppi, sapesti, seppe, sapemmo, sapeste, seppero.
Futur : saprò, saprai, saprà, sapremo, saprete, sapranno.
Subj. présent : sappia, sappia, sappia, sappiamo, sappiate, sappiano.
Cond. présent : saprei, sapresti, saprebbe, sapremmo, sapreste, saprebbero.
Impératif : sappi, sappia, sappiamo, sappiate, sappiano.
Part. présent : sapiente.
Part. passé : saputo.

Scegliere (avere) *choisir*
Indic. présent : scelgo, scegli, sceglie, scegliamo, scegliete, scelgono.
Passé simple : scelsi, scegliesti, scelse, scegliemmo, sceglieste, scelsero.
Subj. présent : scelga, scelga, scelga, scegliamo, scegliate, scelgano.
Impératif : scegli, scelga, scegliamo, scegliate, scelgano.
Part. passé : scelto.

Scendere (essere / avere) *descendre*
Passé simple : scesi, scendesti, scese, scendemmo, scendeste, scesero.
Part. passé : sceso.

Scindere (avere) *scinder*
Passé simple : scissi, scindesti, scisse, scindemmo, scindeste, scissero.
Part. passé : scisso.

Sciogliere (avere) *fondre, défaire*
Indic. présent : sciolgo, sciogli, scioglie, sciogliamo, sciogliete, sciolgono.
Passé simple : sciolsi, sciogliesti, sciolse, sciogliemmo, scioglieste, sciolsero.
Subj. présent : sciolga, sciolga, sciolga, sciogliamo, sciogliate, sciolgano.
Impératif : sciogli, sciolga, sciolgamo, sciogliete, sciolgano.
Part. passé : sciolto.

Scrivere (avere) *écrire*
Passé simple : scrissi, scrivesti, scrisse, scrivemmo, scriveste, scrissero.
Part. passé : scritto.

Scuotere (avere) *secouer*
Passé simple : scossi, scotesti, scosse, scotemmo (scuotemmo), scoteste (scuoteste), scossero.
Part. passé : scosso.

Sedere, Sedersi (essere) *(s') asseoir*
Indic. présent : siedo, siedi, siede, sediamo, sedete, siedono (*plus rare* : seggo, siedi, siede, sediamo, sedete, seggono).
Subj. présent : sieda, sieda, sieda, sediamo, sediate, siedano (segga, segga, segga, sediamo, sediate, seggano).
Impératif : siedi, sieda (segga), sediamo, sedete, siedano (seggano).

Solere (essere) *avoir l'habitude de*
Indic. présent : soglio, suoli, suole, sogliamo, solete, sogliono.
Subj. présent : soglia, soglia, soglia, sogliamo, sogliate, sogliano.
Part. passé : solito.

Sorgere (essere) *surgir*
Passé simple : sorsi, sorgesti, sorse, sorgemmo, sorgeste, sorsero.
Part. passé : sorto.

Spandere (avere) *répandre*
Passé simple : spansi, spandesti, spanse, spandemmo, spandeste, spansero.
Part. passé : spanso.

Spingere (avere) *pousser*
Passé simple : spinsi, spingesti, spinse, spingemmo, spingeste, spinsero.
Part. passé : spinto.

Stare (essere) *être*
Indic. présent : sto, stai, sta, stiamo, state, stanno.

Passé simple : stetti, stesti, stette, stemmo, steste, stettero.
Subj. présent : stia, stia, stia, stiamo, stiate, stiano.
Subj. imparfait : stessi, stessi, stesse, stessimo, steste, stessero.
Impératif : sta' (stai), stia, stiamo, state, stiano.

Stringere (asere) *serrer*
Passé simple : strinsi, stringesti, strinse, stringemmo, stringeste, strinsero.
Part. passé : stretto.

Svellere (avere) *arracher*
Passé simple : svelsi, svellesti, svelse, svellemmo, svelleste, svelsero.
Part. passé : svelto.

Tacere (avere) *se taire*
Indic. présent : taccio, taci, tace, taciamo, tacete, tacciono.
Passé simple : tacqui, tacesti, tacque, tacemmo, taceste, tacquero.
Subj. présent : taccia, taccia, taccia, taciamo, taciate, tacciano.
Impératif : taci, taccia, taciamo, tacete, tacciano.

Tendere (avere) *tendre*
Passé simple : tesi, tendesti, tese, tendemmo, tendeste, tesero.
Part. passé : teso.

Tenere (avere) *tenir*
Indic. présent : tengo, tieni, tiene, teniamo, tenete, tengono.
Passé simple : tenni, tenesti, tenne, tenemmo, teneste, tennero.
Futur : terrò, terrai, terrà, terremo, terrete, terranno.
Subj. présent : tenga, tenga, tenga, teniamo, teniate, tengano.
Cond. présent : terrei, terresti, terrebbe, terremmo, terreste, terrebbero.
Impératif : tieni, tenga, teniamo, tenete, tengano.

Tergere (avere) *essuyer*
Passé simple : tersi, tergesti, terse, tergemmo, tergeste, tersero.
Part. passé : terso.

Tingere (avere) *teindre*
Passé simple : tinsi, tingesti, tinse, tingemmo, tingeste, tinsero.
Part. passé : tinto.

Togliere (avere) *enlever*
Indic. présent : tolgo, togli, toglie, togliamo, togliete, tolgono.
Passé simple : tolsi, togliesti, tolse, togliemmo, toglieste, tolsero.
Subj. présent : tolga, tolga, tolga, togliamo, togliate, tolgano.
Impératif : togli, tolga, togliamo, togliete, tolgano.
Part. passé : tolto.

Trarre (avere) *tirer*
Indic. présent : traggo, trai, trae, traiamo, traete, traggono.

Indic. imparfait : traevo, traevi, traeva, traevamo, traevate, traevano.
Passé simple : trassi, traesti, trasse, traemmo, traeste, trassero.
Subj. présent : tragga, tragga, tragga, traiamo, traiate, traggano.
Subj. imparfait : traessi, traessi, traesse, traessimo, traeste, traessero.
Impératif : trai, tragga, traiamo, traete, traggano.
Part. présent : traente.
Part. passé : tratto.
Gérondif présent : traendo.

Udire (avere) *entendre*
Indic. présent : odo, odi, ode, udiamo, udite, odono.
Subj. présent : oda, oda, oda, udiamo, udiate, odano.
Impératif : odi, oda, udiamo, udite, odano.

Ungere (avere) *graisser*
Passé simple : unsi, ungesti, unse, ungemmo, ungeste, unsero.
Part. passé : unto.

Uscire (essere) *sortir*
Indic. présent : esco, esci, esce, usciamo, uscite, escono.
Subj. présent : esca, esca, esca, usciamo, usciate, escano.
Impératif : esci, esca, usciamo, uscite, escano.

Valere (essere) *valoir*
Indic. présent : valgo, vali, vale, valiamo, valete, valgono.
Passé simple : valsi, valesti, valse, valemmo, valeste, valsero.
Futur : varrò, varrai, varrà, varremo, varrete, varranno.
Subj. présent : valga, valga, valga, valiamo, valiate, valgano.
Cond. présent : varrei, varresti, varrebbe, varremmo, varreste, varrebbero.
Impératif : vali, valga, valiamo, valete, valgano.
Part. passé : valso.

Vedere (avere) *voir*
Passé simple : vidi, vedesti, vide, vedemmo, vedeste, videro.

Futur: vedrò, vedrai, vedrà, vedremo, vedrete, vedranno.
Cond. présent : vedrei, vedresti, vedrebbe, vedremmo, vedreste, vedreste, vedrebbero.
Part. passé : visto.

Venire (essere) *venir*
Indic. présent : vengo, vieni, viene, veniamo, venite, vengono.
Passé simple : venni, venisti, venne, venimmo, veniste, vennero.
Futur : verrò, verrai, verrà , verremo, verrete, verranno.
Subj. présent : venga, venga, venga, veniamo, veniate, vengano.
Cond. présent : verrei, verresti, verrebbe, verremmo, verreste, verrebbero.
Impératif : vieni, venga, veniamo, venite, vengano.
Part. passé : venuto.

Vincere (avere) *vaincre*
Passé simple : vinsi, vincesti, vinse, vincemmo, vinceste, vinsero.
Part. passé : vinto.

Vivere (essere / avere) *vivre*
Passé simple : vissi, vivesti, visse, vivemmo, viveste, vissero.
Futur : vivrò, vivrai, vivrà, vivremo, vivrete, vivranno.
Cond. présent : vivrei, vivresti, vivrebbe, vivremmo, vivreste, vivrebbero.
Part. passé : vissuto.

Volere (assere) *vouloir*
Indic. présent : voglio, vuoi, vuole, vogliamo, volete, vogliono.
Passé simple : volli, volesti, volle, volemmo, voleste, vollero.
Futur : vorrò, vorrai, vorrà, vorremo, vorrete, vorranno.
Subj. présent : voglia, voglia, voglia, vogliamo, vogliate, vogliano.
Cond. présent : vorrei, vorresti, vorrebbe, vorremmo, vorreste, vorrebbero.
Impératif : voglia, voglia, vogliamo, vogliate, vogliano.

Corrigés

L'ARTICLE p. 21

2 il ponte - l'architetto - la vita - gli studenti - la strada - il vino - l'idea - il calcio - gli alberghi - i minuti - lo straniero - gli zii - il teatro - le patate - i vestiti - lo zingaro - l'avvocato - la signora - lo zucchero - le rose - il libro - la penna - la zona.

3 un amico - uno spagnolo - un'idea - un treno - un aereo - una macchina - una bicicletta - un cavallo - una sigaretta - una strada - una storia - uno studente - uno studio - uno zoccolo - un arco - un italiano - un atto - un'azione - un attore - un'attività - un anno - una settimana - un giorno - un mese.

4 a. il / un - b. la / una - c. gli / un - d. la / uno - e. la / un.

5 a. della - b. del - c. alla - d. all' - e. nella - f. delle - g. dall' - h. sul - i. dei - j. degli.

LE NOM p. 26

6 a. la signora distinta - b. la poetessa famosa - c. la dottoressa in medicina - d. la scultrice del Settecento - e. la sorella gemella - f. la donna elegante - g. la moglie esemplare - h. la madre affettuosa - i. la regina d'Inghilterra - j. la studentessa e la sua professoressa.

7 a. i tavoli - b. le sedie - c. i giornali - d. le chiavi - e. le situazioni - f. i discorsi - g. le città - h. gli sport - i. i laghi - j. le crisi - k. i té - l. gli aperitivi - m. le nazionalità - n. i giorni - o. le navi - p. i mesi - q. le banche - r. i camion - s. i giornalisti - t. le giornaliste.

L'ADJECTIF QUALIFICATIF p. 29

8 a. i gatti neri - b. i cani fedeli - c. le penne verdi - d. gli spettacoli nuovi - e. i prodotti francesi - f. le case grandi - g. le signore inglesi - h. i direttori americani - i. le costruzioni moderne - j. i dialetti settentrionali - k. le idee geniali - l. le canzoni popolari - m. le risposte giuste - n. le stanze accoglienti - o. le feste divertenti - p. i ragazzi felici - q. le decisioni importanti - r. le proposte interessanti - s. i romanzi giapponesi.

9 a. le mani pulite - b. i discorsi lunghi - c. le amiche inglesi - d. le musiche romantiche - e. i celebri alberghi - f. le strade larghe - g. i film polizieschi - h. le città moderne - i. le famose artiste - j. gli sport invernali - k. i sistemi perfetti - l. le grandi virtù - m. le società segrete - n. i fiocchi rosa e blu.

LES DÉMONSTRATIFS p. 32

10 a. quello - b. questo - c. quella - d. questi / quelli - e. questa / quei - f. quella - g. questa - h. quell' - i. quest' - j. quel - k. quest' - l. questo - m. quell' - n. quella / questo - o. quel.

LES POSSESSIFS p. 35

11 a. la mia - b. la sua - c. il nostro - d. il loro - e. i tuoi - f. il suo - g. la tua - h. i miei - i. il Suo - j. i Suoi.

12 a. sua - b. sua - c. i suoi - d. i miei - e. sua - f. mio / la mia - g. il suo - h. la loro - i. mio - j. le mie.

13 a. la mia - b. la loro - c. il nostro - d. sua - e. il Suo - f. il suo - g. i tuoi - h. i Suoi - i. i miei - j. la loro.

14 a. le tue - b. la vostra (la Loro) - c. i suoi - d. la tua - e. Suo - f. la sua - g. il tuo.

15 a. la propria - b. (del) proprio - c. la propria - d. il proprio - e. i propri - f. i propri - g. la propria.

LES INTERROGATIFS p. 38

16 a. chi - b. che cosa - c. perché - d. quanto - e. chi - f. quale - g. dove - h. come - i. quando - j. quanti.

17 a. qual - b. che (quale) - c. che (quale) - d. quante - e. che - f. chi - g. com' - h. perché - i. chi / dove - j. quanti.

LES EXCLAMATIFS p. 40

18 a. Che sorpresa! - b. Come (quanto) nevica! - c. Che bella notizia! - d. Che freddo! - e. Come (quanto) ti amo! - f. Che bella giacca! - g. Come (quanto) sono contento! - h. Come (quanto) mangi! - i. Com'è distinto! - j. Che brutta figura!

LES INDÉFINIS p. 45

19 a. ogni mattina - b. ogni mese - c. ogni volta - d. ogni partecipante ha vinto - e. ogni estate.

20 a. alcuni - b. qualche - c. alcune - d. alcuni - e. qualche.

21 a. niente (nulla) - b. nessuno - c. qualunque (qualsiasi) - d. qualcuno (un tale) - e. ognuno (ciascuno) - f. chiunque - g. certo - h. tale - i. qualcosa - j. niente (nulla) - k. ovunque (dovunque) - l. altro - m. tutti / nessuno - n. qualunque (qualsiasi) - o. certo.

LES NUMÉRAUX p. 48

22 a. dodici; trentatré; quarantacinque; ventotto; sessanta; settanta; ottantuno; quindici; cinquantasette; undici; novantanove; tre; tredici; trentuno; settantasei; sessantasette; diciannove; novantadue; diciassette; quattro, sedici; sei; dieci; ottantotto; cinque, quattordici.

b. trecentoquarantuno; duecentosettantaquattro; seicentosettantadue; cinquecentocinque; novecentotrentasette; ottocentododici; quattrocentotrentotto; settecentosettantuno; novecentonovanta.

c. mille; milletré; duemilauno; millenovecentoventotto; millenovecentoquarantacinque; millenovecentottantuno; millenovecentonovantasette; milleottocentosettanta; cinquemilaseicentosettantotto; settemilaseicentotrentaquattro; ottantanovemiladuecentosessantadue; sessantacinquemilasettecentottantaquattro; centomila; quattrocentocinquantamila; un milione.

23 a. primo - b. ventesimo - c. nona - d. settima - e. quinta - f. quarto - g. terza.

LES PRONOMS PERSONNELS p. 54

24 a. Sì, lo studio a scuola. - b. No, non la guarda mai. - c. Sì, lo prendiamo qualche volta. - d. No, non lo conosco. - e. No, non le conosce. - f. Sì, li leggono. - g. La chiamo stasera alle nove.

25 a. L'ho finito ieri. - b. L'abbiamo posteggiata in garage. - c. Sì, li ho invitati. - d. Sì, l'hanno presa. - e. Sì le ho visitate. - f. No, non l'abbiamo ancora scritta. - g. Sì le ho chiuse tutte.

26 a. Sì, le scrivo stasera. - b. Sì, gli telefonano subito. - c. Le regalo una borsetta. - d. Gli ho regalato (ho regalato loro) un mazzo di fiori. - e. Gli ho detto (ho detto loro) di venire a cena. - f. Le telefono stasera alle nove, Signor Rossi. - g. Le abbiamo raccontato tutta la storia.

27 a. mi / gli - b. La / le / darLe - c. gli ho parlato / gli ho spiegato / mi ha perdonato - d. l'ho salutata / le ho parlato - e. li ho invitati / gli ho detto - f. mi / si - g. si sono conosciuti / ci.

28 a. te - b. me - c. noi - d. te / te - e. lei / io - f. Lei / Lei / mi - g. me.

LE PRONOM CI p. 57

29 a. Ci vado quest'estate. - b. No, non ci penso più. - c. No, non c'è. - d. No, non c'è ancora andato. - e. No, non ci sono. - f. Sì, ci credo. - g. No, non ci devo andare (non devo andarci). - h. Ce ne sono due. - i. Sì, ce n'è uno alle nove. - j. Sì, ci ho riflettuto a lungo.

30 a. ci vuole - b. ci vuole - c. ci vogliono - d. ci vuole - e. ci vuole - f. ci vogliono - g. ci vuole.

LE PRONOM NE p. 58

31 a. Sì, ne ho discusso. - b. No, ne ho incontrate poche. - c. Ne ho già letto uno. - d. Sì, ne vengo adesso. - e. Ne ha prescritte due al giorno. - f. Sì, ne abbiamo fatto molto. - g. Ne hanno restituiti solo cinque.

32 a. Ho intenzione di leggerne molti. - b. Hanno intenzione di prenderne due. - c. Avete intenzione di conoscerne molti. - d. Abbiamo intenzione di vederne quattro. - e. Hai intenzione di comprarne un paio. f. Ha intenzione di ripararne uno. - g. Ha intenzione di restituirne cinque.

LES PRONOMS GROUPÉS p. 61

33 a. Te la darò domani. - b. Sì, me li ha tenuti due ore. - c. Ce le lascia in portineria. - d. Sì, glielo racconterò. - e. Ve ne manderò due. - f. No, non te le ho comprate. - g. Giela comunicherò oggi stesso.

34 a. me la - b. te lo - c. gliela - d. ce li - e. ve lo - f. gliel'ho detta - g. me li ha prestati.

L'ADVERBE pp. 64-68

35 a. riccamente - b. modernamente - c. gentilmente - d. leggermente - e. probabilmente - f. violentemente - g. difficilmente - h. ardentemente - i. caldamente - j. gravemente - k. rapidamente - l. luminosamente - m. freddamente - n. simpaticamente - o. regolarmente - p. semplicemente - q. similmente - r. acutamente - s. intelligentemente - t. aspramente.

36 a. tardi - b. subito - c. mai - d. sempre - e. presto - f. nel frattempo - g. prima.

37 a. dopo - b. raramente - c. sempre - d. presto - e. non ancora.

38 a. Non ci sono mai andato. - b. Ci sono ritornato spesso. - c. Non gli ho più parlato. - d. Non li ho ancora pagati. - e. L'ho sempre fatto. - f. L'ho già visto.

39 a. dentro - b. all'intorno - c. vicino - d. davanti - e. (d)ovunque - f. lassù - g. indietro.

40 a. molto - b. sempre più - c. molto / quasi - d. altrettanto - e. troppo - f. poco - g. abbastanza.

41 a. neppure (neanche) - b. veramente (proprio) - c. probabilmente (magari) - d. affatto - e. sicuramente (senz'altro) - f. certo (certamente) - g. appunto.

LE COMPARATIF p. 71

42 a. di - b. che - c. di - d. che - e. che - f. che - g. di - h. che - i. che - j. di.

43 a. più / dell' - b. più / della - c. più / che - d. meno / della - e. più / della - f. più / dei - g. più / che - h. più / del - i. meno / della - j. più / del.

44 a. (tanto) / quanto - b. tanto / quanto - c. tanta / quanta - d. tante / quanti - e. tanto / quanto - f. tanto / quanto - g. (tanto) / quanto.

LE SUPERLATIF p. 72

45 a. il più - b. la cantante più celebre del Brasile - c. la città più ricca - d. il mese più corto dell'anno - e. il fiume più lungo d'Italia - f. il quadro più famoso del mondo - g. la più antica della regione.

46 a. amarissimo - b. intelligentissime - c. freddissimo - d. gentilissima - e. bravissimi - f. ricchissima - g. lunghissimo / interessantissimo.

LES PRÉPOSITIONS pp. 79-81

47 a. a / in - b. di / in - c. da / a / con - d. con(da) / da(con) - e. con / da - f. da - g. di / da - h. su - i. per - j. tra (fra).

48 a. di - b. per / di - c. a / per - d. di / di - e. con / in - f. in - g. su - h. per - i. su - j. tra (fra; per).

49 a. da - b. di - c. di - d. da - e. da - f. da - g. da - h. di / di - i. di / da - j. da / da.

50 a. fra(tra) / per - b. fa - c. da - d. in - e. fa - f. per - g. tra (fra).

51 a. al / del - b. dal / alle - c. della / al / alle - d. negli / nei / dell' - e. della / sulla - f. dall' / dalla / dall' - g. degli / sulle - h. all' / all' - i. delle / alla - j. nel / della.

52 a. dal / per / di - b. dall' / di - c. alla / di / dell' / di - d. per / a / alle - e. di / dal - f. dei / del - g. per / dei / fra(tra) - h. sullo(nello) / della - i. all' / per / d' / dell' / da - j. all' / del / negli / in.

53 a. senza - b. contro - c. dietro - d. sotto - e. dentro - f. dietro - g. contro - h. dopo / sopra - i. verso - j. malgrado - k. eccetto (salvo, tranne) - l. durante - m. contro - n. senza - o. sopra.

54 a. a - b. di / al - c. alla - d. della / di - e. alla - f. al - g. alla - h. ai - i. a - j. a.

LES PRONOMS RELATIFS p. 83

55 a. chi - b. che - c. che - d. che / che - e. chi.

56 a. in cui - b. con cui - c. di cui - d. su cui - e. da cui.

57 a. della quale - b. con il quale - c. per i quali - d. nella quale - e. alla quale.

58 a. che - b. cui - c. chi - d. cui - e. quale - f. cui.

LES CONJONCTIONS p. 88

59 a. e - b. o (oppure) - c. o - d. né / né - e. ma (però) - f. perciò (quindi) - g. anche - h. mentre - i. ed - j. però.

60 a. perché - b. benché (sebbene) - c. se - d. prima che - e. perché (affinché) - f. purché (a patto che) - g. come - h. a meno che - i. benché (sebbene) - j. a patto che (basta che).

L'INDICATIF PRÉSENT p. 99

61 a. avete - b. sono / ho - c. abbiamo - d. è - e. ha - f. hanno - g. sono.

62 a. guardiamo - b. parte - c. prendete - d. dormono - e. chiedete - f. telefono - g. abita.

63 a. spedisce - b. capite - c. capisce - d. seguono - e. costruiscono - f. avverte - g. finisco.

64 a. si trucca / si pettina - b. ci svegliamo - c. vi addormentate - d. si ricorda - e. ti senti - f. ci divertiamo - g. si preoccupano.

65 a. salgo / salgono - b. rimani - c. togliete - d. vengono - e. dice - f. vado / rimango / esco - g. proponi / propongo - h. estraggono - i. scegli / scelgo - j. produce.

66 a. vuole / puoi - b. sa / può / vuole - c. dobbiamo / possiamo - d. vuoi / possiamo - e. voglio / devo - f. dovete - g. potete / bevo / so.

67 a. voglio parlarti - b. non lo posso sopportare - c. devo farlo - d. so tradurlo - e. può parlargli - f. deve telefonarci - g. non possono ricevervi - h. ci dobbiamo ancora preparare - i. non ne vogliono parlare - j. non ne sapete fare a meno.

LE PASSÉ COMPOSÉ p. 102

68 a. ho telefonato - b. sono partiti - c. sono andate / hanno visitato - d. è stata / ha avuto - e. ha ripetuto - f. ha tenuto - g. si è svegliata / è uscita.

69 a. hai fatto - b. abbiamo preso - c. hai scritto - d. avete detto - e. ho chiesto / ha risposto / ha sentito(a) - f. avete visto / abbiamo letto - g. ha chiuso / ha aperto - h. è venuto - i. hai messo - j. hanno bevuto.

70 a. non siamo potuti partire / abbiamo dovuto prendere - b. è voluta uscire / è dovuta passare - c. sei voluto venire / ho potuto - d. ha

saputo / ha voluto rispondere - e. hanno voluto partecipare - f. avete dovuto fare - g. sono potuti restare / sono dovuto tornare.

L'INDICATIF IMPARFAIT p. 104

71 a. ascoltava / studiava - b. eravamo / andavamo - c. avevo / ero - d. eravate / facevate - e. leggevo / finivano - f. ti alzavi / andavi - g. aspettavano.

72 a. tornavo / ho incontrato - b. c'erano / leggevano - c. ho comprato / mi piaceva - d. sono venute / avevano - e. stavano / siete arrivati - f. venivo / c'era - g. si sono separati / andavano.

LE PLUS-QUE-PARFAIT p. 105

73 a. avevo finito / sono uscito - b. era tornata / siamo arrivati - c. mi ha fatto sapere / si era trovato - d. l'ho ringraziato / aveva fatto - e. aveva fatto / gli ha impedito.

LE PASSÉ SIMPLE p. 109

74 nacque - frequentò - intraprese - si sposò - ebbe - fu - vide - si iscrisse - entrò - si concluse - scrisse - morì.

LE FUTUR p. 112

75 a. telefonerò - b. ritornerà - c. finirete - d. venderanno - e. compreremo - f. arriverai / troverai - g. partiranno - h. mi vestirò / uscirò - i. ci iscriveremo - j. comincerà.

76 a. vedrò - b. farai - c. sarà / lo berremo - d. potrò / verrò - e. dovranno / andranno - f. avrò - g. vivrà / vedrà - h. terrà - i. sapremo - j. cadrà / potremo.

LE MODE CONDITIONNEL p. 115

77 a. telefoneresti - b. uscirebbe - c. scriveremmo - d. presterebbe - e. parlereste - f. spenderei - g. capirebbero.

78 a. apriresti la porta? / aprirebbe la porta? - b. abbasseresti la radio? / abbasserebbe la radio? - c. spegneresti la televisione? / spegnerebbe la televisione? - d. usciresti un attimo? / uscirebbe un attimo? - e. chiuderesti la finestra? / chiuderebbe la finestra? - f. parleresti più piano? parlerebbe più piano? - g. telefoneresti domani? / telefonerebbe domani? - h. spediresti le cartoline? / spedirebbe le cartoline? - i. verresti da me stasera? / verrebbe da me stasera? - j. prenderesti un caffè? / prenderebbe un caffè?

79 a. dovrei farlo / avrei dovuto farlo - b. sarebbe meglio reagire / sarebbe stato meglio reagire - c. vorremmo vederti / avremmo voluto vederti - d. faresti un viaggio / avresti fatto un viaggio - e. direste di no / avreste detto di no - f. avrebbero fretta / avrebbero avuto fretta - g. ci sarebbero tutti / ci sarebbero stati tutti - h. verrebbero subito / sarebbero venuti subito - i. vedrebbero il film / avrebbero visto il film - j. rimarremmo qui / saremmo rimasti qui.

L'IMPÉRATIF p. 118

80 **a.** apri / apra / aprite - **b.** chiudi / chiuda / chiudete - **c.** parla / parli / parlate - **d.** aspetta / aspetti / aspettate - **e.** scendi / scenda / scendete - **f.** chiama / chiami / chiamate - **g.** gira / giri / girate - **h.** attraversa / attraversi / attraversate - **i.** prendi / prenda / prendete - **j.** chiedi / chieda / chiedete.

81 **a.** sì, venite / no, non venite - **b.** sì, salga! / no, non salga - **c.** sì, esci / no, non uscire - **d.** sì, finite / no, non finite - **e.** sì, va'(vai) via / no, non andare via - **f.** sì, rimanga / no, non rimanga - **g.** sì, bevi / no, non bere.

LE SUBJONCTIF
PRÉSENT ET PASSÉ p. 122

82 **a.** sia - **b.** arrivino - **c.** abbia - **d.** capiate - **e.** prenda - **f.** non capisca - **g.** smetta - **h.** si preoccupino - **i.** parli - **j.** ci sia.

83 **a.** andiate - **b.** sappia - **c.** faccia - **d.** esca - **e.** debba - **f.** voglia - **g.** possa - **h.** vogliate - **i.** dia - **j.** ci tenga.

84 **a.** Pensiamo di avere fatto bene. - **b.** È necessario che lui mi presti la macchina. - **c.** Penso di non potere venire. - **d.** Bisogna che tu gli dica di telefonarmi. - **e.** Non crediamo che lui voglia iscriversi. - **f.** Volete partire subito. - **g.** Sperano di fare un buon lavoro. - **h.** Mi auguro che facciano tutto il possibile.

85 **a.** sia venuto - **b.** sia arrivato - **c.** l'abbia fatto - **d.** ci sia stata una manifestazione - **e.** abbia pensato - **f.** sia uscito - **g.** abbiano avuto.

LE SUBJONCTIF IMPARFAIT
ET PLUS-QUE-PARFAIT p. 124

86 **a.** fosse - **b.** dovesse - **c.** ci aiutassero - **d.** arrivasse - **e.** andasse - **f.** ritornaste - **g.** partisse - **h.** avesse - **i.** si offendessero - **j.** parlassi.

87 **a.** pensavo / venissero - **b.** credevano / fosse - **c.** avevo paura / dicesse - **d.** temevamo / sbagliassero - **e.** bisognava / mi desse - **f.** mi dispiaceva / non l'avessi saputo - **g.** preferivo / prendessero - **h.** non sapevo / fosse - **i.** volevamo / proponesse - **j.** bastava / facessero.

L'INFINITIF p. 126

88 **a.** Spero di aver trovato una soluzione. - **b.** Non venire a prendermi alla stazione (non mi venire a prendere). - **c.** Stasera vorrei andare a ballare. - **d.** Pensi di poter venire con me? - **e.** È inutile chiamare un medico. - **f.** Ritiene di aver ragione. - **g.** È indispensabile prenotare.

LE GÉRONDIF p. 129

89 **a.** passando - **b.** aspettando - **c.** producendo - **d.** ascoltando - **e.** essendo - **f.** voltando - **g.** avendo perso.

90 **a.** sta scrivendo - **b.** stavano dicendo - **c.** sto facendo - **d.** stanno guardando - **e.** stai bevendo - **f.** starà pensando - **g.** sta andando.

LE PARTICIPE p. 132

91 **a.** Le ho scritto un biglietto e l'ho invitata alla mia festa. - **b.** Quelle ragazze si sono alzate presto per prendere il treno. - **c.** La segretaria è uscita dall'ufficio e il direttore l'ha richiamata e le ha dettato una lettera. - **d.** Ho comprato una scatola di cioccolatini e ne ho mangiati due. - **e.** La persona che ho visto ha parlato con la responsabile. - **f.** Ho fatto il punto della situazione contabile e ne ho parlato al ragioniere. - **g.** Come ve li ha comunicati, questi risultati? Ce li ha trasmessi via fax. - **h.** Maria si è messa il cappello, si è profumata, si è data un ultimo tocco al trucco ed è corsa via. - **i.** Il cliente ci ha ordinato la merce e noi gliel'abbiamo spedita a giro di posta. - **j.** I nostri amici sono venuti a trovarci e li abbiamo portati a visitare la città.

LE DISCOURS INDIRECT p. 136

92 **a.** Ada dice a Eva di avere provato a telefonarle ma lei non c'era. - **b.** Mi avevano detto che il giorno prima erano arrivati lì all'una. - **c.** Mi dirà di farlo io, al posto suo. - **d.** Francesco disse che gli era simpatico quel ragazzo. - **e.** Aveva risposto che l'avrebbe visto sicuramente l'indomani mattina lì in ufficio. - **f.** Ci aveva annunciato che si farebbe crescere la barba. - **g.** Ha appena detto che lo farebbe volentieri ma non può. - **h.** La settimana scorsa gli avevamo detto che ci sarebbe proprio piaciuto andare in vacanza con lui. - **i.** Gli ripeteva sempre di non insistere, che non era necessario. - **j.** Dicevano che gli avrebbero dato una risposta una settimana dopo.

93 **a.** Mi aveva chiesto se sapevo (sapessi) dove erano andati i bambini. - **b.** Mi domandò se ci andavo (andassi) anch'io il giorno dopo (l'indomani). - **c.** Disse che se fosse stato al posto suo non sarebbe stato tranquillo. - **d.** Disse che se fosse stato al posto suo non sarebbe stato tranquillo. - **e.** Lo aveva salutato dicendogli che avesse avuto tempo gli avrebbe telefonato quella sera. - **f.** Lei gli chiese perché non fosse andato a trovarla quell'estate. - **g.** Antonio gli chiese se poteva (potesse) dargli una mano a finire.

LA VOIX PASSIVE p. 138

94 **a.** Il bambino è allattato dalla madre. - **b.** La preda è inseguita dai cacciatori. - **c.** Lo sciopero generale sarà proclamato dai sindacati. - **d.** L'interprete per la riunione sarà procurato dall'agenzia. - **e.** L'aereo è stato prenotato personalmente dalla segretaria del direttore. - **f.** Da chi è stata vista la vittima per l'ultima volta? - **g.** Secondo le ultime notizie, un accordo di pace sarebbe stato firmato dai belligeranti.

LA TOURNURE RÉFLÉCHIE
IMPERSONNELLE p. 140

95 **a.** si può telefonare - **b.** si mangia - **c.** si deve fare attenzione - **d.** si parla - **e.** si smette / si diventa liberi - **f.** si è stanchi / si ha voglia.

LA CONCORDANCE DES TEMPS p. 143

96 a. erano arrivati - b. avrebbero avuto - c. era - d. potranno - e. l'avrebbe fatto lui - f. avrebbe vinto - g. erano / avrebbero richiamato.

97 a. sappia - b. firmasse - c. piova - d. andassi - e. abbia detto - f. avessero fatto - g. siano già arrivati - h. prendeste - i. proponessi (avessi proposto) - j. si sia dimesso.

98 a. avessi - b. ci fossero - c. avessimo trovato - d. potrà - e. avessi potuto - f. me l'avessi detto - g. fosse - h. non ti piace - i. aveste letto - j. bevesse / mangiasse.

A (préposition)

99 a. Resta / Rimane a letto a sognare ad occhi aperti. - b. Va a scola la mattina alle sette e mezzo insieme al suo amico. - c. Il ladro si era avvicinato alla macchina, aveva provato ad aprire la serratura e siccome non c'era riuscito, si era sbrigato ad allontanarsi. - d. È stato costretto a chiudere il suo negozio prima a causa della manifestazione. - e. Hai fatto bene a dire la verità. - f. In mezzo alla piazza e tutto intorno al parco, c'erano delle statue. - g. Va a vedere il suo psicanalista tre volte alla settimana. - h. Si è ispirato alla natura per dipingere. - i. Un camion fermo in mezzo alla strada bloccava il traffico. - j. Facciamo una riunione due volte all'anno. - k. Se mi guardo intorno, vedo solo l'acqua del mare. - l. Vado spesso a teatro il sabato sera, perché la domenica non vado a scuola.

-A (noms en ~)

100 a. i geometri - b. i papi - c. i pediatri / le pediatre - d. i registi / le registe - e. le zebre - f. gli enigmi - g. le poltrone - h. le aquile - i. gli aromi - j. i panorami - k. le deleghe - l. i turisti / le turiste - m. i boa - n. le guide - o. le pistole - p. le cifre - q. le sabbie mobili - r. i flautisti / le flautiste - s. i pianeti.

101 a. il Papa ha benedetto la folla. - b. Alcuni gorilla sono fuggiti (scappati) dallo zoo. - c. Non hanno trovato una soluzione a tutti quei problemi. - d. Questa regione è famosa per il suo clima mite e per i suoi panorami. - e. Malgrado il suo diploma, ha difficoltà per trovare un lavoro. - f. Hanno cambiato programma all'ultimo momento. - g. È un dramma della gelosia. - h. I fantasmi non esistono.

ACCENT GRAPHIQUE

102 a. mercoledì avrò già - b. più / né / né - c. il té - d. perché / là - e. può / più / lì - f. è / sé - g. giù. - h. Sì - i. gioventù / caffè - j. però - k. ciò / è - l. è / possibilità / lassù.

ADJECTIF

103 a. Ha dei begli occhi. - b. San Michele aveva un gallo. - c. Hai fatto buon viaggio? - d. Non è facile diventare un grande attore. - e. Lavorano tutto il santo giorno. - f. Che bel bambino! - g. Buon appetito! - h. Con un po' d'allenamento diventerà un buon atleta. - i. Buon Natale! - j. Buona Pasqua! - k. Buon compleanno! - l. C'era un gran disordine.

ADJECTIF VERBAL

104 a. Hanno caricato la statua sul camion che è partito immediatamente, carico della sua preziosa merce. - b. Il bambino ha gonfiato le gomme della sua bicicletta perché erano sgonfie. - c. Gli spazzini hanno svuotato i contenitori della spazzatura e li hanno lasciati vuoti sul marciapiede. - d. Mi sono svegliato alle tre del mattino e una volta sveglio non sono più riuscito a dormire. - e. Ha chinato la testa per baciarla e l'ha guardata a lungo in silenzio, la testa china verso di lei. - f. La domestica aveva asciugato i bicchieri e controllato che fossero tutti perfettamente puliti e asciutti. - g. Gli alpinisti, salvati dai soccorsi alpini, sono ritornati a casa sani e salvi.

AFFIRMATION

105 a. È poi partito? Suppongo di sì. - b. È molto intelligente questo ragazzo! Ah, sì, non c'è dubbio! - c. Come passa veloce il tempo! Eh già, lei ha ragione! - d. Signora, non aveva detto di essere in ritardo? Appunto, devo andarmene subito. - e. Ti piacerebbe andare a Venezia per il Carnevale? Eccome (altroché)! - f. Lavori domani? Evidentemente, che domanda! - g. Hai spedito tutti gli inviti? Certo!

ÂGE

106 a. È un uomo di un'ottantina d'anni (sugli ottant'anni) che non dimostra affatto la sua età. - b. Ieri era il mio compleanno: ho compiuto trent'anni. - c. Il mio fratellino è ancora minorenne. - d. Quanti anni ha? - e. Ha diciassette anni e mezzo. - f. Ha la mia età, ha compiuto venticinque anni la settimana scorsa. - g. Mio zio avrà una cinquantina d'anni. - h. Quanti anni hai? - i. All'età di ventidue anni, è andato a vivere negli Stati Uniti. - j. È un film vietato ai minori di quattordici anni. - k. Si è risposato per la terza volta con una ventenne / una ragazza di vent'anni.

AIMER

107 a. Non mi piace il cioccolato al latte. - b. Mi piacciono molto i film italiani. - c. Le piace Brahms? - d. Non ama più sua moglie. - e. La bambina voleva molto bene alla sua maestra. - f. Quando ero giovane mi piaceva passeggiare in riva al mare. - g. Sono sicuro che questo libro ti piacerà. - h. Gli vogliamo bene come a un fratello. - i. Mi piace il tuo profumo. - j. Non le piace vivere in città.

108 a. La sua interpretazione mi è piaciuta molto. - b. Il tuo atteggiamento non gli è piaciuto. - c. Ci sarebbe piaciuto vedervi stasera. - d. Le sarebbe piaciuto diventare una ballerina. -

e. Tutti sanno che Romeo amava Giulietta. - **f.** Agli ospiti è piaciuta la torta fatta dalla padrona di casa. - **g.** I suoi scherzi non mi sono piaciuti.

ALLER

109 **a.** Per le vacanze vado a visitare Venezia. - **b.** È andato a mangiare al ristorante. - **c.** Un attimo, ora il professore vi spiega la regola. - **d.** La commissione si riunirà domani per decidere. - **e.** Si alza il sipario: lo spettacolo sta per cominciare. - **f.** Stava per farlo ma ha capito che non avrebbe avuto abbastanza tempo. - **g.** Un attimo, Signora, ora controllo nel Suo dossier. - **h.** Vi do alcuni esercizi che farete a casa - **i.** Come stanno i bambini? - **j.** Sei splendida, questo vestito ti sta benissimo.

ANDARE

110 **a.** Vada avanti, Signore, per cortesia. - **b.** È andato a casa cinque minuti fa. - **c.** Sono andata in Grecia in giugno. - **d.** Andate avanti con il vostro discorso (vada avanti con il Suo discorso). - **e.** I nostri bambini vanno molto d'accordo. - **f.** Mi dispiace, sono già andati via (se ne sono già andati).
111 **a.** va fatto - **b.** è andata persa - **c.** andavano dicendo - **d.** vanno potati - **e.** va molto orgogliosa.

APPARTENANCE

112 **a.** Di chi è quest'ombrello? è di Cristina. - **b.** Di chi sono questi libri? sono miei. - **c.** Appena entra in casa si toglie le scarpe e si mette le pantofole. - **d.** Vado all'appuntamento. - **e.** Ho finalmente un po' di tempo per leggermi il giornale in pace. - **f.** Sono di Mario questi guanti, credo. No, sono i miei; i suoi sono grigi. - **g.** Parto domani e devo ancora fare le valigie. - **h.** Vado al lavoro in macchina. - **i.** Ho parcheggiato la macchina in garage. - **j.** Vado a fare colazione. - **k.** Di chi è la colpa? Certamente non mia.

APRÈS

113 **a.** Dopo la riunione sono andati al ristorante. - **b.** Sono passato dopo di lei. - **c.** T.F.D., imperatore romano, morì a Roma nel 96 dopo Cristo. - **d.** Sono arrivati dopo di noi. - **e.** Dopo cena siamo andati al cinema. - **f.** Dopo tutto, non è un problema. - **g.** Dopo la vostra partenza, la casa sembrava vuota. - **h.** Dopo di voi, sarà il nostro turno / toccherà a noi.

ARRIVER

114 **a.** È arrivato alla fine del suo viaggio. - **b.** Che cos'è successo a suo fratello? Gli è capitata una disgrazia? - **c.** Non riesco a trovare la soluzione e più ci penso e meno ci riesco. - **d.** Che cosa succede quando si tira l'allarme? Il treno si ferma. - **e.** Non ti preoccupare (non preoccuparti) a volte capita (succede), ma non è grave. - **f.** Non mi succede / capita mai! - **g.** Succede / capita solo agli altri. - **h.** Che cosà gli succederà? - **i.** È successo una sera che ero solo in casa.

ARTICLES

115 **a.** lo / gli ; uno / degli - **b.** lo / gli ; uno / degli - **c.** lo ; uno - **d.** lo ; uno - **e.** lo / gli ; uno / degli - **f.** lo / gli ; uno / degli - **g.** lo / gli ; uno / degli - **h.** lo / gli ; uno / degli - **i.** lo / gli ; uno / degli - **j.** lo / gli ; uno / degli.
116 **a.** il Po è il fiume più lungo d'Italia. - **b.** l'IVA rappresenta il 19 %. - **c.** il 1989 è stato l'anno del bicentenario della Rivoluzione francese. - **d.** Abbiamo appuntamento alle sei ma sono solo le sei meno dieci. - **e.** Ho incontrato la Signora Rivelli alla mostra. - **f.** Come sta, Signorina? - **g.** Qual è il tuo attore preferito? - **h.** Venite ragazze! - **i.** Abbiamo preso alcune decisioni importantissime. - **j.** Ne ha parlato con alcuni studenti e professori del liceo.

ASSEZ

117 **a.** Sono stufo (ne ho abbastanza) delle tue bugie. - **b.** È un posto abbastanza calmo. - **c.** Basta piangere, adesso bisogna reagire. - **d.** Ho abbastanza farina per fare un buon dolce. - **e.** Basta! Andate a giocare a pallone altrove. - **f.** Sono abbastanza simpatici ma piuttosto snob. - **g.** Basta con i grandi discorsi, siamo stufi! - **h.** Questo film è abbastanza ben fatto / fatto abbastanza bene. - **i.** È piuttosto carino. - **j.** Non ho abbastanza coraggio per provare da solo. - **k.** Ho abbastanza noie così!

AUSSI

118 **a.** Verso le cinque siamo usciti anche noi. - **b.** Questo vaso è tanto fragile quanto prezioso. - **c.** Ci vado volentieri anch'io. - **d.** È alto quanto (come) suo padre. - **e.** È italiana anche lei. - **f.** Abbiamo visitato Napoli e anche Pompei. - **g.** Era troppo tardi per comprare il biglietto quindi ci ho rinunciato. - **h.** Anch'io sono italiana, ma sono anche francese perché ho la doppia nazionalità. - **i.** Prenda anche le mie valigie!

AUXILIAIRES

119 **a.** mi è piaciuto molto - **b.** è cominciato - **c.** ha cominciato - **d.** non siamo riusciti - **e.** è costato - **f.** è peggiorata - **g.** sono arrivati / hanno cambiato.
120 **a.** sono cambiati - **b.** è stato un piacere - **c.** ha corso / è crollato - **d.** l'ha visto / gli è corsa incontro - **e.** ha vissuto - **f.** è suonato / è corso - **g.** è aumentata / sono diminuiti.
121 **a.** Malgrado (nonostante) lo sciopero è potuto partire. - **b.** Sarei dovuto rimanere fino a mezzanotte per finire questa traduzione. - **c.** Sareste voluti venire ma era troppo tardi. - **d.** Credo che non abbia saputo rispondere. - **e.** Avevano dovuto presentarsi (si erano dovuti presentare) in questura. - **f.** Abbiamo dovuto scegliere una soluzione di compromesso. - **g.** Avresti dovuto esserci (ci saresti dovuto essere).

AVANT

122 a. Preferisco tornare a casa prima che piova. - **b.** all'esame sono passata prima di lui. - **c.** Bisogna iscriversi prima che sia troppo tardi. - **d.** Prima di andartene, aiutami per favore. - **e.** Ritroviamoci qualche minuto prima dell'inizio del film. - **f.** Giulio Cesare fu nominato console nel 59 avanti Cristo. - **g.** Ha risposto prima di me. - **h.** È arrivato prima (dell'ora) di cena. - **i.** Prima di protestare, ascoltami! - **j.** È la verità che mi interessa prima di tutto.

BUT

123 a. Rimango per parlare ancora un po' con voi. - **b.** L'ha fatto apposta, allo scopo di danneggiarli. - **c.** l'avevamo avvisato in tempo perché (affinché) potesse difendersi. - **d.** Cerco qualcuno che possa dar da mangiare al mio gatto durante le vacanze. - **e.** Resta qui, che ti dica ancora qualcosa. - **f.** Metto la chiave sotto lo zerbino in modo che lui la trovi tornando a casa.

124 a. al fine di comunicarLe - **b.** affinché / perché non ci siano - **c.** che tenga - **d.** per non fare - **e.** perché smetta.

CAUSE

125 a. Ti regalerò un libro di Pirandello, visto che vuoi scoprire il teatro italiano. - **b.** Il vostro amico non potrà venire a cena poiché (perché, siccome) ha avuto un contrattempo. - **c.** Dal momento che è incinta, non deve fare troppi sforzi. - **d.** Avendo trascorso una quindicina di giorni in Italia, questa ragazza ha fatto molti progressi in italiano. - **e.** Siccome non era del quartiere, ha finito col perdersi. - **f.** Rideva di gioia (dalla gioia, per la gioia). - **g.** Cerca lavora per quest'estate perché ha bisogno di soldi. - **h.** È stato punito per aver mentito. - **i.** A forza di insistere ha finito con l'ottenere quello (ciò) che voleva.

CELUI QUI, CELUI QUE

126 a. Tra i due specialisti ho scelto quello che mi avevi consigliato. - **b.** Abbiamo cenato con quelli (coloro) che avevano partecipato al congresso. - **c.** Ha dato un modulo da compilare a tutti quelli (coloro) che si presentavano. - **d.** Abbiamo ritrovato a Venezia quelli (coloro) che erano partiti prima di noi. - **e.** Sull'aereo per Roma ha incontrato quella (colei) che in seguito è diventata sua moglie.

CE QUI, CE QUE

127 a. Ti ricordi di quello (ciò) che ti ho detto? - **b.** Non sa quello (ciò) che vuole. - **c.** Mi ha parlato di quello (ciò) che la preoccupava. - **d.** Abbiamo ricevuto ieri quello (ciò) che avevamo ordinato. - **e.** È partito senza avvisare nessuno, il che mi stupisce - **f.** non so quello (ciò) che succede. - **g.** È tutto quello (ciò) che posso fare per voi. - **h.** Mi ha spiegato quello (ciò) bisognava fare. - **i.** Dimmi quello (ciò) che ne pensi. - **j.** Ha avuto solo quello (ciò) che meritava.

C'EST

128 a. Non dimenticarlo, è importantissimo. - **b.** L'ha detto lui. - **c.** Questo computer è di mio padre. - **d.** Oggi tocca a te fare la spesa. - **e.** Pronto? Ciao cara, sono io. - **f.** Spetta a voi far rispettare gli ordini. - **g.** (Ci) vogliamo provare noi. - **h.** Parli a me? - **i.** Sono le vacanze. - **j.** Non conosco Roma, ecco perché / è per questo che vorrei andarci.

CHE et QUALE

129 a. In che cosa posso esservi utile? - **b.** Che cosa c'è di nuovo? - **c.** Non so che decisione prendere a questo riguardo. - **d.** Quale delle due macchine preferisci? - **e.** Non sa quali siano i suoi diritti. - **f.** A che ora arrivano? - **g.** Di che cosa si tratta? - **h.** Qual è la sua posizione? - **i.** Si domandavano quale fosse la sua motivazione. - **j.** Tra le varie proposte quali ti sembrano più adatte? - **k.** Che (cosa) fai stasera? - **l.** Che (cos') è lo stile? - **m.** Che (cosa) ne pensi?

CHEZ

130 a. Vado a pranzo da amici. - **b.** Lavora alla Renault da quindici anni. - **c.** È un atteggiamento frequente tra i giovani. - **d.** Abita in una camera ammobiliata presso la Signora Marini. - **e.** Hanno portato il bambino da uno specialista. - **f.** Vieni da me (a casa mia), abito da un'amica. - **g.** L'astronomia era molto sviluppata tra (presso) i Maya. - **h.** Si sente un grande pessimismo in Buzzati. - **i.** È stato assunto alla Olivetti. - **j.** Da noi, si mangia alle otto. - **k.** Dietro casa mia, c'è uno stagno. - **l.** Sono tristi perché sono lontani da casa loro. - **m.** Marta non è ancora tornata da casa di Luisa.

CHIUNQUE

131 a. Non lo direi a chiunque. - **b.** Chiunque ci riuscirebbe. - **c.** Chiunque ne faccia domanda l'ottiene. - **d.** L'ingresso era libero per chiunque volesse assistere allo spettacolo. - **e.** Lo darà al primo arrivato, chiunque sia. - **f.** Lo sa fare meglio di chiunque altro. - **g.** chiunque trovi il mio portafoglio sarà ricompensato. - **h.** chiederebbe qualunque cosa a chiunque. - **i.** Chiunque lo facesse sarebbe punito. - **j.** Chiunque sia, non aprire la porta!

-CO et -GO (noms en ~)

132 alberghi - antichi - asparagi - attici - banche - bellici - bianche - calchi - celtiche - celtici - fantastici - gorghi - lacche - laghi - leghe - manici - orchi - paghe - palchi - pesche - ricchi - righe - sacchi - simpatici - stanche - tasche - tipici - tropici - vaghi - vasche.

133 a. i classici sovietici - **b.** gli amici greci - **c.** le colleghe belghe - e i colleghi austriaci - **d.** i medici portano camici bianchi - **e.** mangiati freschi questi funghi non sono tossici - **f.** sono barche fatte con tronchi d'albero scavati - **g.** sono dialoghi sarcastici - **h.** questi professori sono diventati ricchi e famosi cardiologi - **i.** sono antichi sarcofagi greci - **j.** i falchi hanno emesso gridi rauchi.

COMBIEN

134 **a.** Quanti biglietti hai comprato? - **b.** Non sai quante volte gliel'ho detto! - **c.** Che belle scarpe! Quanto le ha pagate? - **d.** Quante persone hai invitato al tuo compleanno? - **e.** Questo bambino, quanto mai difficile, rifiuta di obbedire. - **f.** Quanti voli diretti ci sono per Berlino? - **g.** Quanta benzina consuma questa macchina, al chilometro? - **h.** Mi chiedo quanto abbia speso. - **i.** Non sappiamo ancora quanti film siano candidati all'Oscar. - **j.** Quanti ne avremo domenica prossima?

COMME

135 **a.** Siamo italiani come lei. - **b.** Che difficile! - **c.** Siccome è difficile, ci occorrerà molto tempo per risolvere questo problema. - **d.** Appena si svegliavano, il gatto cominciava a miagolare per uscire. - **e.** È proprio geloso. - **f.** È molto permissiva come madre. - **g.** Che strano, si comporta come se sapesse qualcosa.

COMPARATIFS et SUPERLATIFS

136 **a.** minore - **b.** minimo - **c.** peggiore / pessimo - **d.** minimo - **e.** maggiore - **f.** ottimo - **g.** infimo / inferiore.
137 **a.** È la mia migliore amica. - **b.** È il suo peggior nemico. - **c.** Gli parlò con il massimo rispetto. - **d.** Ha accompagnato la sua figlia minore al cinema. - **e.** È un'ottima cuoca. - **f.** Dante è uno dei maggiori scrittori di tutti i tempi. - **g.** Ha un pessimo carattere. - **h.** Parla inglese peggio di noi. - **i.** Parla un pessimo tedesco. - **j.** Non voglio correre il minimo rischio. - **k.** Vi domando la massima discrezione su questo affare.

CON

138 **a.** Scrivo con la mano destra come con la mano sinistra. - **b.** L'abbiamo sentito con i nostri orecchi. - **c.** L'ha accolto con insulti. - **d.** Aspettava con le mani in tasca. - **e.** Con un freddo simile è meglio non uscire. - **f.** L'uomo con i capelli bianchi guardava il bambino con amore. - **g.** Ho lavato il pavimento con l'acqua, poi l'ho disinfettato con l'alcool e alla fine l'ho lucidato con la cera. - **h.** È paziente con i bambini. - **i.** Finisce con l'essere antipatico a tutti. - **j.** Sottolineava gli errori con la matita rossa.

CONDITIONNEL

139 **a.** Mi ha promesso che lo farà. - **b.** Gli ha risposto che ci rifletterà. - **c.** Sperano che si ritroverà. - **d.** Affermano che potrai. - **e.** Penso che manterrà la promessa. - **f.** Sono sicura che non mi dimenticherà. - **g.** Ha scommesso che la sua squadra vincerà. - **h.** So che dirà di sì.
140 **a.** Pensava che l'avrebbe fatto. - **b.** Credevo che avrebbero accettato. - **c.** Eravamo sicuri che

avrebbe detto di no. - **d.** Dicevano che ci sarebbe stato lo sciopero. - **e.** Non pensavamo che l'avreste trovato. - **f.** Sembrava che sarebbe piovuto. - **g.** Speravo che l'avrebbe gradito. - **h.** Si auguravano che non sarebbe più successo. - **i.** Temevo che non ci sarebbe riuscito. - **j.** Ero certa che mi avreste aiutato(a).
141 **a.** Ero convinta che avrebbe fatto un capolavoro. - **b.** La radio annunciava che ci sarebbe stata una tempesta. - **c.** Ero sicura che ti sarebbe piaciuto. - **d.** Ci hanno scritto che sarebbero arrivati il giorno dopo. - **e.** L'accordo era che la riunione sarebbe stata alle venti. - **f.** Ho creduto che non avrebbero finito in tempo. - **g.** Mi ha detto che mi avrebbe restituito i soldi il più presto possibile. - **h.** Mi aveva promesso che nessuno avrebbe saputo la verità. - **i.** I suoi genitori pensavano che si sarebbero sposati l'anno dopo. - **j.** Lei sapeva che le avrebbe mentito ancora.

CONSÉQUENCE

142 **a.** Era così magro che lo chiamavano « scheletrino ». - **b.** È talmente arrabbiata che non vuole più vedermi. - **c.** Hanno talmente insistito che ho accettato la loro proposta. - **d.** Siamo in ritardo, quindi sbrighiamoci! - **e.** Erano così stanchi che non riuscivano ad addormentarsi. - **f.** La malata non era tanto debole da non potersi alzare dal letto.
143 **a.** Sono in ritardo, quindi (perciò, dunque) affretto il passo. - **b.** Ha parlato così piano che nessuno l'ha sentito. - **c.** Non vuole ingrassare, perciò (quindi, dunque) mangia solo carne e insalata. - **d.** Non è così sordo da non poter sentire. - **e.** È così fortunato che tutti lo invidiano. - **f.** È così fortunato da fare invidia a tutti / che fa invidia a tutti. - **g.** È così emozionata da non riuscire a parlare / che non riesce a parlare.

COULEUR

144 **a.** È un uomo biondo con le scarpe nere. - **b.** La sua cravatta verde bottiglia non sta bene con i suoi pantaloni grigi. - **c.** Prestami la tua sciarpa gialla e i tuoi guanti neri. - **d.** Non puoi sbagliare: la copertina del libro è color senape. - **e.** Il tuo vestito azzurro sta bene con i tuoi occhi color nocciola. - **f.** Ho comprato una macchina grigio metallizzato con i sedili rossi. - **g.** *La Strada* di Fellini è un film in bianco e nero.

DA

145 **a.** Hanno divorziato e da allora non hanno più voluto vedersi (non si sono più voluti vedere). - **b.** Da quando ha cominciato ad andare a scuola, questo bambino ha fatto grandi progressi. - **c.** È stata vista in compagnia di un giovanotto dai capelli biondi. - **d.** Ho capito dal suo sguardo che aveva qualcosa da nascondere. - **e.** Da bambino diceva che da grande avrebbe voluto diventare dottore. - **f.** Da quando lo conosco ha la passione dei cavalli da corsa. -

g. Non mangio ostriche da mesi. - **h.** Tu tratti questo argomento da scienziato mentre io ne parlo da profano.

146 **a.** Le banche sono aperte dalle nove in poi, dal lunedì al venerdì. - **b.** non è così ingenua da credere a queste bugie. - **c.** Ho saputo dalla mia vicina di casa che i ladri sono scappati dalla finestra. - **d.** Cerca una camera da affittare dal mese di febbraio. - **e.** Ha comprato un servizio di piatti da dolce da quest'antiquario. - **f.** Abita non lontano da Fiumicino, a qualche chilometro da Roma. - **g.** Questa camicia è troppo cara, mi faccia vedere l'altro modello da 50 euro.

DATE

147 **a.** milleottocentosessantuno - **b.** millenovecentoventidue - **c.** millesettecentocinquantaquattro - **d.** millenovecentoquindici - **e.** milleottocentoquarantotto - **f.** duemilatré - **g.** millenovecentonovantasei - **h.** millenovecentottantotto - **i.** millenovecentosettantatré - **j.** tre novembre millenovecentosettantasette - **k.** ventun marzo millesettecentotrentaquattro - **l.** diciassette luglio millesettecentottantuno - **m.** trenta giugno millenovecentotredici - **n.** quattordici gennaio millenovecentosessantotto - **o.** ventotto dicembre millenovecentosette.

148 **a.** nel milleottocentocinque - **b.** nel milleottocentotrentuno - **c.** nel milleottocentosessantuno - **d.** nel milleottocentosettantuno - **e.** nel milleottocentonovantanove - **f.** nel millenovecentoquattordici - **g.** nel millenovecentoquarantasei - **h.** nel millenovecentosettantotto.

149 **a.** nel '200 (Duecento) / nel XIII° (tredicesimo) secolo - **b.** nel '300 (Trecento) / nel XIV° (quattordicesimo) secolo - **c.** nel '400 (Quattrocento) / nel XV° (quindicesimo) secolo - **d.** nel '500 (Cinquecento) / nel XVI° (sedicesimo) secolo - **e.** nel '600 (Seicento) / nel XVII° (diciassettesimo) secolo - **f.** nel '700 (Settecento) / nel XVIII° (diciottesimo) secolo - **g.** nell'800 (Ottocento) / nel XIX° (diciannovesimo) secolo - **h.** nel '900 (Novecento) / nel XX° (ventesimo) secolo.

DE

150 **a.** È essenziale finire entro stasera. - **b.** Ha cambiato pettinatura. - **c.** È pericoloso non portare il casco in moto. - **d.** Per iscriversi allo stage è necessario inviare il modulo compilato. - **e.** Se c'è un problema, basta parlarne. - **f.** Hai mai sognato un serpente? - **g.** È stupido non cogliere quest'occasione.

151 **a.** Non vedo soluzioni a questo problema. - **b.** Avevo messo troppo sale nell'acqua della pasta. - **c.** Diversi paesi hanno partecipato alla Convenzione Alpina. - **d.** Certi volevano andarsene, altri volevano rimanere. - **e.** Non prendo rischi inutili. - **f.** È raro riuscire a fare molte cose contemporaneamente. - **g.** Non mangia mai carne.

DÉMONSTRATIFS

152 **a.** Di' quello che vuoi (ciò che vuoi). - **b.** Ha fatto tutto quello (ciò) che poteva fare. - **c.** Parlava con quelli (coloro) che dovevano continuare il suo lavoro. - **d.** Con questo (ciò), abbiamo finito. - **e.** Abbiamo due macchine a disposizione: io prendo quella grande e tu quella piccola, d'accordo? - **f.** L'ingresso è vietato a tutti quelli (coloro) che non fanno parte dell'associazione. - **g.** Tra i due progetti, preferisco quello dell'architetto Boneri.

153 **a.** quello - **b.** quello / ciò che... tutto questo / ciò - **c.** quella - **d.** costoro - **e.** quella.

DI

154 **a.** Questo tavolo è di legno. - **b.** D'estate le giornate sono più lunghe che d'inverno. - **c.** Ha fatto la strada di corsa. - **d.** Spera di trovare un lavoro una volta arrivato là. - **e.** L'Italia è un paese povero di materie prime. - **f.** Parigi è più cosmopolita di Torino. - **g.** Puoi sempre contare su di me. - **h.** Penso di avere diritto a una spiegazione. - **i.** È fuori questione. - **j.** È necessario saperlo prima di stasera e prima di loro! - **k.** Credi veramente di poter vivere senza di me? - **l.** Non ho niente contro di lui, salvo che è molto più vecchio di te. - **m.** Dopo di me, il diluvio!

DI ou DA?

155 **a.** Posso offrirvi una tazza di té? - **b.** Il mio amico viene dal sud della Francia. - **c.** Questa ragazza è di Berlino. - **d.** Esce adesso dalla stazione. - **e.** Hanno riso di piacere (dal piacere) a questa notizia. - **f.** Il pranzo è servito da mezzogiorno alle tre. - **g.** Una squadra di calcio è formata da undici giocatori. - **h.** Ci vuole una moneta da 2 euro. - **i.** Ha gridato di (dalla) paura - **j.** È un vestito di seta, dai colori pastello.

156 **a.** di - **b.** da. - **c.** da da - **d.** da - **e.** di; dal; dell' - **f.** di; da.

DIVISION en SYLLABES

157 **a.** chia-ve - **b.** pi-sta - **c.** o-ce-a-no - **d.** cas-set-ta - **e.** chi-ro-man-te - **f.** pe-sca - **g.** a-scen-so-re - **h.** cat-te-dra-le - **i.** co-in-vol-to - **j.** piog-gia - **k.** mol-to - **l.** cia-scu-no - **m.** lun-go - **n.** a-spet-to - **o.** al-tis-si-mo - **p.** strac-cio - **q.** en-tra-re - **r.** ie-ri - **s.** co-stru-zio-ne - **t.** ma-ri-na-io - **u.** o-do-re - **v.** cor-po - **w.** u-gua-le - **x.** fuo-co.

DONT

158 **a.** Le chiavi di cui ti ho dato un mazzo aprono il portone. - **b.** È una cosa di cui avrei voglia. - **c.** Molte città, tra cui Milano e Roma, non hanno risolto il problema del traffico. - **d.** « C'era una volta il west », la cui colonna sonora è stata scritta da Ennio Morricone, è un classico dei western all'italiana. - **e.** Bisogna scrivere al ministero da cui dipende questo servizio. - **f.** Il modo in cui vive è molto eccentrico.

159 a. Non conosco il paese da cui viene. - b. Al momento della decisione, quattro persone, tra cui io, hanno votato contro. - c. Tutte le spese di viaggio, fra cui la benzina e l'albergo, sono a carico dell'azienda. - d. In questo negozio troverai tutto quello di cui hai bisogno. - e. I poeti del Dolce Stil Novo, fra cui Dante e Petrarca sono gli esempi più famosi, scrivono in lingua « volgare ». - f. L'abilità di cui fa prova è stupefacente.

ÉLISION
160 a. un'idea - b. un'aria - c. nella hall - d. l'hai - e. li avete - f. di Umberto - g. d'acqua - h. l'ho / d'estate.
161 a. ci amiamo - b. ne abbiamo - c. *correct* - d. *correct* - e. un uomo - f. gli amici - g. d'oro - h. *correct* - i. n'è - j. le amiche.

ENCLISE
162 a. Pensavo di chiamarlo. - b. Aveva intenzione di invitarci tutti. - c. Bisogna farlo, quindi fallo! - d. Aspettandoti, ho letto il giornale. - e. Avendolo saputo troppo tardi, non ha potuto partecipare. - f. Ecco il libro datogli dal professore. - g. Eccovi, finalmente! - h. Essendosi accorto (accortosi) del suo errore, si è scusato. - i. Per le foto di Marco, scriviamogli e spediamogliele.
163 a. Non possono vedersi. - b. Devo parlarvi. - c. Voglio regalarglielo. - d. Possiamo farne due. - e. Non voglio andarci. - f. Deve chiedermelo. - g. Potete avvisarci. - h. Può ricordarselo. - i. Deve accompagnarmici. - j. Vogliono andarsene.

ENTRER et SORTIR
164 a. Ho messo dentro la macchina. - b. Ho tirato fuori la macchina. - c. Ho portato fuori i bambini. - d. Devo tirarmi fuori da questa situazione. - e. Siccome pioveva, ho portato dentro i panni. - f. Hanno introdotto queste merci nel paese di contrabbando. - g. Ha tirato fuori la pistola. - h. Il mago ha tirato fuori un coniglio del cappello. - i. Hanno tirato fuori una barzelletta dopo l'altra. - j. Le edizioni X hanno appena pubblicato un nuovo romanzo. - k. Piove, pastora, porta dentro le tue bianche pecore!

ESSERE et STARE
165 a. Je suis très content de te voir. - b. Je n'aime pas rester seul, je préfère avoir de la compagnie. - c. Anna et Franca habitent à deux pas de chez moi, dans un immeuble neuf. - d. D'habitude, nous restons à la maison le soir. - e. Mariangela et Lucio sont bien ensemble. - f. Hier, j'ai été malade toute la nuit. - g. La semaine dernière, ils sont allés à Rome. - h. Ne t'inquiète pas / garde ton calme, ce n'est rien de grave. - i. Ces enfants ne restent jamais tranquilles. - j. Maintenant que vous êtes plus calmes, soyez attentifs et écoutez-moi. - k. Es-tu jamais allé à Venise?

FAUX AMIS
166 a. È vissuto a lungo in Italia. - b. Ha chiuso bruscamente gli occhi. - c. È un vero asino in matematica. - d. Mangio tutti i giorni alla mensa del liceo. - e. Lavora in una ditta italiana. - f. Che pelle morbida hai! - g. Ha un rapporto morboso con i soldi. - h. ha un bellissimo vestito.
167 a. Le lièvre ressemble au lapin. - b. Mets tes affaires dans la valise ! - c. Cet acteur est vraiment bon. - d. J'ai monté les escaliers. - e. C'est une vraie escroquerie ! - f. L'immeuble où habite Valeria est moderne. - g. Quelle chance de t'avoir rencontré ! - h. Dans son jardin, il a planté des fleurs de toute sorte mais aussi beaucoup de légumes.

FÉMININ
168 a. La badessa era vecchia e grassoccia. - b. La gallina è la regina del pollaio. - c. È una brava pediatra. - d. È l'amante della farmacista. - e. Le colleghe di mia moglie sono ipocrite e conformiste. - f. È la sosia di una famosa cantante italiana. - g. Puzza come una capra. - h. La nipote della mia insegnante d'italiano è una celebre pianista. - i. È una mia lontana parente.

FUORI
169 a. È rimasto fuori tutta la notte. - b. Ho tirato fuori il fazzoletto. - c. Questo vestito è proprio fuori moda. - d. Il ferito è ormai fuori pericolo. - e. Ci ha buttati fuori. - f. Ha tirato fuori una pistola dalla borsa. - g. La gente aspettava fuori. - h. Dal di fuori sembrava un ragazzo calmissimo.

GENRE des NOMS
170 a. Avevo scritto il tuo indirizzo sulla mia agenda. - b. Ogni domenica davanti alla chiesa una vecchietta vende fiori. - c. Di che colore è la tua ortensia? - d. Abbiamo ottenuto l'aumento che avevamo chiesto durante l'incontro con i sindacati. - e. Era un periodo calmissimo nel mio ufficio, non c'era nessun reclamo. - f. hanno dato un ricevimento per l'arrivo del ministro incaricato del coordinamento dei lavori. - g. L'inquinamento ha causato il deterioramento dei famosi Mori di Venezia. - h. Il restauro degli affreschi e degli acquarelli danneggiati è stato fatto con il contributo finanziario dello stato. - i. L'allarme è stato dato subito da una guardia. - j. Durante l'incendio l'intervento immediato dei pompieri ha evitato il panico fra i presenti.

HEURE
171 a. Sono le quattro e cinque. - b. Sono le otto e quindici / Sono le otto e un quarto. - c. Sono le otto e quarantacinque / Sono le otto e tre quarti (sono le nove meno un quarto). - d. Sono le dodici / È mezzogiorno. - e. Sono le ventitré e quaranta / È mezzanotte meno venti. - f. Sono le tredici / È l'una. - g. Sono le quattordici e cin-

quanta / Sono le tre meno dieci. - **h.** Sono le tredici e trenta / È l'una e mezzo(a). - **i.** Sono le diciotto e venti / sono le sei e venti.

172 **a.** alle quattro e cinque - **b.** alle otto e quindici / alle otto e un quarto - **c.** alle otto e quarantacinque / alle otto e tre quarti (alle nove meno un quarto) - **d.** alle dodici / a mezzogiorno - **e.** alle ventitré e quaranta / a mezzanotte meno venti - **f.** alle tredici / all'una - **g.** alle quattordici e cinquanta / alle tre meno dieci - **h.** alle tredici e trenta / all'una e mezzo(a) - **i.** alle diciotto e venti / alle sei e venti.

HOMONYMES

173 **a.** le / la - **b.** gli / li - **c.** gli / li - **d.** lo / il / lo - **e.** Le / La - **f.** Le / La.

174 **a.** Gli dò gli occhiali da sole per guidare. - **b.** La madre di Anna Maria, non la vedo mai. - **c.** Gli Inglesi, li conosco bene. - **d.** Quando le ho chiesto di sposarmi, Maria aveva le lacrime agli occhi. - **e.** Ci penseremo più tardi, quando ci saremo riposati. - **f.** Gli ho annunciato la mia partenza e li ho ringraziati del loro aiuto. - **g.** Le canzoni di Paolo Conte, le adoro.

HYPOTHÈSE

175 **a.** Se fa bello, domani vado in campagna. - **b.** Se vuoi, puoi prendere la mia macchina. - **c.** Il bambino non avrebbe paura, se ci fosse sua madre. - **d.** Se mi aveste avvisato, vi avrei preparato una buona cena. - **e.** Se il Vesuvio si svegliasse, Napoli farebbe la stessa fine di Pompei. - **f.** Chiedi ai tuoi amici, se non mi credi. - **g.** Mi parlava come se non mi avesse riconosciuto. - **h.** Se l'avessi saputo prima, ora non mi troverei in questa situazione. - **i.** Se fosse nato nel 1920, quanti anni avrebbe oggi? - **j.** Se potessi, lo farebbe?

IL FAUT

176 **a.** Bisogna arrivare in orario. - **b.** Ci vorrà coraggio. - **c.** Non bisogna crederci. - **d.** Ci vuole un quarto d'ora. - **e.** Ci vogliono venticinque minuti. - **f.** Bisognerebbe conoscere la situazione. - **g.** Ci vogliono due giorni per andarci.

177 **a.** È stato necessario aspettare. - **b.** Ci sono voluti mesi per finire questo lavoro. - **c.** Sarebbe stato necessario sapere il risultato. - **d.** Sai che cosa è stato necessario fare? - **e.** C'è voluta una settimana per ritrovarlo. - **f.** C'era voluta tutta la sua esperienza per superare la prova. - **g.** Era stato necessario ricominciare tutto.

178 **a.** Gli servirebbe una buona lezione. - **b.** Ci serviva una tenda per il campeggio. - **c.** Vi serviranno attrezzi speciali. - **d.** Non ci servono molti soldi. - **e.** Se ti serve qualcosa, dimmelo. - **f.** Ci servivano almeno tre uomini per il trasloco. - **g.** Mi serve il dizionario, me lo passi?

179 **a.** Non bisogna camminare sull'erba. - **b.** Non occorre che tu me lo dica, lo so già. - **c.** Non bisogna fumare negli uffici. - **d.** Non occorre battere

terlo a macchina, accettano questo documento anche manoscritto. - **e.** Non occorre gridare, non sono sordo. - **f.** Abbiamo capito, non occorre ripeterlo. - **g.** Non bisogna credergli, è un bugiardo. - **h.** Non bisogna correre nei corridoi.

IL Y A

180 **a.** Nella camera, ci sono tre letti. - **b.** C'è qualcuno? No, non c'è nessuno. - **c.** Non ci sono motivi per cambiare. - **d.** C'è stata una riunione del parlamento europeo. - **e.** Mi dispiace, il direttore non c'è. - **f.** Ci sono stati alcuni terremoti. - **g.** Non ci sono scuse.

181 **a.** L'ho visto due minuti fa. - **b.** È una settimana che non leggo il giornale. - **c.** È molto tempo che non guardo la televisione. - **d.** Un anno fa, era ancora a Roma. - **e.** Millenni fa, la terra era popolata di dinosauri.

182 **a.** Ci sarebbe questo modulo da compilare. - **b.** Erano anni che non lo vedevo. - **c.** Ci saranno nuove trattative tra i sindacati. - **d.** In caso d'incendio, ci sarebbero stati sicuramente dei feriti. - **e.** Prima della sua partenza, c'era stata una violenta lite tra di loro.

IMPÉRATIF

183 **a.** rispondimi - **b.** pensaci - **c.** diccelo - **d.** mandatele una rosa - **e.** vacci subito - **f.** non ci andare (non andarci) - **g.** lasciamolo - **h.** alziamoci - **i.** non me la dare (non darmela) - **j.** compramene due - **k.** dimmi - **l.** diglielo - **m.** vattene - **n.** se ne vada - **o.** domandateglielo (domandatelo loro).

IMPERSONNELS

184 **a.** È piovuto tutta la notte. - **b.** Oggi fa bel tempo ma fa fresco per la stagione. - **c.** Sono cose che capitano (succedono). - **d.** Queste tagliatelle al salmone mi sono piaciute molto. - **e.** Mi è dispiaciuto di non aver potuto partecipare alla vostra serata. - **f.** Gli è bastata un'ora per arrivare a Pisa. - **g.** È meglio fare uno sforzo. - **h.** Mi è parso stanco. - **i.** Che cosa è successo / accaduto / capitato? - **j.** È fondamentale che capisca la situazione.

IN

185 **a.** Quando si alza va in bagno, poi in cucina a fare colazione. - **b.** Arriva in ufficio verso le nove e va subito nell'ufficio del direttore. - **c.** Cristoforo Colombo ha scoperto l'America nel 1492. - **d.** Durante le loro vacanze in montagna o in campagna vanno spesso in piscina. - **e.** Non sono rimasta tutta la mattina in casa, sono andata in macelleria e in panetteria. - **f.** Abbiamo visto alla televisione un documentario su un viaggio in Perù. - **g.** Ha viaggiato molto in Africa, in India e negli Stati Uniti.

INFINITIF

186 **a.** Nel sentire la mia voce, si è precipitato verso di me. - **b.** Col lavorare a questo ritmo, finirà per ammalarsi. - **c.** Spero di vederlo domani. - **d.** Non ci andare (non andarci), non giocare con il fuoco. - **e.** A parlare troppo, rischi di fare una gaffe. - **f.** È urgente avvertirlo. - **g.** Viaggiare forma i giovani. - **h.** Spera di non trovare traffico andando all'aeroporto.

INSIEME

187 **a.** Ils ont vécu ensemble pendant dix ans. - **b.** Vos cartes postales sont arrivées en même temps que la mienne. - **c.** Les affaires marchent très bien ! En peu de jours nous avons accumulé pas mal d'argent. - **d.** Avec toi, je n'ai peur de rien. - **e.** Il était fatigué et en même temps n'avait pas envie de dormir.

INTERJECTIONS

188 **a.** Dio mio, che avventura! - **b.** Attenti al camion! - **c.** Zitti, bambini! - **d.** Presto, dell'acqua! - **e.** Aiuto! - **f.** Accidenti, ho perso le chiavi! - **g.** Brave! - **h.** Che peccato! - **i.** Ancora un piccolo sforzo, su (dai, forza)! - **j.** In piedi! è ora di alzarsi!

INVARIABLES

189 **a.** Ho spedito due vaglia. - **b.** In tutti i bar italiani, si può bere il cappuccino. - **c.** Uno scontro tra due camion ha fortemente rallentato il traffico sull'autostrada Milano-Genova. - **d.** Ci sono due ipotesi possibili. - **e.** Abbiamo tre serie di modelli. - **f.** Tutte le nazionalità erano rappresentate. - **g.** Nelle grandi città, l'inquinamento crea nuove necessità.

IO et ME

190 **a.** Ha invitato me, non lui. - **b.** Comando io, qui! - **c.** È più vecchio di me. - **d.** Apri, sono io! - **e.** Io non ti capisco. - **f.** Anch'io ti amo. - **g.** Me ne ricordo ancora. - **h.** Chi ha rotto il mio bicchiere? L'ho rotto io, scusami! - **i.** Tra me e te, non c'è una grande differenza d'età. - **j.** Lui vuole uscire ma io no.

-IO (noms en ~)

191 **a.** gli orologi - **b.** i negozi - **c.** gli addii - **d.** i brusii - **e.** i vizi - **f.** gli zii - **g.** le paia - **h.** gli esercizi - **i.** i tabaccai - **j.** i condomini - **k.** i convogli ferroviari - **l.** i vassoi - **m.** gli occhi grigi - **n.** i fogli - **o.** gli scrittoi - **p.** i brontolii.

-ISTA (noms en ~)

192 **a.** il camionista / i camionisti - **b.** l'automobilista / le automobiliste - **c.** il farmacista / i farmacisti - **d.** l'autista / gli autisti - **e.** lo specialista / gli specialisti - **f.** il garagista / i garagisti - **g.** la comunista / le comuniste - **h.** l'arrivista / le arriviste - **i.** l'attivista / gli attivisti - **j.** la pianista / le pianiste - **k.** la musicista / le musiciste - **l.** il macchinista / i macchinisti - **m.** il collezionista / i collezionisti - **n.** il conformista / i conformisti - **o.** l'ottimista / le ottimiste - **p.** il pessimista / i pessimisti.

JOUER

193 **a.** suona - **b.** giocare - **c.** interpreta - **d.** danno - **e.** ha giocato - **f.** recita - **g.** ha avuto un ruolo - **h.** suonava - **i.** ha suonato - **j.** gioca.

JUSQUE

194 **a.** Ha fatto bel tempo fino a ieri. - **b.** Ti apetterò fino alle otto. - **c.** Il mio passaporto è valido fino al 2010. - **d.** Resterò qui finché non se ne sarà andato. - **e.** Insisterò finché non avrò ottenuto una risposta. - **f.** Era rimasto zitto fino a allora (a quel momento). - **g.** Fino all'età di trent'anni ha abitato con i genitori.

MAGARI

195 **a.** Magari vincessi al lotto! - **b.** Adesso fa bel tempo ma magari fra un po' piove. - **c.** Conosci quella bella ragazza? Magari! - **d.** Vorrei regalargli questa cravatta ma magari non gli piacerebbe. - **e.** Fa tante storie e magari non è neanche vero.

MAJUSCULES

196 **a.** Roma è la capitale d'Italia. Vicino a Roma, a Fiumicino, c'è l'aeroporto Leonardo da Vinci. Torino invece è in Piemonte. È la città della FIAT, la grande fabbrica di automobili italiana. Attraversata dal fiume Po, Torino è vicina alle Alpi e alla frontiera francese. - **b.** Mi ha risposto: « Non è inglese, è americana », e con tono sicuro ha aggiunto: « Si sente dall'accento ».

MICA

197 **a.** Non l'hai mica visto? - **b.** Mica male, questo vino! - **c.** Non è mica divertente, credimi! - **d.** Non gli avete mica risposto. - **e.** Non hai mica trovato le mie chiavi. - **f.** Mica brutto, quel quadro! - **g.** Non sono mica io che l'ho fatto. - **h.** Non sarai mica timido? - **i.** Lui l'ha detto, ma io non ci credo mica. - **j.** Ti sbagli, non è mica vecchio! - **k.** Mica scemo, quel ragazzo!

MOLTO

198 **a.** Abbiamo molta voglia di visitare i molti musei di Firenze. - **b.** Molti pensano che sia molto difficile parlare bene molte lingue straniere. - **c.** È molto tempo che ci penso. - **d.** È una situazione molto pericolosa che esige molta attenzione. - **e.** Ha viaggiato molto in molti paesi del mondo.

199 **a.** Sono ragazze molto dinamiche, che lavorano con molta serietà. - **b.** Ieri sera alla festa, abbiamo ballato molto e ci siamo molto divertiti. - **c.** Non era molto soddisfatta dei suoi risultati; molti dei suoi voti erano mediocri. - **d.** Avevamo molta sete e molta fame dopo quattro ore di marcia.

MONTER ET DESCENDRE

200 **a.** Ha portato le bottiglie giù in cantina. - **b.** Il portinaio mi ha portato su la raccomandata. - **c.** Ho abbassato le tapparelle. - **d.** Ogni inverno tiro giù i miei vestiti pesanti dalla parte alta dell'armadio e metto su la roba estiva. - **e.** Porto la pianta su al primo piano. - **f.** Abbiamo portato giù i bagagli con l'ascensore. - **g.** Oggi non si può portare giù la spazzatura perché c'è lo sciopero degli spazzini.

NÉGATION

201 **a.** Hanno solo un bambino. - **b.** Niente panico, la situazione è sotto controllo. - **c.** Non ho visto né Marco né sua sorella a teatro. - **d.** Non potrò mai più guardarlo in faccia. - **e.** Non mi ha neanche rivolto la parola. - **f.** La decisone è stata presa? No, penso di no, non ancora. - **g.** Non è affatto uno scherzo. - **h.** Non c'è nessuna ragione di preoccuparsi. - **i.** Tutti hanno un biglietto? No, lui no e neanche lei. - **j.** Durante la riunione non interviene mai, non fa (altro) che fumare.

NESSUNO

202 **a.** Nessuno dice il contrario. - **b.** La sua partenza non ha stupito nessuno. - **c.** Nessuno di noi sa la risposta. - **d.** Non c'era nessun messaggio sulla segreteria telefonica. - **e.** Non hai nessuna scusa. - **f.** Non lo dire (non dirlo) a nessuno. - **g.** Nessuno sport gli interessa. - **h.** Non ho nessun rimprovero da fargli. - **i.** Nessuno ha visto le mie chiavi? - **j.** Nessun'altra macchina è così comoda. - **k.** C'è nessuno?

NIENTE

203 **a.** Non ho fatto niente (nulla) di male. - **b.** Non ha capito niente (nulla). - **c.** Non c'è più niente (nulla) da fare. - **d.** Non è niente (nulla), non ti preoccupare (non preoccuparti). - **e.** Niente domande, per favore: non posso rispondere. - **f.** Non sei per niente divertente. - **g.** Ti disturbo? Per niente. - **h.** Niente lo fermerà se è veramente deciso. - **i.** Niente storie, Charles, bisogna lavarsi i denti. - **j.** Non abbiamo cambiato niente (nulla) dopo la loro partenza.

NOMS COLLECTIFS

204 **a.** I frutti del pero non sono ancora maturi, sono costretta a comprare la frutta al mercato. - **b.** Non c'era molta gente, forse dieci persone. - **c.** Ha preso la sua roba e tutte le cose di cui aveva bisogno prima di partire. - **d.** Ho comprato un sacco di legna. - **e.** Ho condito la pasta con il sugo di pomodoro. - **f.** Ho solo spiccioli nel portafoglio. - **g.** Per l'occasione ha usato i suoi bei piatti di Limoges.

NOMS COMPOSÉS

205 **a.** i paralumi - **b.** i capoclasse - **c.** gli apribottiglie - **d.** i saliscendi - **e.** le cassapanche - **f.** agrodolci - **g.** le banconote - **h.** le caposala - **i.** i capistazione - **j.** grigioverdi - **k.** i senzatetto - **l.** le casseforti - **m.** i taglialegna - **n.** i doposcuola - **o.** chiaroscuri.

NUMÉRAUX

206 **a.** I risultati del secondo anno sono deludenti. - **b.** Luisa, trentenne, residente a Parigi,

desidererebbe conoscere uomo (massimo quarantenne) per formare la più bella coppia del mondo. - **c.** Vado alla biennale di Venezia ma potrò restare solo un paio di giorni. - **d.** Vorrei una doppia porzione di dolce. - **e.** Il biennio del liceo classico è chiamato anche ginnasio. **207** **a.** L'incontro è giudicato importante da entrambi i sindacati. - **b.** Durante il ventennio fascista in Italia molti intellettuali hanno lasciato il paese. - **c.** *La Divina Commedia* è un poema in terzine di endecasillabi. - **d.** Lavorano in coppia da un paio d'anni. - **e.** Ragioniere quarantenne, esperienza ventennale, cerca impiego. - **f.** Nel mondo, centinaia di migliaia di uomini e donne vivono al di sotto della soglia di povertà.

OBLIGATION

208 **a.** Le tasse devono essere pagate entro il 15 settembre / Le tasse sono da pagare / Bisogna pagare le tasse / Occorre pagare le tasse / È necessario pagare le tasse / Le tasse si devono pagare. - **b.** Bisognava modificare il programma / Occorreva modificare / Il programma andava modificato / Il programma era da modificare / Il programma doveva essere modificato / Si doveva modificare il programma. - **c.** Penso che la situazione attuale vada analizzata seriamente / la situazione debba essere analizzata / si debba analizzare la situazione / sia necessario analizzare la situazione / occorra analizzare la situazione. - **d.** Occorrerebbe prendere provvedimenti urgenti / Si dovrebbero prendere provvedimenti / Sarebbe necessario prendere provvedimenti / provvedimenti sarebbero da prendere / provvedimenti andrebbero presi / provvedimenti dovrebbero essere presi. - **e.** Alla fine del corso bisognerà fare un test di controllo / Si dovrà fare un test / Sarà necessario fare un test / Un test sarà da fare / Un test dovrà essere fatto / Un test andrà fatto. - **f.** Non sapevo che la domanda fosse da presentare oggi stesso / si dovesse presentare la domanda / la domanda dovesse essere presentata / fosse necessario presentare la domanda / bisognasse presentare la domanda.

OGNI

209 **a.** Si sbaglia ogni volta. - **b.** Ogni volta che posso vado a teatro. - **c.** In ogni caso è inutile chiamarlo adesso. - **d.** Ogni problema ha una soluzione. - **e.** Ha rimesso ogni cosa al suo posto. - **f.** La mia lezione di chitarra è ogni due settimane. - **g.** Sa rispondere a ogni sua domanda. - **h.** Questo festival si svolge ogni due anni. - **i.** Ogni lettera di candidatura avrà una risposta. - **j.** Ci vado ogni anno in vacanza.

OGNUNO

210 **a.** L'ispettore aveva chiamato i sospetti uno dopo l'altro e aveva fatto ad ognuno (a ciascuno) la stessa domanda. - **b.** Le sue figlie hanno ereditato una collana di perle ciascuna (ognuna). -

c. Ognuno (ciascuno) deve essere libero di seguire la strada che si è scelto. - **d.** Il professore aveva distribuito ad ognuno (a ciascuno) dei suoi allievi un breve testo da tradurre. - **e.** Ognuno (ciscuno) di voi deciderà secondo la propria coscienza. - **f.** Ognuna di loro aveva ricevuto un regalo. - **g.** Ciascun participante può vincere. - **h.** Ciascuna vostra idea / Ciascuna delle vostre idee sarà presa in considerazione.

ON

211 **a.** In Brasile si parla portoghese. - **b.** A scuola si studia troppo poco l'italiano. - **c.** Con un po' di buona volontà si risolvono tutti i problemi. - **d.** Non si ride delle disgrazie altrui. - **e.** Dal rifugio non si vedeva la cima del Monte Bianco. - **f.** Per calcolare l'importo netto si deducono le spese. - **g.** Con questo programma automatizzato, si verifica l'ortografia di un testo. - **h.** In Italia si parlano molti dialetti diversi. - **i.** Con questo metodo si preserva lo strato d'ozono. - **j.** La spia si accende quando si inserisce l'allarme.
212 **a.** Al servizio militare ci si svegliava all'alba. - **b.** Quando ci si diverte non si vede passare il tempo. - **c.** Ci si rovina la salute fumando come fai tu. - **d.** Non ci si riposa bene in una cuccetta ferroviaria. - **e.** Ci si prepara all'esame seguendo corsi per corrispondenza.
213 **a.** Lo si dice quando non se ne può più. - **b.** Questa galleria mi fa paura perché non se ne vede la fine. - **c.** Non ho voglia di vedere questo film anche se se ne dicono meraviglie. - **d.** Prima di comprare qualcosa se ne chiede il prezzo. - **e.** Conosco il problema, se ne parla anche a casa mia.
214 **a.** Quando si è stanchi, si dorme bene. - **b.** Quando si è malati, bisogna curarsi bene. - **c.** Fare questi esercizi è facile ... quando si è italiani! - **d.** Quando si è francesi, si hanno forse più problemi per farli bene... - **e.** Quando si è arrivati alla fine senza errori, si è bravi.
215 **a.** Mi hanno detto che sei occupatissimo. - **b.** In albergo gli hanno chiesto un documento. - **c.** Ci hanno parlato di questo film. - **d.** Vi hanno dato i biglieti? - **e.** mi avevano avvisato. - **f.** Mi hanno spiegato tutto. - **g.** Mi hanno aiutato a scaricare la macchina.
216 **a.** Quando uno è stanco non lavora bene. - **b.** Se uno si diverte non andrebbe mai a dormire. - **c.** Quando uno parte per un viaggio lungo prepara le valigie con cura. - **d.** Uno si rovina la salute fumando. - **e.** Quando uno beve troppo in genere si sente male. - **f.** Se uno è freddoloso si deve coprire bene. - **g.** Quando uno ha un figlio, ha anche molte nuove responsabilità.

OÙ

217 **a.** All'ora in cui arriverà non troverà nessuno in ufficio. - **b.** Era l'anno in cui siamo andati in Irlanda. - **c.** « Va dove ti porta il cuore » è stato un best seller di Susanna Tamaro. - **d** Il giorno in cui Valeria è nata c'era lo sciopero generale dei mezzi pubblici. - **e.** Dove hai posteggiato la macchina? - **f.** (d)ovunque tu sia, pensami! - **g.** Di dove sono e da dove arrivano? - **h.** Non so da dove parte il suo treno.

PARTICIPE PASSÉ

218 **a.** Mia madre si è fatta fare un tailleur blu. - **b.** Si è detta che era inutile. - **c.** Si sono chiesti perché lei non arrivasse. - **d.** Ero occupata e non sono potuta arrivare in orario. - **e.** Arrivata alla stazione, ha dovuto aspettare a lungo. - **f.** Si sono fatti portare il menù. - **g.** Ci siamo detti tutto.

PARTICIPES PASSÉS IRRÉGULIERS

219 **a.** speso - introdotto - imposto - sottratto - insistito - scelto - pianto - espresso - percorso.
b. smesso - letto - assistito - acceso - svenuto - offerto - corrisposto - vissuto - sospeso.
220 **a.** commosso - disperso - confuso - supposto - sciolto - tradotto - esposto - assistito - tinto.
b. diretto - raccolto - sceso - diffuso - trascorso - discusso - scoperto - riso - compresso.
221 **a.** Gli avvocati hanno introdotto nuove clausole al contratto. - **b.** La riunione è stata sospesa per un'ora. - **c.** L'azienda che ha diretto per anni ha vissuto un periodo di crisi. - **d.** Ho rotto il vaso cinese che avevo vinto alla lotteria. - **e.** Che cosa è successo ieri? Niente, non mi sono mosso di casa. - **f.** Ha esposto in una galleria i quadri che aveva dipinto. - **g.** Ha scelto una giacca in vetrina e se l'è messa subito dopo essersi tolto la sua. - **h.** La polizia ha disperso i manifestanti. - **i.** Ciò che ha ucciso la vittima è il veleno che l'assassino aveva sciolto nel caffè. - **j.** Non abbiamo ancora risolto il problema di cui abbiamo discusso ieri.

PARTICIPE PRÉSENT

222 **a.** I documenti riguardanti il suo divorzio sono in questa pratica. - **b.** Le difficoltà derivanti dal suo stato di salute sono state prese in considerazione. - **c.** La lettera contenente il suo assegno non è mai arrivata. - **d.** Ecco i nomi delle persone partecipanti al concorso. - **e.** Le fatture precedenti il primo agosto 1995 erano al tasso del 18,60% di IVA.
223 **a.** Le persone che si presenteranno a nome del giornale avranno uno sconto del 10%. - **b.** Hanno bisogno di un commerciale che parli perfettamente italiano. - **c.** Ha ricevuto una pubblicità che propone viaggi a prezzi molto convenienti. - **d.** La strada che va da Bolgheri a San Guido è fiancheggiata da cipressi. - **e.** Questa formula a domicilio è studiata per le persone che dispongono di poco tempo o che non possono muoversi.

PARTITIF

224 **a.** Non ha fatto errori nel dettato. - **b.** Abbiamo comprato la carne e il vino. - **c.** Ha contatti con (delle) persone influenti. - **d.** Non porta gli occhiali. - **e.** Ha versato un po' d'acqua in un bicchiere. - **f.** Gli piace ascoltare musiche e canti popolari. - **g.** A colazione mangiamo pane e marmellata.

225 **a.** In seguito all'esplosione ci sono stati (dei) morti e (dei) feriti tra gli operai del cantiere. - **b.** Mentre il professore parlava lei prendeva appunti. - **c.** Stasera a cena ho fatto il risotto allo zafferano. - **d.** L'ha aiutato con (dei) consigli e (degli) incoraggiamenti. - **e.** Questo dottore non riceve pazienti senza appuntamento. - **f.** Preferisce (del) vino rosso o (del) vino bianco, Signora? - **g.** Quest'uomo ha subito gravi ingiustizie.

PASSÉ PROCHE

226 **a.** Un caffè? No, grazie, ne ho appena bevuto uno. - **b.** Si erano appena conosciuti. - **c.** Era appena nato. - **d.** Si era appena iscritta a un soggiorno linguistico in Italia. - **e.** Il pacchetto che aspettava, l'ha appena ricevuto. - **f.** Si sono appena sposati.

227 **a.** Hanno appena avuto un bambino. - **b.** Avevano appena aperto un ristorante. - **c.** Mi dispiace, il direttore è appena uscito. - **d.** Sono appena tornato a casa. - **e.** Avevo appena chiuso la porta quando ho sentito il telefono suonare.

PASSIF

228 **a.** vanno presentati - **b.** sono rimasti sorpresi - **c.** verranno spedite - **d.** sono andati distrutti - **e.** andrebbe provata - **f.** non si è capito - **g.** veniva chiamata - **h.** andrà scritta - **i.** vengono rifatti - **j.** è rimasta - **k.** vengono - **l.** non si è sentito.

PER

229 **a.** Mi ha parlato per ore e ore. - **b.** Stava per confessare il suo delitto. - **c.** Abbiamo spedito la traduzione per posta. - **d.** I bambini correvano per le scale. - **e.** L'ho incontrato per caso. - **f.** È partito per Roma dove dovrebbe rimanere per due settimane. - **g.** Ci ha comunicato i risultati per telefono e per fortuna erano buoni. - **h.** Teneva il bambino per mano. - **i.** Passeggiavano per la città. - **j.** Sono partiti per la campagna in macchina.

PHRASES SIMPLES

230 **a.** No, non ne parla mai. - **b.** No, non studia più. - **c.** No, non è ancora partita. - **d.** No, non ho ancora mangiato. - **e.** Sì, ne sono molto contento. - **f.** No, non è molto caro. - **g.** Sì, è abbastanza timido.

PIÙ DI / PIÙ CHE

231 **a.** Abbiamo meritato le vacanze più di loro. - **b.** Ha lavorato più dell'anno scorso. - **c.** Sono più che persuasa dell'importanza di quest'iniziativa. - **d.** Guadagna meno di me ma è più giovane. - **e.** È in forma più che mai. - **f.** Erano più che entusiasti di quel progetto. - **g.** Se n'è andato da più di mezz'ora. - **h.** Guadagna meno di quanto non spenda. - **i.** In genere è meno disponibile di noi. - **j.** Ha meno problemi di prima.

PLURIELS IRRÉGULIERS

232 **a.** gli dei greci - **b.** le dita delle mani - **c.** gli uomini preistorici - **d.** le paia di scarpe - **e.** le centinaia di persone - **f.** le braccia rotte - **g.** le lenzuola dei letti - **h.** le ossa umane - **i.** i membri di una setta - **j.** le uova sode - **k.** le armi automatiche - **l.** le labbra sottili.

233 **a.** Ha bellissime mani con dita lunghe e affusolate. - **b.** Mick Jagger, il cantante dei Rolling Stones, era famoso a causa delle sue labbra carnose. - **c.** Dopo l'intervento della polizia i malviventi avevano dovuto gettare le armi. - **d.** Gli ultimi soldati avevano alzato le braccia per arrendersi. - **e.** Le ali dell'albatro hanno ispirato a Baudelaire una celebre poesia. - **f.** Migliaia di persone hanno assistito al concerto. - **g.** Ha messo le lenzuola pulite nel letto.

POLITESSE

234 **a.** Come sta, Dottore? - **b.** È sicuro di questo, Avvocato? - **c.** La Sua proposta ci ha convinto. - **d.** Signora Direttrice, il Suo taxi è arrivato. - **e.** La mia segretaria Le ha spedito il Suo dossier? - **f.** Ho intenzione di invitarLa a cena, se Lei accetta. - **g.** Con questo sciroppo Lei si addormenterà senza problemi.

235 **a.** La ringrazio molto dei Suoi saggi consigli. - **b.** Non posso dirLe ora se partirò con Lei o no. - **c.** Le posso offrire qualcosa da bere? - **d.** La passo a prendere alle 5? - **e.** L'ho vista in centro con Sua moglie. - **f.** Si ricorderà di telefonare all'avvocato? - **g.** Mi ha dato il Suo numero di telefono? - **h.** Sono già arrivati i Suoi genitori? - **i.** L'ho aspettata mezz'ora, poi Sua moglie mi ha avvertito che Lei aveva avuto un contrattempo. - **j.** Le lascio qui i dati e La richiamo domani per avere i risultati.

POSSESSIFS

236 **a.** Ha ripreso una mia idea. - **b.** L'editore ha accettato alcuni miei manoscritti (qualche mio manoscritto). - **c.** A quella festa ho incontrato molti miei amici. - **d.** Secondo me è tornato a casa sua. - **e.** Non piangere bambino mio - **f.** ognuno deve avere il coraggio delle proprie opinioni. - **g.** È colpa tua, non mia - **h.** Il punto di vista altrui (degli altri) a volte è importante. - **i.** Marco, il tuo è un ragionamento assurdo. - **j.** A causa tua sono arrivato in ritardo all'appuntamento.

POSTPOSITION DU SUJET

237 **a.** Les temps ont changé. - **b.** Nos amis sont arrivés. - **c.** Soudain le brouillard est tombé. - **d.** Les membres du conseil d'administration ont été élus hier. - **e.** Ce sont les Égyptiens qui l'ont inventé. - **f.** Si tu ne peux pas, c'est moi qui y vais. - **g.** Ils ne se préoccupent de rien, eux ! - **h.** À un moment donné, le bus est arrivé et tout le monde est monté. - **i.** Ce sont surtout les quartiers du centre qui ont subi d'importants dégâts mais les quartiers périphériques ont été également touchés.

POURCENTAGES

238 **a.** il dodici per cento - il diciotto virgola sessanta per cento - il diciannove virgola venti per cento - l'otto virgola cinque per cento - il cinquantun per cento - il cento per cento - il settantaquattro per cento - l'ottanta per cento - il novantanove virgola due per cento.
b. un terzo - un quarto - tre quinti - sette ottavi - nove decimi - un centesimo - un sesto.
239 **a.** Ho avuto uno sconto del 10%. - **b.** Il 90% delle persone interrogate ha risposto di sì. - **c.** L'IVA era passata dal 18,60% al 20,60% nel 1995. - **d.** Questa somma rappresenta il 50% del totale lordo. - **e.** Il sondaggio ha mostrato che il 60% dei giovani interrogati era contrario alla riforma. - **f.** La produzione è aumentata del 2%. - **g.** L'indice della Borsa è calato dello 0,8%.
240 **a.** Due più due uguale quattro. - **b.** Tre per tre uguale nove. - **c.** Cento diviso dieci uguale dieci. - **d.** Diciotto meno sette uguale undici.

PRÉFIXES

241 **a.** antipatico - **b.** disonesto - **c.** irreale - **d.** immaturo - **e.** improbabile - **f.** imbevibile - **g.** infedele - **h.** scoretto - **i.** disadatto, inadatto - **j.** irresponsabile - **k.** illeso - **l.** slegare - **m.** impreciso - **n.** insicuro - **o.** irregolare - **p.** disgustoso - **q.** spiacevole - **r.** indipendente - **s.** inattivo - **t.** disobbedire - **u.** sfavorire - **v.** illecito - **w.** scomodo - **x.** scortese - **y.** disillusione.

PRÈS DE

242 **a.** Era rimasto vicino (accanto) a lei per incoraggiarla. - **b.** Vorrei mettere questo mobile vicino (accanto) alla finestra. - **c.** Era quasi mezzanotte quando sono tornati a casa. - **d.** Abitiamo in una cittadina vicino a Parigi (nei pressi di Parigi). - **e.** Hanno affittato una casa vicino al mare. - **f.** Hanno aumentato le vendite del 10% circa. - **g.** Era vicino alla soluzione dell'enigma ma qualcosa gli sfuggiva ancora.

PRONOMINAUX

243 **a.** Non si sentiva bene e infatti si è ammalata. - **b.** La neve si è sciolta al sole. - **c.** Non si era mosso. - **d.** Non si sono degnati di presentarsi. - **e.** Mi congratulo con te per il successo del tuo progetto. - **f.** Mi sono messo il grembiule per lavare i piatti. - **g.** Le cose sono notevolmente migliorate. - **h.** I malviventi sono evasi dal carcere di Marsiglia. - **i.** Che cosa è successo? è svenuta! - **j.** Mentre passeggiavamo abbiamo litigato.

PRONOMS GROUPÉS

244 **a.** Se vuoi andare in spiaggia ti ci accompagno in macchina. - **b.** Non se ne ricorda più, eppure gliene ho parlato diverse volte. - **c.** Chi ha accompagnato i bambini a scuola? Ce li ho accompagnati io. - **d.** Quante rose ti ha mandato? Me ne ha mandato un bel mazzo. - **e.** Quando gli si parla di politica se ne va. - **f.** Vieni in questo bar, ci ritroviamo qui tutte le sere. - **g.** gliene parlerò, di questa storia e esigerò che se ne occupino. - **h.** Tutti sanno che in Italia la pasta, (la) si mangia al dente. - **i.** Ve ne siete accorti solo oggi mentre sono mesi che cerco di farvelo capire. - **j.** Signora, il mio era un caso spinoso ma Lei se n'è occupata benissimo e gliene sono grato.

QUALCHE

245 **a.** alcune cartoline - **b.** alcune macchie sono rimaste - **c.** alcuni critici, alcuni altri - **d.** alcuni giornali inglesi - **e.** alcuni mesi fa - **f.** alcune obiezioni - **g.** alcune sue vecchie canzoni - **h.** alcune monete - **i.** alcuni problemi - **j.** alcuni convogli umanitari sono riusciti.

QUALCUNO

246 **a.** Qualcuno ha creduto di riconoscere in lui il ladro segnalato dalla polizia. - **b.** Dopo qualche minuto si è resa conto che il suo interlocutore la prendeva per qualcun'altra. - **c.** Sono ancora in contatto con qualcuno dei miei compagni di liceo. - **d.** Conosco qualcuno che lavora in tribunale. - **e.** Mi ha proposto dei francobolli antichi e ne ho trovato qualcuno che mi interessava. - **f.** Mi piacerebbe conoscere qualcuna delle tue amiche. - **g.** Tra i cappotti che ho visto ce n'era qualcuno che mi piaceva ma non ho saputo decidermi.

QUALSIASI

247 **a.** È a suo agio in qualsiasi (qualunque) situazione. - **b.** Non accetterebbe qualsiasi (qualunque) condizione per avere quel posto. - **c.** Quell'uomo era stato privato di qualsiasi (qualunque) diritto sui suoi bambini. - **d.** Per fare scorrere la lista sullo schermo premete un tasto qualsiasi (qualunque) della tastiera. - **e.** Potremmo fissare un appuntamento un qualsiasi (qualunque) lunedì del mese prossimo e in qualsiasi (qualunque) momento della giornata. - **f.** Qualsiasi (qualunque) cosa facciate non riuscirete a convincerlo. - **g.** Qualsiasi (qualunque) cosa succeda sarò qui per aiutarvi. - **h.** Si può comprare questa medicina senza ricetta in qualsiasi (qualunque) farmacia della città. - **i.** Prendi una carta qualsiasi (qualunque) nel mazzo.

QUANTITÉ

248 **a.** C'erano molti bambini. - **b.** Quante camere hai prenotato? - **c.** All'ultimo momento sono sorte alcune difficoltà (è sorta qualche difficoltà). - **d.** Molte (diverse, parecchie) persone hanno telefonato. - **e.** Ha poche possibilità di successo. - **f.** Ha troppe occupazioni per un solo uomo. - **g.** Hanno ricevuto diverse proposte di viaggio.
249 **a.** Certi impiegati hanno fatto sciopero. - **b.** Di situazioni come questa ne ho vista una sola. -

c. Quanto vino ha comprato? ne ha comprato(e) due bottiglie. - **d.** Quest'azienda avrà una trentina di impiegati. - **e.** Un migliaio di studenti ha (hanno) partecipato al meeting per la pace. - **f.** vorrei spendere d'affitto sugli 800 euro al massimo. - **g.** Alcuni collaboratori ci hanno fatto notare che abbiamo troppe spese per diverse (varie) ragioni.

QUANTO

250 a. Quanto tempo resterai a Bologna? - **b.** quanto le devo signora? - **c.** Quanti dollari avete cambiato in banca? - **d.** Quanta confusione. - **e.** Gli ho portato quanto mi aveva chiesto. - **f.** È più generosa di quanto tu non pensi. - **g.** Per quanto io ne sappia ha cambiato indirizzo. - **h.** Per quanto abbia fatto del suo meglio, non è stata selezionata. - **i.** Ha un carattere tanto allegro quanto entusiasta. - **j.** Quante storie per così poco.

QUEL

251 a. Che orrore! - **b.** Che maniere! - **c.** Che treno prendi? - **d.** Quali sono i vantaggi di questo metodo? - **e.** Qualunque sia la sua decisione bisogna accettarla! - **f.** Questo bambino è tale quale me l'ero immaginato. - **g.** Qual è la sua vera identità? - **h.** Che disordine! - **i.** Che peccato che non sia venuta! - **j.** Non posso lasciare questi testi tali e quali.

QUI

252 a. Da chi sei andato a cena? - **b.** È un attore che mi piace molto. - **c.** La ragazza a cui ho prestato la macchina è mia cognata. - **d.** Dimmi quello che è successo. - **e.** Con chi vieni? - **f.** Sono amici con cui passo spesso le vacanze. - **g.** Non so con chi esca tutte le sere. - **h.** È un bambino difficile che ha bisogno di essere aiutato. - **i.** Chi vivrà, vedrà. - **j.** Non mi piacciono quelli che credono sempre di sapere tutto.

RELATIFS

253 a. le cui - **b.** i cui - **c.** la cui - **d.** dal cui - **e.** al cui.
254 a. Dante Alighieri, la cui opera maggiore è la Divina Commedia, è nato a Firenze nel 1265. - **b.** Quest'articolo, il cui prezzo è scritto sull'etichetta esiste in vari colori. - **c.** I Promessi Sposi, la cui prima versione si intitolava Fermo e Lucia, è un romanzo storico di A. Manzoni. - **d.** La celebre banca, il cui fallimento ha fatto scandalo ha finalmente cambiato gestione. - **e.** Le sigarette, il cui prezzo è ancora aumentato, rappresentano ormai un prodotto di lusso. - **f.** Non è ancora arrivato, il che mi stupisce, perché è molto puntuale, di solito. - **g.** Questo è quanto io ho di più prezioso.

SI et SE

255 a. si / si - **b.** se - **c.** se - **d.** si - **e.** si - **f.** se - **g.** se - **h.** si / se - **i.** si / se - **j.** si / se.
256 a. Se ne ricorda ancora. - **b.** Come si sente,

signora? - **c.** Se vai in farmacia, comprami dell'aspirina. - **d.** Se si trova in difficoltà, mi può chiamare. - **e.** Se ne vanno sempre alle otto. - **f.** Si mette gli occhiali per guidare. - **g.** Se la prende sempre con lui.

SOPRA et SOTTO

257 a. L'enorme lampadario era appeso sopra la tavola. - **b.** Quell'uomo era al di sopra di ogni sospetto. - **c.** Aveva messo la chiave sotto il tappeto. - **d.** I vicini di sopra fanno troppo rumore. - **e.** Sotto di noi si apriva un impressionante precipizio. - **f.** Il loro progetto non è andato in porto. Ormai ci hanno messo una croce sopra. - **g.** Il paese è a settecento metri sopra il livello del mare. - **h.** Quest'anno, la moda impone gonne sopra il ginocchio. - **i.** Il film Sotto il sole di Satana è stato premiato.

STARE

258 a. Nous n'y entrons pas tous, il n'y a pas assez de place. - **b.** On lui a déjà proposé un accord mais il n'a pas accepté. - **c.** Ce n'est pas à moi de te dire ce que tu dois faire. - **d.** Finalement, tu es arrivé ! J'allais partir / J'étais sur le point de m'en aller. - **e.** D'après la météo, il devrait faire beau. - **f.** Il faut jouer le jeu et continuer. - **g.** J'espère que vous allez tous bien. - **h.** La solution consiste à contourner l'obstacle.
259 a. Sto parlando con Marco. - **b.** Stando ai sondaggi, la destra starebbe vincendo le elezioni. - **c.** Vieni in macchina con noi: una persona ci sta ancora. - **d.** La difficoltà sta nel superare le prime prove. - **e.** Sta al governo proporre una legge adatta. - **f.** Quando sono ritornato a casa, i miei genitori stavano già cenando. - **g.** Stavano vincendo (stavano per vincere) la partita quando all'ultimo minuto l'arbitro ha fischiato un rigore.

STESSO

260 a. Non abbiamo le stesse idee politiche. - **b.** Abbiamo la tua stessa età. - **c.** Lavorano nello stesso posto. - **d.** Mi ha avvertito il giorno stesso che annullava l'appuntamento. - **e.** È sempre la stessa storia. - **f.** È lo stesso problema. - **g.** Isabella non ha vinto ma per lei è (fa) lo stesso.
261 a. Cela leur était égal. - **b.** Tu renonces ou tu le fais quand même ? - **c.** Tu es vraiment dans la même situation que moi. - **d.** Tu te rends compte toi-même que ce n'est pas possible. - **e.** Nous n'avons pas parlé avec la même personne. - **f.** Je suis du même avis que toi. - **g.** Au moment où j'arrivais, il s'en allait.

SU

262 a. È un uomo sui trent'anni. - **b.** È salito sull'aereo. - **c.** Questa notizia è stata pubblicata sul giornale della sera. - **d.** Si basa troppo su di te e sui suoi collaboratori. - **e.** Questo quadro varrà sui diecimila franchi. - **f.** La macchina su cui ho viaggiato non era comoda per niente. - **g.** Si è steso sul divano per fare un pisolino.

SUBJONCTIF

263 **a.** tu vada - **b.** non abbiano - **c.** prenotaste - **d.** non arrivino - **e.** ci sia - **f.** avesse accettato - **g.** si siano separati - **h.** io avessi vinto - **i.** lui esca - **j.** caschi.

264 **a.** Credevo che fosse tornato a casa. - **b.** Pare che vogliano comprare una casa. - **c.** Suppongo che si sia sposato e che abbia avuto dei bambini. - **d.** Spero che tu faccia buon viaggio. - **e.** Ritengo che abbiate il diritto di rispondere. - **f.** Trovavo che fosse una situazione impossibile. - **g.** Era l'unico amico che avessi.

SUBJONCTIF IMPARFAIT

265 **a.** Desidererei che tu mi rispondessi velocemente. - **b.** Credeva che tu andassi a Venezia. - **c.** Ci ha guardato come se non ci avesse mai visto. - **d.** Magari potessi realizzare il mio sogno. - **e.** Non sapevo se quello che si diceva fosse vero. - **f.** Se tu prendessi l'aereo perderesti meno tempo. - **g.** Qualunque cosa dicesse lei lo guardava con ammirazione. - **h.** Si chiedeva come ciò fosse potuto succedere (accadere). - **i.** Se te l'avessi detto non mi avresti creduto. - **j.** Avrebbero preferito che la riunione fosse rimandata. - **k.** Era l'unico che potesse aiutarmi. - **l.** Aspettavo che mi telefonasse.

SUFFIXES

266 **a.** un bicchierino - **b.** un piattino - **c.** una forchettina - **d.** un bottoncino - **e.** un leoncino - **f.** un camioncino - **g.** un gattino - **h.** una scarpina - **i.** un paio di calzoncini - **j.** una macchinina.

267 **a.** degli occhioni - **b.** un ragazzone - **c.** un bicchierone - **d.** un piattone - **e.** un pentolone - **f.** un capannone - **g.** un seggiolone - **h.** un camicione - **i.** un giaccone - **j.** un salone.

268 **a.** una parolaccia - **b.** una rispostaccia - **c.** un ragazzaccio - **d.** una donnaccia - **e.** un votaccio - **f.** una linguaccia - **g.** un periodaccio - **h.** un colpaccio - **i.** un gattaccio - **j.** un fattaccio.

269 **a.** Li conosco: sono ragazzacci, ladruncoli che vivacchiano rubacchiando nei supermercati. - **b.** Il neonato sgambettava mentre sua madre lo cambiava canticchiando. - **c.** Scribacchia tutt'il giorno le sue poesiole: è veramente un poetastro. - **d.** Il fuoco rossastro scoppiettava nel camino. - **e.** Passava le giornate a girellare nel parco fischiettando.

SUPERLATIFS

270 **a.** È un monumento antichissimo dell'epoca romana. - **b.** Il suo nome è arcinoto nel nostro paese. - **c.** L'autobus era pieno zeppo all'ora di punta. - **d.** Suo marito era tornato a casa stanco morto dopo una giornata sovraccarica di lavoro. - **e.** Ha voluto strafare ed è rimasto deluso. - **f.** La sua tuta era letteralmente sporca lurida. - **g.** C'era una volta una casa piccola piccola in un paese piccolo piccolo con un giardino piccolo piccolo.

TALE

271 **a.** In tali circostanze è preferibile negoziare. - **b.** Ho avuto una tale paura che non potevo neanche muovermi. - **c.** Il piccolo Stefano è tale quale suo nonno. - **d.** Ricordati che devi telefonare a quel tale dell'assicurazione prima di mezzogiorno. - **e.** Potete sempre dire che non siete potuti andare all'appuntamento per l'arrivo inopportuno della signora tal dei tali. - **f.** Si aspettava una risposta negativa, in tal caso aveva deciso di andarsene per sempre.

TRA et FRA

272 **a.** Ho trovato un fiore tra (fra) due pagine di questo libro. - **b.** È stato scelto tra (fra) una decina di candidati. - **c.** Tra (fra) un anno avrà terminato l'università. - **d.** È arrivato tra (fra) i primi. - **e.** Tra (fra) Roma e Firenze ci sono 4 ore circa di treno. - **f.** Sarò pronta tra (fra) un attimo. - **g.** Tra (fra) di voi c'è qualcuno che possa aiutarmi?

TUTTO

273 **a.** Ho finito tutto prima delle cinque. - **b.** Il bambino è tornato a casa tutto sporco. - **c.** Non è necessario dirlo a tutti. - **d.** Michelangelo Buonarroti è conosciuto in tutto il mondo. - **e.** Dante e Petrarca erano tutti e due di Firenze. - **f.** tutti hanno capito le sue ragioni. - **g.** Ha [...] tutta la notte. - **h.** Lo incontro tutti i gio[...] tutta fiera / fierissima del suo nuovo c[...] **j.** Non tutti i gatti sono grigi. - **k.** No[...] quale delle due macchine scegliere: mi piac[...] tutte e due.

UNO

274 **a.** Paolo Conte è uno dei cantanti italiani che preferisco. - **b.** Gli uni e gli altri erano d'accordo per continuare la discussione fino a sera. - **c.** Sono scesi dal pullman ad uno ad uno. - **d.** A Perugia uno studente francese ha comprato una grande quantità di libri a 10 euro l'uno. - **e.** I miei due bambini vorrebbero avere una camera per uno - **f.** Il cinema è ottimo quando uno ha voglia di distrarsi. - **g.** Ho chiesto l'ora a uno che passava. - **h.** Ha due sorelle, una è bionda e l'altra castana ma l'una e l'altra sono altissime. - **i.** Queste casse sono state controllate una per una in dogana.

VENIR DE

275 **a.** Si sono appena sposati. - **b.** Viene da Roma. - **c.** In questa fotografia Maria era appena nata. - **d.** Abbiamo appena inviato il nostro curriculum vitae alla direzione del personale di quella ditta. - **e.** Sono appena arrivato. - **f.** Questi studenti vengono da un'altra regione francese. - **g.** Il nuovo presidente è appena stato eletto.

VENIRE

276 **a.** viene - **b.** viene praticato - **c.** venute meno - **d.** venga avanti - **e.** mi viene da piangere - **f.** verranno rimborsati - **g.** veniva rivenduta.

VERBES en
-DURRE, -PORRE, -TRARRE

277 **a.** Ho proposto una soluzione. - **b.** Questa ditta produceva motori. - **c.** Deducendo le spese, disponete ancora di un buon margine. - **d.** Suppongo che l'abbia tradotto ieri. - **e.** Ne deduco che non ha sottoposto il suo progetto all'approvazione del consiglio di amministrazione. - **f.** Ne ha tratto numerosi vantaggi. - **g.** Siccome la riunione si protraeva troppo, ho proposto una pausa per il pranzo. - **h.** Questo film racconta la storia di una ragazza sedotta e abbandonata. - **i.** Disponendo di più tempo, lo farei.

VERBES IDIOMATIQUES

278 **a.** Te la sei passata, vero? - **b.** Mi piacerebbe sapere perché ce l'hai con me. - **c.** Se la sono cavata con una grossa paura. - **d.** Smettetela / finitela / piantatela di fare rumore. - **e.** Vorrei correre veloce come te ma alla mia età non ce la faccio più. - **f.** Ce l'hanno messa tutta per essere selezionate. - **g.** Non me la sento di dirglielo. - **h.** Se la prende troppo.

VERBES SERVILES

279 **a.** Hanno dovuto separasi (si sono dovuti separare). - **b.** Abbiamo dovuto adattarci alla situazione (ci siamo dovuti adattare). - **c.** Non ha voluto vestirsi di bianco (non si è voluta vestire). - **d.** Non avrei dovuto fidarmi di loro (non mi sarei dovuto fidare). - **e.** Non hanno potuto incontrarsi (non si sono potuti incontrare). - **f.** Ha dovuto prepararsi in fretta e furia (si è dovuto preparare). - **g.** Avresti potuto sbagliarti (ti saresti potuto sbagliare). - **h.** Non ha saputo decidersi (non si è saputa decidere). - **i.** Avrebbe voluto divertirsi tutta la notte (si sarebbe voluta divertire). - **j.** Hanno dovuto vedersi di nascosto (si sono dovuti vedere).

280 **a.** Abbiamo voluto festeggiare la sua partenza. - **b.** Non sono potuti uscire prima. - **c.** Era dovuta tornare l'indomani. - **d.** Saresti potuto cadere! - **e.** Volevo intervenire ma non ho potuto. - **f.** Non è voluta andare in macchina con loro. - **g.** Avrebbero dovuto cenare prima di partire. - **h.** Avreste potuto essere più pazienti.

Y

281 **a.** Non ci ho riflettuto. - **b.** Ci ritorno ogni anno in vacanza. - **c.** Ci si incontra (vi si incontra) parecchia gente. - **d.** Ci accompagna dalla nonna e ci lascia lì durante la mattinata. - **e.** Sono sicura che ci riuscirai. - **f.** Attenti alla mia macchina! ci tengo moltissimo. - **g.** Vuol far credere che se ne intende, ma non è vero. - **h.** Non bisogna più pensarci. - **i.** Prendete queste buste e incollateci sopra i francobolli. - **j.** Non andarci martedì: i musei sono chiusi.

Index

Nota bene : Les numéros indiqués renvoient aux numéros de paragraphes.

Couverture : **Grégoire Bourdin**

Maquette intérieure : **Béatrice Basteau • Isabelle Josselin**

Édition : **Meriem Varone**

Collaboration éditoriale : **Constanze Lebreton**

Fabrication : **Jacques Lannoy**

N° project : 10124825 - TC - Juillet 2005
Imprimé en Italie par G. Canale & C. S.p.A. - Borgaro T.se - Turin